D1379257

LE PARADIS PERDU

DU MÊME AUTEUR

Essais

LES FOUS DU LARZAC, les Presses d'Aujourd'hui, 1975.
L'HOMME AUX SEMELLES DE VENT, Grasset, 1977.
JOURNAL DU ROMANTISME, Skira, 1981.

Enquêtes

OCCITANIE : VOLEM VIURE!, Gallimard, 1974.
HOMME D'OC (en collaboration avec Claude Marti), Stock, 1975.
LA RÉVOLTE DU MIDI, les Presses d'Aujourd'hui, 1976.

MICHEL LE BRIS

LE PARADIS PERDU

BERNARD GRASSET
PARIS

Pour Maurice,
qui ne me lira pas.

Pour Elia,
Christophe et Sébastien.

« Nous nous trouvons à une époque cruciale, tout fermente, l'esprit a fait un bond, il s'est dégagé de sa forme précédente et prend une figure nouvelle. Tout l'ensemble des représentations antérieures, des concepts, tous les liens qui assemblent le monde sont dissous et s'effondrent, pareils à un songe. Un nouveau surgissement de l'esprit se prépare. »

HEGEL, 1806.

This is the end,
Beautiful friend,
The end,
My only friend,
The end...

Voix suicidée de Jim Morrison, lent travelling sur un paysage de plages, de palmiers et de lianes, engourdi encore dans la miraculeuse transparence de la lumière, que rythme, seule, la musique des Doors, et puis, soudain, pourpre, orange, mauve, superbe comme les fumées d'un gigantesque light show *psychédélique, avec la violence et la brièveté d'un orgasme, l'embrasement du napalm : image clouée vive dans la mémoire des masques de notre mort, jouissance jusqu'à l'insupportable,* Apocalypse Now, *au bout de nos démences, comme l'opéra-rock du temps des égarés, une incantation, ou un appel, la sublime danse de mort des anges de la nuit, venus célébrer, sur la scène du monde, dans le triomphe, enfin, de leur chaos, les noces cruelles du sexe et de la technologie, du* rythm and blues *et de la guerre : un monde s'abîme dans un vertige de folie et de sang, un autre peut-être naîtra, que nous ne savons pas, nous errons sans mémoire à la surface des choses, quand la violence hurle autour de nous, en nous — et l'angoisse, comme la fascination, tient sans doute à ce que nous la pressentons à la fois totalitaire et fondatrice.*

« Debout sur le flanc de la colline, j'eus le pressentiment que, sous l'aveuglant soleil de ce pays, j'allais apprendre à connaître le démon flasque, hypocrite, aux regards évasifs, le démon d'une folie rapace et sans merci » — pataugeant dans la boue tiède des marais de la jungle philippine à la tête d'une armée d'acteurs et de réfugiés, de

jeeps et de caméras, de bateaux et d'hélicoptères, titubant sous les assauts des typhons, fascinée par l'horreur qu'elle mime chaque jour, décimée par la maladie, partie déjà à la dérive, tel un vaisseau fantôme couvert de lichens et de mousses qui s'engloutirait dans la moiteur étouffante de la jungle, Francis Coppola, venu réaliser un simple film de guerre, rencontre le démon du héros de Conrad : la figure obsédante de Kurtz, bourreau illuminé, roi barbare tapi au cœur d'un labyrinthe de marécages, vers la source du fleuve, dans la pénombre d'une cathédrale végétale, temple d'Angkor hérissé de têtes coupées, parmi ses victimes qui l'adorent comme leur dieu, son démon — notre double. Fantastique télescopage des perspectives, quand la fiction informe, transfigure, révèle *le réel : en cette chambre obscure, par-delà nos prétextes, en deçà de tout contexte, où s'écrit silencieusement le texte de notre Histoire; en ce lieu où se jouent nos goûts et nos dégoûts, se tisse notre présence au monde, se structure notre regard; au carrefour de nos cauchemars — ou bien étaient-ce nos rêves, nos espérances gravées sur le mur gris des heures? —, dans l'épreuve d'un face à face, à la rencontre du Convive de Pierre, quelque chose, brutalement, explose : ce visage excorié, lacéré, creusé, rongé d'écume, les yeux hagards, exorbités, ouverts sur les cieux vides, dérivant dans les eaux grasses du fleuve, rien que la vérité, peut-être, de nos fictions, la mort rêvant au long de l'aventure occidentale, la mort errant sur les plaines dévastées de notre culture — notre visage, aussi...*

Les Vietnamiens mitraillés sur le fleuve par la patrouille américaine, arrosés de sang, courant parmi les palmiers en feu, sont des boat people *tout juste rescapés, recrutés dans un camp de Manille; les hélicoptères prêtés par l'armée, entre deux « effets spéciaux » au napalm, quittent les lieux du tournage pour combattre à la roquette les maquisards musulmans dans les « zones libérées », à trois cents kilomètres plus au sud; Coppola-Willard s'entoure de conseillers militaires, bien évidemment vétérans du Vietnam, et c'est une véritable guerre, bientôt, contre les éléments, la végétation proliférante, et l'intime folie de chacun, que mène son armée. La jungle, étouffante, moite, menaçante, s'anime, où rôdent d'étranges rumeurs, tandis que s'éveille lentement au fond des âmes la tentation du meurtre, pour devenir le décor fabuleux d'un immense spectacle pop où se croisent, hagards, au sens strict possédés, fantômes d'un Occident malade, tous clivages estompés, hippies fumeurs de hasch, rockers guerriers,* bunnies *court-vêtues, fans des hit-parades, gauchistes militants, culturistes bronzés, et c'est comme si la* pop music *trouvait là, plus qu'un décor, son lieu, sa nature, les forces qui sourdement la travaillent. Au plus fort d'une attaque, un réalisateur TV hurle aux Viets suppliciés, comme aux marines lanceurs de flammes, de ne pas regarder la caméra, la guerre se fait le plus excitant des spectacles, et le spectacle guerre, au point que la fiction montrée bientôt se confond avec l'expérience même du tournage, comme si, au détour du fleuve, parvenu à un point de non-retour, quelque chose, insensiblement, se déréglait, la guerre prenait possession de ses acteurs et le film alors commençait à se faire par lui-même...*

La crise cardiaque de Martin Sheen interrompt le tournage pendant deux mois, un typhon emporte les décors, Coppola, égaré dans les proliférations de ses fictions, réécrit le scénario jour et nuit pour tenter de trouver un sens encore à cette folie de mort, à ce chaos qui semble se jouer à travers lui, la saison des pluies précipite la débâcle, son armée se désagrège, le bateau de Willard, que des Ifugaos pillards bientôt prendront pour cible, s'enfonce dans la jungle, sur les eaux glauques des fleuves imaginés, où se croisent les ombres des bateaux naufragés, le vaisseau de Rimbaud, l'épave cancéreuse qui hanta Bertolt Brecht, aux poutres rongées de coquillages, couvertes de vomissures, de crachats de soleil, de fientes et de sanies, ce radeau dont les pêcheurs sur la rive à mi-voix murmuraient qu'il s'en allait

> *plein d'algues et d'eau et de lune et de mort,*
> *lourd et muet, tout droit vers le ciel qui pâlit*

et qu'habitèrent peut-être les hommes de Cortés, jusqu'à ce que la forêt les encercle, un soir de lune rouge, les retienne captifs dans une prison de branches, peu à peu les digère, radeau fantôme, remontant le fleuve Amazone vers quelque Eldorado sans doute, épave déjà prise dans les lianes, au carrefour de la cruauté, de l'épouvante et de la nostalgie, retournée au végétal, envahie par les singes, et que parcourt Aguirre, seul, ivre de mort, la folie hurlant au fond de ses yeux pâles ouverts sur la forêt impénétrable, tout à la fascination de son pouvoir, hanté par la rêverie immense d'une histoire mise en scène comme on compose un opéra, Aguirre qui titube parmi les cadavres empoisonnés de ses soldats, tenant sa fille criblée de flèches dans ses bras — là-bas, au bout du fleuve, Kurtz-la-Mort, « celui dont l'âme est devenue folle », attend le messager qui le délivrera.

Mais tandis que Willard s'enfonce dans la jungle, la jungle le pénètre, le révèle à lui-même et nous pénètre tous. Coppola décrit son équipe lancée dans une exploration, comme Stanley à la recherche de Livingstone, mais il s'agit ici de l'âme perdue et des visages de la mort : « Tel Willard perdu dans quelque jungle reculée, je remontais le cours d'une rivière en espérant trouver une réponse à mes questions et une catharsis pour mes angoisses. » Vietnam spirituel : parvenu au terme de ce pèlerinage de l'épouvante, il se sera transformé, au sens strict, à l'image de Kurtz, ce sont sa folie sanglante et son propre visage qui lui font alors face, c'est l'épreuve de sa mort qu'il devra traverser pour une chance de renaître.

Apocalypse, *donc, au double sens de destruction et de révélation : un monde s'effondre lorsque les partages qui prétendaient lui donner sens se révèlent illusoires, lorsque, sans plus de masque, nous devons affronter la vérité de nos visages — ce film sans aucun plan documentaire, dont chaque séquence se veut lyrique, qui peu à peu dérive en quête spirituelle, jusqu'à un point où nous ne sommes plus au Vietnam, ni d'ailleurs dans aucun lieu réel, mais plutôt vers ce « remuant foyer », en chacun, « auquel ne touchent pas les formes », cet opéra démentiel, pour la première fois peut-être, nous dit du Vietnam, et du Vietnam en nous, bruits, images, sons, splendeur des eaux claires et des ventres éclatés, quelque chose d'essentiel. L'Histoire nous délivre de la terreur de la Nature, assuraient les progressistes; dans un retour à la Nature se joue la promesse d'une délivrance du cauchemar de l'Histoire, répliquaient les nostalgiques; par le serment donné, prêchait le militant, l'Homme se libère de ses nuits intérieures, de l'inquiétante étrangeté, en lui, des puissances du fantasme, pour renaître trempé comme le fer d'une épée dans la Raison commune; ces hommes d'acier résonnent comme des armures vides, ricanaient les « désirants » : ah! briser la gangue des idéologies pour courir, libre enfin, sur les plaines du monde, dans l'expansion sans limites de son désir! Vietnam de l'Esprit, quand s'effondrent un monde, et les mots qui nous étaient repères : lorsque Willard, le porteur d'Histoire justicier, rencontre Kurtz, le soldat assassin devenu l'esprit même de la jungle, ce sont du même coup l'idéologie et le fantasme, la terreur de la Nature et la terreur de l'Histoire, qui s'éprouvent liés, comme les deux faces d'une même lame, sans nulle issue possible, la guerre n'est pas simplement une catastrophe extérieure que nous subissons dans l'effroi et l'horreur, mais se noue d'abord à un désir de guerre, en chacun, que ressassent, fascinées, entretiennent et enchantent toutes nos esthétiques — comme si notre culture était, de part en part, une culture de mort.*

Naguère la mer était en marche. Les prairies appelaient.
Comme une fourrure le sommeil surplombait le sang fané —
Les animaux nous ont dénoncés à Dieu.
Cousez les paupières, sucez le crâne,
Tranchez-vous le cou d'un coup de rasoir... et enfoncez là-dedans
Un bouquet... Pensez avec les fesses... O rêve :
Multicolore, sauvage, sauvé en profondeur,
Rentré dans la moelle.

Le scalpel de Gottfried Benn taille à vif dans nos rêves, toutes les images de l'art moderne, les foules hallucinées traversant les campagnes vers les villes rouges et noires d'Emile Verhaeren, les barques pourries d'Ensor, dans les Flandres grises et lasses, ses portraits en cadavre, quand les chairs s'effilochent, l'ombre inquiétante de Wedekind, le cannibale dompteur du « cabaret des onze bourreaux », les morgues d'Apollinaire, de Stadler, de Benn, de Trakl, où une vie mauvaise semble nouer une sourde complicité avec les tumeurs, les ulcères, les cancers qui ravagent les cadavres, les canaux qui charrient, dans les rêves de Brecht, des Ophélie-charognes où se nichent les rats, ici, se télescopent pour s'inscrire enfin dans la chair vive du monde, comme si nos imaginaires n'avaient jamais fait que mimer, pressentir, prépenser la terreur de l'Histoire...

Séduction de la guerre, des pénombres, jubilation bientôt de proclamer une culture de mort : « Je vous envie, je vous envie, obus dansants et fous!... Que ne suis-je vous, l'un de vous! Oh! qu'il doit être bon de faire sauter ainsi les innombrables éclats de son corps métallique dans les yeux, dans le nez, dans le ventre épouvantablement ouvert de ses ennemis! » rêve Marinetti, le fondateur du futurisme, fasciné par « l'éternelle vitesse omniprésente », les « vibrations nocturnes des arsenaux », les « ressacs multicolores et polyphoniques des révolutions dans les capitales modernes », pressé d'abolir la « douleur, la morale, la bonté, le sentiment, l'amour, seuls poisons corrosifs de l'inexorable énergie vitale, seuls interrupteurs de notre puissante électricité physiologique », pour remplacer enfin la « psychologie de l'Homme, désormais épuisée », par l' « obsession lyrique de la Matière ». Une nouvelle ère commence, crie-t-on de toute part, porteuse d'extases métaphysiques, d'orgies existentielles, de délires érotiques jusque-là inconnus, comme si la machine pouvait multiplier jusqu'à l'infini le désir qui l'avait suscitée — la machine, c'est-à-dire la guerre, la « seule hygiène au monde ». Alors une automobile rugissante « qui a l'air de courir sur de la mitraille » sera dite « plus belle que la Victoire de Samothrace », *la mitrailleuse décrite « comme une femme élégante et fatale portant dans sa bouche la plus folle et la plus passionnée fleur du monde, l'orchidée blanche de sa flamme véhémente », et le fils de Mussolini pourra comparer les bombes larguées par son avion à des fleurs qui s'ouvrent...*

Inquiétantes complicités entre les totalitarismes et les avant-gardes, qui déterminent encore pour l'essentiel nos goûts et nos dégoûts : esthétisme de la mort, volonté froide d'une extermination du Sens et de l'Homme par soumission aux flux du Devenir, dissolution dans les champs d'intensité, objectivation à travers le lyrisme de la matière — après tout, ce programme reste encore celui de la modernité. Et quelle liberté, pour tous les dandys de l'Apocalypse, d'ainsi appeler, dans le vertige encore de se risquer au bord des gouffres, un temps de grand carnage, de meurtre, d'incendie, pour en finir avec le Vieux Monde, et leur ennui! « Venez donc, les bons incendiaires aux doigts brûlés! » suppliaient les futuristes, et tant d'autres après eux, révoltés par la civilisation, qui se voulaient barbares : « Les voici! Les voici! Et boutez donc le feu aux rayons des bibliothèques! Détournez les cours des canaux pour inonder les caveaux des musées! L'Homme, complètement avarié par la bibliothèque et les musées, n'a absolument plus d'intérêt. » Ils sont venus, bien sûr, ces hommes-machines traversés par le lyrisme de la mort, ils viennent toujours quand on les appelle, ils n'en finissent pas de venir, et nous savons mieux le prix à payer : Gottfried Benn se retrouve nazi, Marinetti, devenu l'idéologue du fascisme dès 1919, n'en est pas moins invité par le Proletkult de Turin en 1922 et toujours reconnu par Gramsci pour un révolutionnaire, — jusqu'à Freud, qui voit en Mussolini le « sauveur de la culture »! Un jour, sans doute, nous lirons tous ces textes, liés, avec ceux de Mussolini, de Lénine, de Hitler, comme les manifestes du siècle de l'Homme assassiné.

« L'aliénation de l'humanité a atteint un tel degré qu'elle peut aujourd'hui expérimenter sa propre destruction comme un plaisir esthétique de premier ordre », notait Walter Benjamin, qui voyait dans cette rencontre de l'idéologie et de l'esthétique, dans cette jouissance éprouvée face à la mort, le signe même du fascisme. Du fascisme seulement? Dans les orages de Vernet et les incendies d'Hubert Robert, dans les tourbillons et les cataclysmes de l' « art-catastrophe » de Loutherbourg, Haydon, Danby, Turner, Martin, dans ces falaises de vertige clouées sur le ciel pour le naufrage des espérances, dans cette surenchère presque démentielle

*dans l'horrible qui occupe tout l'espace d'un XIX*ᵉ *fasciné par le mal, en écho au rire satanique de Byron, dans les cavales épouvantées de Füssli, ses femelles perverses courant sous les lunes pâles, un poignard à la main, et le tourment, toujours, de ses corps inapaisés, dans les effrois gothiques d'Ann Radcliffe ou de Beckford, dans les charognes guillotinées de Géricault et les corps suppliciés de Delacroix, s'obstine déjà une fureur, nouée à la Raison et à la Nature, qui lie impérieusement la liberté à la Terreur et trouve dans le meurtre la jouissance suprême — un mauvais rêve, donc, qui hante l'Occident depuis déjà longtemps, accompagne sa course, peut-être fatalement la dévie. J'ai écrit ce livre, aussi, comme on remonte un fleuve, à la recherche de sa source, pour la chance, enfin, d'une délivrance.*

Ils errent, dans un interminable crépuscule de l'Histoire, sur la mer de Chine, dans le golfe de Siam, entre communisme et Occident, repoussés par les gardes-côtes de Malaisie ou de Thaïlande, au risque des naufrages, de la mousson, de la faim, tirés à vue souvent, lorsqu'ils se croyaient sauvés, rendus à leurs bourreaux ou livrés aux pirates, qui les pillent, les violent et les éventrent parfois, en riant, à la recherche de leur or. « On ne jette pas ses ordures dans le jardin du voisin », proteste le ministre de l'Intérieur malais — sur la plage à la mode de Pattaya, en Thaïlande, où se prélassent dans un luxe insolent Américains et Japonais, viennent s'échouer presque chaque matin des cadavres gonflés d'eau, sans plus de visages ni d'entrailles, rongés par les crabes : les déchets, aussi, de notre Histoire. Koh Kong, Ban Sangae, Chaom Ksan, Phnom Chat, Ban Nong Samet, Nong Mak Moun, Ban Ta Luan, et tant d'autres encore, noms enfoncés dans nos têtes comme des échardes, zones fantômes barbelées entre deux mondes, où s'entassent les rebuts de nos rêves et de nos combats — ils errent, et ce sont des continents, en nous, qui partent à la dérive, pour nous laisser hagards, vides de pensées, sans plus de mots ni de repères. « J'étais vraiment comme l'Amérique au Vietnam, déclare Francis Coppola. Nous avions dépassé le budget et nous étions en plein chaos. » Rien que cela, la crise : nous avons tous, dans cette affaire, dépassé notre budget...

Ici, dans cette banlieue frileuse, presque oubliée du monde, toute à ses nombrilismes butés, un corps politique somnambule se fragmente, s'atomise, dans un curieux mélange d'indifférence et d'exaspération, tandis que le corps social, lentement, se défait. Une crise politique? Infiniment plus grave : une crise du *politique — l'épreuve même du vide.*

Bataillons exsangues, épuisés avant même de combattre, ramassés comme jamais sur leurs égoïsmes, guerroyant cyniquement devant des spectateurs désorientés, amers, indifférents : jamais ils n'auront paru aussi semblables, ces partis, qu'à l'extrême de leurs divisions. Ce qui les unit est précisément ce qui les divise : comme un brouillard qui se dissiperait, et voilà nos hommes politiques pris dans les forces centrifuges d'un tourbillon incontrôlable — la fringale de pouvoir atomise ceux qu'elle rassemblait jusqu'alors. Regardez-les tous : à peine font-ils encore semblant de porter un projet de société, une espérance collective. Le pouvoir, pour quoi faire? Posez la question, c'est la classe politique tout entière qui se met à tousser. « Quand il existe un tel écart entre ce que l'on dit et ce que l'on fait, que peut-il en résulter d'autre que le vide? » s'interrogeait déjà Pierre Viansson-Ponté en 1977 : « A droite, le vide. Au centre, le vide. A gauche, le vide. » Voilà bien la crise du politique : l'incapacité manifeste de maintenir le tissu social par le simple jeu des institutions, de susciter une « volonté générale », de produire de l' « être-ensemble ». Ainsi, sous nos yeux, une société s'effiloche, pan après pan se désagrège, bateau fantôme déjà égaré dans la brume, ballotté au gré des vents et des courants : le ciment qui, tant bien que mal, liait ensemble les êtres, voilà qu'il file aujourd'hui comme sable entre nos doigts et personne, semble-t-il, n'y peut rien, parce que cela d'abord s'est déchiré en nous, vidé tout doucement, jusqu'à ce que nous nous retrouvions séparés de nous-même...

Dans la pensée : le vide. Des vieillards titubant sur les décombres de leurs rêves radotent leurs états d'âme. Les plus jeunes monnaient leur « dissidence interne » — en France! et au PC! Après tout, pourquoi pas? S'il est des imbéciles à n'avoir pas compris! Une épave, jadis échouée sur les sables de la Sud-Amérique, à grand-peine renflouée, prétend aujourd'hui nous faire la leçon; il en est, paraît-il, qui, à l'entendre encore, n'éclatent pas de rire. D'autres, enfin, se pâment d'avoir trouvé en France, qui sur les chaînes de montage, qui au supermarché, nos Goulags intérieurs. Un bateau pour Longwy, et non pour le Vietnam! Laissons là ces cadavres... Le temps, lentement, bascule, nous tâtonnons dans les ténèbres, tout à l'excitation et à l'angoisse mêlées de pressentir un Nouveau Monde, mais notre liberté nouvelle se paie d'une désorientation : si le débat d'idées prend parfois l'allure d'une crise nerveuse prolongée, cela tient probablement à ce que nous l'éprouvons totalement vain, ayant, sur le damier de la pensée, déjà joué tous les coups, pour les découvrir, en fin de compte, équivalents, sans nulle issue possible : pas un des grands absolus de la pensée de gauche, en effet, qui n'ait été, ces dix dernières années, exploré — et ruiné. Ainsi la crise des idéologies se compense-t-elle par un surinvestissement du fantasmatique; mais nous savons déjà que nous ne nous sauverons de la destruction par le fantasme qu'en rejouant, d'une manière ou d'une autre, ce « serment des Horaces » par lequel la Terreur commune — l'idéologie — est supposée nous délivrer des terreurs de nos nuits intérieures — que nous propose d'autre, au fond, la « nouvelle droite » ? Ainsi nous ne nous sauvons du cauchemar de l'Histoire que pour nous précipiter dans celui de la Nature; ainsi rejouons-nous à l'infini les jeux désespérants de l'Être et du Devenir, du Même et de l'Autre, comme si nous n'avions plus d'autre choix que celui du monde accepté ou de l'Homme assassiné.

C'est à travers l'épreuve du face à face entre Kurtz et Willard, pourtant, dans l'énigmatique liaison de la liberté et de la Terreur qu'il nous faut penser le Nouveau Monde, et non en ressassant frileusement vœux pieux sur le bon sens et l'esprit de mesure, ou banalités sur la « tolérance », tous ces clichés d'un Siècle des Lumières qui n'avait pas encore vécu l'épreuve de sa Terreur, si nous ne voulons pas recommencer sans cesse le voyage au bout de l'épouvante — déjà, au nom de l'efficacité, l'on prétend opposer à l' « utopie » des droits de l'homme le « réalisme » de la raison politique, et au principe même de la liberté les exigences de la sécurité. A quoi bon, en effet, penser l'état de droit, si l'on met au préalable entre parenthèses l'esprit de révolte ? Et de quel intérêt une pensée de la révolte qui refuserait la nécessité de la Loi ? Ces parties-là ont été jouées depuis longtemps, dans leurs moindres variantes — les enjeux sont ailleurs. Oui, certes, disait Lamennais, « deux doctrines, deux systèmes se disputent aujourd'hui l'empire du monde, la doctrine de la liberté et la doctrine de l'absolutisme; le système qui donne à la société le droit pour fondement et celui qui la livre à la force brutale » — mais que serait le droit sans un juge accepté au-dessus des parties ? « Les gouvernements et les peuples, établis dans une sorte d'état de guerre, parce que le pouvoir sans contrepoids tend au despotisme, et l'obéissance sans sécurité à la rébellion, ont été contraints de se demander des garanties mutuelles et de rechercher leur sûreté dans des pactes illusoires, attendu que les infractions n'ont d'autres juges que les parties elles-mêmes. » Il nous faut donc supposer un « foyer de sens », extérieur au champ *social, et par rapport à lui transcendant, pour que celui-ci puisse se déployer, se penser, et agir sur lui-même, autrement que par la guerre civile : « La supposition d'une société civile préexistante à la société spirituelle est contradictoire en soi, et se résout rigoureusement dans la domination matérielle de la force physique. [...] Jamais on ne constituera de société seulement avec des hommes : il faut que l'Homme soit d'abord en société avec Dieu pour pouvoir entrer en société avec ses semblables. » Ne crions pas trop vite, arrivés à ce point, qu'il s'agit bien là de la pire sujétion, que de se donner ainsi un maître d'essence supérieure : car il se pourrait bien que ce « Dieu » soit une fiction, par laquelle l'Homme, précisément, désigne une dimension en lui, qui, parce qu'elle transcende le social-historique, seule pourrait lui donner sens. Ici, nous touchons peut-être au point même où la crise se noue. Ici, véritablement, commence la pensée.*

La gauche est morte. Cela ne fit, à l'époque, pas grand bruit : comme une vapeur légère qui dissolvait le net contour des choses, pénétrait les recoins de la conscience, rongeait nos espérances, un moindre goût d'agir, les jours qui se faisaient moroses, une tendresse plus rare, et puis, un matin, nos yeux se sont ouverts comme au sortir d'un rêve, l'avenir était vide et nous avions changé — la gauche était morte. Bien sûr, à force de lassitude ou d'exaspération de l'électorat, l'un quelconque des partis qui s'en réclament encore peut, aujourd'hui ou demain, triompher, ce n'est pas le problème : la gauche est morte dans son principe. Lorsque nous nous disions autrefois « de gauche », cela tenait de l'évidence et dépassait infiniment la référence à un parti ou un programme de gouvernement : une manière d'être, une certaine idée, obscure sans doute, toujours implicite, mais têtue, de ses rapports aux autres et au monde, une capacité d'indignation, le refus de la « paix intérieure », une espérance qui donnait son sens à l'action — et c'est bien cette espérance qui, aujourd'hui, n'est plus.

La gauche est morte, paradoxalement, de la mort du gauchisme : qu'était-il en effet, celui-là, dans sa multiplicité et ses outrances, sinon le mouvement d'un retour en deçà de ce qui semblait toujours condamner la gauche à la sclérose, sinon à la Terreur, vers son principe transcendant — ou plutôt les différentes formulations qui en étaient jusque-là données? Dix années, donc, à peine pour que ces formulations se trouvent, par lui, tour à tour, systématiquement épuisées : de là cette formidable puissance d'ébranlement sur l'époque quand l'Histoire, autour de nous, commença à se retourner en cauchemar — nous savions désormais, de connaissance éprouvée, que cette épouvante n'était pas accroc ou accident, fâcheuse déviation, mais se nouait au principe lui-même. A peine la gauche politique eut-elle le temps de se féliciter de cette mort du gauchisme, d'imaginer qu'ainsi elle avait surmonté l'épreuve de 68, laminé ou récupéré ses encombrants « contestataires », qu'elle réalisait, stupéfaite, qu'elle était morte, du même coup, en lui : sans plus de référence possible, désormais, à ces principes auxquels, sans doute, elle ne croyait plus guère, mais qui lui étaient comme son mythe fondateur, elle n'était plus qu'un agrégat de partis semblables aux autres : la gauche n'était plus, parce que n'était plus l'espérance.

On peut s'en réjouir, et les belles âmes n'y manquent pas : ainsi nous en avons fini, ricanent les sceptiques, avec une « illusion lyrique » des plus coûteuses — mais c'est le lyrisme, évidemment, c'est-à-dire aussi l'art, c'est-à-dire, liées, les puissances de création et de rébellion des hommes, que l'on entend dénoncer comme illusoire par ceux-là mêmes qui, du temps de leur splendeur militante, en étaient déjà les plus furieux ennemis. Rien de bien nouveau, on le voit, en fait de « révisions déchirantes ». Ecoutez-les attentivement, ces arrogants crétins qui, aujourd'hui, s'en prennent, à grands éclats de rire, au « besoin de croire », source de tous nos maux! Ce qu'ils condamnent, bien sûr, sous le prétexte de « critique » n'est rien d'autre que l'action, en tant que celle-ci, mettant nécessairement sa fin dans un futur, postule une espérance.

On peut s'en accommoder, évidemment, mais moins bien qu'on ne le dit. Car il n'en reste pas moins que cela se révolte et que chaque révolte nous met en demeure de nous déterminer, au moins moralement, parce qu'elle signifie que la communauté humaine n'est pas réalisée dans tel état social donné — et prenons garde alors que la démocratie ne résulte pas de la dictature d'une « volonté générale », mais se définit précisément par l'institution de cette espérance en une communauté humaine possible qui ne se peut point concevoir sans légitimation de la rébellion des exclus. Mais prenons garde surtout que l'état de société résulte d'un lien noué entre les êtres hors du champ politique, faute de quoi celui-ci se retrouve sans efficace propre, en sorte que cette espérance en une communauté éthique des hommes, qui fut le principe de la gauche, ce désir d'un « être-ensemble », est le ciment nécessaire de toute démocratie, sans laquelle la droite elle-même ne pourrait gouverner — à preuve les temps présents. Ce n'est pas un hasard, mais l'expression d'une nécessité, si, depuis la Résistance, l'ensemble des idées, des représentations, des valeurs qui constituaient le discours obligé de la gauche sur les fins dernières de la société est devenu en quelque sorte le programme commun de la classe politique : la mort de la gauche met en crise la société elle-même, parce que, au-delà du politique, c'est l' « être-ensemble », la substance même du lien social, qui s'en trouve affecté.

On peut alors, multipliant les solitudes, sous le prétexte de réalisme, tenter d'élaborer, pour la « droite », une idéologie nouvelle.

On peut faire aussi le pari, sur les décombres de la « modernité » et contre l'air du temps, de réinventer l'espérance...

Mais où le point d'ancrage, où le levier, pour basculer ce vieux monde qui nous pèse ? Le chant profond des transistors, la danse de séduction des microprocesseurs nous seront sur ce plan de piètre utilité : en nous est le chemin, si notre aventure à un sens, et nulle part ailleurs, en nous, dans la simple épreuve du regard échangé. Car la démocratie n'est pas seulement une forme d'administration du pouvoir politique, mais une manière d'être avec Autrui — tout se joue d'abord dans l'épreuve du face à face, dans ce qui constitue cette personne qui me fait face en un visage.

Le seul point d'ancrage accepté en ce livre : toi, donc, qui me fais face. Et si, dans le regard échangé, ne se délivrent pas d'un seul mouvement la Parole et la Loi, la rébellion et l' « être-ensemble », si, à partir de ce moment inaugural, ne se peut pas construire un Nouveau Monde, alors, oui, véritablement, l'époque peut être dite fermée à l'espérance...

« L'enfer, c'est les autres » : il semble bien que la modernité ait conjugué sur tous les tons cette apostrophe fameuse, jusqu'à en faire la pierre de touche de toute pensée possible. Contre tout ce qui nous constitue donc en « modernité », retrouver, hors des sentiers obligés de la Nature et de l'Histoire, le visage d'Autrui, voilà probablement la clé du Nouveau Monde — et peut-être alors, découvrant le piège où l'espérance des hommes se prit, commencerons-nous à délivrer l'Occident de son cauchemar, pour la chance d'une renaissance.

Mais de cela peut-être, malgré les mots qui nous quadrillaient l'âme, en Mai 68, avons-nous pressenti quelque chose...

PS : *La reconquête du sens des mots est aussi un enjeu. Il sera beaucoup question, dans ce qui suit, du* symbole. *Pour prévenir des quiproquos fâcheux, je précise donc que je n'utilise pas ce mot dans son acception habituelle, qui le fait confondre avec l'*allégorie, *non plus d'ailleurs que dans le « double sens » sur lequel joue à l'infini la psychanalyse, notamment lacanienne. Par* symbole, *j'entends un signe qui serait* de lui-même *figure, signe « intransitif », en somme, signe ultime, opérateur de la compréhension,* épiphanie, *inscription d'un infini dans le fini. A ceux qui s'étonneraient, songeant que cela ne se peut point concevoir, je demanderais simplement en ouverture à ce livre, et comme en guise de préparation psychologique — sinon spirituelle ! —, de songer à ce que sont donc, pour qui se refuse au jeu du bourreau, le surgissement d'un visage humain, l'épreuve d'un regard, sinon la manifestation dans mon univers d'un « autre monde », par rapport à lui transcendant.*

Enfin, à l'intention de ceux que les mots par trop effraient : il sera, aussi, parfois question de « Dieu ». Non que je veuille troquer de supposés habits de militant pour la robe de bure des nouveaux missionnaires : nulle trace ici, du moins je l'espère !, de bigoterie, de soumission à quelque Eglise, ou de reconnaissance des pouvoirs de ce vieillard à grande barbe trônant dans le ciel qui fit autrefois les cauchemars des libres penseurs — il s'agit, bien évidemment, ainsi que l'entendait le philosophe persan Ibn Arabi, « d'une désignation pour celui qui comprend l'allusion », très exactement d'une fiction. *Reste simplement à retrouver, et c'est tout le mouvement du livre, le sens perdu, les puissances oubliées de la fiction. Là peut-être commencent les surprises...*

1

AU COMMENCEMENT ÉTAIT LA NOSTALGIE...

Aux fleuves de Babel, là nous étions assis et nous pleurions, nous souvenant de Sion. Aux saules du rivage nous suspendîmes nos harpes. Car là nos ravisseurs nous demandaient des chants, nos oppresseurs de l'allégresse :
— Chantez-nous un des chants de Sion!
— Comment chanterions-nous le chant du Seigneur en terre étrangère ?

Ancien Testament, psaume CXXXVII.

La fièvre de l'or

Nous avions rêvé — et le songe fut si fort que l'Histoire tressaillit — l'impensable : qu'il nous fallait, pour vivre, briser le cours du siècle et ses philosophies. Ah! ce fut une grande valse, alors, et nos maîtres penseurs en gardent des frissons, que la tempête échouât sur le sable, telles des épaves!

Nous avions rêvé la fin du Grand Anthropophage, sachant trop que là où il commence finit l'Homme. Et qui contestera qu'il trembla, celui-là, certains soirs? Il tremble encore, parfois, d'y repenser : il n'avait jamais su qu'il était si mortel... Il a pris sa revanche, bien sûr, ou tenté de le faire. Mais, cannibale, je parle encore, et tant d'autres : tu ne nous as pas mangés!

Nous avions pensé à la racine de notre mort, notre vie : en finir avec cette machine qui distribue les rôles et les pouvoirs, qui fabrique le cerveau de quelques-uns avec l'asservissement du plus grand nombre. Contre ce qui sépare intellectuels et manuels, nous voulions une conspiration des égaux. 68, une seconde — mais que nous importe ici le temps? —, fut cela. Nous avions rêvé, en somme, qu'il était possible de penser, laissant loin derrière nous les singes ricaneurs de la répétition du même.

Avant... Ah! nous étions terribles : *le Capital* à l'endroit puis à l'envers, les œuvres complètes de Lénine, Staline, Mao, et puis Nietzsche, Freud, Lacan et tous les autres, en rangs serrés, d'Héraclite à Hegel, de Saussure à Chomsky — j'en oublie. Je crois bien, singes à notre tour, que nous les aurions tous récités de mémoire. Il ne nous manquait plus que d'avoir épuisé notre jeunesse pour, ayant fait le tour des choses, ne croyant plus à rien, être prêts pour la toge...

Et puis, il y eut Mai 68, et nous dansâmes.

En ce mois de printemps, il y eut comme une déchirure dans la trame du monde, une interruption dans le commerce des choses, un instant d'éternité. Un éclair, et puis le reste, qui retomba dans le temps, les « événements », comme on dit, l'Histoire connue, celle qui fait les monuments et les anniversaires, mots muets d'être trop rabâchés — notre mort. De ce mois de mai-là, j'ai perdu toute mémoire. Mais cet instant de feu, que peut-être je rêve, je crois qu'il brûle encore...

D'abord, ce fut un sourire : le sien, le tien, le nôtre. Quelque chose d'infiniment doux et tendre, comme si la coquille du monde, enfin, s'était ouverte pour libérer le lait de la vraie vie, que nous bûmes ensemble. Et l'espérance, d'un coup, redevenait possible.

Il y eut comme cela quelques jours hors le temps, d'une transparence des âmes, dans le bonheur très simple de se toucher, de se parler, de se voir. Comme si chacun, enfin, se réconciliait. Il y eut des océans de paroles et des tempêtes de chants, il y eut des AG folles qui n'en finissaient pas, et ceux-là qui n'osaient même plus se parler à eux-mêmes, d'un coup, se libéraient dans la chaleur commune. Et c'en était fini, disaient-ils, de la mort lente et de la solitude, de cette cotisation versée, depuis la naissance, pour la retraite; finis les regards froids et les amours éteintes, les espoirs bétonnés et les rêves noyés. Les voitures s'arrêtèrent et il y eut, dans les rues, dans les maisons, dans les cœurs, comme une circulation nouvelle, étrangement fluide, de paroles, d'émotions, de générosité vraie. Les gens se regardèrent, quelque chose d'oublié venait au bord des lèvres.

Bien sûr, cela ne dura pas. Non point de Gaulle, les CRS, les barricades défaites, l'ignominie du PCF : le Vieux Monde, simplement, nous reprit du dedans, la mort, déjà, était en nous, que nous ne savions pas, et nos idées si courtes... Ce pouvoir, il s'agissait, disait-on, de le prendre. Nous essayâmes alors de conjurer notre folie dans les langues déjà mortes de la raison politique. On vota des motions et des contre-motions, on fit taire les importuns en veine de confidences pour laisser les tribuns nous faire la leçon, on fit de la politique, il y eut moins de temps pour la tendresse.

Sans doute l'orchestre était-il fatigué, la partition trop courte. Un mois pour consumer les idéologies du temps, c'est trop ou trop peu : il fallait poursuivre à l'aveuglette ou retourner au port. Et comment retourner ? Là-bas, plus loin que l'horizon, nous avions vu brûler l'or pur de la vraie vie!

Mais le prix à payer... Non point la prison, les larmes et la mort — encore qu'en un tout autre sens l'enjeu était bien là : la mise en regard de notre mort. Plus simplement, déjà : retrouver le poids des mots. Penser, pour les singes ricaneurs, est opération bien légère, tout au plus une catégorie de la mondanité, sinon de la gymnastique. Humer le petit air du temps, répéter avec quelques variantes ce qui, déjà, a été dit, agencer de manière complexe des catégories abstraites est à la portée de n'importe qui — un peu d'entraînement suffit. Mais penser vraiment ?

Toute révolution est d'abord une opération du regard : apprendre à voir. 68 : comme si le corps social, engourdi d'un long sommeil, avait entrouvert les yeux. On raconte que, de se regarder pour la première fois en ce miroir, certains singes s'évanouirent en catalepsie...

Si nous avons réussi quelque chose, c'est bien cela, n'est-ce pas ? Donner à voir, obliger à voir, ne serait-ce qu'un instant : voir la justice; voir la prison; voir l'esclavage de l'usine; voir les accidents du travail; voir l'acide ronger les poumons des ouvrières de la chimie; voir la barbarie du travail creuser les corps, briser les reins, dissoudre les cerveaux; voir les immigrés, les femmes, les parias; *se voir*. Et quelle résistance, alors! Vous les avez entendus, ils ont tous hurlé de terreur, ces singes : « Mais non, la mort n'existe pas, puisque nous sommes vivants! » Vivants, voyez-vous ça... Ce n'était que le bruit du vent dans leurs squelettes!

Aveugles encore nous-mêmes, quand nous voulions faire voir! Nous avions bien une petite idée, une intuition, notre boussole, ce qui est source de vérité. Celle-là n'a jamais failli. Mais pour le reste...

Faire table rase, jeter bas les vieilles défroques ? Si nous avions su! Pauvres pantins catatoniques, nous avons bien failli en rester tous muets. Faire taire dans sa bouche ce qui n'est que discours de l'État, faire taire en soi la parole de la grande machine, oui, cela peut être dit une aventure spirituelle. A chaque pas, ce que nous croyions parole de révolte se révélait parole de servitude. A devenir fou — certains le risquèrent, pensant que toute parole, toute raison étaient du maître.

Savez-vous cela, l'épouvante : ouvrir la bouche et entendre parler la mort à travers soi ? Éprouver chaque mot piégé, chaque catégorie, chaque notion, chaque concept ? Pour penser, il faut bien des mots, n'est-ce pas, et des catégories ? Nous avons dû chercher au-delà : le cri, la musique parfois, mais aussi... Reprenons.

Le concert des singes nous dit : « Notre parole est chant céleste, là se tient la vérité de l'Être, l'ordre du monde. » Mais quelque chose vient brouiller la parole du sage, comme des parasites dans le lointain. « C'est la vanité du monde, assurent-ils, le fugace, l'éphémère, le babil mystifié de ceux qui ne pensent pas. Pas tout à fait choses, pas encore êtres, ils balbutient comme des enfants ; que deviendraient-ils sans nous ? »

Nous y sommes allés voir. Les avez-vous entendus, là-bas, sous cet immense fracas à vous briser le crâne, les pleurs sans remède des solitudes froides, le sourd gémissement des âmes humiliées et ces grands cris, aussi, du fond de la misère ? Et par-delà les cris, cet OS qui brise à coups de marteau la chaîne qui le tue, cet autre qui, de n'en plus pouvoir, frappe son contremaître, séquestre son patron, et tant d'autres encore... Fracas, métal qui hurle, moteurs, marteaux-pilons : le bruit de la machine, la vraie parole des singes. Ils n'étaient donc que cela, leur regard était pour ne pas voir, leur parole pour ne pas entendre ! Et ces pauvres lambeaux qui demeurent, cris, gestes, paroles éclatées, brouillées, recouvertes, raturées, ces pauvres choses : rien que cela, ensemble, pour reconstruire un monde, réinventer comme la tendresse. Faire taire les singes, arrêter la machine, que l'on s'entende, que l'on se découvre, que l'on se voie !

Nous avons dû réapprendre à lire et à parler. Lire sur les fronts tatoués des martyrs de la Kolyma, parler sur les lèvres des martyrs de la Kolyma. Encore fallait-il que nous traversions, d'une manière ou d'une autre, l'épreuve de cette Kolyma. Non pas la prison, la torture, le travail forcé *ici* — les choses, alors, seraient si simples, et puis, tout de même, un peu de pudeur ! —, mais ce glissement qui nous transforma en petits gardes-chiourme, à notre manière. Nous étions singes, encore, que nous ne savions pas. Nous, libertaires, devenions autoritaires, nous, révoltés, nous retrouvions oppresseurs. Quels gardiens aimants et subtils nous aurions pu faire, certain temps d'euphorie !

Nous étions fous, aussi. « On a son petit plaisir pour le jour, on a son petit plaisir pour la nuit, mais on respecte la santé » : telle est la raison commune de l'intérêt bien compris. Nous n'avons pas respecté la santé. Jeunes loubards de banlieue, motards célestes et ex-rockers géniaux, travailleurs immigrés, ouvriers en rupture, résistants revivant de se dire que leur rêve de jeunesse, peut-être, ne fut pas vain, lycéens, et à peu près tout ce qu'une génération d'intellectuels comptait, comme on dit, de « cerveaux » : ensemble, sur une barcasse ivre. Beaucoup n'en revinrent pas, leur rêve s'était brisé contre l'acier du temps. D'autres encore, d'effroi, ont rejoint le port à la nage, ils broutent résolument aux râteliers de la politique. Singes à leur tour, ce sont les plus dangereux, connaissant tous les tours, n'ayant plus de scrupules... Morceaux hétéroclites du Vieux Monde, ensemble nous avions essayé d'en rêver un nouveau. Le monde, dans l'affaire, a eu raison de nous.

Pas tout à fait, pourtant. Cet instant d'éternité qui déchira le poids des jours, un matin de printemps, comme le sourire, enfin, d'un monde nouveau possible, c'est son travail en nous qui nous donna la force d'enfin briser les mots qui nous avaient perdus. Et ne me chantez pas la chanson des chimères, politiques si sages, et tellement impuissants à guérir ce que vous dites « la crise »! Je crois l'entendre parfois murmurer alentour, cette petite voix têtue, rêveuse de grands vents et d'amarres rompues — ensemble nous partirons encore à la recherche de nos Irlandes...

Les anges noirs de l'utopie

« De la poésie », disent-ils — rien que du vent, en somme! Il faut parfois écouter le vent... Sans doute est-ce pour l'avoir trop longtemps oublié que nous manquons d'air tout d'un coup, aujourd'hui. Ainsi pourrait s'écrire la fable triste d'un monde agonisant : pour ne plus rien savoir de l'appel de l'Esprit, pour faire taire en chacun les murmures songeurs des grands effrois nomades et jusqu'au cœur d'eux-mêmes, ils se firent sourds et aveugles.

Rien que du vent, bien sûr. Mais de ce vent venu depuis les mers d'Irlande, porteur de toutes les pluies, de toutes les tempêtes et de tous les embruns qui résonnent encore dans nos caboches celtes, pour nous rappeler qu'un soir de grande bataille ou de grande allégresse, notre terre de Bretagne s'est perdue dans la brume, entre ciel et vagues, quelque part vers l'éternité...

Je suis né à l'extrême bord du monde, et ma demeure était la mer, et mes musiques les vents. J'ai vu la terre craquer sous leurs orages, ses vagues griffer le ciel, et les orgues de pierre des falaises armoriques hurlaient de tous les pleurs des âmes inconsolées, comme si les tempêtes de la Création s'étaient donné rendez-vous ici, sur ce parapet désolé de l'Occident, pour une ultime et sauvage sarabande. Voici plus de mille ans maintenant, jour après jour, qu'elles secouent les murailles, tâtonnent aux fenêtres et aux portes et rôdent en haletant le long des chemins creux — alors le cercle se resserre autour du feu, derrière les volets clos, et chacun fait silence pour écouter, rêveur, se jouer au-dehors le récit formidable, sans cesse recommencé, de la naissance du monde.

L'air vibrait encore de la clameur des steppes quand j'ai ouvert la porte, et des bourrasques sombres charriaient l'épouvante des hauts-fonds atlantiques. J'ai couru au côté du boiteux rieur de Samarkand et les khanats de Djaghataï, de Qiptchaq, des Ilkhans tremblèrent sous nos chevaux, ma rumeur annonça sur toutes les plaines d'Europe que le fléau de Dieu s'en allait déferler depuis les noires Carpates, et les fauves khazars respiraient mon haleine quand ils sortirent, furtifs, des forêts sibériennes. Ce soir-là, près du feu, j'inventais les incantations superbes de la Thula des Goths et une voyante fameuse annonça que le soleil s'obscurcirait, que la terre sombrerait dans la mer et qu'un Âge d'or viendrait, sur les ruines de la Puissance...

Parfois, je m'attarde à la lisière des âmes et leur murmure, railleur, que c'est folie de pactiser avec le monde, que l'on y perd son temps, que l'on s'y perd, et qu'il faut fuir... Alors d'étranges images de navires de haut bord revenant vers le port, ou de grandes voiles noires claquant sur les eaux pures, agitent la nuit des villes; les écoliers trop sages se répandent par les rues, chantonnant les airs effroyables de ces temps de jugement, lorsque les bars dansaient comme des cathédrales; des rêves d'incendie traversent les regards clairs des jeunes filles trop bien mises; quelque chose d'oublié tressaille au cœur des hommes, l'écho douloureux d'un paradis perdu — ils ne savaient même plus qu'ils avaient une voix...

Rien que du vent, bien sûr, ces pirates vengeurs — une amère bourrasque, un rêve mauvais pour les temps de détresse, quand l'agonie des jours sans joie se fait insupportable, quand la vraie vie, soudain, paraît absente, du fond de ces prisons que, par peur, ils construisent et qu'ils nomment cités. Il en est parfois, trop rêveurs peut-être, ou trop expéditifs, qui ne reviennent pas : ils s'appelaient Rimbaud, l'Olonnois ou Morgan. Les autres pourront bien frissonner dans l'aube revenue, cadenasser leurs nuits et tenter d'oublier : je reste là, têtu, musique insidieuse de toutes les désertions — juste une morsure au cœur, et ils m'appellent alors la Nostalgie.

Aux tristes roquets du ressentiment, j'opposais des Bretagnes extatiques et sublimes, feuillets désordonnés, jetés à la face du temps, d'un chant d'éternité. Pour tous les vagabonds des terres sans visage, passants désorientés des cités anonymes, errants en mal d'âme à force d'être sans lieu, j'inventais les îles de l'Âge d'or, le brasier des mondes recommencés, la nef des nostalgies, une arche pour la fin des temps — mais à la manière de nos calvaires, ici : une dentelle de pierre, comme l'écume figée d'un océan formidable.

Contre tout ce qui retient, réduit, rabougrit, isole, contre tous les maniaques des barbelés et des frontières, ceux-là qui des demeures voulurent faire des tombeaux, folkloristes niais, conservateurs de signes morts, j'inventais la Bretagne d'un pèlerinage des vertiges, chiffre d'une transmutation spirituelle, étoile de cet Orient polaire où se perdit Schumann, corps de résurrection — notre Jérusalem intérieure. Alors j'ai chanté ma Bretagne comme une frégate immense, qui aurait levé l'ancre un matin de grand vent, à la poursuite de l'or du temps, ma voix grondait comme la rumeur des vagues sur les grèves du Melgorn, et l'on m'appela la Poésie.

Rien que du vent, voyez-vous, c'est-à-dire une culture : un appel d'air dans un monde devenu trop petit, ou un appel de l'âme, la fiévreuse exigence d'un monde réenchanté. Une bien fragile musique, sans doute, au goût des esprits forts : qu'elle se taise, pourtant, et le monde se glace — là où les oiseaux se meurent, meurt déjà la parole des hommes.

Oui, je plains ceux-là qui jamais ne surent la course silencieuse, sous l'effroi des lunes pâles, des anges noirs de l'Utopie...

Prince de mes terres errantes

Votre modernité, elle s'est brisée, aussi, au large de Portsall, dans la fureur d'un mois de mars, tel un squale superbe crucifié sur les vagues, insultant le ciel de ricanements obscènes, tandis que le soleil brillait sur ses mâchoires : le poème de métal d'un univers dément, un monstre pour la fin des temps, nu, lisse et beau comme la mort, venu vomir son pus gluant sur ce paysage d'éternité, où la clameur des vents sur les roches-cathédrales célèbre à l'infini des temps recommencés la noce des océans, Atlantique et Manche.

J'ai vu sa bave mortelle contourner l'île de Batz, forcer un barrage dérisoire devant le port de Roscoff, pénétrer dans la baie de Morlaix. Plaque après plaque, de plus en plus serrées, visqueuses, inexorables. Ainsi j'imagine ces épidémies qui venaient, dit-on, du lointain Cathay : un linceul de ténèbres, depuis le fond de l'horizon.

Il nous restait encore la mer, pour nous échapper et y renaître... Au-delà de la misère matérielle pour quelques-uns, ce fut, cette nuit-là, comme si une part de notre âme était niée, assassinée, réduite. Il est des lieux où l'océan fait barrière, où la terre tourne le dos à la mer : ici s'est noué, il y a bien longtemps, un dialogue immense entre terre et mer, où se sont façonnés des hommes. Vent, pluies, embruns, et cette odeur inimitable quand la mer donne vie à la terre — la fermentation du goémon dans les champs. Terre limite, *out of nowhere,* et nos rêves d'Irlande, vers l'horizon, là-bas... La mer comme notre intime folie, depuis l'aube des temps — voyez le fabuleux royaume arthurien : les mythes, plus que tout, signent une identité.

Bien jeune, je fus chassé de mon pays par la misère, pour faire place nette aux touristes. J'ai vu mourir les vieux, partir les jeunes, les fermes devenir silencieuses, le pays se rapetisser. Une terre, une maison, cela s'habite; quelque chose d'essentiel se tisse entre des hommes et un lieu : une culture. J'ai le triste privilège d'avoir vu mourir une culture — la mienne —, pardonnez-moi si j'ai mal encore comme au premier jour. Et cette folie, parfois, des miens, ces coups de cafard, quand le vent de suroît, roulant toutes les tempêtes depuis les îles Sorlingues, hurle trop fort dans les cheminées froides et que votre maison résonne comme si elle était vide. On en retrouve de temps en temps au fond d'un puits : il buvait trop, dit-on, rien qu'un ivrogne de moins. Mais moi, je sais que c'est ce maudit vent dans la tête : il fallait bien faire taire son chant de solitude.

Je sais : je parle de ce qu'on appelle généralement, dans les livres instruits, le « décollage » de la Bretagne, notre « rationalisation », en quelque sorte, notre entrée en modernité. Oui, bien, ce fut cela : il faut parfois se méfier des livres.

Restait la mer : elle était notre lieu où renaître. La terre, cela s'accumule, se sédimente, fait signe, on y lit une histoire. La mer est au-delà du temps, comme la présence en nous, devant nous, de ce qui ne se totalise jamais : l'éternité. Le tourisme et la révolution agricole ne suffisaient donc pas, il fallait aussi, pour sceller notre sortie de la barbarie, en finir avec l'éternité...

Des nuées se pressent à l'Occident du monde, elles nous ont envahis à l'aube de l'Histoire, elles gagnent de plus en plus vite — le maelström des dévastations, une sombre rage d'en finir avec les espaces intérieurs, d'effacer jusqu'au souvenir même de la Création. Des continents engloutis, déjà, et le Verbe peu à peu qui s'épuise, bientôt nous n'aurons plus de mots pour nous souvenir des jardins effacés, des sourires éteints, rien, à peine une nostalgie, parfois.

Voilà qu'il fait froid, soudain, sur les paysages de l'âme, comme si ce chemin vers l'Orient, dont tu chantas si fort qu'il était en dedans, s'égarait sous une neige mauvaise, où ornières et talus se confondent. Girouettes qui grincent, corneilles qui ricanent dans le vent aigre, poteaux indicateurs comme des gestes de supplicié, et jusqu'aux cimetières qui se ferment... Tu t'es perdu quelque part sur ces terres désertées par l'Homme, plus loin que le dernier village, là-bas, où t'attendait un vieux joueur de vielle. Encore un peu de temps, mon pauvre Schubert, encore un peu de neige, et il ne nous restera même plus les traces de tes pas sur la terre. Alors nous serons devenus modernes, tout à l'orgueil d'avoir tué l'Esprit, et nous pourrons enfin être comme les pierres : heureux.

Les oiseaux se sont tus, et c'était comme si la parole du monde, d'un coup, s'interrompait. Une minute de terreur dans toutes les consciences, le temps de reconnaître dans cette grimace ignoble notre propre visage, pour ne plus oublier qu'au bout de la course effrénée du monde occidental pour toujours s'échapper, la mort venait de nous donner un brutal rendez-vous. Car c'étaient bien le « faire » de l'Occident, toutes politiques mêlées, les entrailles crevées et nos valeurs vomies à grands hoquets gluants, notre réalisme et nos idéologies, notre sens de l'Histoire et nos lois du marché, notre niveau de vie et nos belles machines qui agonisaient là, sur les roches de Portsall. Non pas le malheur d'un hasard, mais la forme moderne de la Barbarie, la mort du monde. Non : plus rien à faire...

Mais nous sommes le squale et nous sommes l'oiseau. Il a dansé longtemps à la rencontre des vents, et puis il s'est posé, comme une caresse du printemps, sur la mer. Nous l'avons tous vu tressaillir, avec le long cri de qui ne comprend pas, trébucher, pauvre paquet de plumes, déjà englué de mort noire — quelques sursauts encore et puis plus rien, pas même une ride sur l'eau grasse pour se souvenir que le chant de la terre a péri avec lui, et une part de notre âme...

Le temps est venu, camarades!
Videz votre coupe d'or!
Sombre est la vie,
Sombre la mort.

Non, plus rien à faire, sinon retrouver l'oiseau au-dedans de nous-mêmes, et poursuivre son chant pour chasser les ténèbres. Il a su nous le dire, en sa brève existence, depuis les sublimes et cruelles îles d'Aran, sur cette terre trop maigre où les rocs saillent comme des os, parmi cette humanité, misérable et fière, démunie et démesurée, de chemineaux et de rétameurs, de vieillards ivrognes et de prêtres corrompus sortis du fin fond du Connemara, celui-là qui inventa l'Irlande jusqu'à l'éclater aux dimensions de l'univers et ranima ainsi la parole des hommes — John Millington Synge, mon frère : « Nous devons chanter comme les oiseaux le long des chemins : on les tue en plein vol, on les mutile, on les torture, mais ils continuent de chanter — du moins ceux qui survivent. »

Que peuvent les poètes dans un temps de manque ? Je sais : la Bretagne que je dresse à la face du malheur n'existe pas — ou bien n'existe plus qu'à l'Orient des mémoires. Une simple idée, donc, la musique du non-encore-advenu, un souffle léger, à l'éveil des matins, pour ranimer en chacun les braises de l'Esprit, une manière de rêver debout pour apprivoiser l'espérance.

Une communauté, cela ne se décide point seulement par des discours, des lois et des constitutions, quelque chose d'abord se noue au plus intime de notre présence au monde, et l' « être-ensemble », alors, pourrait se dire une manière commune de rêver. Qui ne rêve pas meurt, dit-on : il en va des individus comme des peuples. Moi qui me suis fait prince de mes terres errantes, à vous tous, mes compères, princes pareillement, je vous dis qu'il nous faudra rêver comme jamais on n'osa, pour conjurer l'horreur et dresser la Bretagne comme l'arche ressuscitée du brasier de nos nuits...

Que peut l'oiseau ? Ses trilles accompagnent la naissance du jour. Poète, celui-là, proférant l'invisible, qui réveille en chacun la puissance de nommer : seul, il détient le pouvoir de tisser une communauté. Car ce n'est point « un » univers qu'il porte, comme on le dit parfois, un simulacre pour nos divertissements, mais l'univers lui-même, ou plutôt son énigme. Écoutez-le chanter : tressaillent dans sa voix les mille bruissements de la musique des êtres — rien qu'un peu de vent pour que vienne la tendresse, malgré le froid.

Poètes, écrivains, éveilleurs d'âmes, souffleurs de vents, derniers baladins, peut-être, du monde occidental, au bord du précipice, dans cette agonie insupportable de la raison politique, quand la société peu à peu se défait, face à des politiciens seulement préoccupés, par peur du vide, de faire croire que leur jeu se poursuit et qu'il a encore un sens, il nous reste ceci : ranimer sans cesse la parole du monde, qui ne fut jamais aussi menacée, rappeler que l'Occident, la France, la Bretagne sont d'abord des idées, des mémoires, une culture, singulière et plurielle, à inventer continûment, et que l'Esprit seul a puissance de sauver le monde.

Histoire d'amour

Il nous reste si peu de temps, si peu d'esprit, si peu d'espoir! Nous nous agenouillons devant l'Histoire, mais nous n'avons plus de mémoire — et nous gémissons de n'avoir plus le temps...

A la caisse, mon vieux! La grande ville crie,
Pas de temps, pas de temps, pas de temps!

C'est vrai, nous n'avons plus le temps. Plus le temps de prendre le temps, plus le temps de le perdre, plus le temps de nous aimer, plus le temps de vivre. Dans quelle Histoire se dira désormais le battement de nos pouls, les émois de l'attente, la musique des âmes ? Le temps de cette « Histoire », dont la superstition moderne voudrait nous faire croire qu'il est *notre* temps, que nous sommes en lui, contraints par la nécessité de ses lois, n'est rien de plus que le temps des horloges; son tic-tac mécanique jamais n'éprouvera le frémissement d'un cœur, l'éclair de l'intuition, les langueurs de l'ennui, il ne saura jamais rien ni de l'instant ni de l'éternité. Le temps des machines n'est pas celui du cœur, il ignore le cœur, il ne devient le maître qu'à faire taire en chacun la musique du cœur, pour mieux nous faire choses, automates, machines à notre tour. Non, l'Histoire que nous idolâtrons n'est pas une histoire d'amour...

Point n'est besoin de convoquer ici grands penseurs et mystiques, l'expérience sensible de la durée contredit aussitôt l'impérialisme du chronomètre : faut-il que nous soyons bien bas pour oublier ainsi que chacun porte en lui son temps propre, que chacun a son rythme, sur lequel déployer ses espaces intérieurs! Le temps du chronomètre est celui de M. Tout-le-Monde, c'est-à-dire de personne — et il nous fait « personne » quand il nous domestique.

Il est une phrase superbe d'Angelus Silesius, dans *le Pèlerin chérubinique,* qui lie d'un même mouvement l'éternité, la Parole et le cœur de chaque homme : « Que m'importe que Jésus soit né à Bethléem, s'il ne renaît pas chaque jour dans mon cœur! » — voilà bien le rocher contre lequel se brisent toutes les sociologies, tous les historicismes, toutes ces pensées blettes pour lesquelles il n'est point de texte qui n'épuise son énigme dans les traits singuliers de l'époque qu'il désigne et où il s'énonce! Car quelle archéologie jamais restituera le retentissement d'une Parole, quel matérialiste penseur pourra nous démontrer que les Évangiles — mais aussi bien toute parole vraie — ne sont qu'un point, nécessairement déterminable, à l'intersection de plusieurs séries causales, renvoyant au « social-historique » de leur énonciation, « éclairant » leur « contexte culturel », recevant toute clarté de lui — *bref, que tout texte n'est que contexte* ?

Ces pierres, devant moi, ne me sont point amas insignifiant : des hommes les ont dressées, comme un chant d'éternité au-devant de la mort et des jours qui s'enfuient, elles se sont faites maisons, cathédrales, monuments, et cet élan, ce cri, cette prière aussi me sont présents, tandis que je demeure. Oui, ces pierres parlent, par-dessus les siècles, elles *me* parlent, et c'est comme si la Parole, alors, renaissait en moi.

Il est des chants qui sont bien « de leur temps » — ainsi, aujourd'hui, la plupart de ces « tubes » qu'aussitôt l'on oublie, que l'on ne peut plus écouter, dont on dit qu'ils ont « vieilli », à peine publiés : ils font la joie de nos savants. Mais ce *Leiermann* que chante Hans Hotter, l'emprisonnera-t-on, lui aussi, dans son siècle, ou bien, tandis que je l'écoute, résonne-t-il en moi au présent? Ainsi ne sommes-nous point fétus de paille emportés sur le fleuve d'une Histoire qui nous déterminerait de part en part, ainsi, par-delà l'éphémère, vaille que vaille, l'humanité se tisse. Oui, que m'importe que ce lied bouleversant soit né sous la plume de Schubert, en 1827, dans une triste chambre, à Vienne, s'il ne renaît pas chaque jour dans mon cœur?

Mais si les œuvres des hommes ne se peuvent réduire aux circonstances de leur époque, si encore, les lisant, s'éveillent en nous d'étranges échos, si des pouls battent plus vite au rythme de quelques vers, qui revivent d'ainsi se conjuguer au présent d'âmes neuves, si donc, par-delà le temps linéaire d'une Histoire toute-puissante, en dépit de l'acharnement de tous les réducteurs, il y a nécessairement un « reste », *et si ce reste, ce n'est rien moins que ce qui transcende le fugace des jours, ce qui lie les êtres et, ce faisant, les fait être, c'est-à-dire le Sens,* que vaut l'arrogance de tous ces penseurs, qu'ils s'essaient au noir dandysme de l'insensé radical ou tricotent frileusement leurs interminables séries causales (scientifiques, assurément, puisqu'elles changent à chaque génération : voyez avec quelle régularité disparaissent les vastes et toujours péremptoires « synthèses historiques ») ? Oui, que valent les discours de ces gardiens du « tout à l'Histoire » ? Petits hommes tellement soucieux de leur modernité, ils sont bien de leur temps, ceux-là, réductibles à lui, infiniment périssables, comme ces légumes que l'on dit « de saison »...

J'entends bien qu'il n'est point de pensée qui ne procède d'une préalable réduction dans le divers des phénomènes, mais il n'est pas non plus de pensée qui n'ait à éprouver sa rigueur en restituant, construit, ce qu'elle a préalablement réduit. Comment ne pas voir qu'il en va ici tout autrement ? Il ne s'agit plus de reconstruire un « reste », mais bien de l'*interdire,* d'en effacer les traces et jusqu'au souvenir pour nous faire modernes. Voilà l'esprit du temps : la suspension du Sens n'y est plus un moment de la pensée, mais la condition même de son exercice, à la fois son postulat implicite et sa finalité. Comme si l'époque, avec une rage proprement démente, avait rassemblé toutes ses énergies pour exclure, raturer, nier le Sens, c'est-à-dire, aussi, l'habitation du monde et la liaison des êtres — notre chair. Comme si nous pouvions nous faire assez sourds aux hurlements des martyrs de l'Histoire pour oublier que la mort du Sens, c'est la mort. Tout court.

Ainsi se rejoignent, au fond, les dandys du non-sens et les apôtres de l'historicité : si l'Histoire a un sens, alors celui-ci échappe à l'Histoire, si tout est historique, alors l'Histoire n'a pas de sens. Sauf celui dont décide, bien sûr, le puissant du moment, par les moyens de sa police : « être dans le sens de l'Histoire » n'est donc qu'une manière élégante de dire que l'on s'est placé du côté du manche.

Chantres du Progrès, ils ne sont jamais que les sinistres annonciateurs d'un âge de Barbarie, comme l'humanité jamais n'en avait connu, plus terrible que les plus terribles visions des prophètes d'Israël — le siècle de l'Histoire est bien celui des génocides. Et pendant que les hommes sont fauchés par millions — dans le sens de l'Histoire —, que la terre se couvre de charniers à la gloire de l'idole, les esprits modernes volontiers se gaussent du fanatisme religieux de ces sauvages qui croyaient conjurer la colère des dieux par l'offrande de quelques sacrifices!

Oui, de bien petits hommes... Ils ne ressaisiront jamais que des lettres figées et des symboles éteints, les œuvres, entre leurs mains, s'effriteront en poussière, ils portent en eux la mort des hommes — ils sont la mort.

Semelles de vent et cervelles de plomb

Sans mémoire, nous errons, solitaires, dans le chaos du monde. Nulle étoile à l'orient ne guidera nos pas, les mots se déchireront aux arêtes des pierres, les sourires, déjà, se figent au bord des regards morts, nous ne saurons bientôt plus rien de la tendresse — à peine une silhouette, là-bas, qui se perd dans la brume. Sans mémoire, livrés sans recours à la course du temps, nous n'avons plus d'avenir, le présent s'écoule au travers de nos corps et nous épousons l'indifférence des choses.

Aussi, par tout ce qui, en nous, se cabre et se rebelle, par tout ce qui demeure de l'espérance humaine, nous faut-il d'abord, contre la Barbarie, sauver la mémoire, sauver le Sens, sauver l'Histoire. Que serait une société qui refuserait sa mémoire ? Un agrégat brutal, une masse tremblante à la lisière de l'animalité, amnésique, promise à l'entropie, perdue, par-delà l'éternel retour de la roue du karma, sur une terre désertée par l'Esprit.

Oui, il s'agit bien pour nous, et depuis le début, de sauver l'Histoire, non de la nier — et de la sauver, d'abord, du désastre de l'historicisme, de cette obsession à chercher dans l'époque le principe ultime de toute explication. Car dans ce « sens de l'Histoire » qu'idolâtrent nos docteurs, il n'est évidemment question ni du Sens — tout est fait, au contraire, pour en interdire le surgissement — ni de l'Histoire. Devenue la religion des temps modernes, machine à expliquer toute chose et son contraire, l'Histoire ne concerne plus la connaissance d'un passé et les enseignements que nous pourrions en tirer, mais désigne, par un étrange glissement, le Devenir lui-même, dont il s'agit de célébrer le culte — et voici nos agnostiques sournoisement pourvus d'une Providence « laïque », mais bien triste celle-là, puisque née de la rupture de l'attente eschatologique, sans autre contrepartie à l'abandon de la perspective du Salut qu'une pauvre frénésie de « succès ».

Que suis-je, dans la rumeur immense de ce fleuve sans fin, sans source ni embouchure, jailli de la nuit noire ? Que puis-je, contre la puissance de son flux ? Ainsi la conscience, désorientée, renonce à ses pouvoirs : dans ce maelström charriant les ères, les civilisations, les continents, l'individu paraît un détail négligeable. Rien qu'une image, peut-être, un rêve conçu dans la détresse, pour ne point hurler de solitude sous le silence des astres morts — à peine aura-t-il imprimé sa trace sur le sable qu'une vague déjà l'efface, ce n'était donc bien qu'une illusion et nous ne sommes qu'un mauvais rêve...

Nulle rive, nul rocher où accrocher le regard : jetés dans le fleuve Histoire, nous ne pouvons nous donner l'illusion d'en connaître le sens qu'en nous abandonnant à son tumulte. Alors l'Histoire apparaît plus vraie que nous : elle marque, certes, le cours du réel, mais c'est son cours seul qui se crédite d'une réalité. Ainsi, d'un argument, d'un discours, d'un livre, on ne demande plus que s'il est « dans le sens de l'Histoire »; ainsi les personnes, les groupes humains, les peuples doivent-ils être « dans le sens de l'Histoire » sous peine de n'être pas; ainsi, comme le remarquait déjà Denis de Rougemont, par une suprême démission de l'intelligence, par un renoncement à toute morale, l'Être et la Vérité sont identifiés au Devenir — ce qui a l'avantage de couper court à toute discussion et d'interdire les états d'âme.

Suis-je, es-tu, sommes-nous « dans le sens de l'Histoire » ? Ainsi nos intellectuels se conjuguent en chœur sur la musique de l'air du temps — et si cela sonne un peu comme : « Portez-vous des chemises au goût du jour ? », c'est qu'il s'agit, au fond, de la même chose : non pas l'exploration d'un passé mais une conformité d'attitude, non pas le souci de savoir, mais celui d'avoir l'air, puisque l'air que l'on a suffit à se distinguer de ceux qui ne l'ont pas. Allons, nous les connaissons bien, ces péremptoires apôtres de la libre pensée, volontiers protecteurs à l'endroit des ignares, si habiles à traquer, sous les vaines apparences, les labeurs insidieux des idéologies! Toujours ils poseront sur les êtres et les choses le regard ironique des rares détenteurs de cette universelle clé des interprétations qui ouvre, nous dit-on, aux mystères de nos crânes comme à ceux de nos cœurs. En vain espérez-vous les prendre en défaut : c'est qu'ils savent tout du monde, pensez! Ils ont tout lu. Ils savent — les autres « croient ».

C'est pour cela, sans doute, que nous les pouvons voir se presser, en troupes moutonnières, de séminaire en colloque et de colloque en séminaire, flottant sur le grand fleuve de la mondanité, ricochant sur Chomsky, dérivant vers Deleuze, se noyant chez Lacan, au gré des courants d'air — et Dieu sait si les vents soufflent de tous bords, ces temps-ci ! Oui, nous les connaissons trop, ces sectes ricaneuses, changeant de penseur comme d'autres de vêtements, mais péremptoires toujours, et sans autre ciment qu'un formidable mépris du reste des humains, tout occupées à leurs petits bouquins, à leurs petits potins, à leurs petites haines — Dostoïevski, déjà, notait qu'il est certes plus facile de couper la tête d'autrui que de faire fonctionner la sienne propre...

Si leur arrogance demeure inébranlable quand leurs vérités changent tous les matins, c'est que, contrairement à la légende qu'ils entretiennent avec ténacité, les intellectuels ne pensent pas, mais *répètent* — et ainsi, répétant, assassinent la pensée. Leurs frégates, à ceux-là, jamais n'affronteront le large ! Tremblants, ils restent au port, s'enfouissent sous la terre en d'obscurs souterrains, sans visage et sans yeux, pour ne plus rien savoir de la lumière. Et, certes, ils ne se risqueront pas aux aventures d'une pensée libre, vers ces contrées où il n'est plus de cartes ni de chemins tracés, mais l'épreuve des solitudes amères, des doutes et de l'écartèlement, de l'agonie des savoirs et des contradictions sans cesse renouvelées, sans autre certitude, tout au long de la quête, que la nécessité de son indéfinition, rien qu'une bouche d'ombre, béante sous chaque pas, par où la pensée, continûment, se vide — c'est qu'ils ne sont point là pour le trouble et l'éveil, mais bien pour étouffer, sous prétexte de science, ces insolentes questions qui, restant sans réponse, pourraient nous rappeler que nous avons une âme ! Ils sont les colmateurs de la fêlure des êtres, ils bouchent, ils cimentent, ils ferment les pensées pour en faire des *systèmes,* c'est-à-dire des *réponses,* et ainsi les *achèvent* — à peine savons-nous encore ce que « philosopher » veut dire.

Mais quel sens peut encore garder, dans un siècle voué au principe de rendement, une activité de l'esprit qui ainsi oblige à une dépense infinie, sans espoir jamais du plus petit bénéfice, sans cesse déchirée par une essentielle impuissance à se capitaliser, à se représenter, à se ressaisir dans la plénitude d'un savoir ? Et que pouvons-nous encore éprouver du drame d'une pensée qui choisit d'affronter ce qui la contraint absolument, c'est-à-dire le Mal, non point le mal social, ces souffrances collectives dont on peut faire des théories parce qu'elles affectent les autres, mais le Mal, vraiment, celui qui vous broie quand tout vient à manquer, à l'extrême de votre solitude, cet effondrement central de l'Être, ce trou en dedans de soi par où tout fout le camp, irrémédiablement, ce malheur, par-delà toute raison et toute consolation, qui vous prend en tenailles là où ça fait mal vraiment, c'est-à-dire en votre âme ? Comme si nous n'étions pas d'ici, pas de ce monde, pas de cette Histoire, séparés de nous-mêmes, tandis que nous brûlent à la fois l'impérieux commandement de reprendre la route et l'infinie nostalgie des terres de l'Âge d'or, déracinés qui pleurons nos racines, comme si la mélancolie d'Ashavérus, le cordonnier de Jérusalem, résumait le destin de toute l'humanité et nouait la pensée à une diaspora essentielle...

Oui, à quoi bon une pensée qui ne s'astreint à la rigueur que pour dire son échec, qui s'obstine à se clore, à se refermer sur l'équilibre d'un système, à s'arrêter, en somme, pour se comprendre enfin, mais qui découvre dans le même mouvement qu'elle ne le peut, sauf à se travestir en pensée de maîtrise, et qui demeure ouverte, comme une plaie au flanc des hommes ?

Elle n'est pas de ce ciment dont on fait les cités, du plus loin de sa mémoire, elle nous dit même qu'il n'est pas de ville sur cette terre qui ne procède d'un originel fratricide, elle ne laissera jamais que ruines sur son passage, car tel est son calvaire qu'elle échoue si elle s'interrompt, qu'elle s'évanouit si elle se clôt sur sa perfection...

Le principe espérance

> Partout, à travers l'architecture de ce monde, transparaît un monde supérieur, perceptible aux sens par le seul moyen de l'imagination ; car l'imagination est, entre les deux mondes, la médiatrice, qui ne cesse de spiritualiser la matière inerte de l'enveloppe pour lui donner forme vivante, tout en incarnant la réalité supérieure.
>
> ACHIM VON ARNIM.

« La réalité spirituelle est la seule que nous puissions comprendre entièrement ; et, lorsqu'elle s'incarne, elle s'obscurcit en même temps. Si l'école de la terre était inutile à l'esprit, pourquoi s'y incarnerait-il ? Mais si jamais le spirituel pouvait devenir entièrement terrestre, qui donc quitterait la terre sans désespoir ? Que ceci soit dit, en toute gravité, à notre temps, qui croit pouvoir sanctifier sa propre réalité temporelle, lui conférer une mission éternelle, faire des guerres saintes, une paix universelle, la fin du monde.

« Il y eut de tout temps une réalité secrète dans l'univers, plus précieuse et plus profonde, plus riche en sagesse et en joie que tout ce qui a fait du bruit dans l'Histoire. Elle est trop près du tréfonds même de l'homme pour que les contemporains puissent l'apercevoir nettement; mais l'Histoire, dans sa suprême vérité, en donne à la postérité des images lourdes d'avertissements. De même que des empreintes de doigts sur de dures roches donnent au peuple l'idée d'un étrange passé, ces signes dans l'Histoire font apparaître devant notre œil intérieur, en des éclairs isolés qui ne découvrent jamais tout l'horizon, l'œuvre oubliée des esprits qui jadis menèrent sur terre une existence humaine.

« *Cette connaissance, lorsqu'elle est communicable, nous la nommons poésie;* elle naît de l'esprit et de la vérité, elle jaillit du passé et du présent. On ne saurait dire s'il y a davantage de matière reçue, ou d'esprit qui vient l'animer [...].

« Pareils à la jubilation du printemps, les poèmes ne sont nullement une histoire de la terre; ils sont un souvenir de ceux qui se réveillèrent en esprit des rêves qui les avaient amenés ici-bas; un fil conducteur accordé par le saint Amour aux habitants de la terre dont le sommeil est agité. Les œuvres poétiques ne sont pas vraies de cette vérité que nous attendons de l'Histoire, et que nous exigeons de nos semblables dans nos rapports humains; *elles ne seraient pas ce que nous cherchons, ce qui nous cherche, si elles pouvaient appartenir tout entières à la terre.* Car toute œuvre poétique ramène au sein de la communauté éternelle le monde qui, en devenant terrestre, s'en est exilé. »

Que nous cherchons, et qui nous cherche... Empreintes devinées sur le grain dur des roches que chaque jour efface un peu le vent, écho lointain, parfois, d'une musique oubliée, lorsque tressaillent en nous d'étranges nostalgies, mots muets trop longtemps rabâchés qui reprennent vie soudain, d'être remurmurés, et ces œuvres laissées tout au long de l'Histoire, qui nous font signe, et nous font face : ici nous retrouvons, à sa plus haute tension, ce qui fut le pari des romantiques allemands, au sens propre leur passion, si exactement exprimé par Achim von Arnim dans sa préface des *Gardiens de la couronne* — l'annonce qu'un jour viendra, sur les décombres des Ages théoriques, un Age de liberté qui nous sera aussi celui de la Fiction; l'invocation d'un verbe qui nous reconduirait à travers les séductions de la matière et les tentations de l'oubli, à notre *grandeur,* et nous arracherait aux pièges de l'historicisme pour nous rendre à la mémoire de notre éternité; l'appel d'une Poésie qui ne se pourrait prendre jamais dans aucun dogmatisme, toujours les ruinerait dans le mouvement de son énonciation et pourtant porterait une connaissance essentielle, autrement indicible; le rêve d'une métaphysique qui, retrouvant son vrai sens d'une ascension vers le suprasensible, à l'extrême pointe de son élan, se délivrerait en poésie et s'éprouverait ainsi, tout à la fois, réminiscence et prophétie...

Que nous cherchons, et qui nous cherche... Car le romantisme ne fut pas ce mouvement organisé, aux statuts déposés, doté d'un « programme commun » de gouvernement, fut-il ce *Plus ancien programme de l'idéalisme allemand* rédigé en leur jeunesse rebelle par Hegel, Schelling et Hölderlin, que nous décrivent aujourd'hui, en de mornes synthèses, des idéologues acharnés à réduire toute échappée possible, impuissants à concevoir le monde autrement qu'à leur image, pas plus qu'il ne se peut réduire au profil de tel ou tel individu, dont on poserait que tous les écrits furent équivalents, liés par une causalité nécessaire, lettres mortes, inscrites dans une Histoire où elles s'épuisent : il est le trait de feu de l'espérance, qui traverse l'Histoire, *et ne se peut jamais recueillir qu'au présent.* Tel est donc le paradoxe du romantisme, que toujours il demeure, dans la fraîcheur des premiers matins du monde, à *inventer* : rien qu'une idée, fragile et fugitive, une musique, une nostalgie qui traverse les êtres et les bouleverse, un rêve que je fais aujourd'hui, quelque chose que j'imagine, à travers ce livre, de part en part, crée, suscite, appelle pour les temps présents — une interprétation, aussi, comme on le dit d'une musique que l'on recrée et en même temps révèle... « Le chemin mystérieux, écrit Novalis, va vers l'intérieur. C'est en nous, sinon nulle part, qu'est l'éternité, avec ses mondes, le passé et l'avenir » : tel est donc le prix à payer pour « comprendre » le romantisme qu'il nous faut d'abord trouver en nous-même la clé qui ouvre à son énigme, éprouver notre âme, ou notre imaginaire, comme le seul lieu de naissance, à cet instant, du romantisme, pour découvrir enfin que le romantisme n'était, depuis la naissance des temps, que l'attente de cette âme — et ces paroles-là tentent si peu de forcer les consciences qu'elles attendent, pour reprendre vie, que nous les ayons, à notre tour, inventées. Elles attendent, en somme, que chacun de nous vienne les *délivrer.* La création, alors, serait *réminiscence,* nostalgie, anamnèse, et le romantisme, l'antitotalitarisme même...

Cette libre invention, risquée au présent de l'Histoire, comme la mise en œuvre d'un « principe espérance », ne se peut donc réduire à l'effet d'un caprice, ou aux extravagances de la fantaisie, mais au contraire se veut retour sur soi, recueillement en soi de la pensée, autodécouverte de la conscience dans la réminiscence — qui joue sa cohérence dans sa capacité à rétrospectivement éclairer ce que fut, dans l'histoire, la passion du romantisme : il s'agit donc bien d'en finir, ici, avec la plaisanterie d'un mouvement « aux cent cinquante définitions », qui ne se pourrait pas plus préciser, insaisissable, donc, sinon inexistant, il s'agit de trancher et d'enfin distinguer cet « introuvable » principe de distinction, qui tant fit le désespoir des spécialistes, d'avec le XVIIIe siècle « noir », le *Sturm und Drang* allemand, la rébellion de l' « homme sensible », les élans du démonisme, le dandysme et j'en passe — il s'agit bel et bien, de délivrer, pour la première fois, le sens de cette aventure.

Réminiscence et « prophétie », annonce d'un Nouveau Monde — la force de ce romantisme non encore advenu, qu'ici même j'invente, ne découle pas seulement d'une rigoureuse construction, elle s'éprouve d'abord par sa puissance de retentissement sur l'époque : il faut que, dans le mouvement même de sa délivrance, elle échappe à la « modernité » dans son ensemble, en mine les fondements, et la détache de nous — et il ne s'agit plus, simplement, de ruiner le marxisme, les sciences humaines, ou la psychanalyse, mais de descendre dans la chambre obscure de nos goûts et de nos dégoûts, vers ce lieu où se noue notre complicité avec les totalitarismes —, il faut qu'elle ait la capacité de nous rendre enfin intelligible l'apparent chaos des débats d'idée aujourd'hui, il faut, dans le désarroi présent, au seuil du Nouveau Monde, qu'elle réveille notre sens de *l'orientation*.

Non pas l'histoire du romantisme — il n'en sera d'ailleurs jamais question; et puis, à quoi bon ? s'il est vrai qu'un texte ne s'épuise jamais dans ses contextes — mais la tentative d'enfin nous dégager de ce qui nous empêchait jusqu'ici de le comprendre, en étouffait l'écho, brouillait toute perspective, et nous séparait de nos rêves; l'effort d'une parole, aussi, qui tente de retrouver sa source vive, son chant, et doit briser pour cela les chaînes qui la voulaient contraindre, retraverser l'Histoire à la recherche de ce piège où jadis elle se prit, dans ce siècle des Lumières qui demeure, en nous, au carrefour de nos rêves et de nos cauchemars; l'effort de retrouver, ici, maintenant, et en chacun, dans ce monde étriqué, à deux dimensions, où nous mourons peu à peu d'asphyxie, comme foyer de résistance et de rébellion, cette « troisième dimension » qui redonnerait au monde, enfin, sa profondeur — et à l'homme sa grandeur : le Nouveau Monde.

Que nous cherchons, et qui nous cherche... A l'origine des temps, imagine le philosophe persan Ibn Arabi [1] — mais cette origine ne doit pas se concevoir dans un passé « historique », elle est ce qui, sans cesse, ouvre le temps de l'Histoire —, à l'origine, donc, il n'était rien qu'une Tristesse primordiale, s'angoissant dans l'attente de l'être qui la viendrait nommer : rien, et puis ce Soupir de Compatissance par lequel Dieu triomphe de sa solitude, et chaque être créé est alors comme le souffle lui-même de la Compatissance divine, une *épiphanie*. « J'étais un trésor caché, murmure Dieu à son sujet, c'est pourquoi j'ai produit les créatures, afin de me connaître en elles » — mais n'est-ce pas, au même instant, la prière de qui, ainsi, l'entend et le reconnaît qui le *crée* en l'arrachant à sa Tristesse? Ainsi, songe Ibn Arabi, dans une Création pensée comme récurrente, peuvent se dénouer les dogmatismes, et finir les guerres de religion. Il nous restera à éprouver, ajoute Sahl Tostarî, pour découvrir le sens de cette fiction, que la « suzeraineté divine a un secret, c'est *toi* — ce toi qui est l'être à qui on parle; si ce *toi* venait à disparaître, cette suzeraineté serait également abolie ».

Peut-être vaut-il alors la peine de relire la dernière page de cette *Phénoménologie de l'esprit* que Hegel écrivit dans le pressentiment d'un nouveau surgissement de l'esprit : son achèvement, conclut-il, sa perfection, consiste à « savoir intégralement ce qu'il est », et ce savoir est « sa concentration en soi-même », son intériorisation, par laquelle « il abandonne son être-là et confie sa figure à la réminiscence *(Erinnerung)* » qui le conduira, à travers la nuit de la conscience de soi, à la naissance d'un Nouveau Monde, où, tel un enfant, il retrouvera la lumière, dans la fraîcheur des premières heures du jour : en cette figure nouvelle « l'esprit doit recommencer depuis le début aussi naïvement », « extraire sa propre grandeur », comme si « tout ce qui précède était perdu pour lui, et comme s'il n'avait rien appris de l'expérience des esprits précédents »...

En historiciste convaincu, au nom du « principe espérance », Ernst Bloch dénonçait en cette philosophie de l'*Erinnerung,* en cette « réminiscence » qui est aussi au cœur des pensées de Schelling et de Novalis, où se marque le plus nettement l'influence du platonisme, une pensée réactive, sinon réactionnaire parce que toujours tournée vers un passé. Mais l'*Erinnerung* hégélienne, pas plus que la réminiscence gnostique ou la nostalgie goethéenne, ne

1. Cf. l'admirable ouvrage d'Henry Corbin : *l'Imagination créatrice dans le soufisme d'Ibn Arabi,* Flammarion, éd.

manifeste le moindre désir d'un retour vers un état passé, supposé Age d'or : elle est, au contraire, dépassement de l'existence immédiate, par intériorisation de l'extériorité, reconduction de l'être, non pas vers un état *antérieur,* mais un état *supérieur,* au présent de celui-ci, tout à la fois la grandeur de l'homme et sa promesse, ce qui en lui infiniment transcende le social-historique, le foyer, dira Schelling, de « l'éternelle liberté ». Parce qu'elle seule permet d'articuler l'éternité et l'Histoire, et de penser la récurrence de la Création dans cette Histoire, la réminiscence est *la condition du sens* : dans le chaos du monde et le tumulte de l'Histoire, malgré les voix multiples qui voudraient nous asservir et nous contraindre, elle seule, obstinément, nous guide et pour cela est bien puissance *prophétique,* cette petite musique qui toujours nous appelle et nous révèle à notre liberté — *notre principe espérance.* Car l'esprit nouveau-né n'est pas voué à l'innocence naïve, la réminiscence a conservé l'expérience des esprits précédents, elle est comme « l'intérieur et la forme, en fait plus élevée, de la substance ». « Si donc cet esprit recommence depuis le début sa culture en paraissant partir seulement de soi, c'est seulement à un degré plus élevé qu'il commence. Le royaume des esprits qui ainsi s'est façonné dans l'être-là constitue une succession dans laquelle un esprit a remplacé l'autre, et chacun a pris de son prédécesseur le royaume du monde spirituel. Le but de cette succession est la révélation de la profondeur et celle-ci est le *concept absolu...* ». Sans cette réminiscence, nous nous engloutirions sans recours dans la nuit de la conscience de soi, elle nous est donc, dans cette plongée au royaume des morts, la lumière qui nous guide et appelle à la résurrection, en elle l'Histoire, délivrée des historicismes, retrouve son sens, comme l'épreuve d'une traversée, d'un pèlerinage vers l'Orient intérieur, et ainsi se noue indissolublement à la reconquête de l'Esprit — elle est le mouvement même de l'esprit vers le savoir absolu, sa montée au Golgotha, vers le trône de lumière qui manifeste enfin l'avènement de la présence, « le calvaire de l'esprit absolu, l'effectivité, la vérité et la certitude de son trône, sans lequel il serait la solitude sans vie; seulement

> « du calice de ce royaume des esprits
> écume jusqu'à lui sa propre infinité ».

2

DONJUANISME
ET DISSIDENCE

Ce siècle qui inventa, dit-on, la liberté, ce siècle qui voulut tout oser pour éclairer la terre en supprimant le ciel par la seule puissance de la Raison, ce siècle qui tant voulut croire au bonheur, ce siècle infiniment disponible et curieux, ce siècle-là ne fut pas heureux.

Ici, le geste d'une main qui tente de retenir l'instant déjà enfui, quand l'air vibre encore des derniers accents d'une musique lointaine, des groupes déjà défaits, ou pas encore formés; la fête va commencer, ou bien elle s'achève, mais a-t-elle lieu vraiment? Sans doute était-ce ailleurs, ou alors autrefois, éteintes les lumières de ses fausses transparences, par-delà le miroir, dans un autre univers irrémédiablement perdu — plus rien, pour nous en souvenir, que cette déchirure vers le dedans de soi, par où la vie s'enfuit à petits pleurs, à petits bruits, sans remède...

Là-bas, vers les mers rêveuses de l'Orient, la nuit, soudain, s'éveille au cœur du jour. Venise la radieuse, tout à la volupté encore des plaisirs et des joies, brille de tous ses feux pour une ultime sarabande, une ultime célébration, et c'est comme si la substance même des choses se dissolvait dans le flamboiement d'un incendie où chaque être n'est plus qu'un point, un accent, une particule déjà désintégrée dans la vibration de la lumière.

Mais sous ce feu trop vif qui brûle les paupières, quelque chose s'affaisse, le fragile équilibre qui tenait ensemble les âmes et les pierres. Une herbe rêche gagne les édifices, un vent mauvais effondre les murailles, les voûtes se désagrègent sous les acides du temps, des barbares en loques festoient parmi les ruines, la terre elle-même se fend.

Alors, par toutes les failles, par tous les interstices, surgissent, formidables, les messagers du néant. Qu'adorent-ils donc, ces mages nécromants, ces cabalistes nocturnes, ces prêtresses cruelles ? Leur regard, sous les chairs, perce déjà le cadavre, les prunelles trop claires des enfants innocents tressaillent d'horreurs perverses, on croirait qu'un cancer ronge le cœur des choses.

Mais la fête continue, car Venise ne voit rien, Venise ne veut pas voir. Elle danse, tandis que l'univers se tord dans une grimace. Ces acrobates, si agiles hier, si maîtres de leur corps, les voici désossés, tels des pantins grotesques, au-delà du possible. Ces bosses, ces nez torves, ces membres difformes, ces mains qui se font griffes : presque rien, un infime décalage, et le jeu se dérègle, et les monstres s'éveillent — derrière chaque épaule ricane un gnome affreux.

Venise danse parmi les rats et les pourritures, elle danse pour ne pas savoir que déjà elle n'est plus. Une amère bourrasque emporte le ciel lui-même, Pulcinella, hydropique, dans un dernier sarcasme, épouse sa propre mort ; il n'y aura plus, désormais, de pardon pour les hommes...

Les fêtes improbables de Watteau, les cris de lumière de Guardi, les *vedute* hallucinées d'Hubert Robert, les masques de Longhi, les caprices de Tiepolo, nous parlent tous d'un monde rongé par le sentiment d'une faute essentielle — une fêlure au plus intime de l'Être, et le siècle se sépare.

Les profondeurs de l'illusoire

Lumières trop vives, visages peints, pirouettes — il fera jour demain : que la musique commence ! Un monde s'achève dans un tourbillon de rires et de masques, un monde nouveau va naître, nous sommes à l'instant du basculement, chacun retient son souffle, comme s'il voulait retenir le temps, avec l'obscur pressentiment que déjà se creuse un gouffre, que plus rien, jamais, ne viendra combler.

Un monde s'achève, mais, dans cet instant d'éternité, au moment du passage, quand chacun reçoit l'annonce de son destin, c'est le monde naissant qui semble, par avance, hanté par sa condamnation, comme si l'effondrement des certitudes anciennes ouvrait à une effrayante lucidité sur sa propre blessure, dans une concentration focale du temps historique qui livre d'un seul geste le dénouement de la pièce et son avant-propos. Un théâtre, donc, où se joue notre vie, mais les possibles s'y consument aussitôt qu'inventés, et qu'importe, dès lors, l'intrigue? Sur le nouveau damier de l'aventure humaine, tous les coups sont permis, mais tous les coups conduisent à la même issue, inexorable...

Comme si l'attente du plaisir, la poursuite du caprice étaient d'avance gâtées par l'amertume de l'après-fête, quand le jour revenu révèle la fatigue des traits, les ravages du temps, les craquelures du fard, et qu'il n'est plus rien que le dégoût de soi et ce grand vide au fond de l'âme.

Comme si la Raison, à l'instant d'abattre tous les dieux pour étendre son empire par-delà l'horizon, pressentait qu'elle allait engendrer, au creux de l'âme humaine, de bien étranges démons.

Comme si le déploiement des libertés conquises supprimait tout obstacle au désir de maîtrise de chacun sur les autres — mais il n'est d'autre obstacle à la course du désir que le regard de l'Autre : s'éveillent alors les noires passions du meurtre, les premières tentations de la bête d'Apocalypse.

Oui, je crois bien qu'à l'instant de naître, ce siècle a dû avoir l'intuition de son destin, de ses impasses, de sa désespérance. Après, seulement, viendra l'aveuglement, le temps de se suffire sur place, d'aménager l'espoir, de croire et de faire croire pour maintenir l'ordre nouveau...

Un monde se meurt, et d'abord par ce qui assurait la pérennité de l'édifice : l'Esprit. La cérémonie baroque se déploie dans un espace qu'ordonne strictement une tradition, forte de s'appuyer sur la Révélation : on ne comprendrait rien à la splendeur du baroque, à sa solennité comme à sa profusion, si l'on ne mesurait pas que tout ordre social, comme toute forme, renvoie ici à une structure spirituelle — ainsi se célèbrent à la fois l'évidence de la présence divine et la gloire royale.

Nulle distance, donc, nul jeu, nul simulacre, mais l'incantation de la Présence : le geste qui manifeste les signes du pouvoir ne se distingue pas de celui qui l'instaure. Puissance charismatique de la liturgie : ce souverain-là est bien de grâce divine. Dès lors, chaque seconde de son existence devra manifester la plénitude de cette souveraineté, chaque seconde sera réglée comme une cérémonie, offerte aux regards des sujets : nul refuge où abriter le semblant d'une vie privée — le roi n'est tout-puissant que s'il ne s'appartient pas.

Mais que lui vienne le désir de s'appartenir un peu, que lui et les siens manifestent ainsi un affaiblissement du sens de la Présence, et c'est toute une structure sociale qui se déstabilise : de la liturgie ne restent alors qu'une forme vide, un simulacre, une représentation théâtrale, l'étalage sans vergogne de privilèges que plus rien ne vient justifier. Le faste royal cesse de s'imposer comme la création magique d'un ordre social pour se dévergonder dans la mise en spectacle d'un intérêt privé — alors seulement le pouvoir n'est plus fondé que sur l'arbitraire, le pur caprice et le temps n'est pas loin où le roi sera dit tyran, les privilèges abus, la tradition préjugés, la Révélation fable conçue par les puissants à des fins de maîtrise. Mais il aura d'abord fallu que Dieu meure dans le roi...

Dans l'instant du passage de l'ancien au nouveau, les formes demeurent, tandis que disparaît le sentiment du divin : ce baroque sans transcendance sera le rococo, qu'illustreront si parfaitement Oppenord et Meissonnier, Cuvilliès et Vassé, Pineau et Le Pautre, et dont les peintures de Boucher donnent un sentiment si exact. Ce foisonnement de formes rétrécies, miniaturisées, dans un climat d'enfantillages, de zézaiements et de babils, tandis que prolifèrent petites maisons, petits boudoirs et petits couloirs, ce délire de courbes et de dorures, cet amoncellement de bibelots, dans un vertige d'autant plus oppressant d'occuper le moindre recoin que l'espace est désormais perçu comme un vide insensé, cette obsession de la variété et de l'exotisme dressent le décor obligé d'une vie désormais perçue comme pur spectacle, théâtre, artifice — dissipation pure.

Nulle époque, sans doute, n'a eu un sentiment aussi aigu de l'arbitraire de toute structure sociale, du conventionnel de toutes les attitudes — chacun mime un rôle, dont il doit manifester, pour faire partie du cercle, qu'il en mesure tout l'artifice; côté cour, analyse très finement Starobinski, se déploient « les signes qui imposent l'illusion d'une autorité », tandis qu'à l'intérieur « les lambris et les glaces établissent l'autorité de l'illusion » —, mais nulle époque, non plus, n'a ressenti aussi profondément le mal de vivre, l'angoisse devant le néant, la fascination de l'absurde. Le siècle naît à peine que déjà Lady Winchelsea publie son poème, *The Spleen,* et l'un des personnages de l'abbé Prévost, dans *Mémoires et aventures d'un homme de qualité,* traîne désespérément un fond d'*inquiétude* et d'*ennui*. Ces deux mots-là feront fortune : « Les plus fortes occupations n'étaient pour lui qu'un amusement qui laissait toujours du vide à remplir au fond de son cœur. » Dorat, comme en un écho : « Quel est donc ce vide éternel du cœur ? Quelle est cette inquiétude que rien ne peut fixer ? » Plainte baudelairienne de Loaisel de Tréogate : « Mon œil est fatigué de ce jour homicide. » Chant de mort de Choderlos de Laclos : « A l'orage qui gronde, ô mort! dérobe-nous. » Soupir de Colardeau : « L'ennui, le sombre ennui, triste enfant du dégoût... »

Dans un monde déserté par la présence divine qui lui donnait sens, l'Homme, désorienté, découvre, avec la liberté, la hantise du temps, de la mort, de la solitude. L'expérience de la vanité du monde pouvait conduire autrefois à la conversion — elle ne débouche plus aujourd'hui que sur un gouffre sans fond. Pierre Sylvain Maréchal, pourtant athée militant, n'en gémit pas moins : « Je ne sais d'où je viens, qui je suis, où je vais », tandis que Léonard clame son désarroi : « Et moi, je suis seul, seul dans l'univers! » Bulidon, dans ses *Méditations sur la mort faites dans un cimetière,* trouve des accents étrangement modernes : « Qui jamais volontiers s'expose à devenir / le sujet du néant et le bien du silence ? [...] Je pense; mais pourquoi, sinon pour mon supplice! [...] Grâce à la Raison nous mourons tous les jours. » Diderot, lui-même, dans une lettre à Sophie Volland, fait dire à un de ses amis écossais : « Le pire est d'exister, et j'existe. » Conclusion de Desmarais : « L'espérance est à jamais bannie. »

Ce sont les mêmes, pourtant, qui se passionnent pour les prodigieuses machineries de théâtre que Burnacini, et les Galli-Bibbiena montent partout en Europe, les mêmes qui se pressent aux démonstrations des étranges machines optiques nommées « zograscope », « panoramacopia », « polyoramas », les mêmes qui sont fascinés par cet « Eidophusicon », du peintre anglo-alsacien Loutherbourg, qui, par un jeu complexe d'éclairages et de rideaux, semble restituer des scènes en mouvement. Le siècle de la Raison et de l'angoisse existentielle est le même qui fait un triomphe à Cagliostro, qui voit se multiplier mages et charlatans, qui se passionne pour les jeux de marionnettes et les automates de Quesnay ou Vaucanson — et c'est déjà l'Homme lui-même que l'on rêve machine : en 1744, le chirurgien Lecat propose un projet d'homme artificiel...

Ainsi cet art subtil de l'illusion, cette réflexion aiguë sur les puissances du spectaculaire, cet immense jeu de miroirs porté à la dimension d'une société entière — et cette incapacité à échapper au sentiment de l'illusoire en toute chose qui fait du démystificateur le premier mystifié — ne s'opposent point aux sombres angoisses de la déréliction, où se manifestent par avance et avec une extrême violence tous les thèmes de l'existentialisme : au contraire, ils se répondent, comme l'envers et l'endroit d'une même fausse monnaie — en un seul coup de dés se jouent tous les possibles de la mort de Dieu.

Si Dieu se meurt, meurt aussi le Sens, ne restent plus que des formes vides et la convention qui règle alors leur jeu : ainsi s'instaure le règne de la mondanité, du « système de la mode » — bref, d'un structuralisme avant la lettre. Ni morale ni pudeur, qui sont puérils préjugés, mais les règles subtiles et changeantes qui font le bon ton : l'art de plaire, le jeu de la galanterie et, par-dessus tout, l'*esprit,* cet « esprit français », bien loin de la puissance rabelaisienne comme de la verdeur d'un Fielding, qui ne peut concevoir le « style » que comme un art du déguisement et qui fera la gloire du « petit genre », contes, facéties, badinages, en un siècle où même les abbés se piquent de mettre en cantiques l'Imitation de Jésus-Christ, « sur des airs d'opéras et de vaudevilles » : tout art s'y réduit à un art de la bienséance.

La puissance créatrice, la liberté de ton, l'originalité des grands artistes baroques tout à la fois inquiètent et font horreur : ces hommes nouveaux qui se veulent libres de tout préjugé sont littéralement obsédés par le souci de *conformité* — et cela d'autant plus que la règle est perçue comme arbitraire. Ainsi nos libertaires se retrouvèrent moutons — enrubannés, certes, mais moutons néanmoins. Premier piège de la liberté, dont nous apprécions aujourd'hui les effets...

Si Dieu est mort, il n'est plus d'autre arbitre aux conflits entre les hommes que les hommes eux-mêmes, c'est-à-dire leur force : sans plus de limites, désormais, à l'expansion des pouvoirs, tout devient permis — aux hommes, mais aussi *sur les hommes.* Le plaisir est précisément ce jeu où l'homme se prend pour fin — mais aussi pour gibier, puisqu'il n'est de désir que de l'Autre.

Quand la Raison ruine les principes d'une autorité fondée sur le complexe « tradition-révélation », ne reste plus guère d'autres principes d'autorité concevables en raison que la juridiction du sentiment — et plus exactement, faudrait-il dire, de la « sensation » : « L'origine de toutes les idées est ce que l'on appelle la sensibilité; car il n'y a pas de conception dans l'esprit humain qui n'ait été engendrée, totalement ou en partie, par les organes de la sensibilité », soutient Hobbes contre Descartes, qui tenait pour assurée l'existence de l'âme, par la grâce d'idées innées en elle.

Lisant plus tard l'*Essai sur l'entendement humain* de Locke, Voltaire, Diderot, Rousseau, d'Holbach, Helvétius, d'Azens auront tous le sentiment que s'ouvre une nouvelle époque de la pensée, tandis que leurs adversaires y dénonceront le bannissement de « tout ordre et de toute vertu » (Shaftesbury) — l'équivalent, dans l'ordre de la pensée, a-t-on pu dire, non sans raison, de la prise de la Bastille...

Le temps des grandes chasses

« Je sens, donc j'existe », commente Bernardin de Saint-Pierre : si l'âme pense en fonction de ses sentations, si la sensation, seule, nous donne conscience d'exister, la grande affaire sera, en effet, de sentir fortement, et de multiplier les stimuli. « Jouir, c'est L'honorer, jouissons, Il l'ordonne », enjoint Saint-Lambert, qui garde un dernier scrupule du côté du divin. « Jouis, il n'est pas d'autre sagesse, fais jouir, il n'est pas d'autre vertu », précise Senancour, qui n'en a plus guère. *Jouir :* voilà le premier mot d'ordre du siècle de la Raison.

Ainsi le plaisir vient tout justifier. On en soupèse les avantages et les inconvénients par de savantes arithmétiques. Les plus naïfs tentent de fonder une morale sur l'innocence supposée de la passion — « le sentiment n'est point libre, il ne peut donc être criminel », soutient, en 1848, le janséniste Toussaint. Les plus emportés se moquent de toute morale, tel Diderot, qui proclame : « Tout ce que la passion inspire, je le pardonne. »

Cela ira très loin : derrière les boudoirs de Boucher, s'annoncent déjà les souterrains et les chaînes des châteaux forts de la grande nuit frénétique. Bien avant le marquis de Sade, la littérature à la mode propose un intéressant catalogue des perversions, avec une prédilection marquée, vers le début du siècle, pour l'inceste (l'abbé Prévost, Mlle de Fauques, Ramond, Casanova, Mirabeau, Mme de Graffigny, Le Camus, Lamarche-Courmont, de Mouhy, Sébastien Mercier, etc.), l'amour des adolescentes (Delasolle, Baculard d'Arnaud, Léonard, Choderlos de Laclos, et surtout Bibbiena — qui violera d'ailleurs une enfant de trois ans —, pour son inquiétante *Poupée*), mais on y trouve déjà en abondance toutes les variantes susceptibles de ranimer les sensations émoussées de nos rationalistes : orgies au fouet, prostitution forcée, cannibalisme, viols de femmes enceintes, bébés broyés au mortier. Comme dira Sade : « Tout le bonheur de l'homme est dans son imagination... »

Raffinement et animalité : closes les portes du palais, sous les lumières de la fête, commencent les grandes chasses. Attentions, billets, protestations d'amour, portraits échangés, tous arts subtils du mensonge convenu : le sentiment n'est qu'un prétexte du désir, sous les masques ce sont des fauves qui s'épient — chasse gardée du libertin.

Il faut donc rendre le libertinage à sa véritable dimension : la forme la plus radicale et la plus cruelle, parce que la plus désespérée, d'une exigence de liberté, rebelle par principe à toute transcendance, et qui garde encore assez de dignité pour se dégoûter des écœurants produits de remplacement conçus par les âmes faibles, ces succédanés laïques de la divinité que seront le « social-historique », l'historicisme, la religion du Progrès. Oui, le libertin peut être dit le seul libertaire véritablement athée, l'archange du néant, le danseur désespéré sur les gouffres du non-sens, qui tente l'expérience folle d'une dépense absolue — et se retrouve bourreau : deuxième piège de la liberté.

Fin de la fête, naissance de l'homme

Dans le même temps, la fête, la fête cosmique des permutations et des renouvellements, le colossal éclat de rire qui, à travers une multitude de rites et de spectacles, secoue tout le Moyen Age, achève de disparaître, au point de devenir en quelques années rigoureusement incompréhensible — et ce n'est pas le moindre paradoxe d'un siècle si occupé de spectacles et de divertissements.

Mais précisément : le Carnaval moyenâgeux n'est ni un spectacle, ni un divertissement, mais la création collective d'un « autre monde », qui met à mal, comme le remarque Bakhtine, « la stabilité, l'immuabilité et la pérennité des règles régissant le monde, hiérarchies, valeurs, normes et tabous religieux, politiques et moraux en usage ». Il est tout de même remarquable que les philosophes chasseurs de préjugés du XVIIIe siècle aient été absolument aveugles à cette contestation-là, populaire et radicale — parce qu'elle les contestait eux aussi, par avance? Alors leur Raison naîtrait du refoulement de la parole carnavalesque...

Ce qui anime, traverse, sous-tend ce « deuxième monde », c'est le *rire* — mais un rire énorme, universel, sans extériorité, braqué sur les rieurs eux-mêmes, libérateur, donc, créateur et non point dénigrant, un rire moyen de connaissance, un rire impliquant une conception du monde qu'à la suite de Bakhtine j'appellerai « réalisme grotesque », bref, un rire rabelaisien, de ce Rabelais, « bouffon intelligible et extravagant », que raille Voltaire, parce qu'il incarne à ses yeux le XVIe siècle « barbare et sauvage ». Inintelligible : nous ne connaîtrons plus désormais que le petit rire, le rire « ramené à la Raison », l'humour, l'ironie, la satire, et cet « esprit », piquant et négatif, que l'on appelle français.

Avec la Raison naît l'*individu*. Non point la personne, qu'inventèrent les religions du Livre, mais ce sujet pensant qui se perçoit comme un corps séparé, autonome, fermé, hors de l'univers donc, ou encore en son centre, ou bien son maître, le levier tant cherché, le point d'ancrage — en lui s'oublie le « corps grotesque » du rituel carnavalesque, ce corps toujours ouvert, en changement perpétuel, en métamorphoses inachevées, en croissance et en devenir, centré sur tout ce qui communique : bouche, organes génitaux, pénis, phallus, gros ventre, nez, corps éternellement non prêt, éternellement créé et créant, c'est-à-dire toujours à la fois singulier et pluriel. Considérez la statuaire, vous mesurerez une révolution : l'âge de Raison est aussi l'âge des corps lisses, fermés, presque sans âge. Comme une secousse tellurique qui aurait balayé le sol de notre culture, brouillé tous les repères, transformé le regard — à peine reste-t-il encore quelques traces sur le sable pour nous souvenir qu'un continent entier, ou une part de nous-mêmes, vient de sombrer dans les ténèbres...

Le Carnaval demeurera donc, mais comme l'obsession d'une énigme indéchiffrable, comme une inquiétude, et une nostalgie — c'est qu'aucune époque, peut-être, n'a autant que celle-là réfléchi à la fête, n'en a aussi obstinément poursuivi l'idée, comme si elle y avait deviné tout à la fois la marque de sa malédiction, et la promesse des terres réconciliées. Mais lors même qu'elle en reprend à profusion tous les signes apparents, elle ne joue plus, elle ne combine plus que des formes vides, comme si elle opérait une radicale négation de l'univers carnavalesque.

A l'espace ouvert de la place publique, où chacun participe à la recréation du monde, s'opposent l'apparat de ses fêtes publiques, et les portes closes de ses fêtes privées; l'univers, dont on célébrait joyeusement les rythmes, les métamorphoses et l'accord, se fait terrible, angoissant, insensé, *extérieur*; les masques, qui traduisaient la joie des alternances et des réincarnations, cachent désormais les visages, se font mensonges — à moins, semblent murmurer parfois Goya et Tiepolo, qu'il n'y ait plus rien, derrière les masques, que le grand vide de la mort... Dans un paysage de convention, quatre jeunes filles rieuses lancent un pantin vers le ciel. Rien qu'un pantin inerte, presque disloqué, et c'est pourtant comme si une nuit d'épouvante envahissait la scène : la fixité douloureuse du *Pelele* de Goya nous annonce qu'il n'y aura plus d'innocence, désormais...

Nicolas Logroscino et Baldassarre Galuppi, les rois de l'*opéra buffa,* triomphent à Naples et à Venise, mais leur apothéose est déjà grosse d'une mutation, les savants livrets de Goldoni achèvent d'éliminer ce qui pouvait procéder de l'inspiration populaire, la commedia dell'arte ne s'improvise plus mais s'écrit, Carlo Gozzi, avec son « théâtre fiabesque », fait presque figure de personne déplacée, une manière d'être au monde s'enfonce dans l'oubli.

Tiepolo, plus que tout autre, sera le chroniqueur génial des multiples avatars de cette inquiète agonie : sous sa plume sarcastique, le grotesque du Carnaval se mue en tératologie, les corps se convulsent haineusement, les Pulcinella grimaçants pullulent comme des rats dans un paysage déserté par l'espérance — ces monstres-là ne viennent ni du ciel, ni de la fête : c'est donc bien qu'ils accompagnent la naissance de l'Homme.

Mais il arrive qu'à poursuivre vainement le plaisir, dans la dispersion et la distance instaurées, les esprits, lassés des jeux de l'illusion et du paraître, des loups et des guerres en rubans, se prennent de nostalgie pour une « vraie » fête, où l'émoi esthétique et l'instruction civique enfin se joindraient pour célébrer la communion des cœurs, dans l'émergence de sociabilités nouvelles. En toute fête se joue l'ordre du monde, au double sens d'un jeu et d'un enjeu : ce débat sur la théâtralité et la fête spontanée, sur la transparence et la représentation, aura des conséquences redoutables : il se donnera bientôt, dans les rues, des fêtes fort imprévues, où la transparence obligée se dansera sur des airs de carmagnole...

Mais Diderot et Rousseau, rêvant à la fête idéale où se créerait par naturelle sympathie une collectivité conjuguant ordre et liberté, se tournent vers l'austère idéal classique, Athènes, Rome, Sparte, jamais ils ne songeront à l'univers carnavalesque, trop bas, trop vulgaire, « inintelligible » à leur goût — quelle raisonnable leçon tirer de ce « philosophe ivre » qu'est Rabelais ? La proximité dans leur critique de la représentation, pourtant, est évidente... comme il est évident qu'un gouffre sépare la fête de l'Être suprême du rituel carnavalesque.

Qu'en conclure, sinon à l'évidence d'un changement d'espace mental ? A vouloir penser la fête sur l'autel de la raison d'État, on ne crée point des sociabilités heureuses, mais des sciences humaines, c'est-à-dire des *polices*. Mais il est vrai que ce siècle ne sut jamais rire, et l'on pourrait tenir, sans paradoxe, que jamais on ne parla autant de la fête pour la connaître si peu : Arlequin et Pulcinella meurent sous des flots de discours, et avec eux le secret du grand rire populaire — les Lumières, ou la fin de le fête [1]. Ainsi, au nom de la transparence nécessaire des cœurs et de l'apothéose de la Raison, se retrouve-t-on « gentil organisateur » de défilés militaires. Ce peuple qu'on prétend libérer, il aura donc fallu au préalable le porter disparu — et particulièrement dans ses formes spontanées de résistance et de création. Et voilà le troisième piège de la liberté...

Étrange siècle, qui toujours se refuse, dans les mille éclats d'un jeu de miroirs, ne se donne que pour se reprendre et multiplie à l'infini les décors de son théâtre... Sa vérité est son mensonge : rien de plus que des images, renvoyant l'une à l'autre indéfiniment, et aussi échangeables qu'un jeu de masques — mais la grande affaire de l'époque n'est-elle pas, précisément, le refus du visage et le refus, surtout, de l'énigme du regard, qui, nous faisant face, nous fait être ? Naïf, celui qui voudrait ici opposer ombres et lumières, Passion et Raison, mensonge et vérité : ces « Lumières » sont celles de la nuit, quand, portes closes et rideaux tirés, s'allument les lampions de la fête et que l'homme de Désir, justifié en raison par la mort de Dieu, commence sa chasse à l'Autre, sous les protestations d'amour éternel — ce siècle, qui fut, nous dit-on, celui d'une quête ardente de la vérité, est aussi le siècle de l'art subtil de se mentir, où plus personne ne croit au sérieux d'une parole. Aussi, pour ne point s'y perdre, faut-il comprendre que *l'on y parle toujours d'autre chose,* et que toute chose y est *façade* : de même que l'on s'étourdit de toutes les possibilités de double entente qu'offre la rhétorique, de même l'on se plaît à mener une *double vie,* dans cet « autre monde » des petits soupers et des « petites maisons », des « folies » et des boudoirs, où règne en maîtresse-servante le personnage de l'*actrice.*

1. Et c'est si vrai que les observateurs notent, vers le milieu du XVIIIe siècle, une raréfaction de la fête publique telle que les princes paient des policiers pour en mimer l'allégresse : « La police a pris soin, dans certaines circonstances, note Sébastien Mercier, de payer des fortes gueules, qui se répandent dans différents quartiers, afin de mettre les autres en entrain. »

Les dieux que peint Boucher au plafond de ces lieux, ses nymphes et ses amours, son Paradis, en somme, ne se préoccupent guère de grandeur et de Foi : aucun esprit, ici, mais des viandes qui s'étalent pour ne plus rien savoir des puissances de l'ombre et du travail du temps. Ainsi, ces hommes, qui disent « préjugés » l'autre monde de la Foi, se construisent ici-bas un monde d'illusions — peignant le paradis, Boucher ne sait plus dire que le mensonge des maisons closes...

Agent double

Le produit exemplaire et l'ingénieur de cette mutation des consciences, le théoricien des doubles jeux rhétoriques et le professionnel de la double vie, l'astre nouveau des salons, qu'il illumine des traits de son esprit critique, bref, l'agent double requis par une époque placée sous le double signe du masque et de la vérité, c'est l'intellectuel, cet individu dont l'étrange fonction est de penser *à la place des autres* — assurément l'invention la plus étonnante de l'Europe moderne.

L'image couramment admise d'un intellectuel en perpétuelle rupture d'époque, toujours entre Vincennes et Bastille pour la défense intransigeante des libertés, relève d'une aimable légende, conçue probablement à des fins d'autojustification : rhéteur plus que poète, vulgarisateur plus que savant, essayiste plus que philosophe, politicien, mais de bibliothèque, il est avant tout, selon le mot qu'inventera bientôt l'un des leurs, Destutt de Tracy, un *idéologue,* c'est-à-dire le nouveau médecin du lien social, celui qui diagnostique la maladie et propose les remèdes, celui qui passe usages et croyances au feu de la critique, mais construit en sous main le système d'idées et de représentations, donc d'usages et de croyances, dans lequel la société va se percevoir désormais.

Conseillers des despotes, parcourant toutes les cours d'Europe pour y délivrer leurs leçons de « politique rationnelle », et se faisant pour cela payer fort cher, au point d'être parfois traités de « pamphlétaires à gages », — les gens de lettres deviennent, à la honte du siècle, aussi « avides que des financiers », maugrée Frédéric II, pourtant l'un des principaux acheteurs sur ce « marché des cerveaux » qui s'instaure alors en Europe — ils sont, en quelque sorte, et si l'on prend le mot dans son sens originel de « ce qui lie », les nouveaux prêtres d'une nouvelle *religion,* mais sécularisée, sans cette échappée hors de la juridiction humaine qu'offrait la transcendance, où la personne pouvait se ressourcer, et pour cela peut-être, dira l'avenir, la plus oppressive qui soit, sous des allures de libération.

Quand la structure spirituelle qui tenait l'ordre social s'effondre, il devient urgent de trouver de nouvelles formes d'unanimité : l'intellectuel est d'autant moins en rébellion contre l'« air du temps » qu'il a précisément pour fonction de le susciter — ainsi la foi cède la place à l' « opinion publique ».

Commence alors le double jeu, et se referme le cercle fatal : en tant qu'Être générique, l'intellectuel se pose à la fois comme le prophète de la Raison et le porte-parole d'une opinion publique qui se prononce d'autant mieux à travers lui qu'il en est largement le créateur. Mais en tant qu'être particulier, chaque intellectuel se retrouve l'esclave de cette opinion, qui, par son enthousiasme ou son indifférence, fait le succès ou l'échec de son œuvre. D'où le souci « naturel » d'une pleine maîtrise de l'opinion par le moyen de la Raison : ainsi naissent ces sciences que l'on dira « humaines » et qui feront si aisément de nos « libérateurs » des manipulateurs de consciences.

Rêvant à son exemplaire théâtre esthético-moral, Diderot ne manque pas de se laisser tenter par ses possibilités de propagande : « Quel moyen, si le gouvernement en savait user, et qu'il fût question de préparer l'abrogation d'une loi ou le changement d'un usage! Il faut que le souverain tienne le prêtre dans une de ses manches et l'homme de lettres dans l'autre. Ce sont deux prédicateurs qui doivent être à ses ordres. » On ne peut mieux dire...

Ce n'est pas un hasard si Diderot nous paraît incarner tous les déchirements des Lumières. Parce qu'il réalisa une sorte de concentration focale des puissances du siècle, qu'en lui l'homme de Raison délivra l'homme de Passion, et que ses ombres les plus noires semblaient jaillir du cœur même de la lumière, on lui a fait brandir tour à tour les étendards du matérialisme militant et du romantisme le plus échevelé — tout en le plaignant fort d'avoir eu à assumer d'aussi pénibles contradictions.

Plaignons plutôt ces « spécialistes », pour *leurs* contradictions et *leur* schizophrénie : Diderot est une figuration emblématique *parce qu'*il manifeste que Raison et Désir, ombres et lumières, ne s'opposent pas, mais se répondent, comme l'envers et l'endroit d'un même denier — celui dont se paie la mort de Dieu. Nul besoin ici d'un quelconque « préromantisme » : le romantisme de la fascination des extrêmes, des tumultes de la passion, de l'effroi satanique, des grandes nuits frénétiques, n'est que l'autre nom de l'optimisme rationaliste, l'autre côté du masque — et si chaque face, seule, est un leurre, elle n'en est pas moins la *vérité de l'autre :* « Ne savais-tu pas que je suis logicien? » murmure le diable, railleur, à sa naïve victime...

Le nouveau cosmopolitisme

C'est dans l'épreuve de la plus angoissante des solitudes, pendant l'hiver de ces années 86-87 où, abandonné par Nancy Storace — à laquelle il dédiera le déchirant aria *Ch'io mi scordi di te* — il affronte seul la mort, coup sur coup, de son dernier enfant, du plus cher de ses amis, le commandant Hartzfeld, puis enfin de son père; dans l'épreuve, aussi, d'un tragique face à face avec le tumulte oppressant d'un fonds obscur, en lui, qui le fascine et l'épouvante, puissance de mort, séductrice et terrible, qui le traverse, l'emporte, et sûrement le brise, quand elle se donne pourtant pour son « élan vital », sa liberté plénière, que Mozart compose, sur un livret de Lorenzo Da Ponte, son sublime *Don Giovanni* — ce Don Juan libertin-libertaire qui affronte, seul, aux lisières de l'aventure humaine, la sombre énigme du Convive de Pierre. Dans ce mythe extrême, qui ne tire son énigmatique puissance d'ébranlement que de la présence obsédante de la mort, la mort qui rôde entre les personnages, la mort, comme le cœur noir du Désir, la mort, enfin, à la rencontre de la figure de pierre dans l'instant suspendu hors le temps du dernier face à face, quand l'Histoire elle-même vacille au bord du précipice, l'époque arrache son masque, dans un dernier défi et un éclat de rire...

Il fut d'abord un aristocrate, ce héros du *Festin de pierre* de Villiers, séducteur arrogant, voulant tout ignorer des reproches et des lois, qui s'avance, dédaigneux, souverain sur la scène du monde, pour clamer son mépris à la face des humains.

> Je ne veux plus souffrir de père ni de mère,
> Et si les Dieux voulaient m'imposer une loi,
> Je ne voudrais ni Dieu, maître, ni roi!

En lui, tel que Molière enfin le campe, insolent et cruel, s'incarnent les exigences du grand rêve païen qui, encore une fois, agite une aristocratie lassée de ce trop « noblesse oblige ». Face au pouvoir royal en constante expansion, qui le voudrait apprivoiser dans une gloire illusoire, face à la Loi chrétienne tenue pour le prétexte des médiocres envieux, face à la morale de l'humilité, tenue pour l'hypocrisie de qui n'a pas le courage de ses désirs, face à cette dictature, bientôt, imposée par la masse effrayée, un fauve se dresse, qui ne veut plus connaître d'autre loi que celle d'un désir sans limite, pour s'affirmer l'égal des dieux.

Un siècle plus tard, le voilà Don Giovanni, sublime révolté, libertaire radical, chantant, comme jamais, peut-être avant lui on ne chanta, *Viva la libertà!* — celui-là, en vérité, se veut furieusement, absolument, scandaleusement libre, sans scrupules ni remords, ignorant le péché, « innocent », presque, en tous les cas sincère, vivant chaque instant dans l'ivresse de qui s'est choisi sans mémoire, et son rire résonne jusqu'en face de la mort, où se conjuguent encore l'irrépressible jaillissement de sa vitalité et la rage de détruire ce qui lui fait obstacle. Il épouvante, il scandalise, il suscite la haine, moins par ses actes, peut-être, que parce que son rire, ses courses échevelées, son « appétit barbare » défient ou ignorent la retenue craintive des esclaves humains et leur peur abjecte de la mort : il est bien le rebelle, le héros, dira-t-on, des libertés humaines, parce que, en lui, s'annonce l'immédiate transgression de tout ordre social.

Le dira-t-on, dès lors, aristocrate ou libertaire? Le hautain *burlador* n'inquiète, ne dérange, ne fascine pareillement que parce qu'en lui ces deux figures ne se peuvent séparer, à ce point d'exacerbation du désir où l'ambition aristocratique, déliée de la foi chrétienne, rejetant vaine gloire, honneur, fidélité, loyauté, propriété, dans le vertige d'une dépense sans limites, subvertit toute permanence sociale — comme si ce héros païen, du même coup, nous disait que, Dieu barré, la rébellion est aristocratique en son essence et vise à l'absolu de la maîtrise.

Mais est-il libre vraiment? Car il ne tire sa puissance que de la fascination qu'il exerce, notamment sur les femmes — peut-être sont-ce alors les femmes qui le rêvent, l'appellent, le suscitent, ces mondaines qui, au XVIIe siècle, déjà, prétendaient se libérer du « mythe de l'amour » par les rhétoriques du Désir, le jeu des masques, les ruses de la conquête, ce que Walpole plus tard dira la « débauche de l'Esprit », et qui courent, dès lors, de tentative en tentative, toujours plus vaines. « Et s'il se trouve, écrit Denis de Rougemont, pour incarner ce rêve, des Richelieu et des Casanova, je suis moins sûr de leur réalité que de celle du désir qui les crée. » A preuve, la manière dont les femmes s'en joueront...

Obsédé par la vitesse, voulant faire de sa vie son festin, courant fiévreusement de ville en ville, de corps en corps et d'instant en instant — parce que, refusant l'éternité au seul nom du présent, il a, du même coup, perdu le temps lui-même ? — Don Juan, inlassablement, cherche la Femme, à travers toutes les femmes qu'il conquiert, non pas telle ou telle en ce monde qui achèverait sa quête, mais l'unité transcendantale du genre, l'essence de la Femme, la Féminité. Il aime donc chaque femme, remarque le philosophe Jean Brun, *parce qu'*elle est une Femme, mais la quitte aussitôt parce qu'elle *n'est* qu'*une* femme. Et, réciproquement, ce n'est pas malgré son infidélité que les femmes se donnent, mais pour son infidélité et venir ainsi s'ajouter sur la liste de Leporello. C'est qu'elles en attendent, fascinées, quelque chose comme une délivrance, l'accomplissement de leur destin, la réalisation de leur essence : qu'en elles s'incarne, le bref instant de l'amour, cet Être même de la Femme que poursuit Don Juan. En sorte que notre *burlador* ne rencontre jamais personne, *d'autant qu'il ne peut concevoir cet Autrui qui clôturerait sa quête que comme l'unité de la multiplicité des femmes qu'il traverse, le concept de leur totalité.* Séducteur « prisonnier de la sensation », peut-être Don Juan est-il, en fin de compte, l'être le plus faible qui soit, condamné par son refus de la transcendance à ne jamais se ressaisir lui-même, s'il est vrai que l'on ne s'assure jamais de son identité que dans le regard de cet « Autrui » qui nous fait face. L'antithèse absolue de Tristan, donc, qui découvrait dans l'amour infini de la seule Iseut un univers inépuisable...

Dans le trop méconnu *Don Juan und Faust* de Christian Dietrich Grabbe, Méphisto, qui redouble le Commandeur, déployant son manteau de flamme, interpelle Don Juan, tandis que sa maison s'embrase : « Je t'emporte avec moi — je te soude à Faust. Je le sais, vous tendez au même but, mais par des voies différentes. » Et en effet, Faust, tout à sa volonté ardente de toucher enfin aux racines de l'arbre de la connaissance, Don Juan, avide de goûter tous les fruits de l'Arbre du Désir, naissent à peu près au même moment, comme les deux nouveaux visages de Dionysos, du même rêve païen qui voudrait rejeter l'idée chrétienne d'un temps marqué par le péché et aliène le sens de la personne dans la vision d'un individu s'affirmant, à l'égal de Dieu, le seul maître du Sens, son propre créateur : la course sans frein de Don Juan, passant de femme en femme sans en rencontrer jamais aucune, n'épouse-t-elle pas le mouvement même du concept, lequel met entre parenthèses le réel, l'ici, le maintenant, l'incarné, bref l'existence concrète, pour parvenir, dans l'abstrait et le général, à la pureté des essences ?

Ainsi Don Juan, tout à la fois pure intellectualité dans sa quête sensuelle et pure spontanéité de l'instant par le caprice de son plaisir, nous donne-t-il à entendre, comme l'aventure même de la modernité, sous le mouvement du concept, le sourd grondement du désir de maîtrise et, dans l'apparent foisonnement des libérations désirantes, la ruse suprême de la Raison : il est donc bien d'abord *l'aventurier du concept,* qui, par une érotique de la connaissance, nous révèle que le concept est donjuanesque en son essence — *la figure même de l'intellectuel.*

Sans doute est-il donc aussi vain d'accuser les intellectuels de « se tromper » que de reprocher à Don Juan de ne se point fixer sur une seule femme, et le chœur des militants déçus, veufs soudain d'espérances et d'idéologies, poursuivant les intellectuels de leur fureur jalouse, fait irrésistiblement songer au groupe meurtri, haineux, uni seulement par le ressentiment d'Elvire, Donna Anna, Ottavio, Zerline et Mazetto lancé, dans l'opéra mozartien, à la poursuite du *burlador :* comme lui en effet, courant de concept en concept, l'intellectuel nous séduit et *nous* trompe [1] — ou plutôt nous nous trompons nous-mêmes à travers lui, s'il est vrai, comme je le suggérais un peu plus haut, que sa puissance ne tient qu'à notre fascination, qu'il est notre propre création. Ils auront donc encore à apprendre, tous ces amoureux déçus des idéologies, comme les personnages de Mozart, à triompher de leur ressentiment, et de leur démonisme, pour s'ouvrir à Autrui — alors seulement Don Juan perdra, et non dans une vaine chasse à l'homme, sa puissance et sa gloire [2].

Le regard de l'Idiot

Ainsi, dans la mouvante complexité d'une fiction, *Don Giovanni* révèle l'unité de ce qui se donnait jusque-là pour contradictoire, le texte de l'époque, qui dépasse ses contextes, pour nous parler encore, son visage — sa vérité. Et s'effondrent du même coup les clichés sur une prétendue opposition entre la « Raison des

1. C'est d'ailleurs pourquoi ce « nouveau cosmopolitisme » que l'on nous propose aujourd'hui en remplacement d'une « idéologie française » morte à force d'abjection, me paraît moins définir une alternative qu'un retour de l'intellectuel à la pureté de son essence — courant de ville en ville et d'idée neuve en idée neuve sur la chair vive du monde, au risque de susciter bientôt une « Jet Society » du concept, je crains fort qu'il ne se constitue de part en part dans le refoulement de Tristan, ou, si l'on préfère, des puissances propres de l'art.

2. Voir plus loin, le chapitre « Vers les rivages du Nouveau Monde. »

Lumières » et ce « romantisme noir » où déferleraient les puissances, inquiétantes ou libératrices, selon les points de vue, du Désir : chacun n'a d'ailleurs jamais vécu que des naïvetés de l'autre. Si nous voulons vraiment retrouver les voies d'un romantisme qui s'opposerait radicalement aux Lumières, ou plutôt délivrerait leur rêve de liberté du piège où toujours il se prît, il nous faut donc sortir des pièges en cascade et des vaines querelles des pensées dualistes, pour convier sur le devant de la scène un *troisième* personnage, sans la présence duquel nous ne pourrions rien comprendre, ne serait-ce que parce que son élimination fut bien la grande affaire des intellectuels : l'*homme de Foi*.

Un tableau semble nous y conduire, ou, du moins, au sentiment de son absence — et ainsi il résume par avance tout son siècle, dans la brillance de ses caprices, son goût de l'illusion et l'infinie mélancolie de son exil : le *Gilles* de ce Watteau qui intriguait tant ses contemporains, lesquels ne comprenaient pas comment un être d'humeur aussi sombre avait pu consacrer sa vie à peindre des scènes de divertissement.

Mais divertissement, vraiment ? A l'opposé des voltes et des saillies d'Arlequin et de Figaro, Gilles incarne la lourdeur stupide, l'incurable naïveté et la maladresse dans l'expression de celui qui toujours échoue, pour la plus grande hilarité des spectateurs — « A laver la tête d'un âne, annonce la pièce, on perd sa lessive » —, mais voilà que Watteau nous le livre dans l'immobilité presque insupportable d'un absolu face à face : rien qu'un visage, aux traits lourds, un regard, vide, qui nous fixe, et le tableau s'ouvre d'un coup sur la douleur muette et l'énigme d'une part exilée de nous-mêmes. A la fois — et tout le génie de Watteau, par lequel il dépasse infiniment son époque, est dans cet *à la fois* — le ridicule d'une absolue bêtise, qu'en arrière-plan raillent les malins, et le mystère de l'innocence insultée.

A l'autre bout de l'aventure, à l'instant du bilan, une amère réflexion de Fichte, comme l'aveu du projet de maîtrise caché en toute philosophie, semble lui répondre, en écho douloureux, par-dessus les années : « Nous avons commencé à philosopher par orgueil et nous avons perdu notre innocence. » L'innocence : tel est bien le « paradis perdu » du siècle de l'intelligence sceptique, sa nostalgie, son remords. Et c'est autour d'un *Paradis perdu* encore, mais de Milton cette fois, flamboyant et baroque, que se rassembleront bientôt les mille ruisselets d'une espérance nouvelle...

Le serpent de la sagesse

Dans sa célèbre analyse du chapitre VI de la *Phénoménologie de l'esprit* sur « l'Esprit devenu étranger à lui-même », Hegel montre, de manière imparable, que la philosophie des Lumières n'a d'autre contenu, d'abord, que celui purement négatif du *refus de la Foi*, perçue comme « tissu de superstitions et d'erreurs », « empire de l'erreur », « autre de la Raison » — injustement d'ailleurs, précise-t-il un peu plus loin, « puisqu'elle altère ainsi la Foi dans tous ses moments et fait de ces moments quelque chose d'autre que ce qu'ils sont dans la Foi », et, par là, se mystifie elle-même quand elle se croyait démystificatrice.

Mais Hegel apporte quelques précisions, qui ne manquent pas d'intérêt : il n'y a pas, soutient-il, de véritable combat, le refus de la Foi se situe d'abord *hors* du champ de la conscience et se diffuse à la manière d' « une vapeur dans une atmosphère sans résistance », ou d' « une infection pénétrante qui ne se fait pas déceler, auparavant, comme quelque chose d'opposé à l'élément indifférent dans lequel elle s'insinue [...] aussitôt donc que la pure intellection est *pour* la conscience, elle s'est déjà diffusée; le combat contre elle trahit le fait même de l'infection; il vient trop tard, et tous les soins aggravent seulement la maladie, car elle a attaqué la moelle de la vie spirituelle, c'est-à-dire la conscience dans son concept ou sa pure essence elle-même ». Nul combat, donc : « Un beau matin, elle donne un coup de coude au camarade et patatras! l'idole est à terre. »

Mais Hegel ajoute à cette citation du *Neveu de Rameau* un commentaire subtil, qui la prolonge et la retourne : « Le nouveau serpent de la sagesse, soulevé pour l'adoration du peuple, s'est ainsi dépouillé sans douleur *seulement d'une peau flétrie.* » Nouveau renversement, donc : victorieuse, l'*Aufklärung* retrouve en elle ce contre quoi elle se battait, « entre en conflit avec elle-même », et aussitôt se partage entre « idéalisme » et « matérialisme » : « Un parti se prouve comme le parti vainqueur seulement parce qu'il se scinde à son tour en deux partis [...] il montre par là qu'il possède en lui-même le principe qu'il combattait auparavant. »

Raison et Foi au cœur du siècle : ainsi restitué le mouvement de leur affrontement et de leur confusion, les traditionnelles catégories « littéraires », rationalistes ou préromantiques, supposées organiser la lecture de l'époque, apparaissent singulièrement unilatérales et figées — inadéquates, en tous les cas. Les Lumières ne s'exposent, en effet, dans la conscience, comme « lutte contre la superstition », l'opposition de l'intellection à la foi ne se joue sur le théâtre du monde, « dans un tumulte sonore », qu'après que la partie a été gagnée, en sous main, et par ruse — et la foi altérée, réduite, dans chacun de ses moments. Certes, la pure intellection s'engage dans la lutte avec la conviction de combattre quelque chose d'Autre, très exactement même *son* Autre, « mais ce n'est là qu'un avis, souligne Hegel, car son essence, comme l'absolue négativité, consiste précisément à avoir l'être-autre en elle-même. Le concept absolu est la catégorie, il signifie que le savoir et l'objet du savoir sont la même chose. Ainsi, ce que la pure intellection énonce comme son Autre, ce qu'elle énonce comme erreur ou mensonge, *ne peut être rien d'autre qu'elle-même; elle peut seulement condamner ce qu'elle est* ». L'objet de la foi perçu comme une *invention* de la conscience, une fiction poétique, ou une erreur, la foi défigurée, *séparée de son concept,* apparaît bien comme l'Autre de la Raison, *mais cet autre est la propre réalisation des Lumières.* Et la pure intellection se méprend encore totalement sur elle-même lorsque, méconnaissant la foi comme *esprit de la communauté,* unité de l'essence abstraite et de la conscience de soi, elle prétend l'exprimer comme quelque chose d'*étranger* à la conscience de soi, « qui n'est pas son essence, mais est substitué à elle comme un enfant changé en nourrice » par effet de la malignité des prêtres fourbes : « *L'Aufklärung est ici pleinement insensée.* (Elle) s'exprime comme si, par un tour de passe-passe des prêtres prestidigitateurs, avait été substitué dans la conscience, au lieu et place de l'essence, quelque chose d'absolument *étranger* et d'absolument *autre*; et elle dit en même temps que c'est une essence de la conscience, qu'elle y croit, se fie à cela, et cherche à se le rendre favorable; c'est-à-dire que la conscience y a l'intuition de sa *pure essence* aussi bien que de son *individualité* singulière et universelle, et que grâce à son opération elle produit cette unité de soi-même avec son essence. En d'autres termes, elle énonce immédiatement comme étant le plus intime de la conscience ce qu'elle énonce comme quelque chose d'étranger à la conscience — comment lui est-il possible de parler de tromperie et d'illusion ? En exprimant *immédiatement* sur la foi le contraire de ce qu'elle affirme être, elle se montre plutôt à celle-ci comme le *mensonge* conscient. »

Cet « empire de l'erreur » que dénoncent à grands cris les Lumières, et dans lequel des masses obscures, tremblantes, abruties, toujours seraient bernées par des prêtres avides conspirant avec le despotisme, ne relève donc pas exactement de l'analyse historique : elles le *créent,* nous dit Hegel, dans l'instant même qu'elles croient l'apercevoir — *et ce qu'elles créent ainsi n'est rien d'autre qu'elles-mêmes.* Parfaitement vains, en conséquence, seront tous les débats sur la foi, les dangers de l' « enthousiasme », la maladie de la croyance, ou la nécessité du doute, menés dans cet « espace protégé » : qui, voulant relever le défi du philosophe, s'y engagerait, est par avance perdu — non que la foi soit en elle-même un scandale pour l'esprit mais parce que la langue, les mots mêmes des Lumières la rendent, par avance, strictement impensable. La véritable partie se joue *en deçà* de cette langue, sur un tout autre terrain, mais cet « en deçà » est précisément ce qui, privé de ses mots et de sa langue, ne se peut plus parler, ni penser, car le travail « inconscient » dans la trame du temps qui définit l'esprit d'une époque, ce « tissage silencieux et continu de l'esprit dans l'intérieur simple de sa substance », toujours « *se voile à soi-même son opération* » — et n'a guère d'autre fin, d'ailleurs, que cet effet de voile.

Mais la Foi, du même coup, toujours sera l' « infirmité » des Lumières, et chaque retour de spiritualité dans l'espace qu'elles croyaient avoir libéré leur apparaîtra comme une catastrophe, un cataclysme, un scandale, incompréhensible, donc, requérant les armes de la première urgence, anathèmes, excommunications, foudres de l'Inquisition — et au diable les beaux principes de tolérance lorsque ainsi menace l'Infâme! Voltaire n'hésitera pas un instant à diffamer outrageusement Milton, et, pour le mieux réduire, falsifiera même ses citations; avec Diderot, d'Alembert, d'Holbach, il en appelle à ses relations pour faire censurer, interdire, et jeter en prison ses plus gênants contradicteurs, tels Fréron et La Baumelle; et quelle haine encore l'anime dans son article *Ignace de Loyola* du *Dictionnaire philosophique*! « Voulez-vous acquérir un grand nom, être fondateur ? Soyez complètement fou, mais d'une folie qui convienne à votre siècle. Ayez dans votre folie un fonds de raison qui puisse servir à diriger vos extravagances, et soyez excessivement opiniâtre. Il pourra arriver que vous soyez pendu; mais si vous ne l'êtes pas, vous pourrez avoir des autels. En conscience, y a-t-il jamais eu un homme plus digne des Petites-Maisons que saint Ignace ? [...] Le diable qui est aux aguets, et qui prévoit tout le mal que les jésuites lui feront un jour, vient faire un vacarme de lutin, casse toutes les vitres; le Biscaïen le chasse avec un signe de croix; le diable s'enfuit à travers la muraille [...] Sa famille, voyant le dérangement de son esprit, veut le faire enfermer et le mettre au régime; il se débarrasse de sa famille ainsi que du diable. [...] Comment s'est-il pu faire qu'un pareil extravagant ait joui enfin à Rome de quelque considération, se soit fait des disciples, et ait été le fondateur d'un ordre puissant, dans lequel il y a eu des hommes très estimables ? [...] *C'est qu'il était opiniâtre et enthousiaste. Il trouva des enthousiastes comme lui auxquels il s'associa.* » Une folie, donc... Mais qu'il s'agisse de distinguer dans le monde quelque exemple de société s'efforçant de vivre un idéal de tolérance, et il se tourne aussitôt vers les quakers anglo-saxons, ces « philadelphes » qu'il loue sans retenue, dans les quatre premières de ses *Lettres philosophiques,* tout comme plus tard Raynal : « L'homme juste, le quaker, ne demande qu'un frère pour en recevoir ou lui donner du secours. Allez, peuples guerriers, peuples esclaves et tyrans, allez en Pennsylvanie, vous y trouverez toutes les portes ouvertes, tous les biens à votre discrétion, pas un soldat, et beaucoup de marchands et de laboureurs! » — il y reviendra encore, sur la fin de sa vie, avec une nostalgie très vive, dans son article *Quakers* du *Dictionnaire philosophique* : « J'aime les quakers. Oui, si la mer ne me faisait pas un mal insupportable, ce serait dans ton sein, ô Pennsylvanie, que j'irais finir le reste de ma carrière, s'il y a du reste. » Et certes les quakers se veulent tolérants, partisans d'une liberté de conscience absolue, pratiquant un christianisme de pur dévouement, antimilitaristes convaincus, rebelles à toute autorité, ecclésiastique ou politique, objecteurs de conscience radicaux, mais ils sont aussi les êtres les moins « raisonnables » qui soient, si l'on retient en la matière les critères du sage de Ferney, les plus beaux exemples de cet « enthousiasme » religieux tant honni, ces « trembleurs » (*seekers*), ainsi nommés pour les convulsions qui les agitaient lorsque la « parole divine » venait les habiter. Et Voltaire, jamais, ne pourra surmonter cette contradiction...

Mais comment ne pas comprendre qu'il s'agit *aussi* de nous, et de notre présent, quand l'époque vacille, d'éprouver la Terreur qu'elle portait en elle, et qu'à travers les mailles déchirées de l'esprit de ce temps déferlent, avec d'autant plus de vigueur que trop longtemps comprimées, les hautes vagues d'une dissidence dont on ne peut guère contester qu'elle trouve son élan dans une exigence spirituelle ? La dissidence soviétique, bien sûr, la Pologne, mais auparavant Lip, et le Larzac — tout ce qui, parfois, fit sortir le monde des chemins obligés où, sûrement, il s'abîme. Resterons-nous alors désarmés, cramponnés, tels des naufragés dans la tempête, à la pauvre bouée de nos lieux communs de mangeurs de curés ? Pouvons-nous vraiment nous satisfaire, pour toute analyse, des rires hébétés de quelques brutes confites en leurs conformismes irréligieux, de leurs quolibets, anathèmes et injures ? Devons-nous *nécessairement* mourir idiots, parce que « de gauche » ? Autant le dire ici tout net, les livres qui aujourd'hui paraissent en rangs serrés sur la foi qui tue, l'horreur des guerres de religion, l'ignominie des chercheurs de Dieu, le complot des prêtres, la nécessité de raison garder face aux dangers du fanatisme, l'excellence du doute et autres platitudes obligées de la bonne conscience, puisant leurs arguments et leurs exemples, avec d'autant plus de fureur, hélas, que moins de talent chez Fontenelle, Voltaire, Raynal, Cherbury, Trenchard, Varron ou Shaftesbury ; tous ces gris-gris pourtant déjà bien usés, brandis avec une sorte d'agitation sénile pour conjurer la montée de « l'Infâme » relèvent de la pure mystification : ils sont précisément ce qu'ils dénoncent, des pamphlets mensongers s'efforçant, à l'instant où le voile se déchire, sous les assauts des dissidences, de le sauver encore, pour maintenir les masses « obscures » dans la superstition et la terreur ; une poudre aux yeux jetée par des « prêtres » avides, vaniteux, décidés à garder l'intellection pour eux seuls, et pour cela conspirant sans vergogne avec le despotisme — ou, sinon, du vent. Car on peut contester l'analyse hégélienne des Lumières, on la peut tailler en pièces, mais on n'a pas le droit, si l'on se prétend un intellectuel, de *l'ignorer* — sauf à vouloir, évidemment, nous faire oublier que la partie se joue en deçà — ou au-delà — des mots, et de la langue, de la modernité. Tous ces textes, décidément, sont bien à côté de la question...

Comprendre *aujourd'hui* le « retour de l'Esprit », se donner les moyens de s'y orienter, et ainsi, peut-être, conjurer quelque jour ce que le philosophe iranien Dariush Shayegan déclarait être le plus grand péril de l'époque, cet accouplement monstrueux du cancer de l'Occident — ses idéologies — et du cancer des sociétés traditionnelles — la sécularisation de leurs spiritualités en traditions —, exige un tout autre effort de la pensée : celui de défaire, maille après maille, en soi et dans l'histoire, le texte de la modernité, ce « tissage silencieux et continu de l'esprit dans l'intérieur simple de sa substance » pour dévoiler enfin le « mouvement de son opération », et nous délivrer de son emprise, de sa langue... Cette Foi tant exécrée, l'Aufklärung en effet ne peut s'en débarrasser, mais la retrouve au contraire en elle-même, transformée, devenue son *moteur,* « pur mouvement de l'aspiration », de l' « insatisfaction », de la Volonté, du *Désir* — et l'on comprend pourquoi la *Phénoménologie de l'esprit* fait de si constantes références à Diderot, et comment, pour elle, se joignent dans l'Aufklärung ce que l'on appelle d'ordinaire, mais sans profondeur, « rationalisme » et l'essentiel de ce que l'on dit, improprement, « romantisme » — tandis que nous courons droit vers un totalitarisme, car le moment historique où Raison et Désir coïncident exactement, où l'Aufklärung atteint, en quelque sorte, sa vérité — autrement dit : la *liberté absolue* — c'est... la Terreur, fusion de l'ordre et de la révolte, quand l'État s'inaugure comme le rationnel des vouloirs [1]. Mais l'Aufklärung ne recueille pas dans le Désir la vérité de la Foi : quelque chose échappe continûment à l'empire de la raison comme aux fascinations du Désir, cherchant à tâtons son langage et ses voies dans les paysages hostiles tracés par les Lumières, recoupant sans cesse les pas de l'homme de Désir pour s'en écarter aussitôt — ces mille trébuchements de l'homme de Foi, et ses égarements aussi, nous aurons donc ici à les retrouver, pour une chance peut-être de lire enfin le *texte* de l'époque. Il faudra que la Révolution française, dans tous les sens de ce mot, achève l'Aufklärung pour que cette quête fiévreuse de la Révolution perdue trouve vraiment son Orient, vers le dedans de l'âme, et son langage, inscrit dans le regard d'Autrui — alors seulement viendra le romantisme, à l'horizon de notre culture, comme la nef retrouvée de l'espérance...

L'internationale des dissidents

Car tout se joue d'abord au sein de la conscience religieuse : c'est véritablement en elle, et non par la vertu d'une tardive offensive des esprits éclairés, que se dénouent les fils qui liaient Révélation et Tradition. Hors de l'Église, point de salut, répète l'âge classique : l'institution s'y affirme comme le lieu unique du rapport de l'Homme à Dieu et plie le mouvement des consciences aux règles d'une tradition maintenue, s'il le faut, par la puissance publique. Partout les dogmatismes se marient aux pouvoirs : à Rome, Galilée, Molinos, les jansénistes, Fénelon, tour à tour condamnés, la mise au pas des déviants et le silence forcé tandis qu'un Bossuet vengeur tonne depuis sa chaire contre l'Esprit d'un temps qu'il sent lui échapper ; en Angleterre : la guerre permanente, déclarée ou larvée, entre des clans avides de pouvoir et faisant payer le prix fort aux malheureux vaincus ; en Hollande : les pasteurs arminiens condamnés à l'exil — et partout la Réforme transformée à son tour

1. Voir, plus loin, le chapitre 6 : « Dans la Terreur de l'Histoire ».

en machine de puissance. Il commence à se dire, de plus en plus fort, et des horizons les plus divers, qu'il n'est décidément pas de salut dans de telles Églises, quand la profession de foi y importe plus que la Foi elle-même. Et c'est probablement le phénomène le plus étonnant de l'époque, trop encore ignoré aujourd'hui, mais aux conséquences les plus vastes, que ce mouvement qui, malgré une résistance acharnée de tous les pouvoirs institués, gagne toute l'Europe et que Georges Gusdorf a joliment appelé l' « internationale piétiste » ou le « marché commun de la piété »...

Comme un immense désir de paix, après deux siècles de guerre et d'anathème, de paix entre les religions comme de paix à l'intérieur de chaque communauté, le refus des dogmatismes, des orthodoxies et de ces théologies dont la « rage fanatique » à rationaliser la Foi, historiciser la Révélation et domestiquer les consciences « insulte Dieu en chaque homme », une volonté enfin de retour à l'expérience vécue de la Foi : la Tradition n'est point, disent ces « dissidents », ce cortège funèbre de règles autoritaires qui fixe la marche du troupeau, mais « témoignage », « transditio », « transmission » qui remet au présent de chacun quelque chose de la réalité de l' « autre monde », l'étincelle, vers le dedans de soi, l'étoile qui indique, pour qui s'y engage, le chemin de la Jérusalem spirituelle — alors le salut n'est plus l'affaire d'une étiquette, mais l'aventure intérieure de chaque être, « livré au péril de Dieu », et la Foi, non plus l'acceptation docile d'une doctrine, mais l'épreuve vécue d'une *conversion*. A la trop matérielle Église s'oppose l' « Église invisible », que chacun porte en soi.

Invisible, cette Église l'est encore dans un autre sens : ces hommes et ces femmes n'ont pas le souci de former une nouvelle secte. Catholiques, protestants, l'étiquette leur importe moins que la lumière des cœurs : c'est dans la solitude de l'âme à l'épreuve de Dieu ou dans la ferveur de petites assemblées de fidèles réunis en dehors des offices qu'ils entendent poursuivre l'œuvre du salut, sans plus de considérations confessionnelles. Ils s'affrontent donc moins aux institutions qu'ils les ignorent : foyers de spiritualité pour une nouvelle renaissance, ils irradient un nouvel esprit de fraternité, qui bientôt effacera les divisions dogmatiques et créera ainsi les conditions d'une première réunification de la famille chrétienne : « Les frères en la Foi des autres Églises nous sont plus proches que les frères en l'Église de notre propre Église. »

Une fièvre nouvelle s'empare des esprits : Jakob Spener fonde les premiers cercles piétistes en Allemagne, mais, très vite, ils se multiplient, entrent en relation avec les « illuminés » Antoinette

Bourignon et Pierre Poiret, puis avec Mme Guyon, directrice de conscience de Fénelon et théoricienne du Pur Amour, gagnent la Suisse (Genève, Zurich, Bâle, le canton de Vaud), la Hollande et enfin l'Angleterre, où se déclenchera, sous l'impulsion de l'évêque John Wesley, un véritable mouvement de masse : le méthodisme.

Cette mutation de la conscience religieuse marque moins l'irruption d'une problématique nouvelle, pourtant, qu'un *retour* vers ce qui constitue une dimension essentielle de la Foi, exprimée depuis les origines à travers une multitude de courants mystiques ou hermétistes, comme si la déperdition d'âme de l'Église suscitait une formidable réactivation de l'héritage de Nicolas de Cuse et Paracelse, de Maître Eckhart et Tauler, et de toute la mystique rhénane, à travers l'œuvre considérable de Jakob Boehme : quelque chose, peut-être, comme une renaissance.

Invisible, cette Église, sans nom et sans murailles, longtemps l'est demeurée aux yeux des historiens, qui n'y voyaient guère autre chose qu'une poussière de sectes d'illuminés extravagants, sur les marges de l'empire naissant de la Raison, négligeable donc, indigne de toute étude — « mais quoi ! ce sont des fous... » Qu'on les étudie, pourtant, que l'on reconstitue les réseaux de leurs relations à l'échelle européenne, et les sourds cheminements de leur influence, que l'on cesse de considérer leurs textes comme relevant de la pathologie pour les soumettre à l'exégèse religieuse, et le Siècle des Lumières tout à coup vacille, un continent englouti surgit de l'oubli, qui nous oblige à une réévaluation de tous les enjeux. Car c'est peut-être là que se peut découvrir l'âme secrète de l'époque, dont les Lumières, d'une certaine manière, qu'il nous restera à préciser, procèdent, à laquelle les Lumières s'opposent, jusqu'au point de paraître l'étouffer tout entière, comme si elles n'avaient eu, consciemment ou inconsciemment, d'autre finalité que d'opérer en sous main une laïcisation systématique des thèmes de ceux-là mêmes qu'elles dénonçaient par ailleurs si volontiers comme hallucinés...

Ainsi l'on ne comprendrait rien à la passion des jeunes romantiques allemands pour les petites communautés spirituelles, ni à leurs tentatives de « symphilosophie », si l'on ne voyait qu'elles prolongent la sensibilité des *collegia pietatis* de Spener, comme on manquerait une dimension majeure du romantisme anglais si l'on négligeait l'influence décisive exercée par les platoniciens de Cambridge, d'abord, mais surtout par ces multiples groupes de « dissenters » à l'origine de la Révolution de 1649.

De la même manière, les communautés moraves animées par Zinzendorf éveilleront à la spiritualité nouvelle Novalis et le futur théologien du romantisme, Schleiermacher, tandis qu'autour d'Amélie Galitzine, le cercle de Münster rassemblera Jacobi, Hemsterhuis, Hamann et Matthias Claudius. Or Hemsterhuis, par l'intermédiaire de Jacobi, marquera profondément la sensibilité de Herder, Goethe, Schiller, puis, au-delà, de tout le *Sturm und Drang*, et il n'est pas inutile de savoir que la fameuse thèse kantienne sur les nécessaires limites de l'empire de l'entendement, « pour faire place à la croyance », a d'abord été énoncée par Hamann!

Mais il y a plus : nous savons aujourd'hui, par les travaux de Koyré, Benz, Wehr, Buddecke, que non seulement Jakob Boehme inspira l'évêque John Wesley et Newton, dont on oublie qu'il fut un grand mystique, mais encore qu'il fut la source principale de tout ce que l'on a appelé l' « idéalisme allemand » — aussi bien de Hegel, qui, apparemment, le sécularisa, que du romantisme allemand, à travers Franz von Baader, qui le prolongea [1]. Or, Newton, à son corps défendant, ouvre le Siècle des Lumières, Hegel, nous l'avons vu, l'achève, tandis que le romantisme le dépasse, et le délivre.

La ruse des Eglises

A cet embrasement de la ferveur, qui prétend ignorer les institutions et les dogmes pour ne plus se référer qu'à l'Église invisible en chacun, et fait de l'âme le lieu d'une essentielle Révélation, les Églises répondent, d'abord, par la raison d'Église, une dogmatique plus intransigeante, une historicisation accrue de la Révélation et le rejet de l'inspiration prophétique — une nouvelle croisade, presque, dont Bossuet en France se fait l'ardent prédicateur. La ferveur ne se pourra donc accepter que si elle

1. Mon propos n'est évidemment pas de faire ici l'histoire de ces multiples courants, en les distinguant le plus exactement possible les uns des autres, non plus que de les réduire à quelque « dénominateur commun », mais, simplement, d'en libérer ce qui y fut contenu comme en puissance, leur « intuition motrice » — leur sens.

Aussi ne faudrait-il pas imaginer le romantisme comme un simple surgeon du « piétisme » : il en recueille, certes, nombre d'aspirations mais pour les porter à une plus haute intensité, et véritablement les *délivrer* dans une pensée autrement plus vaste.

s'exprime à l'intérieur des murailles de l'Église, sans jamais transgresser les liens communautaires et l'ordonnance des hiérarchies, subordonnées sans condition au magistère dogmatique, ou bien elle sera dénoncée comme folie dangereuse, dévergondage de l'imagination, « libertinage », dira Calvin, illusions trompeuses de qui se croit directement inspiré par Dieu quand il n'est plein que de lui-même, superstition dérisoire, déferlement aussi de puissances obscures, bas instincts, volonté de puissance, « erreur stupide et brutale », tranche Bossuet, qui est hélas « non seulement la plus universelle, mais encore la plus enracinée et la plus incorrigible parmi les hommes », maladie se diffusant par contagion, et pour cela relevant aussi bien d'un psychopathologie que d'une psychologie collective, que l'on s'efforce déjà d'expliquer par les effets de la mélancolie, des « vapeurs », des calamités publiques, perturbations météorologiques ou diététiques, cataclysmes naturels, tempêtes, tremblements de terre et autres prodiges surprenants [1]. Seule échappe évidemment à ce tir de barrage la foi chrétienne, dès lors qu'elle s'ordonne à une tradition que l'on voudra fondée historiquement, une théologie garantissant la rigueur de l'exégèse des textes canoniques et l'autorité d'une Église instituée de *droit divin*.

La rigueur du dogme, la puissance de l'institution : voilà que l'Église, de moyen d'accès à la transcendance, telle que la tradition voulait la fixer, tend à se poser comme fin en soi, pour se sacraliser, tandis que la Foi se trouve au péril de n'apparaître bientôt plus que comme *esprit de corps* — bien redoutables, et à double tranchant, sont les armes brandies par l'Église pour conjurer les dissidences, qui la laissent sans défense face aux assauts de tous ceux qui entendent la soumettre, enfin, à la raison. Comment l'Église, en effet, se pourrait-elle abstraire des critiques qu'elle porte à ses contestataires ? L'inspiration prophétique, la Tradition historicisée, la Révélation figée en dogme, par quel argument autre que *d'autorité* pourrait-elle justifier sa prétention à l'universelle vérité ? Les « mystères » de la religion ne seraient-ils pas, tout simplement, des abus de conscience, sinon des abus de pouvoir ? Hegel justement souligne, dans la *Phénoménologie de l'esprit,* que l'Aufklärung se méprend absolument sur la foi en imaginant qu'elle « fonde sa certitude sur *certains témoignages historiques singuliers,* qui,

1. On rapprochera utilement cette sévère condamnation de la louange, un peu plus tard, du « sublime de nature ». Voir le chapitre 5 : « Le riant système du paganisme ».

considérés comme témoignages historiques, ne peuvent certes pas garantir sur leur contenu ce degré de certitude que nous donnent les informations des journaux sur un événement quelconque », ou en imaginant encore que « la certitude de la foi repose sur la contingence de la conservation de ces témoignages — conservation due au document d'une part, et due d'autre part à la capacité et à l'honnêteté de la transcription d'un document à l'autre, et enfin à *l'interprétation exacte* du sens de mots et de lettres mortes » car en fait « il ne vient pas à l'esprit de la foi de lier sa certitude à de tels témoignages et à de telles contingences » : « Si, par l'histoire, la foi veut se donner cette espèce de fondement ou du moins de confirmation de son contenu, dont parle l'Aufklärung, si elle s'en avise sérieusement et le fait comme si tout dépendait de cela, c'est qu'elle s'est déjà laissé séduire par l'Aufklärung » — dès lors elle est perdue, et tous ses efforts « pour se fonder ou se consolider de cette façon sont seulement des témoignages qu'elle donne de la contamination en elle de l'Aufklärung. » Mais, inversement, l'Aufklärung ne peut ainsi considérer la foi que parce que l'Église, dans sa lutte contre la dissidence, l'a d'abord elle-même altérée dans chacun de ses moments, réduite, défigurée : lorsque les plus farouches irréligieux, tel d'Holbach pour sa *Contagion sacrée*, voudront dénoncer dans la foi une forme d'aliénation mentale, ils n'auront guère qu'à puiser parmi les arguments déjà rassemblés... par les prédicateurs traditionnalistes — aussi nous pouvons dire que l'Aufklärung, dans tous les sens de ce mot, *achève* les Églises instituées.

Elle les achève, d'abord, en dénonçant la religion, à la façon de l'abbé Raynal, comme une « invention d'hommes adroits et politiques qui, ne trouvant pas en eux-mêmes les moyens de gouverner leurs semblables à leur gré, cherchèrent dans le ciel la force qui leur manquait et en firent descendre la terreur » ou, plus subtilement, à la suite de Fontenelle, en la décrivant comme une préhistoire de la raison, où l'humanité se trouvait encore prise au piège de ses fabulations.

Mais elle les achève peut-être aussi parce qu'elle en accomplit le destin, sinon le projet conscient, en poussant à son terme leur volonté d'une réduction des dissidences par sécularisation de la foi — et leurs spectaculaires affrontements seraient alors secondaires, soubresauts simplement par lesquels « le serpent de la sagesse fait peau neuve » : l'Aufklärung, dans ce cas, s'intégrerait dans un processus plus vaste, sans doute lié au phénomène « Église » lui-même, qui s'était manifesté déjà au Moyen Age, dans la lutte acharnée contre les hérésies, par la tentation averroïste d'une « religion rationnelle »[1] et qui recueillerait, à un nouveau stade de son développement, dans le projet d'un déisme ayant vocation à l'universalité parce qu'à la fois rationnel et accordé à une « révélation naturelle », l'héritage, non pas de la Réforme, comme on le dit un peu trop rapidement, mais d'Érasme, Guichardin, Paolo Sarpi, Bacon, de Thou, Bayle, Grotius, à travers les courants arminiens, sociniens, latitudinaires, antitrinitaires, ou même oratoriens, tous hérétiques, ou suspects d'hérésie, longtemps inquiétés, pourchassés, parfois martyrisés par les Églises officielles — n'oublions pas que Calvin fit brûler le socinien Servet à Genève — mais qui, à la différence des courants kabbalistes ou ésotériques, des mystiques rhénans et de Jakob Boehme, rêvèrent d'une réconciliation des dogmes par application de la raison humaine aux mystères religieux.

Elle les achève enfin, toute foi niée, en *Eglise rationnelle.* Cette Église sans plus de référence transcendante, pur instrument de pouvoir aux mains des prêtres infâmes, sans doute l'Aufklärung la conçoit-elle d'abord en esprit, au moment où les Églises instituées, dans leur lutte sans merci contre la dissidence, tendent, il est vrai, à se rapprocher de cette figure « idéale », mais bientôt les philosophes la retourneront à leur usage, quand il s'agira de conjurer l'« irrationnel », ce fond ténébreux en chacun que l'on veut supposer à l'œuvre surtout dans la « canaille », les possibles rébellions, aussi, de qui, parce que l'ignorance le sépare encore de sa raison, refuse de voir son bien où l'esprit éclairé le désigne, ce qui reste insaisissable dans le regard des hommes, bref, tout simplement, *autrui* — autrement dit encore le *dissident,* si l'on veut bien le définir, précisément, comme *celui qui se pose, face à vous, comme Autrui.* Il faudra, en somme, une religion pour le peuple... « Distingue toujours les honnêtes gens qui pensent de la populace qui n'est pas faite pour penser », recommande Voltaire à son lecteur éclairé, dans le *Dictionnaire philosophique,* « si l'usage t'oblige à faire une cérémonie ridicule en faveur de cette canaille, et si en chemin tu rencontres quelques gens d'esprit, avertis-les par un signe de tête, par un coup d'œil, que tu penses comme eux, mais

1. On oppose généralement à ceux qui s'interrogent sur les aspects potentiellement totalitaires de la pensée des Lumières, le contre-exemple d'une Inquisition supposée incarner les ténèbres de l'ignorance — mais il se trouve précisément que ce sont les introducteurs d'Aristote et d'Averroes, les militants les plus actifs alors d'une « religion rationnelle », qui seront aussi les créateurs et les animateurs impitoyables de l'Inquisition : les dominicains...

qu'il ne faut pas rire » — notre philosophe toujours prendra soin à Ferney de faire ses pâques. Et Diderot résume excellemment l'opinion éclairée, dans ce texte, confidentiel, réservé à Catherine de Russie : « Le gros d'une nation restera toujours ignorant, peureux et conséquemment superstitieux. L'athéisme peut être la doctrine d'une petite école, mais jamais celle d'un grand nombre de citoyens, encore moins celle d'une nation un peu civilisée. La croyance à l'existence de Dieu, ou la vieille souche, restera donc toujours. Or qui sait ce que cette souche, abandonnée à sa libre végétation, peut produire de monstrueux ? Je ne conserverais donc pas des prêtres comme des dépositaires de vérités, mais comme des obstacles à des erreurs possibles et plus monstrueuses encore ; non comme les précepteurs des gens sensés, mais comme les gardiens de fous ; et leurs églises, je les laisserais subsister comme l'asile ou les petites maisons d'une certaine espèce d'imbéciles qui pourraient devenir furieux si on les négligeait entièrement... » Mais que la raison redécouvre en elle, comme tourment de l'insatisfaction, élans du désir, cette foi qu'elle croyait avoir exterminée, que l'homme des Lumières découvre ainsi en lui ce qu'il laissait à la « canaille », cette puissance ténébreuse, comme son moteur, peut-être, et pour ne point se laisser emporter par les hautes vagues du « sublime » il inventera bientôt « l'État-Église », où la religion se dit idéologie, et la foi, d'abord réduite au désir, se mue, dans l'acte fondateur du serment, en pur *esprit de corps* [1].

Ainsi l'Aufklärung *achève* l'Église, tout à la fois la *condamne* et en *accomplit le destin,* vérifiant à trois niveaux, liés, l'analyse hégélienne selon laquelle *elle ne peut condamner que ce qu'elle est.* Ce n'est donc pas sa guerre menée, aussi violente qu'elle ait pu être, contre les Églises instituées, qui peut nous ouvrir à l'intelligence de l'époque mais l'opposition sans merci de la Raison et de la Foi — autrement dit de l'Aufklärung, en tant qu'elle accomplit l'Église, et de la dissidence. L'opposition ne se doit pourtant pas concevoir en terme d'armées aux uniformes distincts, qui s'affronteraient en plein jour sur le champ de bataille des idées — confuse est la mêlée, qui se joue d'abord en nous-même... Car l'Aufklärung ne peut vaincre la dissidence qu'en la rendant au sens strict indiscernable, incompréhensible, en la réduisant donc, en chacun de ses moments pour ensuite l'intégrer en elle comme la Raison réduit et intègre la Foi en Désir : *l'Aufklärung n'accomplit le destin des Eglises instituées qu'en sécularisant la dissidence « piétiste ».* Autrement

1. Voir, sur ce point, le chapitre 6 : « Dans la Terreur de l'Histoire ».

dit, encore, l'Aufklärung se donne, et se pense — dans la mesure où le « tissage » de l'esprit se voile à lui-même sa propre opération — comme dissidence radicale, mais, la laïcisant, la sécularisant, s'achève fatalement en religion d'État. Il ne s'agit évidemment pas ici de l'évocation nostalgique d'un point d'histoire, mais de notre actualité la plus brûlante, d'un enjeu décisif de l'esprit : l'Aufklärung est à l'ordre du jour, quand les hautes vagues de la dissidence s'en viennent ébranler à nouveau les murailles des « États-Églises » — ce sont ses chemins tracés, ses recettes, et ses ruses, son piège mortel, aussi, que viennent nous proposer, en toute bonne conscience, et en pleine inconscience, les intellectuels effarés par le « retour du spirituel », rêvant de dissidents propres et nets, lavés de leurs superstitions superflues, rationalisés enfin. Et c'est de ce piège mortel qu'il s'agit aujourd'hui de nous déprendre...

Les Lumières contre les Droits de l'Homme

Car tout le problème des philosophes, face à la dissidence religieuse, tient déjà en ceci que sa revendication de liberté ne paraît pas pouvoir se distinguer de l'affirmation de sa foi — et il serait temps, ici, de rendre à chacun ce qui lui revient, pour que cessent enfin les trop confortables légendes : la « bombe spirituelle » de cette « internationale de la piété » qui va ébranler le monde après avoir bouleversé l'Angleterre, n'est rien moins qu'une nouvelle idée de l'Homme, et de ses droits, pour la première fois brandie à la face des puissants. Oui, ce sont ces simples gens, pourchassés, emprisonnés, exilés, massacrés, et si souvent dénoncés par les « philosophes » comme fanatiques, ce sont ces réprouvés qui vont souffler ce vent neuf sur les paysages de l'Europe : *l'idée des Droits de l'Homme...* C'est dans le mouvement de conversion de l'âme vers les espaces du dedans, qui fixe désormais le lieu du dialogue avec Dieu moins dans l'Église instituée que dans le cœur de chaque être, qu'apparaît en effet cette idée, propre à soulever le monde, d'un Sujet qu'aucune autorité ne peut prétendre réduire, sous peine d'insulter Dieu, puisqu'en lui brille une étincelle divine. Dieu, en somme, se fait l'opérateur d'un véritable « coup d'État » : l'affirmation, pour l'éternité, de la plus radicale des résistances à l'oppression, l'affirmation du caractère sacré, irréductible, inaliénable, du temps intérieur de chaque être, l'affirmation qu'il est un point en chacun où se ressourcer, un noyau de braise où aucun maître, jamais, ne pourra venir, une gerbe de feu depuis laquelle illuminer le monde.

Dieu est à chacun sa part de liberté, affirment tous ces piétistes, quiétistes, quakers et « dissenters » divers, les droits de l'Homme sont sacrés parce qu'ils sont d'abord les droits de Dieu ici-bas — qu'ils viennent à se fixer dans un texte et Dieu encore s'en fait le garant, car il n'est point de Droit concevable sans sa transcendance. Et voilà bien leur intuition majeure, qui donne à la société anglo-saxonne sa singulière tournure : tout pacte social est illusoire et se résout dans la domination matérielle de la force purement physique si les infractions n'ont d'autre juge que les parties elles-mêmes — supprimez Dieu, incapable de trouver fondement assuré et garanties hors de l'espace qu'il entend réglementer, ils ne sont bientôt plus que propédeutiques à la guerre civile...

Les « separatists » chassés d'Angleterre rédigent, aussitôt que débarqués en Amérique, les articles de leur projet de société civile, telle une Jérusalem nouvelle, sur le modèle biblique de l'Arche d'Alliance; cette théorie d'un égalitarisme contractuel appuyé sur la Bible, quelles qu'aient pu être par ailleurs leurs divergences, est comme le vivant foyer de toutes les dissidences religieuses, que l'on retrouve aussi bien formulée par Théodore de Bèze que par Jurieu, et qui gouverne la désignation du stathouder de Hollande comme celle du « Protecteur » Cromwell en Angleterre — et plutôt que de vouloir à toutes forces ramener la *Déclaration d'Indépendance* américaine à notre républicaine *Déclaration des Droits de l'Homme,* malgré une indiscutable antériorité, mieux vaudrait se résoudre à l'accepter fille de *Bill de l'Habeas Corpus* de 1679, des *Bills of Rights* et *Toleration Acts* de 1689, et du *Mayflower Compact,* aboutissement d'une longue tradition de résistance à la persécution religieuse : nous y gagnerons probablement de mieux cerner le prétendu « mystère » de la société américaine, et de comprendre pourquoi l'une de ces *Déclarations,* dans sa modestie, fut appliquée et demeure, tant bien que mal, le cœur d'une société tandis que la nôtre, pour vérifier semble-t-il la thèse des « dissenters » sur la nécessaire garantie d'une transcendance, fut aussitôt aménagée par des « textes spéciaux » contraires évidemment aux principes premiers — comme si le chemin toujours était dangereusement court, qui mène de ces droits trop humains à la terreur...

Mais il est vrai que demeurera incertain, tout au long du siècle des Lumières, le statut de ces « droits de l'homme », trop encombrés à l'évidence de transcendance, en attente toujours de naturalisation : les références premières des Lumières ne sont certes pas celles du *Dissent* — Montesquieu comme Voltaire ignorent les *Traités du*

Gouvernement civil de Locke, et l'on chercherait vainement dans leurs œuvres la moindre référence au « contrat » — mais celles du « whiggisme polybien », Machiavel, Bruni, Le Pogge, ces humanistes florentins qui laïcisèrent les principes réglant la vie en société en réactivant, contre le christianisme, la pensée politique du paganisme romain, et les textes enfin de Neville, Moyle, Molyneux, Temple, Molesworth, qui en prolongent l'effort. Les « droits de l'homme », bien loin d'être au cœur de la révolution des Lumières, ne trouveront droit de cité que sur le tard, laïcisés, soumis aux valeurs du paganisme romain, ordonnés à l'idée d'un homme nouveau, sans plus de transcendance, être voulu de part en part de Nature, et d'Histoire.

Les Newton de l'âme

C'est qu'un autre rêve, formidable, soulève l'époque, dont l'homme est à la fois l'origine et l'enjeu : Newton déchiffrant l'ordre du monde ouvre une nouvelle époque de la pensée; rien désormais ne semble devoir échapper à la juridiction de la raison, et surtout pas l'homme qui ainsi se libère des préjugés et des croyances, pour oser le pari d'affronter le monde par la puissance de ses seules lumières, et c'est comme si l'homme pour la première fois naissait à lui-même, maître de sa condition retournée en destin — libre, enfin. Il n'est plus de mystère en droit impénétrable, plus de limites assignables à la connaissance, rien qui puisse faire obstacle à l'envol de la science, rien, pas même l'homme — il y va, dit-on, de sa liberté. Car tel est le paradoxe de cette liberté-là qu'elle ne tient qu'à la condition de barrer toute transcendance : connaissant, l'homme doit se rendre à lui-même connaissable, sujet, il est aussi sommé de se faire objet de vérité... Ainsi, d'un même mouvement, l'homme s'affirme comme principe et raison de l'édifice social et fait irruption dans le champ des savoirs : pas de politique rationnelle sans transparence et maîtrise des espaces du dedans, pas d'homme nouveau sans une science de l'homme. C'est alors à qui se proclamera le « nouveau Newton », celui qui enfin réduira les profondeurs obscures de l'âme humaine à l'épure d'une géométrie plane : Locke tient que l'ordre du dedans doit se calquer sur l'ordre du dehors, Buffon et Voltaire se veulent les Newton, qui de la biologie, qui de l'Histoire, Bentham, Helvétius, d'Holbach se disputent le titre sur le terrain de la morale, Wolff prétend avoir posé dans sa *Psychologie empirique* les fondements d'une « psychométrie » qui fera régner dans l'espace mental la rigueur des mathématiques, Hume enfin, qui se fixe le projet d'une « géographie mentale », veut déduire la loi morale de la loi physique...

Le rejet des « idées innées » ouvre la voie des investigations empiriques : à l'origine de toute idée comme de toute connaissance, répète Locke après Hobbes, se trouve la sensation. Les matérialistes en déduisent que la conscience est une propriété de la matière physique, la physiologie du Suisse Albrecht von Haller, qui fait de *l'irritabilité* la propriété fondamentale des tissus vivants, semble même leur fournir l'équivalent de l'idée d'attraction dans la physique newtonnienne : le principe de causalité physique élémentaire unifiant le divers des phénomènes. Ainsi, écrit La Mettrie, les idées résultent d'excitations extérieures transmises par les nerfs, ainsi la pensée sourd de la matière, ainsi le psychique se noue au physiologique... et ainsi l'homme, niant la transcendance qui, croit-il, l'opprime parce qu'elle limite l'empire de son savoir, se retrouve, chose parmi les choses, soumis au rigoureux déterminisme des causalités extérieures et son comportement déduit de la recherche instinctive des seules sensations agréables — cet homme « libéré » n'est plus qu'un réflexe conditionné... C'est donc en raisonnante raison que La Mettrie conçoit son « homme machine », que Lecat envisage la construction d'un homme artificiel, que Vaucanson, par l'emploi de gommes élastiques, pense améliorer le projet de Quesnay !

Mais c'est l'homme, bien sûr, que l'on rêve ainsi, tout à la fois surhomme et robot... Helvétius et d'Holbach sauront tirer les conséquences tant morales que politiques de ce pavlovisme radical : « douleur et plaisir sont les liens par lesquels on peut toujours unir l'intérêt personnel à l'intérêt national. L'un et l'autre prennent leur source dans la sensibilité physique. Les sciences de la morale et de la législation ne peuvent donc être que les déductions de ce principe simple » — la science ouvre à la connaissance des déterminismes humains, une habile pédagogie et des lois adéquates, songe Helvétius, bientôt permettront aux gouvernements éclairés de produire des surhommes sur mesure.

Plus prudents, Locke, Hume, puis Condillac, accordent aux faits psychiques une « autonomie relative » : la corrélation entre les espaces extérieurs et l'intériorité, entre les réactions organiques et les significations conscientes est certaine, mais rien ne permet de postuler une simple identité de nature entre le dehors et le dedans, quelle que soit la clé ouvrant le passage d'un ordre à l'autre les faits de conscience sont d'abord à étudier en eux-mêmes suivant les procédures réglées de l'investigation scientifique, comme des éléments simples que des lois déterminables combinent en formes de plus en plus complexes. Ces hardis pionniers croiront trouver, à leur tour, l'équivalent de la gravitation newtonienne dans la notion « d'association d'idées » : « Pour moi, écrit Hume avec le sentiment d'être le Christophe Colomb d'un continent nouveau, il me paraît qu'il y a seulement trois principes de connexion entre les idées, à savoir ressemblance, contiguïté dans le temps ou dans l'espace, et relation de cause à effet. »

Mais c'est le sujet vivant et singulier, l'être humain de chair, de sang et de pensée, irréductible à tout autre, qui ainsi se dissout... Pour John Locke, déjà, l'identité personnelle cessait d'être ressentie comme une donnée originaire de la conscience pour se déduire à partir de ses perceptions, comme leur résultante — et le problème de la permanence de cette identité, à travers interruptions et variations des sensations, se réglait en désespoir de cause par la « bonté de Dieu » — mais c'est Hume, rigoureux jusqu'au bout, qui ose le saut d'une radicale naturalisation, en rejetant l'idée d'une unité substantielle de la personne : les hommes « ne sont autre chose qu'un faisceau ou une collection de différentes perceptions qui se succèdent avec une inconcevable rapidité et qui sont dans un flux et un mouvement perpétuels », hors ce flux la conscience n'est rien : « Je ne puis jamais, à aucun moment, me saisir moi-même sans une perception, et jamais je ne puis observer autre chose que la perception; quand, pendant un certain temps, mes perceptions sont supprimées, comme il arrive par l'effet d'un profond sommeil, je suis sans conscience de moi-même, et l'on peut dire à bon droit que je n'existe pas. » Les idées s'associent suivant leurs propres lois, elles pensent, se pensent et pour un peu nous pensent : le « moi » apparaît dès lors un résidu des âges métaphysiques, une fâcheuse habitude, une superstition — « une fiction », assure Hume, « un effet de langage », ose presque Condillac, dans ses brouillons sur la *Langue des calculs.* Alors s'ouvre le temps des grandes inquiétudes... Non parce que, refusant toute transcendance, l'homme se retrouve, pour reprendre l'image de Voltaire, seul et faible comme un singe à la surface du monde, sans autre ressource désormais que celles qu'il trouvera en lui-même — cette idée de table rase, de recommencement du monde, d'autocréation humaine exprime au contraire un formidable optimisme — mais parce que, de ressources, il n'en trouve guère en lui-même. Descartes pouvait douter du monde mais ne concevait pas que l'on pût douter de soi, assuré qu'il était de la présence divine. L'homme des Lumières, adossé à la construction newtonienne, ne doute plus du monde, mais semble perdre toute assurance de lui-même. Newton donnait à la fois une formidable sécurité intellectuelle et une formidable impulsion, Hume, généralisant le paradigme newtonien aux espaces du dedans, ruine la conscience qu'avait le sujet de lui-même — et voilà qu'à l'instant de s'élancer pour envahir et maîtriser le monde l'homme semble se défaire de l'intérieur...

La Raison, dans sa prétention à la toute-puissance, s'enferre dans des séries d'antinomies insurmontables, la pensée affolée ne trouve plus qu'à sauter de case en case, dans une grille où chaque position dès qu'occupée se révèle au fond semblable à toutes les autres, pareillement intenable — mais c'est la vie alors qui prend un goût insupportable.

Les monstres dont les anciennes terreurs peuplaient les terres vierges ne disparaissent du globe que pour resurgir, plus formidables encore, dans l'abîme de nos nuits. Tout au long du siècle, philosophes et savants déploieront des trésors d'ingéniosité pour conjurer l'énigmatique singularité des rêves, le péril des idées vagues, et l'inscrire, à grand renfort d'« associations subjectives », de « sucs nerveux » et d'« esprits animaux », dans l'ordre d'un strict déterminisme, psychique ou physiologique. Alors la raison se perçoit comme un frêle esquif ballotté dans la tempête des fureurs animales qu'au long de son chemin elle révèle — ou réveille... Mais à peine s'en inquiète-t-elle qu'elle s'y soumet déjà, comme si se nouait là une sourde connivence, comme si raison et animalité n'étaient que les deux noms d'une même prise de possession de l'espace humain.

Les liaisons dangereuses

Et en effet, l'homme des Lumières ne trouve à fonder rationnellement sa présence au monde que sur un sensualisme. Bannie toute idée morale innée, bannis les préjugés, les sentiments ramenés au prétexte du désir, ne reste plus que le critère objectif de la sensation, le plaisir et les lois de sa quête. « Le bonheur, considéré comme sentiment, est une suite de plaisirs », écrit Voltaire, qui ajoute : « C'est le moral de l'amour qui rend cette passion si dangereuse »... Pour qui ne comprendrait pas, Buffon précise : « Tout ce qu'il y a de bon dans l'amour appartient aux animaux aussi bien qu'à nous! » « Effet de langage », voici le sujet promis aux rhétoriques subtiles des masques et des fards, des règles convenues, du tourbillon des instants suspendus, comme à l'arithmétique des « plaisirs délicieux »; paquet de chair vive et de nerfs tremblants, le voilà soumis à l'ordre des choses, sans plus de frein au déferlement du désir — c'est le matérialiste Helvétius qui pose que « nos désirs sont nos moteurs et que seule la forme de nos désirs détermine celle de nos vices et de nos vertus » et Jean Deprun a su magistralement montrer que l'œuvre du marquis de Sade effectuait un passage à la limite des thèses majeures du baron d'Holbach... Plusieurs expériences existentielles ici s'affrontent, se succèdent, se répondent, qui, toutes, oscillent entre les convulsions de l'inquiétude et la léthargie de l'ennui (Voltaire) pour ouvrir bientôt sur le « vide affreux » (Rousseau).

Langueurs, mélancolie, vapeurs, et toutes les nuances, déjà, du malheur d'exister, comme une blessure, au plus profond de soi, par où l'être se vide... Le sentiment que l'on croyait réduit à la seule sensation retrouve une puissance nouvelle — mais comme le sentiment, d'abord, d'une essentielle absence, d'un « vide impossible à combler ». A l'empirisme intellectualiste d'un Locke ou d'un Condillac qui prétend soumettre l'intériorité à la loi du monde, et vide l'individu de toute réalité substantielle, répondent tout au long du siècle les échos douloureux des chants de la mal-vie, la nostalgie murmurée des paradis perdus, l'errance des solitudes — les tâtonnements aussi d'une sourde dissidence qui tente d'affirmer les droits imprescriptibles d'une « religion du cœur ».

« La nature m'a donné un cœur trop tendre », gémit le Cleveland de l'abbé Prévost — le sentiment, bientôt, va envahir le théâtre du monde, mais comme le ressac de ces hautes vagues de la raison qui, croyant tout emporter dans leur élan, butent sur l'irréductible singularité de chaque être, se brisent, se retournent et déferlent dans un tumultueux bouillonnement. Rousseau, Diderot, Le Tourneur, Duclos, Léonard, Marivaux, Delille, Voltaire, Helvétius, Bibbiena, d'Holbach, c'est à qui désormais s'affirmera le plus « sensible » : la sensibilité devient le critère de la vertu comme du plaisir, de la vérité comme de la foi, tandis que triomphe, à grand renfort de pâmoisons et de points d'exclamation, la comédie larmoyante de Nivelle de La Chaussée. Delille exige « que l'on stipule enfin les droits des animaux »; Rouget de Lisle dédie un poème « à Mme de C. qui faisait une quête pour payer les mois de nourrice d'un enfant dont la mère était morte en couches et dont le père était aveugle », quand il ne compose pas « l'Épitaphe de

Rosette, jolie serine qui avait été mutilée d'une patte dans le nid, qui vint mourir sur la main de sa maîtresse, et qu'on enterre au pied d'un rosier »; on s'attendrit sur les malheurs des hirondelles, des poissons et des chiens, sur les élans des « tendres pères » et des « enfants aimants » — bref, on déploie toutes les ressources de l'imagination pour s'attendrir, d'abord, sur soi-même.

Et puis, surtout, on pleure. Télémaque y trouvait déjà quelques douceurs, mais bientôt on sanglote « avec violence pour ne pas dire avec fureur » (Catherine Bernard), les larmes se font « ruisseaux » (abbé Prévost) puis « torrents » (Rousseau), on pleure dans les romans, on pleure sur la scène des théâtres, on pleure dans la salle, on pleure en toute occasion, on pleure sans raison, les torrents en tumulte se font raz de marée, qui emporte l'Europe, où l'on se baigne avec délices, où l'on se noie aussi quand « l'ennui de vivre l'emporte sur l'horreur de mourir » (Rousseau). Cleveland s'écrie : « Je cherchais le remède des maladies de l'âme : le voilà découvert. Il est simple, il est court, il est tel que nos maux le demandent » et saisit son épée; à bout de pleurs on se suicide dans toute l'Europe avec d'exquis raffinements; l'affaire des « fiancés de Lyon », lesquels s'étaient donné la mort dans une petite chapelle avec l'aide de « deux pistolets attachés à leurs habits avec des rubans couleur de rose », enflamme l'imagination des poètes; les « âmes sensibles » s'arrachent *la Nouvelle Héloïse* et *Werther* — plus tard on se suicidera même sur la tombe de Rousseau...

Dans l'exaltation d'un sentiment qui désormais s'affirme comme une puissance obscure s'emparant des individus pour les transformer — de la même manière qu'elle transforme la langue, s'impose dans des images et des rythmes nouveaux, précipite en tumulte le débit de la phrase — d'excellents spécialistes ont cru voir, ombres contre lumière, cœur contre raison, l'indice le moins contestable d'un préromantisme sapant silencieusement l'orgueilleux édifice des philosophes. De la sensibilité qui, chez l'écrivain moraliste, de Mme de La Fayette à Voltaire, se donne à lire dans la distance d'une *analyse* à celle d'un Rousseau qui s'éprouve, s'exprime, s'épanche et communique dans la fièvre, les larmes, les égarements partagés, de la négativité des passions à l'appel des « voix de la nature », l'inversion des valeurs paraît indubitable... En est-on sûr, vraiment? Et peut-on se satisfaire de définir le romantisme comme une simple inversion de signes à l'intérieur d'un espace mental inchangé ou bien devons-nous encore tenir le pari d'un bouleversement de l'espace lui-même?

La Fausse Antipathie, *Mélanide*, *l'Homme de fortune*, ces pleurnicheuses comédies de Nivelle de La Chaussée nous sont aujourd'hui si insupportables à force d'afféteries que leurs protestations de vertu, l'outrance des attitudes, l'invraisemblance des situations suggèrent parfois la parodie. Et en effet : ce sont des sentiments *joués*. Pareillement Araminte et Dorante, dans *les Fausses Confidences* sollicitent toutes les subtilités de la rhétorique pour se prouver à eux-mêmes la sincérité de leurs émotions, l'excellence de leur vertu — du coup leurs efforts nous sont aussi suspects que les mignardises des paysans enrubannés du *Devin de village,* les poses étudiées des ingénues de Greuze, les farandoles des bergers de Marie-Antoinette et de Boucher. Est-elle ardemment appelée, comme une délivrance, que cette pureté encore sonne faux, comme si les poisons subtils de l'amour de soi la corrompaient irrémédiablement — l'époque découvre ainsi dans la vertu, la sincérité, le sentiment, les plus pervers des masques, le « plaisir délicieux des larmes » s'impose comme une possibilité nouvelle, à nulle autre pareille, dans la grande arithmétique des sensations.

« Il n'y a point de volupté comparable à celle de se sentir les yeux humides après avoir soulagé l'infortune », note Sébastien Mercier dans son fameux *Bonnet de nuit,* approuvé par le très sombre Baculard d'Arnaud pour qui « les larmes sont la jouissance de l'âme » — ainsi donc la vertu ne se supporte plus qu'à la condition du plaisir... Mais cet attendrissement bientôt se ferme en piège, pour l'héroïne exaltée d'Eleonor d'Yvrée, déjà il n'était plus d'autre plaisir concevable que les larmes, voici que la douleur devient la suprême jouissance de « l'homme de qualité » — « tous les moments que je donnais à ma douleur m'étaient si chers, écrit-il, que, pour les prolonger, je ne prenais aucun sommeil ». La sensibilité qui devait renverser la tyrannique raison semble conduire à son tour au malheur : « Ah, que l'on est malheureux d'être sensible ! » soupire Marmontel tandis que Mme Benoit dénonce le « fatal présent du ciel » — le mot, repris par Rousseau, fera fortune. Les plus prudents, dès lors, amorcent une retraite vers l'apologie de la modération, les plus audacieux — ou les plus affligés — s'enfonceront dans les vertiges des plus extravagantes afflictions.

Du sadisme au masochisme... Dangereuses sont les liaisons que nouent le libertin et l'âme sensible, démontre Laclos — qui retourne ainsi *la Nouvelle Héloïse* — moins pour les dangers d'une perversion de l'héroïne innocente que parce que chacun prend alors le risque de découvrir que, loin d'être son contraire, l'autre lui est sa vérité, son envers, son miroir, en tous les cas sa nostalgie — son double. Nivelle de La Chaussée, ici encore, est exemplaire, tout à la fois âme sensible déclarée et libertin convaincu, qui mourut d'avoir pris froid, un soir, dans une « petite maison ».

Rien qu'un masque de plus, le dernier égarement d'un temps désorienté — mais avons-nous ainsi parlé du sentiment, ou seulement d'apparences ? Ces cris, ces convulsions, ces pleurs, leurs savantes rhétoriques : moins les élans de la tendresse que l'essentiel dévergondage de qui veut ignorer toute limite et principe, comme il refuse le visage d'autrui, pour mieux s'attendrir sur lui-même. Et c'est un gouffre qui lentement se creuse, le jeu qui se ferme en cauchemar, parce qu'il n'est point d'autre lieu où renaître à soi-même que ce regard qui nous fait face : de l'avoir interdit, l'âme sensible égarée s'éprouve comme absence, et voulant s'adorer ne se ressaisit plus — que pleure-t-elle alors, sinon ce vide où elle se perd ?

Du Sujet comme scandale théorique

Mais n'est-il que cela, l'homme sensible des Lumières — un succédané pleurnichard de l'homme de raison, un libertin, en somme, sans dignité ? Lorsqu'à la question célèbre de l'académie de Dijon « si le progrès des sciences et des arts a contribué à corrompre ou à épurer les mœurs », Rousseau répond « corrompre », le siècle, pourtant, a le sentiment d'un basculement. Lorsque les jeunes hommes en colère du *Sturm und Drang* brandissent le drapeau de la « génialité », affirment les droits de la passion, entendent se convertir aux religions du « cœur », c'est bien pour affronter un « esprit français » exécré. Lorsque, de toute l'Europe, d'Angleterre comme d'Allemagne, à travers les œuvres redécouvertes de Shakespeare et Milton, les mythologies scandinaves, les chants nostalgiques d'Ossian, les méditations poétiques de Parnell, Blair, Young, Gray, Creuz, Feith, Cronegk, les systèmes philosophiques de Hamann, Herder, Hemsterhuis, les romans de Goethe, les drames de Schiller, les rêveries pastorales de Gessner et Huber, convergent les voix multiples d'une « internationale du cœur », c'est d'abord pour l'urgence d'une bataille à mener, dont l'homme serait l'enjeu, contre l'impérialisme des Lumières. Que la plupart de ces hommes se soient trompés, que, croyant s'opposer à l'esprit de leur temps, ils se soient pris au piège et aient ainsi aidé les pensées de maîtrise à s'affiner encore, c'est possible, ou probable — après tout, nous avons payé assez cher pour savoir aujourd'hui que tel est le destin de la plupart des contestations — n'en demeurent pas moins le mouvement d'une révolte, la tension de l'esprit, le rêve d'une échappée — les mots de la bataille : Nivelle de La Chaussée n'est pas tout l'homme sensible...

Ich bin ein ich : je suis un « je » : comme un éclair, dans le ciel tourmenté de l'Europe qui, un jour de 1770, foudroie le futur écrivain romantique Jean-Paul Richter, sur le seuil de la maison paternelle, et décide de sa carrière poétique — le cri de révolte, aussi, d'une jeunesse exaspérée par les mornes réductions de l'intellectualisme...

Ich bin ein ich : je ne suis pas un réflexe conditionné, un effet de langage, un résidu des âges superstitieux, ou une hypothèse hasardeuse, je suis le commencement et la fin, je suis le surgissement irrépressible de cette existence qui se donne à elle-même comme une évidence originaire précédant toute réflexion, je suis un « je », dans son absolue singularité, qu'aucune pensée jamais ne pourra réduire au strict ordonnancement des choses, je suis le principe et la mesure d'un monde : les choses peuvent s'expliquer par l'homme mais non l'homme par les choses, soutient le « Philosophe inconnu » Claude de Saint-Martin — il sera le grand initiateur du romantisme européen.

Ich bin ein ich : contre la lente dissolution de l'identité dans les acides de l'empirisme, contre les pédagogies totalitaires des Helvétius et des d'Holbach, contre la désespérance et l'ennui, dans sa fièvre, sa colère, ses égarements et son tumulte, d'abord, le soulèvement de la vie... Et cette affirmation d'existence qui ébranle l'Europe jusque dans les fondements de sa culture, parce qu'elle est une insurrection spirituelle contre les matérialismes, et que toute révolte, si les mots ont un sens, postule une transcendance, rencontre, réactive et prolonge les dissidences piétistes : « je » est en moi tout à la fois ce noyau de braise qu'aucun maître jamais ne pourra éteindre, et où s'éprouve immédiatement l'unité de la personne, cette lumière que les platoniciens de Cambridge disaient « the candle of the Lord », Shaftesbury l' « œil intérieur » et Le Large de Lignac le « sens intime », l'inépuisable brasier de toutes les résistances, l'étoile aussi qui nous indique le chemin hors le monde où l'homme enfin réintégrerait sa nature — « je » est en moi ce que ne peut contenir, réduire, expliquer, aucune nature ni aucun maître, « je » témoigne, dans son absolue transcendance, *qu'il n'est pas de nature humaine...*

De Pascal, pour qui l'homme depuis la Chute a perdu sa nature et ne peut la retrouver que par une réintégration dans le corps mystique du Christ, à l'obscur fonctionnaire et génial philosophe Hamann qui affronte Kant lui-même dans sa *Métacritique du purisme de la Raison pure,* de Swedenborg « l'homme qui dialoguait avec les anges » et annonce, par une étonnante métaphysique de l'imagination créatrice, qu'en nous se trouve la porte qui ouvre sur l'autre monde, où l'homme, enfin débarrassé de ses « formes externes conçues à l'image du monde », retrouve « l'homme interne formé à l'image du ciel », à Hemsterhuis pour qui l'homme doit mourir à son « moi » pour renaître à son « je » et ainsi se retrouver dans la lumière divine — « il faut rentrer en nous-mêmes et faire disparaître l'écorce d'humanité » pour se connaître vraiment, écrit-il, car « c'est dans cette connaissance seule que l'on peut puiser celle de la nature de la Divinité » —, les mots peuvent varier et les images, les mythes, mais ils renvoient tous à une même expérience existentielle, où se nouent révolte contre la loi du monde et révélation de la transcendance de la personne. Schelling, le futur grand philosophe du romantisme, encore étudiant au Stift de Tübingen, exprime admirablement dans ses *Lettres sur le dogmatique et le criticisme* le mouvement de cette conversion à l'évidence des espaces intérieurs — il n'a que vingt ans, et il vient de rejeter la philosophie des Lumières : « Nous possédons tous un pouvoir mystérieux, qui nous permet de nous soustraire aux marques du temps, de nous dépouiller de tous les apports extérieurs, pour rentrer en nous-mêmes et y contempler l'éternel sous sa forme immuable. Cette contemplation institue l'expérience la plus intime, la plus authentique, celle dont dépend tout ce que nous savons ou croyons savoir d'un monde suprasensible. » Et plus loin : « Tout notre savoir a pour point de départ des " expériences " [...] étant donné que chaque expérience portant sur des objets est médiate et suppose une expérience d'un degré supérieur, notre savoir ne peut provenir que d'une expérience immédiate au sens le plus strict du mot, c'est-à-dire d'une expérience spontanée et indépendante de toute causalité objective. » Ainsi déjà s'annonce, prolongeant la ferveur du piétisme, une des intuitions majeures du romantisme allemand : « Cette intuition intellectuelle a lieu toutes les fois que nous cessons d'être objet pour nous-mêmes, toutes les fois que, rentré en lui-même, le moi qui contemple s'identifie avec ce qu'il contemple. Pendant les instants de contemplation, le temps et la durée disparaissent pour nous : ce n'est pas nous qui sommes perdus dans la contemplation alors dans le temps, mais c'est le temps ou, plutôt, la pure éternité absolue qui est en nous. Ce n'est pas nous qui sommes perdus dans la contemplation du monde objectif, mais c'est lui qui est perdu dans notre contemplation. »

Schelling est ici très loin de l'humide Nivelle. L'un se fait l'artisan d'un coup de force contre le monde, et tente de s'arracher au diktat de l'Histoire, pour s'affirmer l'inviolable foyer d'un ressourcement, l'autre se vautre dans l'époque pour pleurer sur lui-même et si tous deux en appellent au « cœur » ce n'est pas, on le devine, dans les mêmes intentions — plutôt devrait-on dire ce cœur l'enjeu d'un affrontement majeur entre les esprits éclairés et les enfants rebelles du piétisme : *l'homme sensible, alors, serait leur champ de bataille plus qu'un état d'âme.*

Car « je » n'est pas « moi », et c'est tout le problème : à peine séparés en l'homme, comme la flamme qui le libère des lois de sa nature, le siècle n'aura pas de souci plus urgent que de tenter de les confondre encore pour ainsi masquer, ou silencieusement contourner, cette insolente irruption, en plein triomphe de l'empirisme, d'une transcendance que l'on croyait perdue...

Et d'abord en naturalisant le principe spirituel de la lumière intérieure en un « sens interne » que, pour un peu, on voudrait croire physiologiquement repérable — « vers la région de l'estomac », assure d'Alembert. Comment ne pas voir en effet que les axiomatiques intellectualistes de Locke, Hume et Condillac mènent à un cul-de-sac? Un observateur aussi attentif aux clairs-obscurs de l'âme, aussi acharné à inquiéter le sentiment d'identité que l'étrange professeur de Göttingen Georg Christoph Lichtenberg, n'en reconnaît pas moins « qu'admettre le moi, le postuler, est un besoin pratique ». Mais la pensée, du coup, vacille au bord d'un gouffre, car la voilà contrainte de poser, comme la condition même de son exercice, ce que précisément elle avait pour tâche de nier : la transcendantalité du sujet. « Nous tournons donc ici dans un cercle perpétuel, note Kant dans ses *Paralogismes de la Raison pure,* puisque nous sommes toujours obligés de nous servir de la représentation du moi pour porter sur lui quelque jugement. »

Scandale théorique, l'inconnaissable sujet ne s'impose pas moins comme besoin pratique... L'anonyme rédacteur de l'article « Sens intime » de l'*Encyclopédie* semble s'en accommoder, qui note : « Le sentiment intime que chacun d'entre nous a de sa propre existence et de ce qu'il éprouve en lui-même est la première source et le premier principe de toute vérité dont nous soyons susceptible. » Mais de l'illumination intérieure qui, pour les piétistes, nous *révélait* littéralement à nous-mêmes jusqu'à ce sentiment-là, un infime glissement déjà s'est opéré qui s'accentue encore quand l'excellent Turgot, dans son article « Existence », le caractérise par « cette multitude de sensations confuses qui ne nous abandonnent jamais, qui circonscrivent en quelque sorte notre corps, qui nous le rendent toujours présent, et que par cette raison quelques métaphysiciens ont appelé " sens de la coexistence de notre corps " » : il en fait certes, ainsi, « une classe particulière, sous le nom de tact intérieur, ou sixième sens », mais pour la placer aux côtés des sensations étudiées par Locke et Condillac, à peu près au même niveau, *comme si elles relevaient d'une commune nature.* Et la boucle à nouveau se referme... Gardons-nous de crier victoire parce qu'un positiviste aussi déclaré que d'Alembert, dans ses *Essais sur les éléments de philosophie* (1759), reconnaît l'existence d'un sens « qu'on peut appeler interne, qui est comme intimement répandu dans notre substance, et dont le siège se trouve à la fois dans toutes les parties externes et internes de notre corps » : c'est pour aussitôt lui attribuer, sans autre forme d'examen, la miraculeuse propriété de « naturaliser » la transcendance, puisqu'aussi bien, écrit-il, « l'action du sens interne sur l'âme et de l'âme sur le sens interne est réciproque ». Comment dès lors ne pas affecter, passions, joie, désir, émotions, goûts esthétiques, tout ce qui faisait problème au premier empirisme à un « sens » aussi peu contrariant? On conviendra simplement que ces sensations obscures relèvent « d'une logique qui leur appartient », dont les principes « sont tous différents de ceux de la logique ordinaire » mais qu'une science à venir saura « démêler en nous » — d'ailleurs, à bien réfléchir, ce sens insaisissable ne se tiendrait-il pas quelque part vers l'estomac?

Ainsi le siècle invente l'art subtil de *se* mentir, dont nous usons encore... Car la dissidence piétiste ne libérait la pensée qu'à la condition préalable d'une interdiction, qui ruinait dans ses fondements toute prétention à une quelconque « science de l'homme » : nul ne peut faire du sujet un objet de connaissance, sauf à l'aliéner absolument; se connaître exclut, ou le « connaître », ou le « je » — et il serait aisé de montrer que cette limite assignée à l'empire de la raison ouvre du même coup l'espace de l'aventure humaine, et la possibilité de la parole, comme de la morale. A cet arrachement du sujet des mailles de l'empirisme, à cette rébellion qui retourne la pensée sur les conditions mêmes de possibilité et ainsi l'exténue, les Lumières, dans le fond, ne sauront guère répondre, sinon par une ruse singulière, qui fera fortune, et que l'on pourrait qualifier du mot, au goût du jour, de « récupération » : on ne conteste plus franchement les catégories nouvelles de la dissidence piétiste, on les vide de leur sens en les sécularisant silencieusement — ainsi l'intériorité se résout-elle en « sens interne », ainsi le « je » se rabaisse-t-il en ce « moi » tant haï par Pascal, ainsi l'on ment et l'on se ment... Ou, pour le dire d'une autre manière, on ne répond plus à l'opposition du transcendantal et de l'empirique comme le faisaient Locke ou Hume, en niant pratiquement l'un par l'autre, *mais en les confondant dans un espace d'indistinction*. Les intellectuels des Lumières, en cela essentiels agents doubles, professionnels du rideau de fumée, et nous depuis ce temps, ferons donc « comme si » le problème se trouvait résolu, par la grâce d'un mixte monstrueux, indissociablement connaissant-connaissable, sujet et objet de vérité, qui se prétend tout entier inscriptible dans le champ même de son savoir et se mord donc la queue avec des raffinements extrêmes, « doublet empirico-transcendantal », dira Foucault, qui ne pourra jamais que « dédoubler empiriquement le dogmatisme » : l'Homme.

Non pas le sujet conscient de son existence — celui-là, condition de la pensée, est évidemment transhistorique — non pas même la personne, rompant la fatalité de la roue du karma pour affirmer sa liberté dans l'Histoire, qu'inventèrent les religions du Livre, mais une étrange figure, enfin débarrassée de l'énigme de son regard, historicisable, donc, objet de science humaine, que l'on veut gouvernable, puisque déterminé absolument — comme un texte, que l'on voudrait d'un coup réduire à son contexte...

Ainsi naissent, avec l'Homme, et dans un même coup d'État de la Raison, psychologie et politique, pédagogie et guerre moderne : pas de « politique rationnelle » sans psychologie capable de réduire l'inconnaissable du sujet pensant, pas d'État assuré sans pédagogie habile à produire en chacun la nécessaire « volonté générale », par « arrachage » de ce que Hegel appellera « le moment de la particularité » — bien avant Napoléon et Mao Tsé-toung, bien avant les penseurs de la dissuasion, avant même l'exemple de la Terreur révolutionnaire, un stratège génial, le comte de Guibert, annonce que les guerres modernes seront totales, qui se donnent pour enjeu l'homme, dans ce qu'il a de plus profond. Hegel ajoutera que, l'Esprit Saint naturalisé en Esprit absolu, réduite la transcendance, le cogito cartésien doit se lire désormais comme le cogito de la guerre — je, la guerre, pense...

Des *Liaisons dangereuses* aux *Idylles* de Gessner, des rhétoriques du libertinage aux pédagogies d'Helvétius et d'Holbach, du théâtre exemplaire de Diderot aux sombres arithmétiques du marquis de Sade, ce siècle invente bien l'Homme — mais comme champ de bataille...

Là s'opposent, s'entrecroisent, se mêlent tous les élans qui sourdement travaillent les profondeurs du temps, là se joue peut-être la partie décisive. Ainsi l'homme sensible, loin d'affronter le rationalisme tranché des premières décades, semble venir plutôt comme son apothéose, son vice suprême, sa *ruse de guerre :* le lieu même où s'opère la confusion de l'empirique et du transcendantal. Mais en même temps s'y font entendre une révolte, une sourde aspiration, une nostalgie peut-être, avec les hésitations et les trébuchements de qui cherche ses mots dans une langue étrangère et peu à peu s'égare... Partie subtile, bien au-delà de la conscience immédiate des acteurs, parce qu'elle met en jeu les soubassements mêmes d'une culture, entre les tressaillements obscurs du mal de vivre, les élans désordonnés d'une rébellion qui ne sait trop ses fins et les voies sinueuses de leur récupération en un discours, encore, de maîtrise : ce siècle qui se disait voué à la quête du vrai n'aura donc triomphé que par son art du mensonge et le jeu de ses masques.

C'est au moment même où l'on peut croire, après *la Nouvelle Héloïse* et *Werther,* qu'enfin triomphe la dissidence piétiste, qu'au contraire elle se piège et se défait sûrement; dans les convulsions, les vapeurs et les émois du cœur, les enfants meurtris de l'âge de Raison agitent des signes morts; cette révolte déjà s'évanouit en mode, voilà qu'elle fait fureur, mais vidée de son sens et les élans de l'âme se figent en attitudes, il ne restera bientôt que les défroques vides d'un semblant de piétisme, sécularisé de part en part — un leurre, où viennent se prendre et se perdre bien des rebelles, jusqu'à se suicider parfois de n'en pouvoir échapper.

Sturm und Drang

« Les règles sont des béquilles; c'est pour les boiteux un appui nécessaire; elles embarrassent les pas et retardent la course de l'homme sain et robuste » — vers le début des années 1770, tout ce que la jeunesse allemande compte de talent semble vouloir reprendre à son compte l'apostrophe fameuse du poète Edward Young. Hamann dit « le mage du Nord », le génial philosophe de Königsberg, Herder son jeune disciple, Jacobi, Jung-Stilling et Lavater, tout à la fois théoricien de la « physiognomonie » et illuminé, Reinhold Lenz qui laissera un superbe drame, *Die Soldaten,* avant de sombrer dans la folie et dont la sensibilité fait songer parfois à Wedekind, Klinger, le poète du Rhin, Bürger, de Göttingen, dont la ballade *Lénore* sera connue dans toute l'Europe, Wagner, Friedrich Müller, dit Maler Müller, Leisewitz, Goethe et bientôt Schiller, ils sont tous là, qui se rassemblent, pour la plus formidable offensive, peut-être, contre les Lumières... Ils sont tous nourris de piétisme, tous ils ont dévoré Milton, Ossian et Shakespeare, Young et Rousseau sont parmi leurs idoles, ils veulent en finir avec l'esprit français, avec ce « siècle de barbouilleurs d'encre » (Schiller), avec la prétention à tout réglementer de cette « vieille dame distinguée » (Goethe) qu'est devenue la littérature française. Quand paraît, en 1777, *Sturm und Drang* (Tempête et Élan) la pièce de Klinger qui donnera rétrospectivement son nom au mouvement, Hamann, le plus âgé, a quarante-sept ans, Herder trente-trois ans, Goethe vingt-huit ans et Schiller seulement dix-huit ans... La parution de *Werther* en 1774, des *Brigands* en 1781, de l'avis unanime, marquerait leur triomphe — plutôt dirais-je leur fin... Certes, ils ont tous brandi, contre la raison, l'étendard du « génie », mais s'entendaient-ils vraiment sur le sens de ce mot? Pour l'initiateur Hamann surtout, mais encore pour Herder, le génie, dans la plus pure tradition platonicienne de l'inspiration poétique, est essentiellement lié à la révélation divine et à la foi : une force indestructible placée par Dieu en chacun, contre laquelle se brisent les tyrannies, par laquelle l'homme déchiffre en ce monde le hiéroglyphe de la présence divine et retrouve les chemins de la transcendance oubliée — la revendication d'originalité, alors si chère aux *Sturmer,* n'est donc que l'affirmation, face aux institutions qui « transforment les hommes en copies », et valorisent l'imitation, de la transcendantalité du sujet.

Werther porte encore la marque de cette inspiration, mais s'impose surtout comme la première grande sécularisation des écrits intimes du piétisme, ces sortes de journaux de bord de leur conversion qu'avaient coutume alors de tenir les plus fervents croyants — on sait que la « Confession d'une belle âme » insérée dans les *Années d'apprentissage de Wilhelm Meister* est même une véritable autobiographie piétiste, rédigée à partir de documents fournis par une amie de la mère de Goethe, Mme de Klettenberg. De la même manière, *la Jeunesse de Heinrich Stilling* de Jung, autre grande réussite de la littérature autobiographique, est d'abord l'histoire des pérégrinations d'une âme et du travail, en elle, de la Révélation; plus généralement d'ailleurs on pourrait tenir que le « roman subjectif » apparaît, en Angleterre et en Allemagne, comme la sécularisation des autobiographies de la dissidence religieuse, les fameux « bildung roman » — romans de formation — épousant exactement les formes de la quête initiatique...

Mais lorsque Karl Philipp Moritz, né lui aussi dans l'atmosphère du piétisme, rédige, entre 1784 et 1789, le superbe *Anton Reiser,* il choisit, à l'inverse de Jung-Stilling, de décrire les cheminements d'une âme qui toujours échoue dans la quête de la grâce : théologien raté rêvant de théâtre, le jeune Anton ne trouvera plus rien, au bout de ses tentatives mystiques, que la nuit noire, « une sorte de léthargie et le dégoût total de la vie ». Et certes Schiller fait un abondant usage du mot « génie », revendique à grands cris le droit à l'originalité, et glorifie le hors-la-loi dans un tumulte libertaire qui ne va pas sans inquiéter parfois, mais il paraît bien loin, lui aussi, de l'inspiration première du mouvement... C'est qu'en une dizaine d'années les mots clés ont eu le temps d'opérer silencieusement quelques singulières variations de sens...

Principe d'une insurrection spirituelle, élan divin, faculté d'une « autre » connaissance pour Hamann, le « génie » n'est plus pour Schiller qu'une force, un dynamisme, une énergie : l'hyperbole de la volonté.

Affirmation d'un jardin inviolable en chaque être, d'un lieu de *recentrement* vers le dedans de soi, la revendication d'originalité se renverse, niée la transcendance, en exaltation de l'*excentricité,* du bizarre, du monstrueux, du « je ne sais quoi de gigantesque, d'incroyable et d'énorme » de Diderot.

Alors qu'il s'agissait, contre la loi du tyran et le lent nivelage de l'institution, d'affirmer les *droits* inaliénables de l'homme et de fonder ainsi une morale, on glorifiera désormais le *hors-la-loi*... c'est-à-dire aussi, génie ou brigand, le tyran, celui qui refuse la loi commune pour imposer la sienne aux autres — et l'on retrouve ici encore Diderot, pour qui le génie était déjà cet inquiétant surhomme, par-delà le bien et le mal, qui donne son rythme et son esprit à la société tout entière : « A qui passera-t-on les défauts si ce n'est aux grands hommes ? » note-t-il en 1765 dans ses *Salons :* « Je ne hais point les grands crimes : premièrement parce qu'on en fait de beaux tableaux et de belles tragédies; et puis, c'est que les grandes et sublimes actions et les grands crimes portent les mêmes caractères d'énergie. »

Alors seulement triomphe le *Sturm und Drang,* tandis que partout fait fureur la mode du « schénie »... « Un autre monde parut jaillir tout à coup, racontera plus tard Goethe, on demanda du génie au médecin, au général, à l'homme d'État et bientôt à tous les hommes qui prétendaient se distinguer en théorie et en pratique [...] quand quelqu'un courait à pied par le monde sans trop savoir pourquoi et où il allait, cela s'appelait un voyage de génie, et quand quelqu'un faisait une folie sans but et sans utilité, c'était un trait de génie. Des jeunes hommes ardents, parfois vraiment doués, se perdaient dans l'illimité... » Il lui aura donc fallu, pour se faire applaudir sur le théâtre du monde, rien moins que de s'être d'abord renversée elle-même en son contraire, de s'être, sous l'apparence d'un usage des mêmes mots, des mêmes images, des mêmes vêtements, vidée de tout son sens. Et cela simplement par l'effet d'un oubli, mais de taille : la petite lumière intérieure, cette transcendance rebelle qui l'inspirait dans ses premiers élans.

Ni « flambée d'irrationalisme », ni « préromantisme », mais l'aventure singulière de jeunes gens qui voulurent briser leur siècle et n'opérèrent, en fin de compte, qu'un extraordinaire « passage à la limite » des catégories qui déjà silencieusement l'organisaient — et notamment celle de « limite » qui dérive du calcul infinitésimal, que l'on invente alors — l'exaspération d'un mal de vivre qui ne trouve plus à s'exprimer dans les mots d'une époque qui peu à peu l'égare, l'expression aussi d'une essentielle désorientation : une explosion spirituelle d'une violence inouïe, dont les ondes de choc ébranleront toute l'Europe, et puis le lent travail d'une inversion systématique de tous les signes, par lequel la rébellion s'impose, mais en se transformant en discours de maîtrise — ceux qui ne moururent pas de désespoir ou de folie de s'être ainsi pris au piège sans comprendre pourquoi, Goethe et Schiller, seront les fondateurs du premier grand classicisme allemand...

La raison refusant toute limite à son empire, fût-ce le regard de l'autre; la foi, enfin comprise comme puissance d'arrachement hors de toute religion, révolte absolue, radicale, irréductible, du sujet contre la loi du monde; les multiples péripéties de leur affrontement — et l'espace, surtout, de leur confusion, puisque telle est bien l'invention majeure du XVIIIe, le piège où viendra se prendre désormais toute rébellion, la ruse suprême de la raison : c'est seulement ainsi décrite, je crois, que l'époque qui vit naître à peu près toutes les catégories de notre modernité retrouve son rythme, sa profondeur, quelque chose, peut-être, comme sa vérité.

Le coup de force mis à jour par lequel le philosophe se débarrasse du dissident, le minimum exigible de toute analyse me paraît être de cesser d'en répéter indéfiniment le mouvement : il est certes louable de dégager la figure de « l'homme sensible », mais seulement si cela n'a pas pour effet de confondre Nivelle de La Chaussée et Schelling — n'est pas identique le geste qui vise à naturaliser la transcendance et celui qui, à travers les mots piégés de la sensibilité, tente de retrouver les chemins de l'âme...

Aussi pouvons-nous désormais renvoyer sereinement dos à dos dixhuitiémiste et tenant du « préromantisme » :

— en faisant remarquer au premier qu'à vouloir ramener toutes choses à un « esprit du temps », à ne rien vouloir laisser échapper aux mailles de l'Histoire et des sociologies, il répète exactement le même coup de force « philosophique », le même geste d'enfermement que ses prédécesseurs, opère la même silencieuse confusion de l'empirique et du transcendantal, bute sur les mêmes séries de contradictions — n'usant que des catégories nées de ce coup de force, il s'interdit en tous les cas de percevoir ce qu'elles avaient pour fonction de masquer, à savoir que quelque chose déchire continûment le tissu de l'Histoire, s'arrache au poids des choses et donne sens au monde, l'éternité de la révolte humaine.

— au tenant du « préromantisme », aussi sympathique soit-il, nous devons faire le symétrique reproche de la naïveté — celle de qui se prend, et avec le même aveuglement que les hommes dont il loue les mérites, dans le piège tendu par l'adversaire. Car il se condamne ainsi à méconnaître tout à la fois la véritable profondeur de la philosophie des Lumières, et la radicale nouveauté du romantisme, en s'obstinant en particulier à repérer tout au long du siècle des constantes thématiques, telles que l'exaltation des sentiments, le vague de l'âme, le goût de la nature, la fascination des tempêtes, ou les rêveries dans les ruines, supposées incarner le romantisme éternel, quand elles sont toutes, en fait, l'enjeu d'affrontements acharnés et relèvent donc pleinement de cet « espace de confusion » qui nous paraît la caractéristique même du siècle des Lumières.

Que puisse ainsi finir cette querelle des « spécialistes », déjà vieille de plus d'un siècle, qui n'aura fait que répéter jusqu'à l'insupportable le geste inaugurateur de la mystification des Lumières — au point de rendre le romantisme rigoureusement inconcevable — que, cherchant aujourd'hui sous les décombres des Révolutions, quel fut le piège où l'espérance humaine se prit, j'aie pu simplement concevoir ce chapitre, signifie d'abord ceci, dont il nous va falloir mesurer peu à peu le retentissement, qu'ici en quelque sorte le XVIIIe siècle s'achève.

Et commence le romantisme...

3

LA PERTE DU VISAGE

Psychologies et politique, pédagogies et guerre moderne, mais aussi *esthétique* : l'avènement de l'Homme redouble le geste de l'artiste d'une interrogation inquiète sur sa finalité, et c'est comme une faille qui ouvre silencieusement le sous-sol de notre culture, un continent nouveau qui déjà se détache, avec les grandes fièvres des conquêtes promises, avec le sentiment aussi d'une perte irréparable, d'un texte que le regard plus jamais ne saura déchiffrer, d'une terre s'égarant aux lisières des mémoires, la nostalgie, bientôt, d'un paradis perdu...

Non que l'art ait pu jamais paraître aller de soi, à l'écart de tout questionnement, ou l'artiste se satisfaire de n'être rien de plus qu'un « bon joueur de quille », « habile arrangeur de syllabes » — cette modestie-là n'est jamais qu'une feinte. Malherbe bientôt ajoute que l'enjeu véritable est la « puissance sur le langage » : le Grand Siècle lui-même, en ses dernières décades, est tout entier occupé par la sévère querelle des Anciens et des Modernes, Fontenelle et Perrault, au nom de la Raison souveraine et des progrès de l'expérience, proclamant la nécessaire supériorité des modernes, contre l'avis de La Fontaine, Boileau et La Bruyère, lesquels ne pouvaient rien concevoir hors de l'imitation de la « simple nature », c'est-à-dire des Anciens, et chacun pressent, même confusément, que se joue là quelque chose de plus vaste qu'une banale dispute sur l'efficacité d'un tour de main, qu'il y va probablement de l'ordre social lui-même, et du respect dû à l'autorité. Et pareillement lorsque Malherbe conçoit son Art poétique à l'exact opposé de la *Défense et Illustration de la langue française* de Du Bellay, et s'acharne à « dégasconner » la langue, à la débarrasser de ses termes provinciaux, populaires, archaïques, grossiers, ou simplement techniques, pour enfin la réduire aux seuls mots « en usage à la cour », lorsque Richelieu fixe à l'Académie française, qu'il fonde en 1635, la tâche de codifier la langue et ses usages par les moyens d'un dictionnaire, d'une grammaire, d'une rhétorique, c'est avec la claire conscience que la puissance sur le langage ouvre à la puissance sur les êtres — leur projet s'inscrit dans la perspective plus vaste de l'édification d'un État fort, centralisé, incompatible avec la spontanéité de l'inspiration et le libre foisonnement de la langue revendiqués par le narquois Régnier ou le « bon gros » aventurier de Saint-Amant.

Mais, aussi rudes soient-ils, les débats que connaît l'ère « classique » ne se déploient pas moins dans le commun espace d'une *rhétorique,* où s'inscrivent et s'ordonnent les figures du discours. Poètes comme rhéteurs ne sont pas sans savoir que l'énigme de la parole poétique se situe dans ce qui sépare les figures du sens du sens proprement dit, mais qu'ils les définissent, à la suite de Bauzée ou de Du Marsais, comme l'ornement d'un sens propre — une manière en somme plus habile, plus efficace, plus belle, d'exprimer ce qui se pourrait dire, sans perte de sens, autrement —, qu'ils les perçoivent, à la manière d'un Condillac, comme des « tours de langage » visant à exprimer cette singularité du sentiment que ne peut ressaisir la claire pensée rationnelle, les figures leur apparaissent dans tous les cas comme une fantaisie appelée à rendre l'ordre aimable, un *écart,* qui renvoie à l'universalité d'une *norme :* « S'il faut de l'ordre dans les choses, remarque Montesquieu, il faut aussi de la variété, sans cela l'âme languit. » La grande affaire, dès lors, sera la maîtrise de ces écarts, la réglementation de leur usage : en dernière instance les querelles artistiques toujours renverront — et le mot est ici à prendre dans toutes ses acceptions — à des querelles d'*étiquette.*

Révélation et Tradition

Mais il aura fallu d'abord ce coup d'État par lequel se fige le sens de la Présence... Quoi qu'on en ait pu dire, le Grand Siècle n'a pas méconnu l'inspiration poétique, une lecture plus attentive révélerait au contraire une constante attention à ses puissances, à ses séductions comme à ses dangers, mais il n'a jamais pu concevoir la création autrement qu'ordonnée à un principe d'*imitation.* Encore faut-il ici prendre garde aux possibles contresens : qu'une pensée de l' « imitation » ait pu s'accorder à des œuvres aussi fortes et belles que celles de Molière, Corneille ou Racine, quand les plus fermes tenants des libres caprices de l'imagination ne parvenaient à concevoir, un siècle plus tard, que de mornes comédies, effroyablement stéréotypées, cela devrait suffire à nous indiquer que le problème est infiniment plus subtil qu'on ne veut bien, généralement, le dire, et qu'il ne s'agit en rien de l'imitation telle que nous l'entendons aujourd'hui — telle même que pouvaient l'entendre les philosophes des Lumières, lesquels sur ce terrain n'affrontèrent jamais que des figures mortes.

Au plus près de ce qui fut le cœur vivant de la fraternité chrétienne, par-delà les tardives considérations sur la « belle Nature », ou la Nature « idéale », d'autant plus péremptoires qu'elles ont déjà oublié ce qui autrefois les inspira, cette pensée se noue d'abord au mystère du Verbe qui se fait chair, à l'énigme de la Parole, tout à la fois révélée et révélante, qui se fait Livre Saint : *inspiration poétique et imitation, dans leur intime liaison, renvoient à l'originelle unité de la Révélation et de la Tradition.*

Non pas ces signes morts, parce que inscrits dans l'Histoire, qu'agitent les vieillards, pour un respect que nous devrions au passé, non pas ce funèbre cortège que les conservateurs frileux nous intiment de suivre — car c'est notre vie, notre présent, notre espérance qui alors agonisent : la Tradition, dans son sens spirituel, n'en appelle pas à un passé historique, elle ne relève pas d'une idolâtrie de l'Histoire qui ne serait que l'exact symétrique du « progressisme », elle s'annonce au contraire comme ce qui précède infiniment l'Histoire et, seul, lui donne sens...

Si tout est historique, historicisé, historicisable, rien ne l'est, puisque l'énoncé qui l'affirme ne peut y échapper : si tout texte est réductible à son contexte, aux circonstances historiques de son énonciation, il est inconcevable qu'il puisse être lu, par-delà les âges et les continents : sans la postulation d'une « hiéro-histoire », d'un « autre temps » qui serait à celui de ce monde quelque chose comme l'éternité, on ne peut sérieusement tenir que l'Histoire ait un sens, et l'on ne supporte pas mieux qu'une Parole, quelle qu'elle soit, puisse avoir un sens — comme si l'Homme et le Verbe n'étaient pas de ce monde et de cette Histoire, mais l'Histoire en eux, comme leur exil, ou leur errance...

Ainsi faut-il comprendre le mythe de la Chute : l'Homme et le Verbe sont tombés ici-bas, où ils demeurent captifs, et avec cette Chute a commencé quelque chose comme l'Histoire. Mais demeure en chacun une nostalgie, une étincelle, la lumière, vacillante et fragile, de la Terre Perdue : ce sera donc notre humaine aventure, en ce lieu de passage, que d'en retrouver la trace, d'en préserver la flamme, comme le vivant foyer de la Parole — la puissance instauratrice du sens.

Alors la Tradition n'est pas soumission au passé, mais ce qui nous sauve du sommeil historique, l'irruption en ce monde d'un chant d'éternité, la manifestation de la présence, toujours, à chaque instant, derrière ce monde, d'un autre monde qui lui donne sens, parce qu'il nous indique notre origine et notre retour — notre destination.

La fin des rhétoriques

Cette lumière, contre laquelle se liguent toutes les puissances du monde, ne se laisse pas figer en objet de théorie, ni déduire par abstraction, mais se découvre par l'effet d'une *révélation* : la tradition implique donc toujours la dimension d'une perception visionnaire et sa connaissance, alors, nous est délivrance, puisqu'elle suppose le mouvement d'une conversion, d'une transmutation, d'une *renaissance* — c'est précisément ce que voulaient indiquer les métaphysiciens inspirés d'Avicenne quand ils affirmaient que toute connaissance procède d'une illumination de l'*intelligentia agens*, généralement identifié à l'archange Gabriel, tout à la fois messager de l'Annonciation et ange de la Connaissance, que l'on dit aussi Esprit Saint [1]...

Poète alors celui qui, aux périls de l'aventure intérieure, proférant l'invisible, retrouve et réveille en chacun la puissance de nommer : sans lui les mots peu à peu se figent, l'espérance s'égare, nous errons solitaires dans le chaos des choses — il est donc bien ce « voyant » qui manifeste ici-bas la présence des terres imaginaires et ainsi continument réinvente le monde. C'est quand se tait la musique des âmes que commence l'agonie des hommes...

Une telle pensée ignore, bien évidemment, nos modernes cloisonnements entre les sens et l'intellection : plus exactement elle pose l'existence d'un monde intermédiaire, dont l'imagination créatrice serait l'organe de perception, où la chair se spiritualiserait et s'incarneraient les idées — le monde de l'Ame, imaginaire à la fois concret et spirituel. Métaphysique de l'imagination créatrice, cette pensée qui rayonne d'un incomparable éclat dans les

1. Dans un langage plus moderne nous dirions — mais cela revient strictement au même — qu'aucun sens n'est concevable sans prégnance symbolique.

théosophies de l'âge baroque assigne donc au poète la mission la plus haute, et à l'inspiration poétique les dimensions d'une véritable prophétologie, mais à la condition d'une astreinte à la stricte discipline de la quête intérieure : aucune époque peut-être n'a aussi soigneusement distingué cet organe de perception que Paracelse nommait *Imaginatio Vera* de la simple *phantasia* — laquelle, s'abandonnant aux caprices de la divagation, est l'abîme des fous, ou le recours de ceux qui toujours nient, mais en tous les cas se révèle impuissante à créer du sens.

Nous voilà bien loin des pauvretés généralement de mise sur la doctrine de l'imitation! N'en déplaise aux « spécialistes » de l'« histoire de l'art », c'est pourtant à cette hauteur que tout se joue, c'est cette ferveur qui éclaire la nuit mystique d'un Georges de La Tour, cette *furor* qui anime et soulève les prodigieux flamboiements du baroque : peut-on croire sérieusement que c'est avec la conception du monde — et de l'art — à peu près débile que nous leur prêtons généreusement que ces artistes ont pu atteindre de telles profondeurs de l'âme humaine ?

Mais ce monde est d'abord le lieu de notre chute, de notre misère, de toutes les oppressions : sauver le sens, réactiver la flamme de la Présence, cela est proprement lié aux risques de l'aventure humaine — *notre* affaire, contre le poids des choses et la loi du tyran. Car la loi sera toujours celle par laquelle se répète la chute : que se perde l'idée de cet « autre monde », que s'oublie l'étincelle et c'est tout le système qui, terme à terme, se renverse tandis que triomphe le Prince de ce monde. La Révélation alors devient le prétexte d'un pouvoir, la Tradition, le respect obligé de formes instituées, tandis que l'inspiration poétique, à laquelle on refuse désormais toute puissance cognitive, se voit ravalée à la tâche domestique d'un agrément de l'ordre : c'est seulement alors que la Tradition cesse de se concevoir comme spiritualisation de la matière sensible, surgissement de l'Ame du monde, pour se scléroser en respect des Anciens, banale copie de formes inertes, soumission à des normes que ne viennent plus justifier que les préjugés, ou l'autorité royale : imitation.

Ainsi, loin d'être une apothéose, le classicisme comme pensée sur l'art, légiférant par le moyen d'une rhétorique ou d'une poétique, doit-il être compris comme une sclérose, une déspiritualisation du baroque, la volonté de soumettre l'effervescence créatrice à l'absolutisme du Prince : de prophète, le poète se retrouve peu à peu courtisan ventriloque... Mais que les liens se défassent, qui tenaient ensemble Révélation et Tradition, qu'une sourde dissidence travaille les fidèles, qu'au nom de la foi ceux-ci se dressent contre des institutions devenues despotiques pour affirmer l'intériorité de chaque être, et non plus les églises, comme le lieu du dialogue avec Dieu, qu'éclate en un mot, contre l'absolutisme royal et la persécution religieuse, la rébellion piétiste, et l'orgueilleuse cathédrale du classicisme s'effondre comme château de cartes : ce n'était donc bien qu'un simulacre depuis longtemps déserté par l'esprit, un déguisement qui n'abritait que des cadavres...

Les prodigieuses constructions rhétoriques du Grand Siècle, les subtiles classifications de Bauzée, de Du Marsais, de Fontanier que l'on croyait dressées pour l'éternité, ces chefs-d'œuvre d'ingéniosité, en quelques décades sont abandonnées. Aujourd'hui encore la brutalité de la cassure intrigue les savants : c'est que la rhétorique n'était bien que l'instrument d'un absolutisme, une réaction au bouillonnement créateur, pour en contenir les puissances, et codifier en figures les manifestations de la Parole. Qu'éclate une rébellion, au cœur même du dispositif par lequel le Prince assurait sa puissance, et la bataille change de nature, requiert de nouvelles armes : la rhétorique aussitôt s'enfonce dans l'oubli, l'esthétique va naître.

Les enjeux de l'art

En 1750 paraît à Francfort-sur-l'Oder un fort curieux volume, bardé de néologismes, dont l'un au moins, plus tard repris par Kant dans sa *Critique de la raison pure*, sera appelé à faire fortune : son titre, *Aesthetica.* Sous ses aspects indigestes — l'auteur, Alexander Gottlieb Baumgarten, professeur à l'université piétiste de Halle, est resté fidèle à la pesante démarche des traités scolastiques de son maître Wolff — il ne s'en agit pas moins d'une véritable déclaration d'indépendance : pour la première fois, même si encore de manière prudente, se trouve affirmée l'autonomie du Beau, enfin défini comme « *perfection sensible* » et non plus reporté, comme dans les systèmes rhétoriques, au bon, à l'utile ou au vrai.

A côté de l'ordre logique, et irréductible à lui, soutient Baumgarten, nous devons reconnaître l'existence d'une *évidence sensible* qui, dans l'immédiateté d'une saisie intuitive, convainc tout autant, sinon mieux, qu'une démonstration : il y a bien une spécificité du poétique par rapport au discursif, le Beau relève d'une faculté cognitive spécifique — la science de cette connaissance sensible sera dite « esthétique »...

S'ouvrent, du même coup, un nouveau champ d'investigation, et une contradiction insurmontable, qui va déchirer tout au long du siècle la réflexion sur l'art : car l'esthétique n'assure l'autonomie de son objet qu'en affirmant l'irréductibilité du narratif au discursif mais ne peut, paradoxalement, exister que comme tentative d'une théorie — *i.e.* discursive — de la narrativité [1]. A moins que l'esthétique n'ait jamais eu d'autre fonction, ou d'autre destin, clamant l'autonomie de l'art, exaltant la singularité de ses puissances, que de le faire se prendre lui-même, et par le mouvement de ce qu'il croyait sa libération, dans les mailles d'un nouveau discours, d'une nouvelle « polis » — autogestion avant la lettre...

Le milieu du siècle marque ainsi un tournant, une mutation des sensibilités, un déplacement des enjeux. Non que le pesant traité de Baumgarten ait eu une influence immédiatement repérable, sinon sur Winckelmann : plutôt cristallise-t-il en un « esprit du temps » les mille hésitations d'un même questionnement. Quelques œuvres majeures, les *Characteristics* de Shaftesbury (1711), les *Réflexions critiques sur la poésie et la peinture* de l'abbé Dubos (1719), *An Inquiry into the original of our ideas of Beauty and Virtue* de Hutcheson (1725), le *Traité de l'harmonie* de Rameau (1722), les *Nuits* de Young (1742) avaient certes marqué les premières décades, mais à partir de 1750 environ, et jusqu'aux premières annonces de la Révolution française, c'est une lame de fond qui littéralement submerge l'espace philosophique : Diderot rédige l'article « Beau » de l'*Encyclopédie* et la *Lettre sur les sourds et muets* en 1751, la représentation à Paris, en 1752, de l'opéra bouffon *la Servante maîtresse* de Pergolèse déclenche la fameuse « Querelle des Bouffons », où s'affrontent de manière bien confuse, mais avec acharnement, le « coin du roi », tenant du classicisme à la française, et le « coin de la reine », partisan avec Grimm et Rousseau de la musique italienne [2]; le développement, en Allemagne, des études philologiques et archéologiques, la découverte

1. Baumgarten, probablement du fait de ses origines piétistes, aura du moins le mérite de reconnaître la difficulté, et de tenter de la surmonter en réfléchissant à la possibilité d'une « théorie non discursive » : il définit bien l'esthétique, au départ de son livre, comme « *gnoseologia inferior* » mais, empêtré dans les catégories rhétoriques, sans comprendre qu'elles ont précisément pour fonction de rendre inconcevable la « perception visionnaire » (gnose), il n'aura pas les moyens de poursuivre plus avant son intuition. De ce point de vue encore, Baumgarten serait donc à la charnière entre la dissidence piétiste et son recouvrement.

2. Signe supplémentaire, s'il en était besoin, d'un déplacement des enjeux : une première représentation de la *Servante...* au Théâtre Italien, en 1746, était passée à peu près inaperçue.

des ruines de Pompéi, imposent peu à peu une nouvelle manière de considérer les œuvres du passé, libérée du poids des « traditions »; Winckelmann, ancien élève de Baumgarten à l'université de Halle, publie en 1755 ses *Pensées sur l'imitation des œuvres grecques en peinture et en sculpture* qui seront, avec la *Lettre* de Cochin *sur les peintures d'Herculanum,* à l'origine d'un renversement complet de perspective sur l'art antique; l'*Enquête philosophique sur l'origine de nos idées de sublime et de beau* d'Edmund Burke est à peine publiée en Angleterre, en 1757, qu'elle se trouve déjà prolongée en Allemagne par les *Considérations sur le naïf et le sublime* de Moïse Mendelssohn (1758) et les *Considérations sur le sentiment de Beau et de Sublime* de Kant; le pasteur prussien Trescho (1754), l'académicien berlinois Sulzer (1757), les Écossais William Duff (1767) et Alexander Gerard (1774), publient différents *Essais sur le génie*; les *Conjectures on original composition* d'Edward Young (1759) secouent le dogme de l'imitation avec une telle insolence et en des termes si neufs — « nés originaux, comment se fait-il que nous mourions tous copies ? » — qu'elles ont presque aussitôt un retentissement européen; un débat particulièrement houleux s'engage en Allemagne entre Lessing, Winckelmann, Sulzer, Moïse Mendelssohn, Nicolaï, puis Hamann et Herder, sur les finalités de l'art, dont la conséquence majeure sera l'explosion du *Sturm und Drang*; les *Monuments de la mythologie et de la poésie des Celtes* de Mallet (1756), mais surtout les poèmes, *Fingal* (1761) puis *Temora* (1763) de Macpherson, attribués au barde Ossian, les traductions de Milton par Louis Racine (1755), l'obscur mais décisif travail de Le Tourneur, traducteur en vingt volumes de Shakespeare (1776-1782), de Young (1769), des *Poésies erses* (1772) puis des *Poésies gaéliques* d'Ossian (1777), l'ensemble de ses préfaces et de ses commentaires, après les violentes polémiques qui opposèrent Voltaire aux admirateurs, français et allemands, de Shakespeare, font retentir dans toute l'Europe la revendication d'une « vraie » poésie, enfin libérée de la dictature des règles — mais la liste pourrait être presque indéfiniment allongée des œuvres qui encore aujourd'hui nous paraissent essentielles, telles *l'Histoire de l'art dans l'antiquité* de Winckelmann (1764), le *Laocoon* de Lessing (1776) ou les *Observations sur l'architecture* de Laugier (1765), sans oublier évidemment d'y inclure la majeure partie des écrits de Diderot et Rousseau : hier encore aimable ornement d'un ordre intangible, voilà la création artistique devenue le lieu stratégique où se rassemblent tous les enjeux du siècle...

Les rébellions de l'âme

Mais que peut signifier un tel renversement ? Rien dans l'optimisme des premiers empiristes ne nous y préparait vraiment, et ce n'est certainement pas par l'effet d'une nécessité intérieure que le « parti philosophique » a soudain accordé à l'art une importance vitale ! Comme l'a si bien vu Hazard dans son grand livre sur *la Crise de la conscience européenne*, les Lumières, dans leur mouvement profond, contestent moins le Grand Siècle qu'elles ne le prolongent d'abord et l'achèvent. Pour Voltaire rédigeant *le Siècle de Louis XIV*, il va de soi, et particulièrement dans les arts et la littérature, que le siècle éclairé fut d'abord celui du Roi Soleil : de l'un à l'autre, un même réseau de mythes et d'images organise la pensée, imprègne les sensibilités, à commencer par cette constante répétition de la métaphore solaire, qui lie l'absolutisme de la Raison à celui d'un regard auquel rien n'échappe, sous la clarté duquel tout vient s'ordonner — clarté, évidence, distinction sont d'abord les catégories majeures d'une époque qui naît avec la lunette de Galilée, se définit à travers la Dioptrique de Descartes et se clôt, pour reprendre une boutade de Gilbert Durand, avec la philosophie d'un fabricant de lunettes : Spinoza ! Aussi tous ces raisonnables raisonneurs, tous ceux-là que Rousseau, plus tard, appellera les « Cacouacs », ne font-ils guère qu'adapter les grands systèmes rhétoriques au sensualisme de l'époque, par les vertus supposées de la « rhétorique sentimentale » de Condillac — pour le reste, sourds à toute musique, insensibles à la poésie, ils réussiront le prodige, en quelques décades, d'affadir, de rabougrir, de scléroser la création artistique au point de n'en plus pouvoir, bientôt, présenter qu'une pitoyable caricature : qu'il s'agisse de l'*Henriade* de Voltaire ou du *Catalina* de Crébillon, du *Philosophe marié* de Destouches ou du *Préjugé à la mode* de Nivelle de La Chaussée, ces tristes chefs-d'œuvre des âges philosophiques nous sont aujourd'hui illisibles, et précisément parce qu'au nom de la raison souveraine ils refusent à la poésie toute puissance ontologique, ignorant avec obstination les flamboiements de la spiritualité baroque comme la formidable tension qui anime encore, à travers un art poétique déjà sclérosant, les grandes pièces de l'ère classique — cette force de la Parole, révélée, révélante, qui soudain arrache un texte à son contexte et au flux de l'Histoire pour le jeter à la face du monde comme un chant d'éternité : une œuvre. Non, plus rien que des formes vides, désertées par l'Esprit, qu'agitent des médiocres! Milton et Shakespeare, que l'Europe redécouvre, se dresseront face à eux comme de sombres énigmes, horribles en leurs élans barbares, mais fascinants encore par leurs puissantes splendeurs, comme s'ils détenaient la clé d'un continent perdu...

Une réaction. Une réaction, d'abord, aux prétentions de tous ces « Newton de l'âme » qui, sous le prétexte de « libérer » le sujet humain de ses vains préjugés, en viennent à le priver de son identité, pour ne plus le penser que comme effet de langage ou réflexe conditionné; une rébellion, aussi, contre le « goût français », « l'esprit français », « l'absolutisme français », qui s'exaspère lentement, jusqu'à paraître tout emporter dans son tumulte, vers ces années 1765 où les armées françaises accumulent les défaites, sur les champs de bataille de la guerre de Sept Ans; une formidable déclaration d'indépendance du sujet, enfin, qui embrasse, d'un même élan, tous les aspects de sa présence au monde, tire sa puissance d'une mutation décisive de la conscience religieuse et se manifeste spectaculairement par la revendication d'une autonomie de l'art...

Malgré leur extrême diversité, une commune ferveur vient unifier les multiples manifestations de cette dissidence qui sourdement travaille chaque être en sa singularité — et l'Europe entière en ses profondeurs : la conviction qu'en l'homme brille une étincelle divine, qui le fait être, contre tout ce qui en ce monde prétend le lier au déterminisme des choses comme à l'autorité des princes. *Ich bin ein ich* : dans l'irréductible singularité de la parole poétique, dans ce qui, en elle, nécessairement échappe à la logique du discours, le sujet découvre la plus sûre expression de sa propre autonomie. Et telle sera la puissance d'arrachement au pouvoir des religions de cet acte de foi qu'elle ébranlera de proche en proche tout l'édifice social — ainsi, contre toute attente, *et contre toute raison*, surgit, en plein milieu du siècle, sur le champ de bataille de la modernité, l'incontournable protestation de l'art...

Au moment même où l'empiriste Hume en vient à nier la réalité substantielle du moi, où les psychologies intellectualistes peu à peu dissolvent l'identité du sujet, le roman moderne fait son apparition : aussitôt les malheurs du Cleveland de l'abbé Prévost, des Pamela et des Clarisse Harlowe de Richardson, les romans aussi de Fielding et Defoe, passionnent l'Europe lettrée, comme si la saisie, à travers l'épaisseur d'une fiction, des péripéties d'une destinée singulière ouvrait à une compréhension nouvelle de soi-même et des autres, comme si la littérature détenait en quelque sorte un « secret d'humanité », inaccessible aux visions objectivantes — comme si, pour ce qui touchait à la présence de l'homme au monde, l'imagination du poète se révélait supérieure à l'entendement du philosophe... Alors l'artiste se dresse devant l'intellectuel comme l'emblème, ou le porte-parole, d'une essentielle objection de conscience. D'habile décorateur qu'on l'avait voulu réduire, le voilà qui retrouve — et notamment par le biais d'un retour aux platoniciens de Cambridge — la dimension prophétique que lui assignaient autrefois le platonisme et les théosophies baroques. Car cette restauration de l'art procède d'une restauration spirituelle, et il serait parfaitement vain de les vouloir séparer — nous l'avons déjà indiqué ici même à propos de l'Allemagne mais le phénomène est tout aussi évident en Angleterre : après le *Mêmorial* de Pascal et la *Vie de Mme Guyon racontée par elle-même* qui seront, toutes confessions confondues, les livres de chevet de l'« internationale piétiste », parmi les centaines d'autobiographies éditées vers la fin du XVIIe siècle à des fins édifiantes, qui nous restituent le cheminement de l'homme de foi lorsque, dans le recueillement, celui-ci se livre au péril de Dieu, les maîtres ouvrages qui véritablement introduisent à la littérature de la subjectivité, aujourd'hui devenus des classiques, presque aussi fréquemment traduits que la Bible, ont pour titre l'*Abondance de la grâce accordée au plus grand des pécheurs* et *the Pilgrim's progress*, écrits dans les prisons de Bedford par le chaudronnier-prédicateur puritain John Bunyan — G.A. Starr a établi, dans une étude remarquable, que *Robinson Crusoé* lui-même épousait le modèle des autobiographies spirituelles du puritanisme.

Feijoo en Espagne, Barbosa du Bocage et Filinto Elysio au Portugal, Santa Rita Durao au Brésil, Karamzine et Tchoulkov en Russie, Haller et Kaufmann en Suisse, Kellgren, Thorild, Carl Aurivilius, Bellman, Lidner, Franzen, Gjorwell et Regner en Suède, Porthan en Finlande, Frimann en Norvège, et tant d'autres encore : partout la même ferveur, et la même fureur, comme une traînée de poudre... Au sinistre Gottsched, volontiers ironique à l'endroit de Shakespeare, (le « barbare au cerveau brûlé »), et qui entendait sceller l'avenir des lettres allemandes par ces quelques mots : « Personne ne niera que l'imitation du théâtre français soit la seule voie qui s'ouvre au théâtre allemand pour sortir du néant ou de la barbarie », Lessing, enfin, ose répondre : « Je suis ce personne. » A l'académie de Stockholm qui avait posé, comme sujet de son concours annuel, la question, déjà en elle-même sacrilège, de savoir « si la connaissance des textes grecs et romains est nécessaire pour le développement de la littérature nationale », Tengstrom répond par la négative et remporte le prix. Boie, Bürger, Voss, les enthousiastes et peut-être trop naïfs trublions du *Göttingen Bund*, après s'être couronnés de feuilles de chêne, boivent à la « renaissance de la vraie poésie » et à la « *très* mauvaise santé » de Gottsched et Voltaire — comme si le monde changeait de base...

De l'esthétique comme ruse de guerre

L'artiste et l'intellectuel face à face, pour un duel que l'on imagine sans merci — l'esthétique sera, vers le milieu du siècle, dans tous les sens du terme, le lieu de leur *mêlée*...

Certes, les livres n'ont pas manqué qui, bien avant cette date, se sont attaqués à la dictature des règles et aux doctrines de l'imitation, au nom de l'inspiration divine ou des droits de l'imagination — et ces textes, s'efforçant, à travers les mots mêmes de la modernité, de retrouver les voies de ce que j'ai appelé « Tradition », sont peut-être moins originaux qu'on ne le dit parfois — mais il ne s'agissait là que d'un effort *critique*, sans autre visée que l'ébranlement des dogmatismes, et particulièrement de ceux-là qu'élaborait en silence l'empirisme régnant : rien de plus, en somme, que des textes de combat s'attachant à ruiner ce qui risquait d'entraver l'élan d'une renaissance à la fois spirituelle et artistique [1].

Bien différente est la naissance de l'Esthétique, entre 1750 et 1765, qui marque un déplacement des enjeux et le surgissement d'un continent nouveau, quand la réflexion tente à la fois d'affirmer l'autonomie de l'art et de le contenir dans les mailles d'une connaissance positive... Car une chose est d'affirmer qu'il est en l'homme un foyer irréductible à toute objectivation qui, littéralement, le fait être, dont la création artistique est l'incontestable manifestation, puisque la parole poétique est précisément « ce qui ne peut se dire autrement » et, ainsi, continûment excède l'empire du discours — de retourner, en somme, la raison contre

1. On ne s'étonnera donc pas que la plupart de ces textes « esthétiques » soient l'œuvre d'ecclésiastiques — telles les célèbres *Réflexions critiques sur la poésie et la peinture* de l'abbé Dubos publiées en 1729 ou même les *Éléments de métaphysique tirés de l'expérience ou lettres à un matérialiste sur la nature de l'âme* (1753) et le *Témoignage du sens intime opposé à la foi profane et ridicule des fatalistes modernes* (1760) de Le Large de Lignac qui effectuent, pour la France, le passage du criticisme salvateur à l'empirisme de l'intériorité...

elle-même, dès lors qu'elle tente d'outrepasser ses légitimes pouvoirs, de mobiliser les armes de la critique pour libérer l'espace humain des manipulations du psychologue, du pédagogue, du politique, et, dans le même mouvement, l'art lui-même des prétentions normatives de tous ses censeurs — mais tout autre chose est de clamer bien haut l'autonomie de la création artistique, désormais libérée des préjugés anciens, lorsque l'on tente en sous main de l'asservir encore, en inscrivant sa dissidence dans le champ d'une science nouvelle.

Ainsi faut-il comprendre, d'abord, la naissance de l'Esthétique : non pas une réflexion libérant le créateur de la tutelle des rhéteurs, mais le piège subtil où celui-ci vient se prendre, à l'instant même qu'il croyait se sauver. La contradiction que nous notions à l'origine du projet de Baumgarten est donc bien essentielle, ou, plus exactement, devrait-on dire que l'Esthétique, dans le fond, n'aura jamais d'autre projet que de refouler continûment les conditions de sa naissance, d'enfouir, de masquer, de travestir cette contradiction qui la déchire — un leurre, une ruse de guerre...

Et en effet : si la rébellion du sujet est bien ce qui sépare le siècle, si l'art surgit comme la suprême manifestation du sens intime et ainsi remet l'homme sur les voies de *sa* transcendance perdue, alors on comprend que les règles anciennes se révèlent défaillantes et que l'enjeu requiert de nouvelles armes — la ruse de l'esthétique est celle-là même que nous analysions au chapitre précédent, lorsque l'intellectuel des Lumières, feignant de reprendre à son compte la postulation du sens interne, la vidait de sa substance en opérant en sous main la confusion de l'empirique et du transcendantal. Car l'analyse demeurerait sans profondeur, qui se satisferait d'opposer l'art et l'esthétique un peu comme le vagabondage s'oppose à l'assignation à résidence, si l'on ne précisait pas aussitôt que toute la subtilité tient précisément en ceci que, le piège refermé, c'est désormais l'artiste qui se fera lui-même son propre geôlier, que c'est le discours même de sa libération qui sera celui de son asservissement — de la même manière que, plus tard, le discours de la Révolution, sa prétention à se constituer en science, sera le piège mortel où s'exténueront les révoltes humaines...

Voyez les révoltés songeurs du *Sturm und Drang*, les gentils buveurs du *Göttingen Bund*, partis sur les chemins de la descente vers soi, vers le noyau de braise de la mystique rhénane, et si tôt égarés aux côtés de Diderot, sans rien avoir changé, pourtant, des mots, des cris, des attitudes, et ne comprenant plus — ou comprenant trop bien... Rien changé, sinon ce lent mouvement d'une ferveur peu à peu égarée dans le piège insidieux des sécularisations, quand on se prend aux séductions d'un nouvel empirisme, décoré des atours d'une feinte transcendance. Car, éteint le brasier de la Parole, morte l'étoile de l'Orient intérieur qui nous recréait Homme, contre toute Nature, quel sens garde encore une révolte humaine — puisque notre liberté ne tenait qu'à cela, l'affirmation têtue de notre transcendance ? Il n'y aura donc plus rien, sur le désert du monde, que les contorsions d'un habile simulacre, la suprême ruse d'une maîtrise désormais sans partage, cette farce tragique d'une révolte qui ne sait plus se dire que dans le langage de la Terreur...

L'impérialisme du regard

« L'oreille, dont le témoignage est toujours un sentiment confus et sans lumière... » Musicien considérable et premier théoricien de l'harmonie, Jean-Philippe Rameau n'en partage pas moins les préventions de ses contemporains : le siècle des Lumières est d'abord celui de l'absolutisme du regard, comme si la Raison ne trouvait à s'assurer de ses pouvoirs que dans la clarté d'une vision qui ressaisit le monde et l'ordonne sans en rien laisser dans l'ombre ou dans le vague. « La vue est celui des sens en qui l'âme, par un instinct que l'expérience fortifie, a le plus confiance, écrit l'abbé Dubos dans ses célèbres *Réflexions critiques*, c'est au sens de la vue que l'âme appelle du rapport des autres sens, lorsqu'elle soupçonne ce rapport d'être infidèle. On peut dire, métaphoriquement parlant, que l'œil est plus près de l'âme que l'oreille. » Lieux des « perceptions obscures » et pour cela suspects, les autres sens ne trouvent un semblant de crédit qu'à la condition d'une préalable soumission au jugement du regard. Aussi, malgré les développements, depuis Galilée, de la science acoustique, malgré les apports décisifs du mathématicien Joseph Sauveur, malgré les travaux du génial Leonhard Euler, malgré les promesses — hélas, vite oubliées — d'un renouvellement de la pensée chez le Diderot des *Principes généraux d'acoustique* et, surtout, de la *Lettre sur les sourds et les muets*, malgré la *Dissertation sur la musique moderne* et l'*Essai sur l'origine des langues* de Rousseau, la réflexion sur la musique stagne, tâtonne, et le plus souvent trébuche. Si la « Querelle des Bouffons » révèle que deux conceptions du monde, du pouvoir, des libertés, bref, deux courants de sensibilité, commencent à se heurter violemment, elle témoigne aussi, par l'étonnante confusion des arguments brandis de part et d'autre, d'une incapacité de la pensée à vraiment considérer le phénomène musical pour lui-même, hors des schémas de la représentation. Quelque chose s'en vient continûment brouiller la perception, jusqu'au point de fermer le siècle à la musique: le lieu commun, sinon des créateurs, du moins du public et des théoriciens, auquel toute réflexion, sur quelque forme d'art que ce soit, doit nécessairement s'accorder — ce « principe unique et simple » que Cassirer appelle l'« axiome de l'imitation en général », dont j'ai montré plus haut qu'il procédait d'une sécularisation de l'idée de Tradition...

Comment exprimer, à travers une aussi contraignante théorie, la nouveauté ressentie, dans le « coin de la Reine », lorsque la troupe des Bouffons joue, sur la scène de l'Opéra, *la Servante maîtresse* de Pergolèse ? Les mots tragiquement s'absentent, les concepts sont encore à naître, en vain Rousseau et Grimm tentent-ils d'assurer la supériorité de la mélodie par l'imitation supposée des « cris animaux de la passion » : tous deux savent bien, dans le fond, qu'en matière de musique le critère de l'imitation est inadéquat. Mais comment concevoir un art qui n'imite rien, qui ne représente rien ? Leur désarroi est un peu comparable à celui que ressentira plus tard le public devant les premières œuvres non figuratives. La pensée est ici à son point de butée...

Ce siècle délibérément sourd à ce qui risquerait d'ébranler ses défenses — et particulièrement à ces formes musicales « pures », nées en Allemagne de l'effervescence de l'*Empfindsamkeit* (sensibilité) dans les mouvances du *Sturm und Drang,* que nous appellons aujourd'hui, peut-être un peu légèrement, « classiques » —, ce siècle extraordinairement bavard, mais à ce point acquis à la convention du mensonge qu'il refusera jusqu'au bout tout crédit à la parole, ce siècle idéalement sceptique, au fond, *ne croit qu'à ce qu'il voit* — aussi place-t-il sans hésitation la peinture au sommet de la hiérarchie des arts. N'est-elle pas la pure représentation de la chose elle-même ? « Nous dirons donc avec raison que, dans le domaine des fictions, il y a entre peinture et poésie la même différence qu'entre un corps et l'ombre dérivée, ou même plus grande, car l'ombre de ce corps passe au moins par la vue pour accéder au sens commun, alors que sa forme imaginée ne passe nullement par elle mais se produit dans l'œil intérieur » : ainsi Léonard de Vinci, déjà, prétendait fonder la supériorité de la peinture — son *Trattato della pittura* sera, dès que traduit, lu avec passion, notamment par Diderot... L'abbé Dubos y ajoute encore l'argument de l'universelle compréhension — à la différence du poète, le peintre conjure la malédiction de Babel — et Diderot résume le sentiment général par cette formule : « La peinture montre l'objet même, la poésie le décrit, la musique en excite à peine une idée. » On comprend donc l'ironique apostrophe de Fontenelle — « Sonate, que me veux-tu ? » — et le souverain mépris de d'Alembert et Ducharger pour la musique, « qui ne peint rien ».

Mais que peint la peinture ? Et particulièrement lorsque l'objet représenté n'est autre qu'un *sujet* ? Aucune époque peut-être n'a autant écrit sur la peinture, n'en a si unanimement proclamé les vertus, mais cette sérénité n'est jamais qu'une façade, sur la plus humble toile se lèvent des ombres opaques, et ces troublantes énigmes qu'on voulait conjurées, une pensée inquiète s'éprouve prisonnière dans les strictes ornières de l'imitation, sans pouvoir jamais s'en évader vraiment, voilà que tout vacille quand il s'agit de représenter ce mixte étrange, que l'époque invente tout à la fois comme le point de ses interrogations, son masque et son champ de bataille : l'Homme...

Ce « moi », qui n'est pas « moi », qui me fait face

Comment peindre un visage ? Car il n'est pas seulement cette bouche, ces oreilles, ce nez, ces chairs plus ou moins heureusement disposés dans l'espace et que le temps déjà commence de meurtrir, il est d'abord un regard qui me fait face et ainsi me fait être — et le regard jamais ne sera une chose parmi les autres choses, mais la manifestation de la présence, dans l'ordre du monde, d'un autre monde, qui le dépasse infiniment...

Dans l'éclat de ses prunelles, sous les plis des paupières, s'ouvrent des espaces, plus vastes que toutes les galaxies, à jamais inviolables — comme un gouffre, un trou sans fond dans l'épaisseur du monde par où entendre encore la rumeur des grands fleuves de l'éternité : cette vie intérieure qui, seule, fait d'une chair le visage par lequel un être, échappant à sa forme, se présente à nous dans son identité. Un moi qui n'est pas moi me fait face dans le monde, comme la limite absolue d'une prise de possession — et ce point de butée à l'expansion du regard, cette « zone interdite » aux entreprises de la connaissance se révèle, au principe même de la morale, condition de toute parole. Comme l'exprimait admirablement Emmanuel Levinas, le visage humain est tout à la fois ce qui, du corps humain, se présente dans la plus extrême nudité et ce qui, malgré sa fragilité, s'affirme pourtant rigoureusement inviolable — voir un visage, aimait-il à répéter, c'est déjà entendre « tu ne tueras point ». Et c'est parce que dans son expansion à travers toutes les choses du monde qu'elle nomme, classe et possède, la conscience bute ainsi sur son absolue limite qu'elle ricoche, fait retour sur elle-même et découvre la nécessaire liaison de la morale et de la parole. *L'être humain ne découvre en lui-même sa propre transcendance, ce brasier intérieur qu'aucun maître jamais ne pourra atteindre, principe de toute résistance et de toute parole, que parce qu'il l'a d'abord lue dans le regard d'autrui* — ainsi est ce « toi » — ce « moi » qui n'est pas « moi » — qui littéralement me fait « moi ».

En finir avec ce regard, comme un fer rouge cloué au fond de l'âme, qui toujours nous arrête, pour une grande chevauchée sur la surface du monde, jusqu'à griffer le ciel lui-même et ses nuées, dans le déferlement de désirs que l'on veut « libérés »; s'égarer aux quatre horizons des tourbillons cosmiques, se faire torrent, forêt, océan formidable grondant sous les orages pour se délivrer enfin du fardeau d'être libre et ne plus rien savoir de l'exigence de se faire face : ainsi, au plus près du foyer de toutes les résistances, s'éveille la tentation totalitaire, ainsi le projet des Lumières se condamne-t-il sûrement : son rêve d'un « regard absolu » suppose d'abord le refus du visage — les choses, en effet, n'ont pas de visage, elles ne vous font pas face, elles ne résistent pas, « posséder le monde », cela n'a jamais voulu dire autre chose que posséder « autrui », jusqu'à briser son corps, meurtrir ses chairs, crever ses yeux, noyer dans le sang et les cris ce que son regard nous disait de notre liberté.

Comment peindre un regard? Par-delà la conjuration de l'éphémère, quelque chose d'essentiel est ici en jeu, qui touche à la naissance même de la personne, une inquiétude et une fascination venues du fond des âges, qui donnent à la représentation de l'homme une gravité que nous ne ressentons plus guère — mais sans doute avons-nous perdu le sens du visage humain... On sait que, dans la plupart des civilisations traditionnelles, le portrait est frappé d'interdit : celui qui, par malheur ou par ruse, s'est laissé prendre son image, voilà qu'il s'abandonne à la merci de son « possesseur », comme s'il venait de perdre, plus que son double, son ombre, son âme, son *identité* — et plutôt que de ricaner devant d'aussi stupides superstitions, devrions-nous peut-être nous étonner d'une telle intuition, déjà, même si encore confuse, du sens de la présence inscrite en chaque visage. Dans les tombeaux de l'ancienne Égypte, une statue de pierre à l'image du défunt, enclose dans le serdab, recevait, croyait-on, son âme immortelle — plus tard, sous le nouvel Empire, elle sera gravée en relief, ou peinte, sur les parois de sombres hypogées... Les Sumériens, de même, déposaient dans chaque tombe un portrait de pierre, faute de quoi, pensaient-ils, le fragile passage entre l'ici-bas des humains et le monde de l'âme se trouvait rompu. Les Étrusques à leur tour lieront la représentation du visage aux rituels les plus secrets, et à la conjuration de la mort. Quant à l'islam, à la religion mosaïque et au premier christianisme, en même temps qu'ils inventèrent l'idée de la personne, ils en interdirent longtemps la représentation, comme sacrilège — en chaque regard brille une étincelle divine...

Oui, comment peindre un regard — c'est-à-dire : comment inscrire ici-bas l'autre monde, comment représenter l'infini de manière finie ? On reconnaîtra dans ces formulations le projet même du siècle des Lumières. Aussi, quand nous disons de lui qu'il fut le grand siècle du portrait, devons-nous d'abord le comprendre comme le lieu où s'affrontent, se mêlent, et se séparent, les pires tentatives d'une lacération du lieu de la présence, la négation de la profondeur du regard dans les artifices des rhétoriques ou des physiognomonies et le rêve, mal formulé encore, de retrouver, à travers les embûches des choses, le difficile chemin du « Je » perdu...

L'énigme de la présence

Oui, perdu... Dans le recueillement et la paix d'une Tolède que chantent encore Cervantes et Lope de Vega, Domenikos Theotokopoulos, que l'on dit « El Greco », peu à peu se dépouille de tout son savoir-faire, de l'héritage byzantin et des maniérismes de Zaccaro et Sermoneta, mais aussi des grandes leçons de Tintoret, de Titien et de Jacopo Bassano, comme il se dépouille peu à peu de lui-même... Au terme d'une bouleversante expérience spirituelle dont nous ne savons presque rien, mais dont les œuvres nous restituent le cheminement halluciné, voilà qu'il découvre, au plus profond de lui-même, la réalité sensible de l' « autre monde ». La *Résurrection du Christ,* l'*Adoration des bergers,* les *Visions de saint Jean* : les couleurs jadis somptueuses se font plus rares, leurs assemblages presque dissonants, tandis qu'une essentielle urgence précipite le mouvement du pinceau sur la toile. On le savait admirable portraitiste, dans cette tradition espagnole qui est de « peindre l'âme », mais voilà, dès *l'Enterrement du comte d'Orgaz* et *l'Allégorie de la Sainte Ligue*, que les visages à leur tour se dépouillent de leur chair, les corps, sous le tourbillon des étoffes, s'arrachent à la matière, tandis qu'une étrange lumière éclaire le tableau, comme si elle venait de l'intérieur même des êtres. Le *Laocoon*, la *Vision de l'Apocalypse* : des œuvres ultimes, comme un pèlerinage des vertiges, au bord même de l'éternité...

Déjà les frères Van Eyck, dans un tout autre registre, osant peindre des visages isolés, détachés en pleine lumière, les yeux fixant le spectateur, avaient su en faire, à travers cette épreuve du regard échangé, le lieu d'une méditation. Rompant avec tout faste, toute célébration des puissances princières ou ecclésiastiques, leur *Portrait des Arnolfini* nous montre simplement un homme et une femme, se tenant par la main, dans un univers où chaque chose signifie la fidélité, la tendresse loin des tumultes du monde, et la présence de Dieu — cet « intérieur » est d'abord l'espace d'une intime ferveur, le lieu d'un recueillement : *leur intériorité*. Par son *Autoportrait* à la mine d'argent et surtout par l'admirable portrait de son père, Dürer saura montrer qu'il a retenu la leçon du grand maître flamand...

Dans la Lorraine de la Contre-Réforme en proie à la misère, à la sorcellerie, à la tentation de tous les satanismes, Georges de La Tour, que René Char dira le grand intercesseur auprès du mystère poétique, fait retour vers l'expérience la plus nue, la plus intime, de la foi, vers la spiritualité toute d'humilité et d'espérance alors professée par saint François de Sales et saint Vincent de Paul, où l'attention la plus aiguë à la misère humaine, le réalisme le plus cru et le plus ironique, peu à peu se creusent en une grande nuit mystique où les êtres les plus humbles, telle cette servante assise, ensommeillée, écrasant une puce entre ses doigts, apparaissent comme figés dans une méditation infinie pour nous livrer quelque chose d'essentiel du mystère de l'humanité — un silence, un recueillement qui impose à chacun, pour les percevoir, retour sur lui-même et méditation, pour la chance de découvrir alors que « le chemin mystérieux va vers l'intérieur » : cette flamme qui illumine les visages des *Enfants aux lumières* n'est point celle qu'allumeront les têtes philosophiques pour la chasse aux superstitions...

Et tandis que Frans Hals choque les tenants du portrait d'apparat en saisissant les enfants gouailleurs de la rue, les compagnies de gardes festoyant, ou le petit peuple de Haarlem, dans les mille instants d'une truculente et tendre « comédie humaine », Rembrandt, devant son miroir, affronte l'énigme de son propre regard, dans un silencieux dialogue avec lui-même, qu'il va poursuivre jusqu'à la mort, cherchant inlassablement à travers la fascination de son image le secret qui toujours lui échappe — l'impossible coïncidence de soi à soi. Mais cette singulière aventure intérieure, ce travail acharné sur lui-même, l'écartent peu à peu de la rumeur du monde, de toute la peinture de son époque, des effets caravagesques comme des surabondances à la Rubens : lui dont les portraits de commande firent autrefois la richesse, voilà qu'il sombre dans la gêne d'un semi-oubli, et ne peint plus guère que d'étranges vieillards aux visages fripés — les quatre-vingts autoportraits qu'il laisse derrière lui nous interrogent encore, comme la plus folle des aventures intérieures, le premier et le plus étonnant journal intime de ce siècle... Vermeer, à son tour, dépasse infiniment l'époque, et les tentatives de peinture en trompe l'œil de ses dignes confrères, Carel Fabritius, Samuel von Hoogstraeten, Emmanuel de Witte, tous entichés de ces fameuses « boîtes perspectives » qui ne parviennent à donner une illusion de la profondeur qu'à des sujets inanimés : lui saura suggérer la profondeur, mais intérieure, en saisissant des personnages en action dans l'instant fragile d'une suspension de leur mouvement. Voilà la *Peseuse de perles,* attentive, immobile, à l'instant où s'équilibrent les plateaux de sa balance, ou la *Dentellière,* tout entière absorbée par la délicatesse de son travail : dans l'espace intimiste de la présence de soi à soi, tandis que le cours du monde apparaît suspendu, affleure silencieusement le sens de la Présence...

Et c'est la silencieuse présence des êtres, encore, qui nous bouleverse dans ces immenses chefs-d'œuvre des frères Le Nain que sont la *Famille de paysans* et le *Repas des paysans.* Bien loin des modes pastorales à l'imitation des antiques idylles ou des « bergeries galantes », quelque chose d'unique est dit ici, avec une gravité tranquille, de l'âme humaine. Ni anecdote, ni spectacle édifiant, mais, dans la quotidienneté la plus « réaliste », l'immobilité attentive d'humbles visages, tous illuminés, aussi déshérités soient-ils, par l'esprit d'innocence. Dans leurs attitudes obligées et leurs décors de convention, les « scènes de genre » ne savent guère nous dire que la fuite du temps et des gestes et des mœurs qui ne reviendront plus, devenus étrangers : les frères Le Nain, tout au contraire, nous placent devant l'évidence bouleversante de ce qui déchire en chaque être le poids des jours et échappe à l'Histoire — l' « éternel présent » de l'humanité...

Ce sont là, dira-t-on, de bien lointains exemples, étrangers à l'époque qui nous occupe ici, pourquoi tant insister ? Simplement pour marquer, en convoquant les faits, l'évidence d'une rupture, et les contours d'une nostalgie qui va hanter bientôt le siècle des Lumières et que recueillera le romantisme, comme on recueille des braises pour en faire un brasier... Une époque se définit peut-être d'abord par le regard qu'elle jette sur son passé, l'ordonnancement de ses bibliothèques, et les tableaux où elle se mire : longtemps oubliées ou bien sous-estimées, ou encore disparues, la plupart de ces œuvres qu'on ne savait plus voir — ou qu'on ne voulait plus — seront redécouvertes par le romantisme et constituent, en somme, son « musée imaginaire »...

Cette attention aiguë au visage des hommes, cette interrogation inquiète des puissances du regard, ne sont donc point de récente découverte : la plus grande époque de l'histoire de la peinture, déjà, a coïncidé avec les flamboiements d'une intense spiritualité, et l'on ne peut nier que c'est précisément cette spiritualité, que les Lumières plus tard dénonceront comme vaine superstition, qui donne à ces œuvres leur puissance de retentissement. Freud, d'autant plus aveugle au tumulte du monde qu'il se croit fort de sa nouvelle et très matérialiste science — et en cela digne héritier des Lumières —, acclame en Mussolini le « sauveur de la culture » à peu près au moment où il regrette que les élans de la superstition religieuse viennent troubler le regard que porte Dostoïevski sur les êtres et les choses. Cette radicale incompréhension ne relève pas simplement d'une malheureuse opposition de tempéraments, elle n'est pas accidentelle, mais se révèle bel et bien constitutive du regard moderne lui-même, tel qu'il se structure, entre Roi Soleil et siècle des Lumières...

Car ici se situe la véritable coupure, qui commande le regard : la fièvre qui animait El Greco et Le Nain, Rembrandt et Vermeer, La Tour et Van Eyck, le grand fleuve de l'Imagination Créatrice peu à peu s'arrête et se tarit, dans le mouvement même qui voit naître en France l'absolutisme royal. En quelques décennies une Tradition va se perdre, qui, loin d'imposer une servile imitation de formes mortes, fut au contraire, et nous le voyons bien sur ces quelques exemples, intensément *libératrice*. Face à son bouillonnement, à l'extraordinaire diversité de ses expressions et à sa rêveuse profondeur, ce que nous appelons « classicisme » apparaît bien comme une sclérose, un effondrement — une perte d'âme. Les sévères et intenses portraits de Jean Tassel marquent en France la fin d'une grande « vague mystique, » le sublime *Ex-Voto* de Philippe de Champaigne, peint « en louange au Seigneur » pour la guérison « miraculeuse » de sa fille religieuse, et qui dans son extrême dépouillement, bannissant tout signe extérieur de l' « autre monde », réussit le prodige de concentrer dans le calme extatique des visages le sentiment aigu d'une présence divine, apparaît à la fois comme l'apothéose d'un artiste et déjà presque comme un anachronisme. La société de cour qui s'édifie alors sur l'écrasement des spiritualités renouvelées n'a plus que faire de ces austères méditations sur la misère des êtres et ce qui, en tout homme, dépasse infiniment la nature et l'histoire. La quête de la grandeur intérieure fait place à l'exhibition des signes de la puissance, la sensibilité intense aux puissances du mythe se dégrade en complaisance vulgaire pour des « mythologies galantes », où les « terres spirituelles » ressemblent étrangement à des maisons closes. Travestis à l'antique, rhétorique des passions, conventions d'étiquette, miniatures, art flatteur d'apparat inspiré de Van Dyck, voilà qui fait bien vite la fortune des médiocres, tels Beaubrun, Gascar, Nocret, Petitot, Du Guernier. « D'abord attentive à cerner, sous l'aspect banal du spectacle journalier, la part de vérité humaine et divine qui s'y cache, la peinture ne tarde pas à se désintéresser de cette quête », notent très justement Albert Chatelet et Jacques Thuillier. « On dirait que bientôt elle n'en perçoit plus la grandeur, qu'elle répugne à cerner la psychologie profonde d'un visage, les apparences sensibles d'un objet [...] Le temps vient où les femmes vont demander au peintre de leur donner, selon le propos de Molière lui-même, " un teint tout de lis et de roses, un nez bien fait, une petite bouche et de grands yeux vifs, bien fendus; et surtout, le visage pas plus gros que le poing, l'eussent-elles d'un pied de large ". Mignard, qui tout justement quitte l'Italie en 1657, va s'empresser à les servir. »

Les frénésies de l'apparence

Que peindre d'un visage si l'on ne sait plus rien de l'âme ? Un peu plus de trente années séparent l'*Ex-Voto à sainte Geneviève* peint par Nicolas de Largillière de l'*Ex-Voto* de Philippe de Champaigne : trente années et l'incommensurable gouffre qui sépare deux époques, sinon deux univers. Plus rien ici qui suggère encore ferveur et intériorité mais, perruques, jabots, soieries et moires saisies dans une immobilité solennelle, qu'animent simplement quelques mouvements de mains inspirés de Van Dyck, une extraordinaire accumulation des signes de la puissance. Les plus étonnants pourtant sont encore les visages — peints, fardés, poudrés, ils nous fixent, narquois, avec une cruauté hautaine et leur mince sourire nous est comme une gifle, qui nous jette en arrière. Ce ne sont plus des visages, mais des masques — ceux-là sont des fauves, qui regardent leurs proies...

Rarement on aura peint les jeux de la puissance avec une telle force, car ces visages grimés qui se refusent à l'autre sont des forteresses vides — la puissance est toujours négation de l'intériorité. Nous savons cela aujourd'hui, de trop amère expérience, que ce n'est jamais tant qu'à l'instant où on le croit saisir, que le pouvoir vous prend et vous rend vraiment fou — vous vide de votre âme. Ces visages-là ne disent que le désert de l'âme... Et telle est cette absence, dans ce groupe de fauves, que, sainte en prière et angelots gracieux, il faudra nous montrer dans d'habiles nuages, vers le haut de la toile, les signes convenus d'un monde spirituel réduit aux apparences.

Par son sens du faste et de la gloire, Largillière aurait pu être le grand peintre d'apparat du siècle de Louis XIV, le digne pendant de Van Dyck à la cour de Charles Ier. Il aurait dû l'être, comme le devina Jacques II exilé, mais ne le fut point — il préférait peindre la haute bourgeoisie dans les orgueilleuses célébrations de sa puissance croissante, dit-on, « parce qu'elle était de paiement plus prompt ». Mais peut-être aussi venait-il trop tard, alors que la cour, déjà, se lassait des attitudes trop rigides et entendait les nuancer de grâces plus frivoles — ou bien était-il resté trop flamand, ou venait-il trop tôt : il est dans certains de ses portraits, pleins d'ombres et de mystères, une nostalgie rêveuse qui annonce Watteau, et l'étrange sourire de sa *Belle Strasbourgeoise* nous envoûtera longtemps...

Le peintre officiel, acclamé à grands cris, ce sera donc Rigaud, l'exubérant et prolifique Catalan, que tout le monde connaît, au moins pour avoir vu, et trop souvent revu, dans les livres de classe, son royal portrait de 1701, où le rigide maintien du souverain et l'arrogance du visage sont compensés par l'extravagant bouillonnement du costume de sacre. Roi, princes, courtisans, il les peint tous, et à grande vitesse, dans un atelier organisé déjà comme une petite usine, où se succéderont bien des talents d'alors, Belin de Fontenay, Hulliot, Monnoyer pour les fleurs, Desportes pour les paysages, le génial Parrocel, qui annonce Delacroix, pour les scènes de batailles, et tant d'autres encore. Il les peint, ou plutôt des délires d'étoffes éclatantes, des tempêtes de satins, de velours et de soies, des frénésies de drapés et de plis sans cesse renouvelés, des tourbillons de pourpoints incroyables, qui portent à l'outrance les drapés de Van Dyck — tel son surprenant *Gaspard de Gueidan jouant de la musette,* indirecte référence sans doute au *Chartrain François Langlois jouant de la cornemuse* du maître hollandais. Rarement on aura tenté de compenser un tel vide intérieur, une telle pauvreté spirituelle, par une telle extravagance. Sans cesse l'homme tente de s'échapper à lui-même, écrivait Nicole, l'austère moraliste de Port-Royal, sans cesse il se cherche dans la vanité des aspects extérieurs de son « moi » et « *par le moyen de cette illusion il est toujours absent de lui-même et présent à lui-même, il se regarde continuellement et il ne se voit jamais véritablement, parce qu'il ne voit au lieu de lui-même que le vain fantôme qu'il s'en est formé* » : ces pâles fantômes, reflets de leurs reflets, qui se consument dans la vaine poursuite des apparences, au point de n'être plus qu'étalage de luxe et mouvements d'étoffes, ces illusions à l'infini multipliées par les jeux en miroir de la foire aux vanités, voilà ce que nous peint exactement Rigaud.

Plus encore que Vélasquez, trop hanté par les ténèbres humaines et qui rassemble, résume et du même coup dépasse son époque par une fascinante réflexion sur l'identité, et les pièges de la représentation, dans le grand tableau des *Ménines* — d'ailleurs se consacra-t-il jamais au portrait de cour pour d'autres raisons que d'argent et d'honneur ?, son art est au-delà, voyez ses *Fileuses* et voyez ses *Niños* —, le véritable maître du portrait d'apparat, celui qui en fixe la manière pour plus d'un siècle en Occident, n'est autre que le « prince charmeur de la peinture », l'élève trop doué de Rubens, Van Dyck.

Il aurait pu être un peintre de génie. Ses œuvres de jeunesse, toutes parcourues d'un frémissement inquiet, brossées à traits nerveux, syncopés, hachés, nous saisissent encore par leur violence farouche, sur fonds d'orages crépusculaires : loin de céder à la plénitude charnelle et aux transparences humanistes de son maître Rubens, un peintre ici s'impose, qui annonce déjà une nouvelle époque de la sensibilité, moins sereine sans doute, tout en brisures et en tempêtes... L'étonnante série des *Têtes d'apôtre*, en particulier, nous le montre hanté par le scandale du mal et les tressaillements de l'espérance, quand les chairs heureuses de Rubens procèdent encore d'une Renaissance qui ne voulut rien savoir du péché originel. Et puis — les lumières trop claires de l'Italie, une facilité trop insolente, le souci d'une rapide réussite ou un dernier recul à l'instant d'entreprendre ce voyage vers les replis nocturnes de l'âme où s'éprouve le talent ?, nous ne saurons jamais quel intime débat précipite alors l'évolution du jeune prodige — voilà que son art se fait plus facile, tout en sentimentales grâces, en tendresses lumineuses, en courbes élégantes, dans les suprêmes raffinements des décors à colonnes et les froissements des étoffes rares. Du stathouder de Hollande à l'infante Isabelle, de l'aristocratie italienne aux artistes flamands, princes, hommes de guerre, ecclésiastiques, savants et politiques, c'est toute l'élite de l'Europe qu'il campe ainsi, dans les onctueux chatoiements des gris et des bruns, avant de devenir l'illustrissime peintre attitré de la cour d'Angleterre. J'ai songé parfois que cette exaltation de la douceur polie, cet élitisme distingué, avaient pu lui être un refuge, contre la fureur qu'il tentait de contenir en lui et la brutalité du monde... Car derrière la gloire fracassante du portraitiste officiel, habile metteur en scène d'attitudes convenues, il y a celui qui place dans le fond de ses toiles, ou saisit en fiévreuses aquarelles, des paysages brumeux d'une infinie mélancolie, il y a le peintre religieux plein de cette « morbidezza » qui tant séduira Proust, il y a enfin le prodigieux dessinateur, emporté, rageur, presque sauvage, qui crie son angoisse devant les ténèbres d'un monde déserté par la foi, et dont les quelques esquisses qui demeurent de tableaux bien connus nous révèlent, dans la nervosité des traits, l'initiale inquiétude, que viendra nuancer, et comme apaiser peu à peu, la grâce des coloris, en touches alanguies. Il y a là un conflit intérieur, un drame, une déchirure, qui aujourd'hui nous touchent, une âme qui gémit avec le bruit très doux des soies qui se déchirent : un siècle avant « l'homme sensible » des Lumières, Van Dyck atteint une qualité d'expression que n'approcheront jamais les Vigée-Lebrun, les Drouais, les Labille — seuls Watteau et Gainsborough sauront entendre cette musique lointaine des archipels engloutis de nos imaginaires. Ce n'est pas ce drame pourtant que saisira l'époque, mais la rhétorique des attitudes, l'élégance des drapés, le jeu subtil des mains, rien que ces apparences — un délicat équilibre alors sûrement s'effrondre, la grâce devient affectation, l'aigu du sentiment se dégrade en sensiblerie, le froissement des étoffes se gonfle en vagues folles, tandis que l'âme s'absente...

Quelle « nature humaine » ?

Comment peindre un visage si l'on ne voit plus rien, en lui, d'un autre monde ? En tentant de saisir notre humaine « nature », telle qu'elle vient s'inscrire dans le monde, ici-bas, répondra-t-on alors. « Imiter la Nature » — voilà le vrai mot d'ordre. Mais qu'est donc cette Nature, que l'on évoque soudain et plus qu'à tout propos ?

Car ses définitions abondent qui toutes s'excluent l'une l'autre — comme si elle n'était rien, dans l'infinie plasticité de ses acceptions, qu'un cache, un masque, une ruse, le mot qui vient silencieusement occuper, dans le discours des hommes, la place du Dieu absent. Et comment échapper à cet étrange paradoxe, sur lequel Johann Elias Schlegel tant ironisera, qui veut que l'imitation artistique nécessairement disparaisse dès lors qu'elle est parfaite ? On ne dit pas d'un œuf qu'il imite un autre œuf, remarque justement l'oncle des « orgueilleux séraphins » du romantisme à venir : *il en est un*. D'ailleurs, quel sens accorder à une activité qui consisterait simplement à tenter de copier avec exactitude un prototype qui existe déjà ? Wilhelm Schlegel, plus tard, imaginera, narquois, que l'on s'évite ainsi les désagréments d'un original trop naturel : « Par exemple, la supériorité d'un arbre peint sur un arbre réel consisterait en ce qu'il ne vient se poser sur ses feuilles ni chenilles ni insectes. C'est ainsi que les habitants des villages du nord de la Hollande, pour une raison de propreté, ne plantent pas, en effet, de véritables arbres dans les petites cours qui entourent leurs maisons, ils se contentent de peindre tout autour, sur les murailles, des arbres, des haies, des berceaux de verdure, qui, en outre, se conservent verts pendant l'hiver. » Entendu strictement, le principe de l'imitation mène donc à des absurdités — et à l'aveuglement : car où trouver dans la Nature le modèle de la convention picturale, du vers poétique, du rythme musical ? Et si l'art diffère nécessairement de la Nature qu'il imite, comment penser cette différence autrement que comme un manque, ou une défaillance ?

Ces questions, longtemps, resteront sans réponse : d'avoir perdu la Tradition qui, seule, lui donnait sens, la pensée s'épuise dans des contradictions sans nombre, multiplie les échappées qui toutes mènent à l'impasse, et donne ainsi le spectacle d'une essentielle *désorientation*. Aussi le siècle des Lumières rompt-il moins avec l'ère classique qu'il ne la prolonge d'abord, la systématise et du même coup l'achève — en cul-de-sac. « Chacun au XVIIIe siècle trouve à redire au principe de l'imitation, écrit Folkierski dans un livre devenu un classique, évidemment c'est là quelque chose qu'on voudrait contourner, à quoi on voudrait échapper et on s'y prend de toutes les façons, faute d'en trouver une bonne » : jusqu'en 1750 au moins, et même bien au-delà, le principe de l'imitation règne donc d'autant plus sûrement que personne, au fond, ne sait par quoi le remplacer. Multipliant les angles d'attaque, infiniment curieux de tout, capable de soutenir avec la même ardeur les théories les plus contradictoires, parce qu'il ne cherchait en elles que les mots pour suivre une intuition qu'il devinait plus forte que toutes les philosophies constituées, s'installant pour le plus grand désarroi des faiseurs de système dans l'indéfinition et l'inachèvement, Diderot, explorant toutes les variantes possibles des figures de l'imitation, à lui seul incarne le tumulte de cette époque, que gagne peu à peu une silencieuse inquiétude — nul plus que lui n'a ressenti, et consciemment assumé, le sentiment d'une essentielle impasse et les risques de tous les égarements... On ne peint certes pas avec des mots — mais, parce qu'il s'agit d'un phénomène d'époque, au malaise devant ces principes de l'imitation, qui apparaissent tout à la fois nécessaires et incohérents, répondra, comme en écho, un malaise dans la peinture : ce siècle que l'on s'accorde à dire le siècle du portrait en viendra même un jour à éprouver l'impossiblité du visage...

La puissance et la gloire

Il aurait pu dire « l'État c'est moi », tant il voulut, d'une inflexible volonté, nier les jardins de l'intériorité et soumettre les élans de l' « inspiration » à la stricte discipline de la Raison, pour faire du portrait le lieu d'une exaltation de l'ordre et de la puissance, sans séparer jamais l'activité de peindre de son institutionnalisation... Certes, Van Dyck ouvre l'ère classique du portrait d'apparat, mais en même temps il la dépasse, par les pénombres où il préserve encore le mystère des êtres, il faudra après lui le lent travail d'un rétrécissement : Reynolds, le premier, en plein siècle des Lumières, osera incarner l'idéal d'un art voulu désormais explicite, soumis d'un même mouvement à la théorie qu'il s'en fait et au pouvoir qu'il sert — l'un tentait de se protéger des ténèbres du monde et des ténèbres intérieures par les raffinements d'une politesse exquise, où l'intériorité du sujet s'indiquait encore dans les frémissements des clairs-obscurs, l'autre nie farouchement toute intériorité et prétend objectiver ses personnages par les seuls signes de leur puissance. Le portrait selon Reynolds ou l'étatisation du sujet — cet art-là est politique de part en part, absolutiste, *totalitaire*...

Redondance des marques et des symboles, rien ici qui ne soit soumis à la rigueur de l'idée et surtout pas les personnages, que l'on prétend réduire à leurs « traits caractéristiques », par progressive abstraction du désordre des passions, du contingent, du temporel, du scandale de l'individualité : la plupart de ses femmes n'auront ni âme ni sexe, mais, parures, bibelots, attitudes, les seuls attributs et les prestiges de leur classe, à moins que, telles *Miss Emily Pott en Thais, Mrs Siddons en muse tragique, Lady Sarah Bunbury en Pythie,* ou *la Duchesse Hamilton en Vénus*, revêtues de draperies classiques à la romaine — « des chemises de nuit », diront les mécontentes — elles ne deviennent le prétexte d'édifiantes allégories. Les enfants, pareillement, croulant sous les signes convenus de l'enfance, rouges-gorges, chiens enrubannés, filets à papillons ou cueillettes de fraises, incarneront moins *l'Age de l'Innocence* qu'une stupidité figée. Son ami et premier protecteur, le commodore Kespel, célèbre pour ses aventures maritimes, sera virilement campé sous un ciel tourmenté, devant des rochers abrupts que bat une mer mauvaise, commandant d'un doigt impérieux aux éléments furieux, dans une attitude sereinement copiée du *Norman Mc Leod of Mc Leod* de Ramsay, lequel l'avait déjà « empruntée » à l'*Apollon du Belvédère*... Cet art, que ne suffisent pas à sauver quelques œuvres simples comme *Georgina comtesse Spencer et son enfant* ou le *Portrait* de la courtisane *Nelly O'Brien* — mais n'est-il pas aussi un exercice « à la manière » de Rembrandt ? —, cet art-là, dans la profusion de ses significations, représentation d'une représentation, est d'abord celui d'un faussaire, d'un truqueur, d'un illusionniste.

Le voici donc installé à Londres en 1753, après de longues études en Italie, et déjà occupé à se mettre en scène dans le rôle du grand peintre mondain, roulant carrosse doré et donnant réception parmi les toiles de maître. Deux ans plus tard, sa petite usine compte, dit-on, cent vingt clients qui paient le prix fort et s'il exploite sans vergogne des nègres qu'il prétend ses « élèves », il leur interdit, en fait d'enseignement, de le regarder peindre. Son ambition est sans limites, comme sa servilité : Goldsmith plus tard lui reprochera violemment de s'être prostitué en de bien sordides manœuvres. S'il fonde le *Literary Club* c'est d'abord pour se trouver l'appui de Johnson, Goldsmith, Burke et Garrik — il sera nommé président de l'Académie royale de peinture en 1768, chevalier l'année suivante, docteur honoris causa de l'université d'Oxford en 1777, premier peintre du roi en 1784. Intrigant, sans pitié pour ses adversaires, détesté par la plupart de ses collègues, c'est en maître qu'il entend régner sur la peinture anglaise, par les moyens de l'Académie et du Salon. Ses biographes nous le décrivent sec de cœur, avare, orgueilleux et jaloux, et il est vrai que sa conduite envers sa sœur comme envers Giuseppe Marchi ne fut pas des plus dignes, mais ces détails ne nous occuperaient guère si tout dans ce personnage ne renvoyait à sa conception de la peinture...

Il aurait trouvé, dit-on, sa vocation dans l'*Essai sur la théorie de la peinture* de Jonathan Richardson, qui recommandait « d'élever et d'améliorer la Nature » en apprenant à y distinguer ses « traits caractéristiques ». Imiter la Nature ne consisterait donc pas à œuvrer en trompe l'œil, mais à produire le modèle vers lequel la Nature tend imparfaitement. Félibien, déjà, notait que la Nature « est ordinairement défectueuse dans les objets particuliers, dans la formation desquels elle est détournée par quelques accidents contre son intention, qui est toujours de faire un ouvrage parfait », Reynolds ne fera jamais qu' « achever » cet idéal classique, jusqu'à la complète déspiritualisation de la notion de Tradition : on peut dire, affirme-t-il, « que toutes les espèces animales, toutes les espèces végétales, ont une forme fixe et déterminée à laquelle la Nature incline toujours, comme différents rayons inclinent au centre ou comme les différentes variations d'une pendule ont lieu autour du même point central », le véritable artiste laissera donc les peintres médiocres « exposer, à l'exemple du fleuriste et de l'amateur de coquilles, les moindres différences par lesquelles dans une même espèce un objet se distingue de l'autre; lui, cependant, pareil au philosophe, considérera l'abstrait de la nature et dans chacune de ses figures représentera le caractère de l'espèce ». Les quinze discours qu'il prononce entre 1768 et 1790 à la Royal Academy exposent la doctrine d'un art résolument intellectuel, réglementant, en fonction de l'idée du tableau, sa composition, ses éclairages, ses coloris. Il n'est donc plus question d'un « autre monde » qui donnerait *sens* à celui-ci mais, la Nature étant d'essence rationnelle, d'un « éternel-universel-rationnel » inscrit dans les choses ici-bas comme leur *forme* et que l'on découvre, non plus dans l'épreuve d'une conversion, l'éclair de l'intuition, ou l'éblouissement d'une Révélation, mais par abstraction du contingent, du temporel, de l'accidentel — bref de l'individuel et du concret. La foi, le souffle divin en soi, l'inspiration — c'est-à-dire le mouvement d'affirmation de la transcendance humaine, d'aspiration vers un « autre monde », de nostalgie des terres perdues, de révolte aussi contre la loi du monde — n'ont évidemment plus rien à faire ici, mais la seule raison et le patient apprentissage, près des maîtres du passé, des lois d'une beauté désormais entendue comme la coïncidence du réel et de l'idée — ainsi l'imitation est fondée en rigueur...

Mais comment déterminer sûrement ces « formes centrales » dans le divers des choses et l'égarement des opinions ? La véritable question n'est point tant du *comment* que de la connaissance de *qui* décide. Reynolds, cynique, se révèle hégélien avant la lettre quand il répond : l'État, évidemment, en ce qu'il est le rationnel des vouloirs, l'État tel qu'il légifère en matière de peinture par le moyen de son Académie, de ses Salons et de ses pensions. Alors seulement s'éclaire la question du « comment » — car comment représenter un homme illustre difforme, sinon en peignant, évidemment, sa gloire, abstraite, autant qu'il se peut faire, des difformités accidentelles ? Ce qui revient à dire, plus prosaïquement, que l'artiste doit peindre les puissants comme ils se veulent voir — la science n'est ici, comme en toute affaire humaine, que le prétexte de la force. Rien de plus, on le voit, qu'un art de domestique...

Il n'y a pas de viol heureux

Mais si la Nature, au lieu de toujours tendre imparfaitement vers cette « forme centrale » que l'artiste aurait pouvoir de distinguer rationnellement, était au contraire à concevoir comme un dynamisme diversificateur, multipliant, dans la continuité de son flux, des formes de plus en plus individualisées ? Avec l'absolutisme royal, vacille la conception du monde et de la Nature qui lui répondait. Un vent nouveau de rébellion, accordé à un exercice plus critique de la raison mais surtout à un sentiment extraordinairement aigu de l'arbitraire des structures sociales et de la convention des attitudes humaines, exige que l'on ose enfin repenser l'homme et son rapport au monde de telle sorte que puissent se conjuguer désir de liberté et exigences de la Raison, sous les espèces de l'empirisme. La révolution newtonienne, qui unissait physique et mathématique pour soumettre le Ciel et la Terre à une loi commune, confortant l'idée de « mécanisme universel », semblait parachever l'entreprise cartésienne — ainsi Newton, dont on oublie un peu trop facilement qu'il fut un grand mystique, croyait exalter la puissance du Créateur [1] — mais en même temps sa méthode,

1. « Car la vraie foi, disait-il, est dans le texte » — i.e. le livre des Écritures (*God's words*) se confond avec le livre de la Nature (*God's works*). Cet homme, au fond, se situe au carrefour de la Science et de la Gnose : sa théorie de l'Ether dérive probablement des recherches alchimiques sur la « quinte essence » et les premières formulations de sa théorie de l'attraction se trouvent chez son maître Jakob Boehme. Il serait donc capital de reconsidérer ses textes mystiques : ses *Observations sur les prophéties de Daniel et l'Apocalypse de Jean* convertirent Hamann en 1750, et Soljénitsyne dira dans *le Premier Cercle* toute la richesse

tout empirique, s'opposait à celle, déductive et abstraite, de Descartes : généralisée à l'ensemble des sciences, et particulièrement à celles qui entendent désormais réfléchir l'univers comportemental humain, par une sollicitation abusive des notions de « probabilité » et d'« analogie », elle va autoriser, au nom même de Newton et au fond contre lui, un complet renversement de perspectives. Cherchant, qui dans « l'irritabilité des tissus », qui dans une supposée « loi d'association des idées », l'équivalent du principe d'attraction, posant la sensation comme origine de toute idée comme de toute connaissance, Locke, Haller, Hume, Condillac en viennent à ne plus pouvoir concevoir l'unité substantielle du sujet humain : « Les hommes ne sont pas autre chose qu'un faisceau ou une collection de différentes perceptions qui se succèdent avec une inconcevable rapidité et qui sont dans un flux et dans un mouvement perpétuels », écrit Hume. Mais que suis-je dès lors, dans la rumeur immense de ce fleuve sans fin, sans source ni embouchure, jailli de la nuit noire ? Que puis-je contre la puissance de son flux ? Ainsi, la conscience, désorientée, renonce à ses pouvoirs : nulle rive, nul rocher, nul repère où accrocher le regard, jetés dans le grand fleuve du monde nous ne pouvons nous donner l'illusion d'en connaître le sens qu'en nous abandonnant à son tumulte. Tout bouge, tout change, nous ne sommes plus alors le critère de la réalité, le flux seul est réel...

Le siècle trouvera ici à s'appuyer sur l'héritage leibnizien et particulièrement sur sa théorie des indiscernables : « Tout être créé est sujet au changement. La monade est créée, chaque monade est donc une vicissitude perpétuelle. » Pas une feuille dans tout l'univers qui puisse être dite semblable à une autre feuille, pas un visage qui ne diffère de tous les autres, et sur chaque visage, le jeu changeant des sensations, le mouvement des chairs ou la marque du temps, qui toujours le condamne à différer de lui-même : s'il n'est d'autre critère concevable que la sensation, chaque visage est déjà une foule...

Vifs croquis à la sanguine ou à la pierre noire, portraits « au premier coup pour un louis » du petit papa Fragonard, lorsque

spirituelle qu'il y trouva. Voltaire, justement, déclare : « Nous sommes tous, à présent, les disciples de Newton, nous le remercions d'avoir seul trouvé et prouvé le vrai système du monde, d'avoir seul enseigné au genre humain à voir la lumière, et nous lui pardonnons d'avoir commenté les visions de Daniel et de l'Apocalypse » — mais du même coup la « récupération-sécularisation » qui nous paraissait caractériser les Lumières dans la seconde moitié du siècle serait à situer, dès l'origine, dans la « généralisation-sécularisation » du système newtonien (et à travers lui de la philosophie boehméenne)...

crayons, fusains, pinceaux, rivalisent d'esprit pour retenir la pointe aiguë du fugitif instant, la saillie d'un bon mot, l'émoi de la surprise, le désordre d'un lit, le trouble du désir : jamais peut-être le génie de l'époque ne s'est exprimé avec autant de bonheur que dans cette quête fiévreuse du fugace et de l'éphémère, pour laquelle le dessin propose aussitôt les séductions exquises de *l'inachèvement*... Car il ne s'agit point, à l'exemple d'une photographie, de concentrer le poids du monde en un « instantané », mais de l'alléger au contraire, jusqu'à la transparence : c'est un secret du temps que l'on tente ici de saisir par surprise, puisque tel est le paradoxe de l'instant qu'il ne se donne jamais que dans son absence, entre promesse et souvenir. Il ne sera donc pas inscrit sur une toile, mais seulement appelé, par un travail d'abstraction de la matière, jusqu'à cet infime tremblement entre présence encore et disparition dans l'informel, où se libère quelque chose du murmure rêveur des êtres et du monde : alors seulement le regard, désir ou nostalgie, le recompose et l'achève, en *imagination. L'Abbé de Saint-Nom en costume espagnol, les Comtes d'Harcourt, le Comédien, la Musique, l'Etude :* aucun décor, aucun de ces symboles supposés nécessaires aux portraits de l'époque, des vêtements neutres à force de convention, des attitudes sommaires, pas même de psychologie, mais, balafres de couleurs vives, traînées de vermillon, taches d'ocre jaune, la course vertigineuse d'un pinceau qui gifle la toile, la fouette, roule et « fouille » pour ne plus peindre bientôt que sa propre course, l'exaltation d'un dynamisme se libérant de la représentation — comme s'il s'agissait de saisir par surprise l'énigme même de l'acte créateur, *de le prendre, en somme, de vitesse.* Ces « portraits de fantaisie », peints, dit-on, chacun en moins d'une heure, ne sont pas simplement des œuvres de circonstances, conçues pour le seul plaisir de relever un piquant défi — quelque chose est ici en jeu, une certaine idée de la création picturale, livrée à tous les risques de l'improvisation, qui trouvera son accomplissement — en pleine période, hélas, de « retour à l'antique » — dans le délire foisonnant et sublime des panneaux sur l'histoire de Renaud et Armide. Mais il s'agit d'un « passage à la limite », plein déjà de la promesse d'un art renouvelé, que l'époque n'osera guère reprendre à son compte — et ce sont ce refus, cette ultime dérobade qui indiquent peut-être le plus cruellement la faiblesse et même l'hypocrisie qui secrètement minaient, et depuis le début, les trop gracieuses images que le siècle jusque-là se donnait de lui-même...

Les délices de l'inachèvement, cette complicité presque amoureuse qu'appelle l'esquisse réussie, le trouble léger qui s'empare alors de l'imagination, fascineront tant les esprits que certains créateurs — tel Gabriel de Saint-Aubin, jaloux, assure-t-on, d'avoir été devancé au concours de l'Académie par un Fragonard alors âgé de vingt ans — laisseront là huiles, brosses, compositions d'histoire et honneurs académiques pour les seuls exercices du dessin, de la gravure et de l'aquarelle : il en résultera parfois une féerie de lignes presque immatérielles, un jeu subtil de clairs-obscurs, qui, aujourd'hui encore, littéralement ravissent. Mais celui-là qui s'abandonne au seul plaisir du bon mot court le risque d'un dévergondage de la pensée : les analystes les plus lucides des séductions du dessin en percevront aussitôt les limites et les risques — cette facilité que le dessinateur se donne de laisser le spectateur finir lui-même en imagination l'objet qu'on lui propose relève, en fin de compte, écrira Caylus, « d'un libertinage que l'on doit blâmer ».

Libertinage, en effet, et la manière ici épouse étroitement le sujet, les titres des œuvres les plus fameuses suffisent à le montrer, qui, à eux seuls, résument l'atmosphère d'une époque : l'instant désiré, les hasards heureux de l'escarpolette, le feu aux poudres, la chemise enlevée, le rendez-vous, le baiser à la dérobée, l'enjeu perdu, la gimblette, la résistance inutile, la chaise basculée, le coucher des ouvrières, la poursuite, l'absence des pères et mères mise à profit — c'est un secret de la création, du temps, et de la femme, que l'on tente de saisir comme à la dérobée, au risque du voyeurisme souvent, avec indiscrétion toujours, dans les grâces piquantes et les clins d'œil d'un jeu où tout indique le souvenir et l'attente du plaisir.

> « Peins en courant toutes les belles
> et sois payé de tes portraits
> entre les bras de tes modèles »

fredonne à Boufflers le chevalier de Bonnard : voilà bien à la fois le charme de ces dessins et leur faiblesse majeure : trompeuse fiction d'un monde sans péché ou invite polissonne, l'art n'y est plus guère qu'un *moyen* de la quête amoureuse. Fragonard ne se lance, semble-t-il, dans ce genre qu'à la mort du « spécialiste » Baudoin, pour satisfaire quelque temps la demande d'un public d'amateurs fortunés, et tout de suite il s'impose par un complet dédain des sous-entendus grivois, des grimaces libidineuses et des parfums de maisons closes qui trop souvent gâtaient les croquis de ses prédécesseurs : chez lui, affirme-t-on généralement, tout respire la franchise souriante et la presque innocence des premiers émois de corps jeunes et bien faits s'étreignant dans les frémissants décors du pays des éternels printemps. Mais franchise vraiment ? Rien de moins innocent que le spectacle de ces ébats, rien de moins innocent que les riches libertins qui paient pour en jouir : cet univers sans âge, sans ride, sans morale, parce que prétendument sans péché, est tout entier de convention — la fiction même du libertinage, le piège que toujours tend le chasseur à sa proie, celui où il se prend aussi, parfois, quand le vrai lui fait peur, l'art subtil de se mentir...

Les hommes, en ces dessins, ne sont que des prétextes, jeunes corps fonctionnels rapidement esquissés : c'est seulement de la femme qu'il est en fait question — la femme saisie dans ses émois intimes, le tumulte de sa chair, le désordre de son lit, la transparence d'une étoffe qui cache et qui dévoile; la femme toujours sous le regard d'un homme qui la prend par surprise, dans une mise en scène qui la suggère offerte... Doit-on y reconnaître, comme il est de coutume, « l'exaltation de la féminité », ou bien, tout au contraire, l'hypocrisie suprême du voyeurisme — sous le masque trompeur d'une chair « libérée », la tentation du viol à l'infini répétée ?

La quête du plaisir est un jeu dangereux, où l'homme se prend pour fin mais aussi pour gibier : le voyeur est précisément celui qui veut tout voir, sans jamais être vu, tout prendre, sans jamais être pris, celui qui rêve d'un monde où le visage d'autrui ne ferait plus obstacle à l'expansion de son regard — et pour cela parfois se retrouve geôlier. Non qu'il se veuille cruel : pour un peu, il confierait même qu'il porte la promesse d'un monde sans préjugé, sans péché, sans douleur, où plus personne jamais ne se refuserait, où les chairs enfin libres jouiraient sans entrave. Ah, comme tout serait simple s'il ne tenait qu'à lui ! Comme tout serait simple s'il n'y avait pas les autres ! Car voilà bien l'ultime préjugé, contre lequel buteront toujours les rêves de transparence, sur lesquels ils s'obstinent et se renversent souvent en une furie de viol : *les autres*, et leur regard qui vous arrête, et qui vous dévisage... On nous apprend dans les écoles que ce siècle fut aimable parce qu'il voulut tenir jusqu'au bout le pari du bonheur. Encore faut-il s'entendre, et dissiper une illusion : *il n'y a pas de viol heureux*.

Cette absence du péché, ces morales qu'en même temps l'on croit pouvoir fonder sur « l'innocence des passions », ne sont donc que des façades, prétextes du désir, convention de la chasse : le mal y est partout, et le plus radical — cette sombre fureur d'en finir avec autrui... Nul amour ici, nul sentiment, nulle tendresse, mais le seul jeu du désir et de l'amour de soi. La vérité de ces chairs lisses, de ces corps sans visage offerts à la lumière, le siècle lui-même nous en fait l'aveu : elle se dit alors spleen, nostalgie, déréliction, rébellion du sujet, angoisse, mal de vivre, ennui, larmes et pleurs — derrière les angelots des petites maisons, grondent toutes les fureurs, et s'annoncent les sombres souterrains des hauts châteaux sadiens. On l'oublie un peu trop, le « bon papa Frago » appartient lui aussi à cette génération des Sade et des Laclos, des Restif et des Chamfort, qui sut recueillir toutes les angoisses du siècle — il le montrera d'ailleurs, passé les galanteries, dans quelques grandes œuvres...

Quand le visage devient un masque

Chez lui, la convention du décor, les symboles du rang, les pourpres et les pompes importent moins peut-être que l'éclair d'un regard, le pli d'une paupière, la capture de l'instant... Fragonard, dans ses compositions, évite le visage, ou plutôt le regard : ce ne sont point des êtres singuliers qu'il entend dessiner, mais des situations, et le jeu des passions tel qu'il agit les corps — pour Quentin de La Tour chaque être est une foule, et tout se joue sur son visage. Presque seul en son temps, il tentera l'aventure, jusqu'aux risques du silence, de la solitude, de la folie. Peintre raffiné de la sensation, il résume à lui seul, et combien tragiquement, toutes les impasses de l'empirisme...

Ses aventures galantes avec la piquante cantatrice du *Devin du village,* Mlle Fel ; son empressement à courir ces endroits à la mode où le brillant de la conversation interdit la parole, l'esprit la pensée, et le bon ton la morale ; ses frasques, son insolence, ses exigences même qui toujours s'arrêteront à la limite permise, tout en lui respire le mondain — si Fragonard, après Boucher et Baudoin, peut être dit, un temps, le peintre des boudoirs et des petites maisons, La Tour est bien le peintre achevé du monde des salons. Mais, parce qu'il l'exprime idéalement, le concentre, le résume, il l'achève, en même temps qu'il s'achève, tout au long d'une épreuve que l'on sait douloureuse, cette nuit qui peu à peu le hante, contre laquelle bientôt ses crayons ne pourront plus rien, comme si le sujet humain lui était devenu, au sommet de son art, au sens strict *impensable.* Un mur, où il se brise...

Tout, pourtant, dans cette quête anxieuse fut exactement calculé.

Ainsi du pastel... On sait que contre vents, marées, modes et académies, toujours il refusa de poser ses crayons pour prendre les pinceaux et l'on explique généralement cette obstination pour une manière somme toute limitée, par l'énorme succès que connut à Paris, vers 1720, la Vénitienne Rosalba Carriera, virtuose du pastel. L'explication me paraît courte : je verrai pour ma part dans ce choix exclusif l'effet d'une réflexion aiguë sur les moyens de l'art, qu'il convient de reprendre...

Le mouvement d'une lèvre qui annonce le bon mot, le regard qui pétille avant la repartie, le fugace tressaillement qui anime les traits, tout dans ces œuvres étranges suggère la plus extrême mobilité, le jaillissement de l'esprit constamment renouvelé, le flux extraordinairement rapide de sensations dont chacune à elle seule contient un univers : c'est du visage humain comme trait d'esprit qu'il est ici question, et de l'esprit comme *trait,* pointe aiguë de l'instant. Il est trop de chair, trop de matière encore, trop de pâte dans la touche du pinceau, le crayon, seul, par la pureté presque immatérielle de son trait, peut tenter d'épouser cette vivacité capricieuse de la sensation. Dans un texte célèbre, Alain, à juste titre, soulignera que, plus qu'à l'épaisseur de la touche picturale, « la surface fragile du pastel elle-même s'apparente au trait du vrai dessin ».

La réussite, d'abord, apparaît saisissante. Jamais peut-être on n'avait su ressaisir aussi subtilement les moindres nuances du flux changeant des expressions humaines. D'où vient donc ce malaise que l'on éprouve bientôt, et qu'éprouve La Tour? Dans l'intensité presque insoutenable de l'instant restitué sur la toile se donne un univers et l'on reste ébloui par cette habileté de l'artiste à toujours suggérer l'extrême mobilité des traits. Mais que l'on place pourtant plusieurs toiles côte à côte et tout change d'un coup : chaque portrait apparaît immobile, chaque sourire une grimace, chaque expression une attitude et l'évidence alors de cet allégement de la matière qu'impose le pastel conduit presque au vertige tant l'on peut mesurer, et d'un seul regard, qu'il n'est plus rien ici qui retienne la permanence d'une identité. On sait que Hume, poussant jusqu'au bout la logique du sensualisme, tenait la substantialité du sujet humain pour un vain préjugé, une fiction, un mythe condamnable en raison, puisque aussi bien, disait-il, « je ne puis jamais, à aucun moment, me saisir moi-même sans une perception, et jamais je ne puis observer autre chose que la [illegible]on; quand, pendant un certain temps, mes perceptions sont [illegible]ées, comme il arrive par l'effet d'un profond sommeil, je suis sans conscience de moi-même, et l'on peut dire à bon droit que je n'existe pas ». Si « je » est une foule, « je » n'est personne : ce ne sont point là des mots en l'air, pour Quentin de La Tour, mais l'expression exacte de ce qu'il découvre peu à peu, lui aussi, jusqu'à la perte de l'identité et le silence...

Ainsi rapportés les uns aux autres, ces visages ouverts, offerts, bavards, souriants pour l'éternité, révèlent leur solitude, suggèrent moins la richesse de l'âme et les mouvements du sentiment qu'un catalogue des conventions du bon ton — « un répertoire des mimiques sociales, écrit Starobinski, une comédie aux cent actes divers, une parade en masque où le masque se confond avec la peau [...] l'uniforme empire du bon goût, du bon ton, de l'esprit railleur. Ces personnages sont tous des habitants d'un même monde, qui parle français et que la conversation égaie ».

Le pastel, si habile à épouser la vivacité du trait d'esprit, en souligne aussi impitoyablement l'essentielle dissimulation, le refus qu'il implique de vraiment se livrer, de prendre le risque de la pensée, comme de la parole — la matité de ses couleurs évoque le grimage, la parure, le fard : « C'est pourquoi, écrit Alain, le sourire du pastel n'est pas cette promesse du cœur, mais plutôt une assurance de plaire qui va jusqu'à l'effronterie. Ainsi tous les portraits au pastel se ressemblent, comme se ressemblent toutes les singeries de la société... »

Sans plus d'épaisseur qu'un carton de marionnettes, ces visages trop bavards ont quelque chose d'obscène, mais aussi d'inquiétant, comme si se jouait là, devant nous, un étrange carnaval, insensé et terrible, vécu aux lisières de la folie et du silence, quand l'homme se découvre étranger à lui-même. Dans la formidable positivité du rituel moyenâgeux, les masques traduisaient la « joie des alternances et des réincarnations, les métamorphoses, le principe de jeu de la vie » et s'ils niaient l'identité, c'était en fin de compte pour la recréer, dans la circulation instaurée par la surabondance et l'excès. Oté le masque se retrouvait un visage. Mais si le visage lui-même est un masque ? Et s'il n'était rien d'autre, derrière le mensonge des chairs, que ce ricanement de la mort ? Arrivé à ce point, ou l'on retrouve les chemins de l'âme, comme Chardin, ou l'on invente l'inconscient, comme Goya. Ou bien l'on devient fou, comme La Tour...

Personne ne se reconnaît, écrit Goya sur la sixième planche des *Caprices :* « Le monde est une mascarade. Le visage, le vêtement et la voix, tout est feint. Tous veulent paraître ce qu'ils ne sont pas. Tous s'entredupent et personne ne se connaît soi-même. » Insolent, sensuel, cynique — et servile à souhait —, le jeune homme mal dégrossi de Fuendetodos, déjà aimé des jolies femmes et fêté des seigneurs, s'accommode fort bien de cette mascarade, tout occupé qu'il est à parfaire sa gloire : dans les fêtes et les bals au bord du Manzanares, comme dans les rues de Madrid, ce sont moins des êtres de chair et de sentiments que des marionnettes qu'il peint en couleurs vives, avec des transparences de porcelaine, sur des fonds vaporeux tout vibrants de lumière, dans une atmosphère d'opérette qui évoque les saynètes légères de Ramon de la Cruz ou les « zarzuelas » tant prisées à l'époque. Scènes de genre, théâtre d'illusions, conventions de la fable — ses premiers portraits de femmes, pareillement, évoquent la grâce et l'absence d'âme de petites poupées. Mais que leur demander de plus ? Ce sont leurs corps qu'il veut, non leurs cœurs ou leurs âmes, ce sont leurs corps qu'elles donnent, ce sont des chairs qu'il peint en se divertissant. Mais on ne supporte pas de vivre longtemps ainsi, quoi que l'on puisse dire, dans la solitude des masques et des sourires feints, à moins que l'on ne pressente, même obscurément, des monstres singuliers vers le dedans des êtres, pour tant refuser d'y aller voir vraiment... Qu'il prenne enfin le risque, au tournant de sa vie, d'affronter le regard et les masques se déchirent, tandis qu'une nuit noire envahit les visages, où dansent encore d'étranges flammes.

Avec une impatience croissante et des accès de rage, parfois, Quentin de La Tour, lui, bute et rebute sans cesse sur l'invisible frontière que trace l'énigmatique sourire de ses visages. C'est contre ses modèles maintenant qu'il s'emporte, c'est leur regard qu'il ne supporte plus — derrière leur fausse transparence il y a ce mur, qui dissimule... Une fureur de viol le secoue tout entier. Ah! crever ces yeux, briser les apparences, traverser ce corps, pour que enfin quelque chose se livre de ses secrets, de ses tumultes, de ses fièvres, et que finisse la solitude! Le lisse des peaux lui devient comme un gouffre, où sa raison se perd, ses crises de plus en plus fréquentes terrorisent ses proches, qui le voient osciller entre les déclarations lyriques de panthéisme et une exacerbation de ses phantasmes de viol — en 1784 il sombre définitivement dans la folie.

Les paradoxes de Diderot

Diderot n'aimait pas La Tour, qu'il tenait pour un « illusionniste », parce que trop attaché aux singularités de la Nature :

« Dans les ouvrages de La Tour, écrit-il, c'est la Nature même, c'est le système de ses incorrections telles qu'on les y voit tous les jours. Ce n'est pas de la poésie, ce n'est pas de la peinture [...] ce peintre n'a jamais rien produit de verve, il a le génie de la technique, c'est un machiniste merveilleux. » Ce reproche peut paraître surprenant sous la plume d'un auteur à qui l'on doit précisément l'idée d'une nature comprise, non plus comme tendance à la réalisation de « formes centrales » stabilisées, mais comme pouvoir de diversification, d'individuation, processus dynamique créant à l'infini des différences — jusqu'à cette différence extrême qu'incarne le *monstre,* qui tant fascine l'époque. Condamner chez La Tour une trop grande attention au détail individualisant, n'est-ce pas faire implicitement retour à cet idéal classique qui, au nom de la supériorité des vérités morales, exigeait que l'on passât outre aux imperfections accidentelles du modèle ? Certains textes nous le donnent à penser, qui laissent un peu perplexes : « C'est avec raison, écrit Robin dans l'article " Vrai " de l'*Encyclopédie,* que l'on a blâmé Pigalle d'avoir copié servilement la corpulence lourde et engorgée du maréchal de Saxe. Une proportion bien découplée, des formes vigoureuses et ressorties, eussent peint à la postérité et l'âme de ce guerrier et le physique agile et robuste que l'histoire lui attribuera dans ses descriptions. » En fait, Diderot tâtonne, hésite entre plusieurs thèses qu'il sait contradictoires, dont aucune ne le satisfait vraiment, mais qu'il soutient avec une égale vigueur. Tantôt il s'affirme partisan de la plus stricte imitation — « toute composition digne d'éloge est en tout et partout d'accord avec la Nature; il faut que je puisse dire : je n'ai pas vu ce phénomène mais il est » (*Pensées détachées sur la peinture,* 1773) —, tantôt, opposant le portraitiste « copiste servile qui rend fidèlement la Nature telle qu'elle est » au peintre de génie « qui en ajoute et en retranche », il prône une imitation, non plus de la Nature, mais de son « modèle idéal » : « Il n'y a et il ne peut y avoir ni un animal entier subsistant, ni aucune partie de l'animal subsistant que vous puissiez prendre à la rigueur pour modèle premier. Convenez donc que ce modèle est purement idéal, et qu'il n'est emprunté directement d'aucune image individuelle de la Nature, dont la copie scrupuleuse vous soit restée dans l'imagination, et que vous puissiez appeler derechef, arrêter sous vos yeux et recopier servilement, à moins que vous ne veuilliez vous faire portraitiste. Convenez donc que quand vous faites beau, vous ne faites rien de ce qui est, rien même de ce qui peut être. » A la différence de Reynolds cependant, il ne s'agit point d'une forme centrale inscrite dans la Nature mais d'un « modèle idéal » dont la Nature serait déjà une imitation imparfaite, le « fantôme » : « Vous y avez ajouté, vous en avez supprimé, dit-il au grand peintre, sans quoi vous n'eussiez pas fait une image première, une copie de la vérité, mais un portrait ou une copie, *le fantôme et non la chose.* »

Ainsi le « matérialiste » Diderot se retrouve, par tâtonnements et déductions, au plus près de cette grande pensée traditionnelle dont nous avons montré que le classicisme avait été la sclérose, au plus près de ce que l'on définit alors comme « platonisme ». Mais, faute de percevoir la dimension spirituelle qui, seule, l'anime et lui donne sens, il s'enferre aussitôt, poursuivant son idée, dans une problématique de la vérité qui, à son tour, vient ébranler sa conception de l'imitation, pour le laisser enfin dans une impasse totale. Car le paradoxe de l'art tient tout entier en ceci que l'imitation fidèle est toujours mensongère, quand l'œuvre géniale, par ses mensonges et ses imperfections voulues, nous donne au contraire un sentiment de « vérité ». Ainsi le comédien ressent-il moins ses attitudes qu'il ne les compose : « L'acteur écoute au moment où il vous trouble [...], tout son talent consiste non pas à sentir, comme vous le supposez, mais à rendre si scrupuleusement les signes extérieurs du sentiment que vous vous y trompez. » Il y aurait donc une vérité mensongère, écrit Diderot à Richardson et, par la grâce de l'art, un « mentir-vrai » : « J'oserais dire que l'histoire la plus vraie est pleine de mensonges, et que ton roman est plein de vérités. L'histoire peint quelques individus; tu peins l'espèce humaine. » L'article « Portrait » de l'*Encyclopédie* reprend la même idée : « Tout est magique, tout est idéal dans l'art. Il fait entrer le mensonge jusque dans ses expressions les plus précises de la vérité, il fascine les yeux des spectateurs, et pour leur offrir la représentation d'un objet, il emploie encore plus de prestige que l'imitation fidèle. » Tout cela est finement noté, mais où trouver le principe de distinction entre ces deux ordres de mensonge ? Le « modèle idéal » vient en somme jouer le rôle de caution — son imitation garantit la vérité du mensonge artistique. Mais quelle imitation, vraiment, et quel modèle ? L'exemple du comédien vient à nouveau troubler les perspectives, car une observation plus attentive révèle que son art est tout entier de *convention* : telle scène bouleversante dans la vie serait inconcevable sur la scène, et de toute façon ridicule, « parce qu'on ne vient pas voir des pleurs, mais pour entendre des discours qui en arrachent, parce que cette vérité de nature dissonne avec la vérité de convention. [...] ni le système dramatique, ni l'action, ni les discours du poète, ne s'arrangeraient point de ma déclaration étouffée, interrompue, sanglotée. Vous voyez qu'il n'est même pas permis d'imiter la belle nature, la vérité de trop près, et qu'il est des limites dans lesquelles il faut se renfermer ». Mais comment concilier encore convention et imitation ? Et, puisque les œuvres du passé nous émeuvent encore, qui pose ces conventions, définit ces limites ? « Le bon sens », trouve seulement à répondre Diderot. Nous ne sommes plus très loin de ces « idées innées » abhorrées par le siècle ! Autant dire que l'impasse est totale... Dans sa *Lettre sur les sourds et les muets,* Diderot se moquait vivement des raisonnements aussi confus que péremptoires de l'abbé Batteux dans ses *Beaux Arts réduits à un même principe* : « Ne manquez pas non plus, écrivait-il, de mettre à la tête de cet ouvrage un chapitre sur ce qu'est la belle nature, car je trouve des gens qui me soutiennent que, faute de l'une de ces choses, votre traité reste sans fondement. » Nous pouvons légitimement, ici, lui retourner le compliment...

Il serait inutile, cependant, de lui reprocher cette impasse, et ces contradictions : elles sont inévitables, pour qui veut prendre le risque d'une pensée ouverte. S'il leur emprunte leurs catégories et, parfois, leur regard, Diderot, déjà, se détache du classicisme que parachève Reynolds comme du strict sensualisme à la Quentin de La Tour. Il est en lui d'autres élans, d'autres fureurs, la respiration sauvage d'un génie pressé de briser ses entraves qui, faute d'avoir trouvé son rythme et sa parole, tente de se conjuguer encore dans les langues moribondes des pensées constituées. L'aventure de Diderot, ce qui en elle aujourd'hui nous retient, c'est cette ardeur joyeuse et quelque peu sauvage à trouver les mots nouveaux et les concepts, les catégories, pour dire enfin son intuition — et son drame sera, malgré tous ses essais, de n'avoir point trouvé...

Le reproche qu'il fait aux pastels de La Tour est au fond celui-là même qu'il adresse au sensualisme en général : si aiguë y est la quête de la sensation que la substance même du moi se dissout, pour ne plus rien laisser qu'un répertoire de mimiques sociales et le sentiment d'une essentielle absence. Mais le classicisme d'un Largillière ou d'un Reynolds ne l'enchante guère plus, car la surabondance des signes et des symboles y détruit tout autant le sentiment de la singularité des êtres. Diderot appartient déjà à une nouvelle époque, où des voix rebelles font entendre des exigences autres, où, face aux prétentions des axiomatiques intellectualistes, s'affirme le primat de la subjectivité, l'irréductibilité du « sens intime », tandis que déferlent les grandes vagues du sentiment ; plus que tout autre, peut-être, il a su assumer tous les tumultes et tous les déchirements de cette époque charnière où se noue véritablement le piège de la modernité, qui saura si habilement jouer du doublet empirico-transcendantal pour circonscrire toute dissidence; il est la figure emblématique de cette époque que j'appellerai « l'ère des génies » pour marquer, à travers cette allusion au *Sturm und Drang*, tout à la fois la glorieuse affirmation de la transcendance humaine et sa « récupération » dans les mailles de l'empirisme — la question qui se pose donc à lui, et à travers lui à toute son époque, peut se formuler ainsi : comment concilier ce qui apparaît en théorie inconciliable, comment conjuguer le maximum d'individualité et le maximum d'expressivité pour enfin penser l'unité du sujet et restituer le sentiment de sa présence?

L'écriture des passions

L'époque classique déjà s'était passionnée pour le problème posé par l'expression des passions, et particulièrement Lebrun, dont les analyses des tableaux de Raphaël et de Poussin, les *Méthodes pour apprendre à deviner les passions proposées dans une conférence sur l'expression générale et particulière* lues devant l'Académie en 1668 — et les étonnants dessins qui les accompagnent — tentaient de définir les fondements d'une véritable pathognomonie des passions. Mais il s'agissait pour Lebrun, dans le droit-fil de la théorie cartésienne des passions, de déterminer les lois de l'expression, non plus à partir de règles arbitraires ou d'observations empiriques comme un Léonard de Vinci ou un Dürer en leurs carnets d'esquisses, mais selon des principes, croyait-il, « scientifiques », de rendre compte du lien nécessaire existant entre les traits du visage et la configuration de la glande pinéale — siège de l'âme selon Descartes —, de montrer comment chaque émotion, chaque passion, par flux de sang et mouvement d'esprits animaux, affectaient les muscles du visage d'une manière spécifique et constante, immédiatement lisible : l'individu n'y apparaissait guère que comme une matière inerte animée par des passions, le lieu d'un conflit entre des forces qui le dépassent et l'agissent — la subjectivité y est pratiquement ignorée, refoulée, ou niée.

Les autres recherches, toutes plus ou moins inspirées des *Physiognomica* d'Aristote que l'on rééditera tout au long du siècle, depuis le *De humana physiognomonia* du Napolitain J. B. Porta (1601) jusqu'au monumental ouvrage en quatre volumes du sieur de La Chambre, médecin ordinaire du Roi, intitulé *les Caractères des passions*, en passant par la *Petoposcopia et ophtalmoscopia* de Samuel Fuchs (1615), l'*Antroposcopia* d'Andreas Ottho (1647), la *Cefalogia fisionomica* de Ghirardelli (1650) et les tentatives d'*Anthropométrie* de J. S. Elsholtz (1663) qui, toutes, tentent de fonder l'unité de l'organique et du psychique en réduisant l'un à l'autre, n'échappent pas à cette critique. Diderot est trop sensible à la singularité des êtres pour se satisfaire vraiment de telles théories : il y revient sans cesse, pourtant, pour les interroger et tenter vaille que vaille de les accommoder, car aussi singuliers soyons-nous, il n'en reste pas moins évident que nous nous comprenons, que quelque chose se noue entre les êtres, en deçà même de tout langage, de telle sorte que les mouvements les plus intimes de l'âme se lisent sur les visages — « l'homme entre en colère, écrit Diderot, il est attentif, il est curieux, il aime, il hait, il dédaigne, il admire; et chacun des mouvements de son âme vient se peindre sur son visage en caractères clairs, évidents, auxquels nous ne nous méprenons jamais [1] » —, mais s'il suggère de tenter de déterminer empiriquement des traits constants de caractère — ainsi les traits communs à plusieurs personnes cupides détermineraient le type même de la cupidité — c'est pour aussitôt se rétracter, en faisant valoir que la « forme idéale » ne peut être inscrite, en aucune de ses parties, dans la nature.

Aussi le problème demeure-t-il entier, apparemment insoluble puisque l'on se refuse à admettre, avec toute la Tradition spirituelle, « qu'au commencement était le Verbe » : si nous ne communiquons que par ce que nous avons en commun, le singulier est bien ce qui ne se peut exprimer, généraliser, typifier, ce qui ne se laisse subsumer sous aucun genre, ce qui ne se peut donc penser que comme *monstre* — d'où cette fascination, qui, aujourd'hui, nous étonne, de l'époque des Lumières pour toutes les formes de monstruosités, comme si elle y cherchait confusément la solution de son énigme, ou peut-être son image, et cette angoisse qui la saisit parfois, quand elle se prend à songer que ce sont peut-être ses catégories, ses concepts, qui ainsi, du sujet, conduisent nécessairement au monstre — comme si la raison, en son absolutisme, n'engendrait que des monstres... Ne nous leurrons pas : sous ces formules volontairement simplifiées s'indique en fait l'impasse majeure du rationalisme, celle qui se perpétue aujourd'hui dans la

1. « Clairs et évidents » : Diderot ne peut concevoir l'échange qu'absolu ou nul — il s'agit là d'une des illusions majeures du totalitarisme linguistique, que Gilbert Durand dans *Structure mythique et visage de l'œuvre* (Berg éd., 1978) appelle le « postulat de la communication absolue ».

linguistique, toujours incapable de penser réellement l'articulation de la Langue et de la Parole, *de penser le sens.*

De l'esprit comme os, ou les délires physiognomoniques

Mais voici pourtant qu'un vent allègre, porteur d'espérances nouvelles, semble souffler depuis l'Allemagne : un essai, intitulé *De la physiognomonique* (1772), vient d'y paraître, bientôt suivi de *Fragments physiognomoniques pour propager la connaissance des hommes et la bienveillance envers leurs semblables* qui le complète et l'illustre, dont le succès est foudroyant sur tout le continent — comme si le siècle enfin tenait là, sinon la réponse à son problème, du moins la promesse d'une réponse possible. Diderot, enthousiaste, envisage aussitôt une traduction...

L'auteur ? Un théologien, poète et pasteur, élève à Zurich des « philanthropes » Bodmer et Bretinger, admirateur de Klopstock et Rousseau, ami de Goethe et Basedow avec qui il fit en 1774 la fameuse descente sur le Rhin à la rencontre des frères Jacobi, bref un doux « illuminé », nourri de piétisme, et une des fortes figures de ce que l'on appellera un peu plus tard le *Sturm und Drang* : Jean Gaspard Lavater.

Cette rencontre entre le très matérialiste Diderot et l'illuminé Lavater peut paraître surprenante : plutôt dirais-je qu'elle vient encore confirmer, s'il en était besoin, la thèse centrale de cet ouvrage, selon laquelle la philosophie des Lumières consiste essentiellement en une réponse, et une riposte, à une mutation de la conscience religieuse, *en une sécularisation de la dissidence religieuse.* Si Lavater suscite un tel engouement, ce n'est évidemment point parce qu'il affirme l'absolue transcendance humaine, et réactive le sens de la Présence à travers la doctrine gnostique des signatures, mais bien parce qu'il l'anéantit, en opérant constamment la confusion du transcendantal et de l'empirique et ainsi permet de « faire comme si » la subjectivité la plus irréductible pouvait se conjuguer avec les physiognomonies matérialistes...

Et d'abord un rappel, puisqu'en ces matières il est d'usage aujourd'hui de dire n'importe quoi : la doctrine des signatures procède d'une réflexion sur l'énigme de la Présence, à partir de l'expérience du tragique de la Séparation, selon laquelle le monde serait le lieu du passage des hommes, de l'épreuve d'une remontée vers le lieu perdu de la Parole, d'un pèlerinage. Qu'est-ce donc qu'une vallée, ou le lit d'une rivière, sinon la mémoire déjà de multiples passages ? Des fleuves, des éboulements, des glaciers y ont laissé leurs traces, inscrit leurs signatures, et les pas des humains l'ont creusée en chemin. Ainsi s'ouvre le monde, comme le grand livre gravé des signatures des êtres : un chemin, où toute chose nous indique un sens... Qu'est-ce qu'un meuble, une maison, cet outil que tant de mains saisirent, cette cheminée usée par les veillées ? Elles ne sont point des objets, situés en un lieu, qui s'épuiseraient en leur fonction : elles sont ce qui rend un lieu habitable en lui donnant un sens, en elles les signatures des hommes, les traces de leur passage s'inscrivent en mémoire, qui nouent la chaîne des êtres vers le mystère de l'origine : notre destin alors serait de déchiffrer ces signatures, de retrouver ce qui troue infiniment le temps et l'espace, ce texte qui donne sens à ses contextes au lieu de s'épuiser en eux, de découvrir enfin le grand fleuve symbolique, en deçà de toute langue, qui renvoie à l'évidence d'un « autre monde ». Et pareillement les signatures des choses, comme celles de nos semblables, s'inscrivent sur notre corps, lequel n'est point un objet déterminé par ses coordonnées mais ce par quoi, comme l'écrit excellemment Jean Brun, « nous émergeons des coordonnées qui nous situent », signature, elle-même, qui témoigne d'un sens...

Mais il faut plus que les yeux de chair de la connaissance discursive pour déchiffrer ces traces, et remonter le fleuve, vers cette arche d'alliance que nous ouvre leur chiffre : c'est proprement d'une gnose qu'il est ici question, connaissance salvatrice, pèlerinage opérant la transmutation intérieure du sujet, acte d'amour réinventant la circulation des êtres et l'habitation des choses par le sentiment retrouvé d'une autre terre perdue — il y faut les « yeux de feu » de l'imagination créatrice, le chant du poète, seul, retrouve des harmonies qu'ignore le savant, et l'énigme de la présence toujours se creuse d'une infinie nostalgie...

Rien donc, on le voit bien, qui puisse ici conduire à une science positive, à des mesures et à des graphes. Rien, sinon l'esprit du temps et la pensée confuse de Lavater. Il voulait, disait-il, « rendre visible l'invisible », et sa foi exaltée exigeait l'immédiateté d'un Dieu incarné, évident, vivant parmi les hommes, homme lui-même, appréciable empiriquement. Toute créature humaine est unique, irremplaçable, affirmait-il, en accord avec le courant profond du *Sturm und Drang, parce que chacune exprime une pensée de Dieu :* retrouver Dieu alors consisterait à déchiffrer ce texte, ce *hiéroglyphe,* cette écriture secrète composée par les traits du visage, car si chaque figure exprime un ensemble singulier de paroles, la détermination des constantes devrait logiquement conduire à la connaissance de la langue. « Sa mobilité extrême, sa sensibilité, qui avait toujours quelque chose de la vivacité de l'instinct et de la promptitude du pressentiment, raconte Moreau de la Sarthe dans sa préface à la traduction de Lavater (1820), lui avait fait seulement éprouver quelquefois, à la vue de certains visages, des répulsions et des sympathies très fortes, des impressions rapidement suivies de jugements sur le caractère des personnes et la nature de leur esprit ou de leurs passions. Il osa même d'abord avouer ces décisions physiognomoniques, qui s'offraient à son esprit avec les apparences d'une espèce de révélation; mais la crainte de paraître téméraire ou ridicule le rendit encore plus circonspect et il fut pendant plusieurs années sans oser exprimer de semblables jugements; néanmoins, pendant tout ce temps, il consacrait une partie de ses loisirs au dessin... »

Plus question, bientôt, de gnose, de transcendance, de perception imaginale, de spécificité de la parole poétique : Lavater entend bien fonder une science positive qui, développée, serait l'anthropologie elle-même, puisque s'y découvre le principe d'unité du psychique et du physique [1] : « La psysiognomonie, déclare-t-il dans *l'Art de connaître les hommes,* peut devenir une science aussi bien que la physique, car elle appartient à la physique, aussi bien qu'à la médecine, car elle en fait partie : que serait la médecine sans sémiotique, et la sémiotique sans physionomie ? » C'est en vain que Jonathan Swift se moque de cette folie, à travers son personnage Martin Scriblerus — « en physiognomonie, sa pénétration est telle qu'au vu d'un simple tableau représentant une personne, il peut écrire sa vie, et d'après les traits des parents, il est capable de faire le portrait de tout enfant à naître » —, en vain que Lichtenberg annonce les conséquences d'une telle doctrine, appliquée à la défense sociale — « si la physiognomonie devient ce que Lavater attend d'elle, on pendra les enfants avant qu'ils aient accompli les forfaits qui leur vaudront la potence. On organisera chaque année une nouvelle manière de confirmation. Un autodafé physiognomonique [2] » : l'engouement est général, la physiognomonie devient le

1. Il retrouve ainsi la thèse centrale d'un assez curieux personnage, bien oublié aujourd'hui, Dom Pernety, qui propose dans ses *Lettres philosophiques sur les physiognomonies* (1746) de concevoir cette discipline comme la science de l'interprétation des signes en général — là encore la sécularisation de la pensée gnostique est manifeste.

2. Comme la plupart des initiatives philanthropiques du XVIIIe siècle, celle-ci trouvera son application majeure dans un perfectionnement des méthodes d'investigations policières, par le biais de l'anthropométrie de Bertillon.

jeu favori de la bonne société, on invente une « machine sûre et commode pour tirer des silhouettes », le comte de Caylus fonde à l'Académie un « prix d'expression », Goethe envoie ses propres croquis et observations à Lavater, qui les consigne pieusement dans ses « Fragments », J.-J. Engel publie les *Ideen zu einer Mimik* en 1785, Franz Xavier Messerschmidt entreprend de sculpter ses inquiétantes « formes de caractères », tandis que les études de craniométrie de Peter Camper retrouvent une grande faveur et que François-Joseph Gall entreprend des « études de phrénologie », afin de localiser les facultés humaines sur la surface de la boîte crânienne, de telle sorte que l'on puisse prévoir par simple lecture la destinée de chaque individu — toute une époque s'engage ainsi, le cœur léger, sur cette voie périlleuse dont Hegel dira justement qu'elle conduit à faire de l'esprit un os...

Prémices de l'art nazi

Le phénoménal succès de Lavater s'explique moins sans doute par les connaissances positives (?) qu'il ajouterait aux travaux antérieurs de Fuchs, Ottho, Elsholtz ou Ghirardelli que par la situation exceptionnelle qu'il occupe dans la bataille philosophique : s'il apparaît véritablement comme celui qui ouvre un champ immense aux spéculations d'une époque en quête ardente de sciences humaines c'est d'abord parce que sa théorie, à la différence de toutes celles qui l'avaient précédée, naît du cœur même de ce qui se veut affirmer comme une révolte radicale contre toute entreprise de chosification du sujet. Aussi offre-t-il un des plus beaux exemples qui soient, de cette confusion du transcendantal et de l'empirique par laquelle le rebelle se fait son propre geôlier, la gnose se dégrade en science, la demeure en habitat, les choses en objets fonctionnels et les signatures en tracés mesurables tandis que le sens s'éloigne tragiquement...

Au lieu d'un ressourcement aux puissances du mythe, d'une *remythification* du monde qui seule, réactivant le sens de la Présence, le creuserait en demeure, Lavater, en fait, propose à son siècle une *mystification* majeure : la croyance que le déchiffrement du hiéroglyphe des visages permettra quelque jour d'accéder à cette langue, universelle et originelle, inscrite dans les corps comme le signe de l'âme, langue d'action, donc, en deçà de toute parole, comme la source même du Sens — ainsi, déchiffrant la parole divine, l'homme se fait peu à peu transparent à lui-même, Dieu à son tour. Diderot, si attentif aux techniques de la pantomime, s'enthousiasme...

Que l'on veuille bien, ici, se souvenir de ce que j'évoquais, en un autre chapitre, de « l'homme sensible », quand le « plaisir délicieux des larmes » s'empare des marquises, que les coiffeurs lancent la mode du « pouf au sentiment » et que la vertu apparaît décidément comme le plus subtil des masques : il ne s'agit jamais, disais-je, que de sentiments *joués,* comme si chacun, à l'image d'Araminte et de Dorante, éprouvait le besoin de solliciter toutes les subtilités de la rhétorique pour se prouver à soi-même la vérité de ses émotions et l'excellence de son âme — on comprendra aisément que cet homme amoureux de lui-même, tout occupé à rendre visibles sur son visage, et par ses attitudes, des sentiments *joués,* ait trouvé dans la physiognomonie plus que sa science idéale, son idéologie, sa justification.

Il en résultera pratiquement un art théâtral et bavard, psychologique plus que plastique, d'une fausseté insupportable, qui ne nous retiendrait plus guère, s'il n'avait trouvé à se prolonger dans l'art réaliste-socialiste comme dans l'art nazi, et s'il n'exprimait pas idéalement tout un pan de l'esthétique de Diderot — et, à travers Diderot, de tous ces philosophes « éclairés » acharnés à nier la dimension transcendante de l'art... Ceux qui s'indignent parfois à grands cris que l'on ose suggérer quelques rapprochements entre totalitarisme et Lumières devraient s'attarder devant les toiles de Greuze, avant de les comparer au néoclassicisme sentimental, à l'idéologie en image de l'hitlérien Ziegler — aussi appelé « le peintre du pubis de l'Allemagne » — ou bien encore au « réalisme champêtre » de ces Vénus kolkhoziennes (ou bavaroises) peintes en chaussettes, allaitant leurs roses nourrissons : il est aisé de se cacher derrière les mots et l'on peut avec eux ruser impunément, tromper et se tromper, mais les images, elles, s'imposent, incontournables — l'art pensé, voulu et acclamé par les philosophes, c'est celui-là même, la vérité de leur discours est là, simplement, devant nous... Et si la chute apparaît vertigineuse, le désastre total, peut-être vaut-il la peine d'enfin s'interroger sur la nature exacte de ce que les Lumières refoulent, caricaturent, ou nient, sous prétexte de « libération » — que valent des philosophies qui conduisent l'art aussi rapidement à sa ruine, à quelle liberté humaine peuvent-elles prétendre si elles manifestent aussi évidemment leur incapacité à ressentir et restituer l'intériorité des êtres ?

L'insupportable Autrui

Ce que ne supporte pas Diderot, au fond, c'est le regard, la très simple épreuve du regard, dans le silence du face à face, quand l'Autre s'impose comme ma limite absolue, le surgissement d'un autre monde, inviolable, dans le mien, et que l'évidence de cette transcendance, faisant retour sur moi, me révèle ma propre transcendance, pour me constituer en liberté et en morale. « Je », crie à tous vents ce Diderot qui sent remuer en lui « quelque chose de gigantesque, d'incroyable, d'énorme » mais, parce qu'il veut ignorer toute limite à l'expansion de son désir et se refuse donc à l'épreuve du « tu » — ce « je » qui n'est pas lui — qui seul le ferait « je », il ne ressaisit jamais, tandis qu'il brasse le monde dans sa vaine poursuite, que de pâles fantômes, des ombres, des « moi » déjà objets, et il s'enferme alors dans un solipcisme radical, et les pièges dangereux du « trop-amour » de soi.

Sans « toi » qui me fait « je », il n'est plus ni étoile ni chemin vers le dedans de soi, et l'intériorité n'est qu'un mot vide de sens. Il ne restera guère qu'à s'égarer dans le tumulte du monde, fouailler la terre en ses entrailles, et puis se projeter aux horizons de l'univers pour tenter de se fuir, de se délivrer enfin de l'enfer d'être soi, et ne plus rien savoir de ce « vide affreux » qui peu à peu vous ronge...

Ce que ne supporte pas Diderot, c'est le silence du recueillement des êtres, où se délivre le sens de la présence : à ce sens qui toujours lui échappe, il entend substituer l'évidence des *significations,* aussi lui faut-il des discours, une mise en scène, des bruits, des gesticulations, pour tromper ce vide du sens, cette absence d'être, donner le change, en somme, comme ces enfants qui s'agitent dans le noir pour rompre le silence qui parfois les oppresse. Le peintre aura donc à suppléer par les attitudes et les gestes, les pantomimes, non seulement à la parole, mais encore à l'âme : « Chez le peintre, écrit Diderot, l'expression est faible et fausse si elle laisse incertain sur le sentiment. » Mais cela revient à vouloir un art totalement explicite, d'où toute polysémie serait rigoureusement bannie, sans plus de mystère ni de pouvoir de retentissement, où primerait alors l'intention édifiante.

Aussi Diderot tend-il constamment à rapporter la peinture au théâtre — « le spectateur est au théâtre comme devant une toile », écrit-il dans son *Discours sur la poésie dramatique* — en privilégiant la *scène,* dans le droit-fil du programme déjà défini par l'Anglais Daniel Webb dans son *Inquiry into the beauties on painting* (« que plusieurs personnes soient présentes à une action à laquelle elles prennent intérêt, cette action excitera naturellement en elles certains mouvements; et ces mouvements seront analogues au caractère et aux affections de chacune d'elles; la colère, l'amour ou l'étonnement seront exprimés avec précision par chacun des personnages séparés, tandis que les autres se rassembleront par groupes pour se communiquer leurs craintes, leurs doutes et leurs sentiments ») et la *rhétorique des sentiments*, qui mêle pathognomonie des passions à la Le Brun et physiognomonie de Lavater : mais, ce faisant, il condamne la peinture au mensonge, car s'il est exact que tout l'art du théâtre consiste à faire partager aux autres des sentiments que l'on n'éprouve pas, c'est-à-dire à « mentir-vrai », la représentation picturale désirée par Diderot du « drame bourgeois » n'est plus reproduction, par des techniques spécifiques, de la vérité que libérait la mimique théâtrale mais imitation de la mimique elle-même — un mensonge, donc, exactement.

Larmes, mains crispées, tordues ou suppliantes, bras tendus qui accueillent ou maudissent, avant David, déjà — mais *la Malédiction paternelle* n'est-elle pas comme l'envers du *Serment* ? —, corps pâmés, yeux révulsés, dont on ne sait jamais trop s'ils expriment la ferveur ou l'extase charnelle, quand l'artiste à tous coups nous dévoile, ou esquisse par la grâce d'une étoffe qui glisse fort à propos, le sein de quelque nymphe à genoux, en prières : le peintre qui, pour reprendre l'expression de J. Guillerme, tout à la fois « révèle les goûts explicités et les aliénations secrètes de la brillante société de la France des philosophes », bien évidemment, c'est Greuze.

Le mensonge des Lumières

Sa première grande composition, le *Père de famille expliquant la Bible à ses enfants,* exposée au Salon de 1755, alors que le rococo entre en agonie, rencontre et renforce la tendance au sentimentalisme moralisateur qui déjà se dessine en France : « On pense qu'il a une âme délicate et sensible; on voudrait le connaître, il est le Molière de la peinture », écrit un commentateur anonyme du Salon. Rousseau publie *la Nouvelle Héloïse* en 1761 — l'année même où paraît en Grande-Bretagne le *Fingal* de Macpherson, attribué au barde calédonien Ossian —, suivi de peu par les *Contes moraux* de Marmontel et *l'Eloge à Richardson* de Diderot, il n'est bientôt plus question que de fort sages *Devins du village,* de Colette et de Colin renouvelant à peine les *Bergeries* de Racan, de mères aimantes et d'animaux fidèles, de pâtres galants et de tendres jeunes filles, dont la vertu, pourtant, se prend étrangement dans le jeu du libertinage — Rousseau lui-même ne chante-t-il pas que « la bergère un peu coquette rend le berger plus galant » ?

L'inspiration est d'abord anglaise, et littéraire. L'abbé Prévost, traducteur de *Paméla ou la vertu récompensée* en 1741, de *Clarissa Harlowe* en 1748 et de l'*Histoire de Sir Charles Grandison* en 1755, révèle au public français ces premiers grands romans psychologiques dus à Richardson, où, pour paraphraser Hegel, la poésie du cœur tout à la fois s'oppose et tente douloureusement de s'accorder à la prose des rapports sociaux. La servante Paméla résiste jusqu'au bout aux assauts de Mr. B., son maître libertin, Clarissa, pour sauver son frère de la colère de Lovelace, tombe en son pouvoir, est odieusement violée et meurt en martyre : dans tous les cas, il s'agit, pour Richardson, de peindre des situations dramatiques où les valeurs morales, les convictions religieuses et les exigences sentimentales des héros entrent en conflit avec les préjugés et les interdits sociaux : telle est la vertu de Paméla que Mr. B., peu à peu converti, ose braver les tabous de sa caste pour épouser enfin son admirable servante.

Fielding se moquait fort de cette exaltation de la vertu, au point de concevoir son Joseph Andrews comme un « anti-Paméla », mais il n'en reconnaissait pas moins sa dette à l'endroit de celui qu'il savait être l'inventeur d'un genre romanesque. Le public français, lui, sera moins sensible à la complexité psychologique des personnages, à la peinture subtile des rapports sociaux, ou à l'éloge des vertus individuelles inspiré par la mutation en Europe de la conscience religieuse, qu'à l'ambiguïté de l'opposition du vice à la vertu. Certes, les roueries de Paméla pour préserver sa vertu n'ont rien à envier à celles de son maître pour la lui ravir, et ses phantasmes de taureau sont pour le moins surprenants, comme est troublante l'attirance de Clarissa pour son violeur Lovelace, mais cela n'épuise pas la richesse de l'œuvre, et perd tout son sens d'être ainsi isolé : parce qu'il veut ignorer tout conflit, toute opposition entre l'ordre social et la vertu individuelle, pour ne peindre que des types moraux, des figures de convention célébrant les délices de la vie familiale — *i.e. la vertu de l'ordre* —, Greuze adapte moins les romans de Richardson qu'il ne les pervertit en fables édifiantes. On peut aujourd'hui sourire à la lecture de *Paméla,* il n'en est pas moins évident que, de Richardson à Greuze, la notion de vertu change radicalement de sens, qui de force de résistance chez l'un, devient principe de soumission chez l'autre. Aussi l'ambiguïté constante de Greuze, son essentielle hypocrisie, n'apparaissent-elles jamais autant que dans cet érotisme larmoyant, cette grivoiserie cachée qui toujours chez lui prend le prétexte de la vertu ou de l'attendrissement pour donner quelque chair à entrevoir; nous sommes subrepticement passés du côté du maître, désormais, comme le note très justement J. Guillerme : « Les infortunes de la vertu supportent un moralisme sophistiqué pour jouisseurs que chatouille le mot de vertu. » A tout prendre, ces œuvres édifiantes annoncent plus la *Justine* de Sade qu'elles ne prolongent la *Paméla* de Richardson...

Il aurait pu être un grand peintre, s'il avait été doué d'un peu plus d'âme et un peu moins travaillé par le souci de plaire — ses belles « têtes d'expression », ses portraits du libraire Babuti ou du graveur Wille, du moins, nous le donnent à penser. Mais l'époque ne retiendra vraiment que ses grandes compositions dramatiques, qu'il livre avec un art consommé de la promotion publicitaire : *Un mariage, et l'instant où le père de l'accordée délivre la dot à son gendre,* dit encore *l'Accordée de village* en 1761 (Diderot : « Oh! que les mœurs simples sont belles et touchantes et que l'esprit et la finesse sont peu de choses auprès d'elles! »); *la Piété filiale ou le paralytique soigné par ses enfants* en 1763 (Diderot : « Le genre me plaît; c'est la peinture morale. Quoi donc! le pinceau n'a-t-il pas été assez et trop longtemps consacré à la débauche et au vice? Ne devons-nous pas être satisfaits de le voir concourir enfin, avec la poésie dramatique, à nous toucher, à nous corriger, et à nous instruire à la vertu? »); *la Jeune Fille qui pleure son oiseau mort* en 1765 (Mathon de la Cour : « Les connaisseurs, les femmes, les petits maîtres, les pédants, les gens d'esprit, les ignorants et les sots, tous les spectateurs sont d'accord sur ce tableau. »); *le Gâteau des rois* en 1774; *la Malédiction paternelle* en 1779; *le Fils puni* en 1781, rencontrent un succès d'autant plus vif que Greuze y adapte fort adroitement au goût d'un public renouvelé les pompes du genre noble entre tous, la « peinture d'histoire ». On l'oublie trop souvent — et l'on tend ainsi à négliger leur influence, pourtant évidente, sur l'art d'un Géricault ou d'un Delacroix — mais ceux que le XVIIIe siècle considère comme ses plus grands peintres s'appellent Coypel, Doyen, Vien, tandis que les créateurs qu'aujourd'hui nous retenons plus volontiers, de Watteau à Chardin, étaient ravalés au rang très mineur de « peintres de genre ». Diderot lui-même n'échappe pas à la règle qui, malgré ses hésitations, finit toujours par opposer le portraitiste ou le peintre de natures mortes, « qui rend fidèlement la Nature telle qu'elle est », à l'artiste de génie, qui imite le modèle idéal dont la Nature n'est déjà qu'une copie dégradée. Ainsi le peintre d'histoire « embrasse à la fois toutes les formes de la Nature, tous ses effets, et toutes les affections que l'homme peut éprouver », pour mettre en scène, dans les décors convenus d'antiquités fortement idéalisées ou de mythologies, la dramaturgie héroïque d'un conflit de passions exacerbées jusqu'au sublime, et si Diderot encourage vivement Greuze, au point d'apparaître comme son véritable inspirateur, celui qui l'oriente définitivement vers la grande composition dramatique, quand ses inclinations le portaient plutôt vers le portrait et les petites scènes à l'antique [1], c'est qu'il lui paraît être l'artiste qui enfin marie heureusement les contraires, en inscrivant la pantomime des passions dans un « social-historique » marqué par l'extrême réalisme des décors et des vêtements. Plutôt dirons-nous aujourd'hui qu'il perd ainsi sur les deux tableaux et ne produit qu'un art bâtard, qui corrompt l'idéalité de la peinture d'histoire par l'anecdote de la scène de genre, et la « vérité » de la scène de genre par le pathos de la peinture d'histoire, car le « grand genre » visait à l'éternité et son antiquité n'était pas historique mais idéale, tout comme ses personnages ne prétendaient pas à la représentation d'êtres réels mais incarnaient des passions. Greuze, ramenant le « ciel » sur la terre et prétendant, par quelques astuces physiognomoniques, subrepticement passer des *passions,* telles qu'elles s'emparent des êtres, aux *caractères* qui, eux, renvoient à la subjectivité, pour enfin restituer en leur profondeur spirituelle des êtres inscrits en un lieu et un temps, se condamne nécessairement à la platitude et au mensonge. Un colossal échec, dont nous voyons bien qu'il concerne moins le seul talent d'un individu qu'il n'affecte profondément un projet philosophique global, une conception de l'homme, une esthétique — la pensée même des Lumières.

L'Homme, cet étranger...

Dieu meurt, l'Homme advient à l'horizon du monde comme une figure inscrite désormais dans le champ du savoir et voilà, par un étrange paradoxe, que le visage des hommes apparaît incompréhensible, le regard d'autrui insupportable, tandis que s'éteint le

1. Voir, par exemple, sa *Babuti en vestale* (1761).

sens de la Présence — sommés de répondre à l'appel têtu de la singularité des êtres, les peintres comme les philosophes se prennent à bafouiller...

De Largillière à Rigaud, de Reynolds à La Tour, de Fragonard à Greuze, qu'auront-ils peint, ceux-là, du face à face ? Des jeux de masques, une mimique sociale, l'envol d'une étoffe, les signes de la puissance, l'éclat d'un trait d'esprit, la pantomime des passions, l'instant qui fuit déjà et l'ineffable d'une sensation, des situations piquantes ou édifiantes, une dramaturgie — mais dans le flux des sensations se dissout le sentiment même de l'identité et le sourire des chairs ouvre alors sur le vide, ou bien la fiction d'un monde sans péché célébrant le plaisir suppose autrui, toujours, absolument offert dans son intimité, et s'abîme bientôt dans les phantasmes de viol et les ténèbres de la force, quand on ne prétend pas, sous le prétexte du cœur, objectiver la sourde palpitation des êtres dans le chiffre d'une physiognomonie : c'est le sens même de l'infini en l'homme qui ainsi se perd sous la mécanique mortifère des rationalismes, nous n'agitons déjà plus que de vaines coquilles, ces signes morts que ressaisissent les histoires et les sociologies... Où trouver, parmi ces œuvres, à se recueillir encore dans le murmure rêveur des choses ? Où renaître dans la silencieuse ferveur d'un regard humain ? Où, la simple manifestation d'une présence ?

Que la connaissance prétende épuiser la Révélation, puis l'histoire la Tradition, et l'homme alors substitue au rapport qu'il entretenait avec la « Vérité » un rapport de lui-même à lui-même où il s'affirme comme son propre créateur, la source même du sens — la vérité de la vérité. Ainsi pose-t-il en principe que l'on peut prendre, en lui, connaissance de ce qui rend possible toute connaissance, qu'il est cette « figure paradoxale où les contenus empiriques de la connaissance délivrent, mais à partir de soi, les conditions qui les ont rendues possibles » (Foucault), et déjà, s'étourdissant de son génie, il embrasse l'horizon dans l'ivresse des conquêtes promises et s'imagine être un dieu, quand il découvre avec inquiétude puis effroi que, connaissant-connaissable, il est devenu étranger à lui-même, esclave dérisoire traversé et « transi » par les lois de son langage, de son désir, de sa mort : si l'homme est ouvert aux investigations d'une pensée positive qui le parcourt en son entier, la conscience réflexive perd ses privilèges, au-delà d'elle, sous elle, en elle, se lèvent d'étranges nuits où travaillent en silence « des mécanismes sombres, des déterminations sans figure » qui, à son insu, l'ordonnent. L'investigation scientifique, lorsqu'elle s'applique à l'homme, ne découvre donc pas l'inconscient au fil de sa démarche, par déductions, recoupements, expériences : *elle le postule.* L'Homme et son double, l'Impensé, naissent du même mouvement, au prix des âmes mortes et d'une culture malade — car le sujet humain ne trouve guère à se reconnaître dans un monde qui le désigne comme étranger à son langage, à ses œuvres, à son désir, seulement agi par des déterminations qui le dépassent, et l'ignorent...

« Qu'est-ce que l'homme ? » demande ce siècle bientôt taraudé par une sourde inquiétude. Mais la question est par essence insoluble, qui « opère en sous main la confusion de l'empirique et du transcendantal dont Kant avait pourtant montré le partage » et toujours ainsi aliène l'homme en l'Homme. Qu'est-ce alors qu'un visage ? Qu'est-ce que l'art ? Oui, ce siècle des Lumières peut être dit celui du portrait, mais comme nous venons de dire ici qu'il est celui de l'Homme — « et l'infinie musique créatrice des mondes n'était plus que le bruit monotone d'un moulin monstrueux, entraîné par les flots du Hasard et voguant sur ses eaux, moulin en soi, sans Architecte ni meunier, pur *perpetuum mobile,* à vrai dire, un moulin toujours en train de se moudre soi-même » (Novalis)...

4

LA CANNE DE M. STERNE, OU L'INVENTION DU ROMAN

Mais il en va des époques comme de ces vieilles toiles sans cesse ravaudées qui toujours se déchirent, jusqu'au point où la trame ne se distingue plus des coutures et reprises : on n'en peut appeler à un « esprit du temps » que parce que l'esprit excède, continûment, le temps, le déchire, le lacère et y imprime un sens. Aussi, cette lente sécularisation de la Foi, cette perte progressive du sens de la Présence, dont nous venons de suivre les traces à travers quelques œuvres, sont-elles d'abord à concevoir comme l'enjeu d'une bataille, les signes d'une mêlée — il y faut supposer l'élan d'une révolte, un changement de terrain, et l'invention de nouvelles armes. Le projet esthétique n'épuisera jamais le geste de l'artiste — le ferait-il, d'ailleurs, par les voies qu'il se donne, que c'en serait fini aussitôt de tout art, c'est-à-dire de toute vie, car cela reviendrait à poser un langage où le code de la langue barrerait toute parole [1]. La « bande des quatre » elle-même, malgré tous ses efforts, n'y parvint pas vraiment... Il nous importe donc de questionner toujours, sous le lisse des surfaces et des débats d'école, le sourd grondement des forces qui les informent — s'il est, sur les marges, sous les masques, de ces paroles vives où se recueilleraient, contre l'humeur du temps, les chances d'une renaissance...

Comment ne pas songer, aussitôt, à Hogarth? Au féroce et sarcastique Hogarth, au têtu, querelleur, arrogant, toujours irrespectueux et si passionnément vivant Hogarth, à ce presque

1. Sauf à tenter de l'habiter, à la pointe aiguë de la pensée, dans l'illumination de l'instant — l'irruption, dans le cours du temps, d'un éclair d'éternité. Mais il faudra pour cela l'épreuve préalable d'une révolution spirituelle, qui retrouve le sens véritable de l'opposition entre science et gnose : le romantisme, précisément.

autodidacte dressé sur ses ergots contre l'establishment culturel, blasphémant en toute circonstance les pompes et les fastes des tableaux à « grands » sujets, ennemi juré des principes de l'imitation au nom de l'infinie puissance de renouvellement de la vie et si exaspéré par l'impérialisme du goût classique qu'il fera dire, un jour, à un de ses personnages : « Cette Vénus n'a pas la beauté d'une cuisinière anglaise! » Par la synthèse qu'il réalise de l'esprit satirique et de la caricature, il est bien le premier grand artiste moderne résolument populaire, un précurseur, en somme, de la « bande dessinée », dénonçant sans relâche la concussion électorale, l'hypocrisie des mœurs, l'intolérance et la superstition, avec une rage telle qu'on la pourrait croire d'un moraliste désespéré si une sève populaire, une verdeur, une vitalité rayonnante, ne venaient éclairer parfois le torrent de ses vitupérations de la tendresse d'un sourire...

O the roast beef of old England!

Dans le *Baptême,* le pasteur regarde moins l'enfant qu'il tient dans ses bras que les seins généreusement offerts de son accorte voisine, tandis que le père s'admire complaisamment dans une glace et que la mère, à l'écart, se fait conter fleurette; dans la *Taverne,* le roué déjà ivre, effondré, ahuri, sur les genoux d'une fille, se fait promptement détrousser, tandis qu'au premier plan une catin se dévêt, qu'une autre dans la pénombre enflamme une carte du monde, sur un mur où le seul tableau échappé du massacre représente Néron, et qu'au-dessus d'un couple enlacé, une femme crache son gin à la face d'une rivale brandissant un poignard; dans le *Contrat de mariage,* le comte fait face avec dédain au gros bourgeois assis dont il vient de prendre l'or et désigne de la main, pour raison suffisante, son arbre généalogique, le vicomte, hébété, se regarde dans une glace, la jeune fille joue distraitement avec sa bague, déjà séduite par les avances hardies d'un jeune clerc de notaire : la fureur qui anime Hogarth est celle-là même de qui, en toute circonstance, refuse d'être complice et rien ne semble devoir échapper à l'acuité de son regard, au bouillonnement de son imagination, à son extraordinaire habileté dans le rendu des expressions. Ses cycles de gravures, *la Carrière d'une prostituée, la Carrière d'un roué, les Quatre Parties du jour, le Mariage à la mode, Travail et Paresse, les Quatre Ages de la cruauté* et *l'Election* sont assurément à compter parmi les œuvres les plus fortes de l'époque. Voilà bien, dira-t-on, une tonique leçon de rébellion et d'insolence, le contrepoison salutaire à tous les pathétismes moralisateurs! L'anti-Greuze, en quelque sorte...

Parce qu'il dénonce avec ardeur crédulités, superstitions et fanatisme, il ne faudrait pourtant pas en conclure que Hogarth relève d'une catégorie particulière de l' « esprit philosophique » alors à la mode. En bon et robuste bourgeois anglais, il n'a que mépris pour les mœurs françaises, l'esprit français et les salons parisiens — « une burlesque pompe guerrière, une parade grandiloquente de religion, beaucoup d'agitation et peu d'affaires », note-t-il en 1743 lors de son unique séjour dans la capitale — et s'il peint la *Porte de Calais* en 1748, c'est d'abord pour une charge : les personnages faméliques, vieilles ricanantes derrière leur étal de poissons, soldats dépenaillés mangeant une soupe maigre, jouent, sous les chaînes d'un pont-levis figurant la servitude, une pantomime dérisoire autour d'une pièce de bœuf arrivée d'Angleterre, à destination d'un hôtel anglais, tandis qu'un Écossais mélancolique semble se demander ce qu'il fait là, en croquant un oignon. *O the roast beef of old England!* portait en premier titre ce tableau, auquel on doit reconnaître la valeur d'un manifeste : le roast beef, les forts jambons accrochés au plafond des tavernes, les visages vermeils aux lèvres charnues et aux rires vigoureux, le tumulte de la rue et de la place publique, voilà l'univers de Hogarth, à mille lieues des « Cacouacs » ricaneurs et mondains que, plus tard, Jean-Jacques Rousseau dénoncera à son tour — son humour dévastateur est essentiellement étranger au petit rire sec de Voltaire qui toujours nie, parce qu'il puise son exubérance, et la plupart de ses tournures, dans la grande tradition carnavalesque du « réalisme grotesque ». D'où cette situation curieuse, qu'il partage avec son ami Fielding, de pouvoir être dit aussi bien l'initiateur d'un genre nouveau que le dernier grand représentant de l'effervescence populaire moyenâgeuse, telle qu'elle s'est prolongée à travers l'ère baroque...

Là est leur source de vie, à l'un comme à l'autre, leur référence constante : ils sont avant tout les héritiers des romans parodiques, « sermons joieux » et « caquets » du Moyen Age, des fantaisies de Rabelais comme des « foslies » d'Érasme [1], des coq-à-l'âne de Marot, des « poèmes satyriques » de l'époque d'Henri IV, des « folastries » de Ronsard, des « gaillardises » de Théophile de Viau,

1. Le *Jonathan Wild* de Fielding, où le héros, avant son supplice, dérobe un tire-bouchon, dans la poche du chapelain, qu'il emportera dans l'éternité, est un éloge à rebours du crime, dans la veine d'Érasme.

Saint-Amant, Régnier, d'Assouci et des romans comiques de Scarron et Sorel ; mais aussi des « Fastnachtspiele » de Hans Sachs, des « rabelaiseries » de Fischart, de ces extravagants sermons baroques, gonflés de sève populaire, surchargés d'images et de facéties, où savaient se mêler la foi la plus ardente et le rire le plus énorme, que Geisler de Kaisersberg parfois allait puiser dans la *Nef des fous* de Sebastian Brant ; mais encore de la *Wanderbühne* allemande, de la *commedia dell'arte* italienne, des « mascarades » de Barclay, des satires de Joseph Hall, Marvell, Oldham, des poèmes de l'élisabéthain John Donne ou du grand baroque hollandais Vondel ; mais, par-dessus tout, des romans picaresques de Mateo Aleman, de Grimmelshausen, de Lesage et, bien sûr, de Cervantès, à qui Fielding dédiera son *Joseph Andrews,* après avoir écrit un *Don Quixote in England* — en eux chante encore la rumeur de ce fleuve immense qui charrie en tumulte, depuis que l'Histoire a déchiré le monde, les mille voix mêlées de la protestation des hommes... Et c'est comme en écho encore au vaste rire de la place publique que Fielding définit ses romans comme des « épopées comiques en prose », ou voit dans son ami Hogarth *an history comic painter.* Et c'est à l'universalité toujours du rire carnavalesque, qui mêle le « haut et le bas » pour ne rien laisser en dehors de lui qui pourrait tenir lieu de « sérieux », que Hogarth se réfère lorsque, s'étonnant de ce que « peintres et écrivains avaient totalement négligé cette espèce de sujets intermédiaires entre le sublime et le grotesque », il décide de « peindre et de graver des sujets moraux actuels » — la gravure des *Actrices ambulantes* qui nous montre la Mort, assise sur une brouette, reprisant les bas de Junon, tandis que l'aigle de Jupiter bourre de bouillie un nourrisson hurlant de terreur, dans une grange où s'entassent jusqu'au plafond monstres, dragons et décors de l'Olympe, l'épopée burlesque de la *Marche sur Finlay,* supposée exalter l'élan de la garde londonienne partie à la rencontre des Écossais insurgés, mais qui, par son désordre héroï-comique, se renverse en une terrible charge contre toutes les pompes guerrières, sont peut-être, de ce point de vue, ses deux œuvres les plus explicites...

Parlera-t-on de modernité ? Il est certain que les peintures de Hogarth, les romans de Defoe, de Fielding, de Smollett, ou de Lawrence Sterne, nous enchantent encore par la lumineuse légèreté de leur esprit de jeunesse, tandis que les pensums bavards de leurs contemporains, alors maîtres du goût, nous ennuient à mourir — qui lit encore Johnson ? Mais prenons garde à cette erreur de perspective qui trop souvent accorde, au siècle considéré, notre échelle de valeurs : le *Robinson* du journaliste Defoe peut connaître six éditions en quatre mois qu'il n'en suscite pas moins le mépris de l'establishment littéraire parce qu'il ose utiliser la forme « sans dignité » des « novels » et « romances » populistes, son *Moll Flanders* devra attendre Virginia Woolf, au XXe siècle, pour être enfin apprécié, quant à Hogarth, il apparaît peut-être moins en son temps comme un innovateur que comme le dernier surgeon d'une longue tradition — son succès restera mitigé. Farouchement opposé au goût officiel, demeuré à l'écart de tous les autres peintres, de plus en plus contesté, raillé, critiqué par « l'intelligentsia », il fera, dans son *Apology for painters,* un récit bien amer de ses déboires. Il fut certes lancé en 1728 par la peinture d'une scène de ce *Beggar's Opera* que John Gay venait de donner au Lincoln's Inn Fields comme une parodie des pastorales alors à la mode, mais il verra sa faveur décroître dès 1743, et si rapidement que, lorsqu'il tentera une dernière fois, en 1751, de vendre des tableaux aux enchères, il se présentera un seul acheteur — comme s'il n'était déjà plus qu'un anachronisme, dans un siècle où le grotesque tend à devenir incompréhensible. Alors qu'au XVIIe siècle la cour pouvait encore s'amuser à danser, au Louvre, le « ballet des andouilles », la « bouffonnerie rabelaisique », ou le « ballet des pantagruélistes », Rabelais n'incarne plus au XVIIIe siècle, pour tous les « esprits éclairés », que le XVIe siècle « barbare et sauvage » — « un bouffon inintelligible et extravagant, un philosophe ivre qui n'a jamais écrit que dans le sens de son ivresse », tranche Voltaire, qui, dans *le Temple du goût,* réduit son œuvre, et celle de Marot, à « cinq ou six feuillets ». Gottsched, quant à lui, entend chasser Arlequin de la scène allemande, « sérieuse et décente ». Il s'agit bien d'une mutation du regard — le moderne, désormais, c'est Reynolds.

Si les oiseaux sont tous des cons...

D'où vient donc qu'une gêne, parfois, suspend notre adhésion — ce sentiment diffus que, sous la charge et le sarcasme, une sourde complicité se noue avec les pouvoirs que l'on dénonce ? Fielding devenu, après une jeunesse tumultueuse, le digne et sévère magistrat de Bow Street n'utilise pas seulement sa connaissance des bas-fonds londoniens pour écrire, à ses heures perdues, *Amelia* ou *Tom Jones :* avec son demi-frère Sir John, il monte surtout une police municipale qui bientôt fait régner la terreur dans le « milieu », traque les aventuriers, se saisit de Casanova. Et s'il s'exaspère tant au récit des aventures de *Pamela,* c'est peut-être aussi parce qu'il pressent qu'avant de s'en aller mourir de la gravelle à Lisbonne, il finira, comme le Mr. X. de Richardson, par épouser sa cuisinière! Fielding et Hogarth sont bien moins contestataires que réformistes, moins irreligieux qu'antipapistes, moins asociaux qu'antijacobites et lorsqu'ils dénoncent avec colère ou drôlerie la corruption des mœurs, malgré toutes les tournures et cabrioles carnavalesques par lesquelles le narrateur se conteste lui-même, la leçon de morale n'est jamais oubliée. Au plus extrême de sa virulence, leur rire se double encore d'un souci de didactisme et ainsi les protège des risques de l'excès, aménage une réserve, indique en sous main l'existence d'un « sérieux » quelque part, refuge des « vraies » valeurs — voyez comme Hogarth, dans son cycle de gravures *Travail et Paresse,* inspirées du *Marchand de Londres* de Lillo, nous conte la très morale histoire de deux jeunes apprentis, dont l'un réussira, à force de labeur et de vertu, par s'établir à son propre compte en épousant la fille de son patron, tandis que l'autre gâche sa vie par ivrognerie et paresse! Sommes-nous vraiment si loin de Greuze?

Le colossal éclat de rire de la place publique qu'exècrent tant les puissants ne donne au « réalisme grotesque » sa puissance de rupture que parce qu'il est total, sans amarres, sans extériorité, sans fond : *universel.* Dans la joie des alternances et des métamorphoses, dans les constantes permutations entre le bas et le haut, la face et le derrière, le physique et le spirituel, il anéantit tout ce qui, discours, autorité, savoir, se voudrait fixe, stable, achevé, sérieux — à commencer par le rieur lui-même. Le rire n'énonce rien, pourtant, mais qu'il éclate, absolu dans l'instant, et les discours, soudain interrompus, mis cul par-dessus tête, révèlent le jeu des pouvoirs qui souterrainement les organisaient. Il ne dit rien sur la vérité, mais il montre du doigt tous les mensonges, à commencer par celui qui voudrait nous faire croire en la nécessité d'une théorie de la vérité pour juger du mensonge. Il nie, mais toujours en même temps affirme, ressuscite et libère, il n'interrompt la circulation des énoncés que pour rétablir la circulation entre les êtres, il ne calcule pas, il ne regarde pas à la dépense : il est la dépense, c'est-à-dire le cœur. Son humanité tient à son ambivalence même, et s'il dissout les pouvoirs il ne coupe pas les têtes, mais vise tout au contraire à guérir les encombrements de l'esprit, déboucher les cervelles et réintégrer les fâcheux dans la danse, « amis comme devant, sans dépens et pour cause ». Le rire dénigrant, négatif, satirique, qui se place à l'extérieur de l'objet de sa raillerie, et affecte ainsi d'une valeur positive une réserve de sérieux, lui est donc étranger, et même opposé, car il a pour première conséquence de ruiner l'intégralité de l'aspect comique du monde : le Moyen Age grotesque a toujours considéré qu'il y avait dans le sérieux un élément de peur et d'intimidation, ou, pour le dire autrement, que le savoir et le croire sont liés, que toute prétention à un savoir sur l'homme se résout en un discours de pouvoir, qu'il ne s'agit jamais, au fond, que de savoir faire croire pour maintenir l'ordre...

Que se perde le sens de cette universalité, et le grotesque, non seulement se dégrade en satire, ironie, caricature, mais se fait nécessairement, quoi qu'il puisse prétendre, complice d'un pouvoir — celui-là même qui vient habiter en silence cette part de sérieux que le rire préserve. L'ambiguïté de Hogarth ou de Fielding dépasse les simples dispositions psychologiques ou les appartenances de « classe » pour toucher à la nature même de leur art, car tel est le paradoxe de la caricature qu'elle est toujours le double narquois d'un classicisme, le fou d'un roi : elle naît précisément comme l'ombre portée du grand rêve faustéen des superbes bêtes de proie de la Renaissance, quand le sens du Péché, c'est-à-dire, aussi, de la Personne, s'altère jusqu'à rompre l'unité de la Parole et de la Loi. Qu'apparaisse ainsi une idée de beau référée à un type idéal, à un ensemble de normes, et contre cet académisme, contre l'ordre qui le vient aussitôt conforter jusqu'à en faire le nouveau critère d'un bien, se lève une contestation, par les moyens de ce qui va se définir désormais comme laideur.

Si l' « ordre moral » qui soutient les canons de la beauté apparaît détestable, comment ne pas demander à la laideur de le venir saper ? Ainsi la caricature procède toujours par subterfuge : sa visée est éthique, et elle ne recourt à l'esthétique que pour y parvenir plus sûrement. D'où un art essentiellement bâtard et bavard, où dessins et discours s'enchevêtrent, se répondent, se soutiennent l'un l'autre — et se ruinent, car l'image ainsi rabattue en discours perd sa puissance de parole, ce singulier pouvoir se laisser affleurer, dans le silence et le recueillement, le sens d'une Présence. La caricature n'est certes pas classique par ses règles, puisqu'elle se fixe de n'en pas avoir, ni par ses sujets, qu'elle veut prosaïques et triviaux, mais elle l'est assurément par sa *rhétorique :* les expressions, la pantomime des corps, les visages, ne renvoient jamais à une intériorité parce qu'ils se veulent d'abord la *métaphore d'une idée.* L'image n'y est donc rien de plus que l'habileté d'un discours, la ruse qui vise à emporter l'adhésion, par un jeu complexe de déformations, de feintes, de négligés apprêtés, de laideurs calculées, de « figures de style » — il s'agit donc bien d'une rhétorique. Et parce que le caricaturiste est un rhéteur, il est un rationaliste, c'est-à-dire, aussi, un antihumaniste, son art est de part en part habité par le pouvoir qu'il croit nier.

Ces défauts amplifiés, ces traits exagérés, cette écriture de l'âme sur le visage humain, encore faut-il les *lire*, en posséder la langue. Image d'Épinal ou charge meurtrière, qu'importe dans le fond ? Il leur faut à toutes deux le clin d'œil complice, l'explicite référence qui signe l'appartenance, un conformisme, donc, qu'elles viennent renforcer, par lequel elles se disent. Cet art qui volontiers se donne des airs contestataires est d'abord et toujours un art de la flatterie, le poujadisme lui est comme une seconde peau, ou, sinon, le snobisme — mais qu'est-il d'autre, celui-là, que le poujadisme d'une élite ? Aussi la caricature ne libère-t-elle jamais mieux ses redoutables puissances que lorsqu'elle se met au service des pouvoirs et travaille la masse en ses pulsions obscures : comme l'avait aussitôt deviné Lichtenberg, la physiognomonie, dans ses effets pratiques, cette prétention à déduire les noirceurs d'une âme des seuls traits d'un visage, se dit spontanément antiféminisme, xénophobie, racisme — voyez tous les totalitarismes, quand il s'agit de désigner à la vindicte du « peuple » l'habituel bouc émissaire, voyez surtout l'Allemagne nazie, et le génie qu'elle déploiera dans l'art antisémite!

L'excuse, à ce point, d'une neutralité des moyens de l'art est de piètre valeur, le problème est d'essence, non d'usage. Se veut-elle contestataire que la caricature n'en découvre pas moins, à l'ultime de sa rage, le discours brut, à nu, du pouvoir qu'elle niait, comme si elle n'avait jamais fait, sous les grincements et les sarcasmes, qu'en épouser le mouvement le plus intime, par son refus obstiné de l'intériorité. Ainsi retrouvons-nous ce paradoxe de tous les matérialismes, qu'ils ne libèrent l'homme de la « mystification » de sa transcendance que pour l'inscrire aussitôt dans les geôles d'un rigoureux déterminisme. « Les oiseaux sont des cons », dessine Chaval avant de se suicider, l'homme est à jamais coincé entre la bestialité de ses instincts et la mécanique de ses fonctions, écrit Gavarni, qui retrouve ainsi dans son *Autre Monde* les thèses d'Helvétius et d'Holbach — mais n'est-ce point là, justement, le discours de tout pouvoir ?

Le caricaturiste va où va l'argent, résume cyniquement le très sombre et tourmenté Gillray. Flattant sans nuance le chauvinisme anglais par la chronique des exploits sans cesse renouvelée de son héros John Bull, il saura faire de ses dessins, sous la Révolution et l'Empire, une arme redoutable de la conscience nationale, au point de susciter, contre ce Napoléon tant haï — qu'il assassine littéralement dans son extravagante *Procession du Grand Couronnement* —, une véritable coalition du rire à l'échelle de l'Europe, où Georges Cruikshank, notamment, se fera remarquer par ses gravures de la *Vie de Napoléon* selon le Pr Syntax. Mais l'œuvre dépasse de beaucoup le simple trait démagogique : l'*Apothéose de Hoche* multiplie l'invention de l'horreur jusqu'au vertige d'une satanique apothéose du crime et ses encres brunes, par leurs effets brutalement expressionnistes, semblent tordre, dans les flammes d'un brasier infernal, les protagonistes du *Voltaire instruisant l'enfant jacobinisme.* Car c'est la mort qui hante Gillray, et le détruit sûrement, il n'est que de voir ses estampes : corps suppliciés, visages figés dans des hurlements qui n'en finissent pas, il fera nuit bientôt sur les paysages du monde, un vent mauvais se lève et les êtres se courbent et nous savons déjà que jamais plus le jour... Rien, au bout de cet art halluciné qui rassemble toutes les formes du réalisme grotesque, et littéralement les concasse avec des ricanements amers, rien, au bout de ce pèlerinage des désespérances quand s'éteint la flamme d'une transcendance humaine, plus rien, que le grand coup de faux de la mort. De celui-là aussi, dont la raison sombra en 1810, après une vie marquée par le malheur, on pourrait dire qu'il commença par écrire « le mot de la fin »...

Et Rowlandson! Tous les dons, apparemment : virtuose de l'instant, calligraphe génial, il semble maîtriser spontanément les secrets de cette « ligne serpentine de beauté », dérivée du baroque, que pourchassa Hogarth, et telle était son assurance, dit-on, qu'il jetait d'abord ses taches de couleur sur le papier avant d'en dessiner les contours. Tous les dons, sauf celui d'humanité : celui-là croque ses personnages comme le loup, sa proie... Hogarth animait ses compositions par une tension subtilement aménagée entre le mouvement général de la scène et les expressions singulières de chaque caractère, lui ne veut connaître que le jeu des courbes, les lignes de force qui modèlent impérieusement les personnages, et néglige aussi absolument les caractères qu'il méprise le genre humain. La proximité avec la sensuelle truculence des scènes de genre hollandaises n'est qu'illusoire, tout chante ici l'insolence cruelle de la force et le mépris sarcastique pour les faibles, les pauvres, les vieillards.

Étonnant accord des moyens de l'art et d'une conception du monde : dans les *Tricheurs à Smithfield,* des voyous inquiétants, aux faciès de bêtes fauves, de singes, de renards, sans doute inspirés des planches de Lavater, penchés autour d'une table, plument un benêt — mais un visage s'impose, jailli de la pénombre, insolent et cruel, comme le maître du jeu : c'est Rowlandson lui-même. Et l'on connaît la sinistre anecdote : volée, cette brute orgueilleuse poursuit son voleur dans les bas-fonds de Londres, le manque, de dépit fait pendre quelqu'un d'autre à sa place, et trouve à s'en vanter. Celui-là ne triche pas avec les inquiétantes puissances de la caricature mais les exalte, au contraire, avec le cynisme de qui jouit d'affirmer la loi de sa puissance...

Ils sont, tous les deux, les enfants de Hogarth. Celui-ci aurait sans doute quelque peu hésité à les reconnaître comme tels, tant leur cynisme, leur amertume, leur cruauté, souvent, s'opposent à son humanité. Il n'empêche : leur art procède évidemment du sien, les tendances qu'ils développent se trouvent bien en lui, à travers eux nous devinons, en retour, le jeu des forces qui, déjà, en Hogarth, s'affrontent et se séparent en éclairant l'époque.

Entre le Livre Saint et les livres de comptes

Gardons-nous cependant, pour une mesure précise, de trop nous aveugler aux séductions faciles des sociologies. Certes, Hogarth, Fielding, Defoe, Smollett apparaissent dans une Angleterre encore marquée par l'âpreté des guerres civiles, qui n'aspire plus qu'à la tranquillité, malgré l'intensité encore des affrontements électoraux. Et d'une certaine manière ils procèdent tous de cette nouvelle *middle class,* principale instigatrice et bénéficiaire de la *Glorious Revolution* de 1688, lassée des déclarations héroïques et des professions de foi trop enthousiastes, qui tend à considérer que, tout compte fait, la religion a peut-être moins pour fonction de fabriquer des martyrs pour l'au-delà que des gens heureux ici-bas : les héritiers des farouches puritains du XVIIe siècle n'ont plus guère la flamme conquérante des têtes rondes de Cromwell, ou la ferveur héroïque de Bunyan chantant des psaumes sur le chemin de sa prison; trop oublieux peut-être du prix dont se paie la liberté des hommes, ils ne veulent rien savoir des rudes leçons de leurs pères sur la Révélation et le Péché, persuadés sans doute que cela ne valait que pour des insurgés, eux se pressent à toucher les dividendes de la victoire et, volontiers confondant le Livre Saint avec leurs livres de comptes, font désormais de la réussite matérielle le signe le plus sûr de la bénédiction divine — « Ah! soupire un négociant réglant sa cotisation à une société évangélique, si l'on pouvait persuader les habitants de Nouvelle-Zélande de ne plus aller tout nus, quel triomphe pour la religion et quel débouché pour mes cotonnades! » —; les *Good Nature and Good Hearth* de Fielding, le *Whatever is, is right* de Pope, répondent aux déismes optimistes de John Toland et Matthew Tindal, qui célèbrent avec Hartley la « Sainte alliance de la science et de la religion », dans le droit-fil du « christianisme raisonnable » de John Locke.

Aussi tous ces artistes, souvent impécunieux, pensionnaires de Grub Street, ressentent-ils vivement les aspirations qui travaillent sourdement la *middle class* naissante, et particulièrement celle qui lui fait chercher dans les formes des traditions populaires ou spirituelles, en opposition aux valeurs d'une aristocratie qui règne d'autant plus en maîtresse sur les arts qu'elle perd de sa puissance politique, les moyens de son expression culturelle — car où trouver à s'affirmer, face au « goût français » exécré pour ses odeurs d'absolutisme, lorsque l'on est encore en quête de visage, sinon dans les traditions du peuple dont on commence pourtant à se détacher ? De là cette soudaine réactualisation, qui parfois étonne par ses ambiguïtés, de formes que l'on croyait moribondes... Mais pas plus Hogarth que Defoe ou Fielding, pour user de la langue de bois encore en vigueur, « n'expriment » une « idéologie bourgeoise » préexistante : plutôt devrait-on dire qu'écrivant, ils l'inventent, ou mieux encore que, situés en un lieu où s'affrontent et se mêlent valeurs populaires et valeurs aristocratiques, ils tentent, dans les difficultés et les contradictions sans cesse renouvelées, d'inventer une parole accordée à leur temps, où conjuguer encore l'éternel présent de l'humanité, dans laquelle la *middle class* se reconnaîtra — parfois — ou ne se reconnaîtra pas — souvent.

Quand les dissidents inventent le roman

Defoe n'est pas simplement un « bourgeois », mais un écrivain, d'abord, c'est-à-dire quelqu'un qui entretient un rapport particulier avec l'éternité. Ses héros, comme ceux de Fielding, peuvent bien évaluer leur fortune à chaque tournant de leur existence, ce n'est point cette comptabilité, aussi révélatrice soit-elle d'une mentalité, qui fait de Robinson un type universel, mais bien ce qui, en lui, transcende son lieu et son époque. Bourgeois ? Le mot, comme trop souvent, brouille l'intelligence. Avant même Defoe, le roman est d'abord une invention des femmes — et non point de ces charmantes mondaines, telles Mlle de Scudéry ou Lady Winchelsea, pratiquant comme un luxe, pour un cercle d'amis, l'art subtil des muses, mais bien des femmes rebelles [1], aux modestes origines, tant bien que mal vivant de leur littérature, en dépit des railleries de tout l'establishment. Mrs. Aubin, Barker, Boyd, Davys, Haywood, Manley, Rowe... elles n'ont peut-être pas laissé d'incontestables chefs-d'œuvre, mais qu'on leur rende au moins ce qui leur revient de plein droit dans l'invention du genre! Defoe, avant tout, est un non-conformiste, fils de non-conformiste, hanté par le péché et les Saintes Écritures, mal à l'aise dans son siècle, incompris de ses proches, qui sera par trois fois montré au pilori pour un pamphlet cinglant sur *The shortest way with the dissenters*. Et l'on rendrait incompréhensible la puissance de retentissement de ses œuvres si l'on se satisfaisait de les tenir, comme il est de mode aujourd'hui, pour un vibrant éloge du nouvel *homo economicus :* chacune est d'abord à saisir comme une interrogation des voies de la Providence, une méditation sur l'opposition de la liberté et des déterminismes, la recherche d'un sens au destin des individus, dans un monde cruel, marqué par le Péché, impitoyable pour les faibles. S'il choisit volontiers ses personnages parmi les brigands et les prostituées, les aventuriers et les rebelles, c'est qu'en tout homme s'affrontent le conformisme social et les rêves d'évasion, les élans de la foi et ceux de l'intérêt, la soumission et la révolte, et qu'une société ne se donne jamais mieux à lire que depuis ses marges. Ainsi, à travers les aventures de *Moll Flanders* ou de *Robinson Crusoé,* propose-t-il à chaque être humain une *image agonique* de sa condition, comme il restitue, dans ses plus subtiles ambiguïtés, l'opposition du marginal et du social et ce faisant retrouve, par-delà *novels* et *histories,* récits de voyage ou de bas-fonds, avec les formes de l'autobiographie spirituelle, l'inspiration même, dans sa plus grande pureté, de ces romans picaresques de Mateo Aleman, Cervantès et Grimmelshausen, où le héros toujours, « picaro » ou « baldenders », oppose à son indignité originelle la force, qu'il découvre peu à peu en lui, d'une liberté salvatrice, et affirme à la face des codes et des hiérarchies sociales le principe d'une égalité transcendante [2]. Robinson est à la fois un homme que l'on prend bien soin de nous décrire ordinaire et un rebelle, à son père comme à son Dieu, qui choisit l'aventure solitaire et l'exil, mais qui ne

1. On leur doit, dès 1739, le pamphlet *Woman not inferior to man* — bien avant le célèbre *A Vindication of the rights of woman* (1792).

2. A la différence d'un Sorel ou d'un Lesage qui déjà aménagent la problématique de Cervantès en un éloge de la bourgeoisie.

survit sur son île qu'en mobilisant toutes les ressources de la civilisation qu'il fuyait et ne se sauve qu'en retrouvant, au plus profond de lui, la mémoire de l'humanité. Moll Flanders refuse les différentes formes de servitude que lui propose une société égoïste et cupide, conçue au seul avantage des hommes, pour courir tous les risques d'une libération. Mais laquelle ? Moll deviendra certes indépendante et respectée, mais par des moyens parfaitement illégaux, qui devraient faire horreur à tous les gens respectables. A moins que la réussite ne se puisse jamais obtenir que par de tels moyens — et que les marginaux en fin de compte ne violent les lois que mus par un impérieux désir de conformisme social ! Defoe ne loue ni ne condamne : tout au long de ses romans il ouvre l'espace d'une question dont chaque aventure humaine sera comme une réponse inachevée. Loin de faire œuvre d'idéologue, il exprime, dans l'épaisseur même de la polyphonie romanesque, la tension entre la société et l'individu qui tout à la fois la fuit et s'y retrouve, les heurts douloureux d'éthiques contradictoires, le drame de débats intérieurs d'autant plus vivement ressentis qu'ils ne sont pas résolus — aussi, plus que bourgeois, ses romans devraient-ils être dits des « épopées de la démocratie ». « Le plus heureux traité d'éducation naturelle », écrira Rousseau qui, sans en percevoir d'ailleurs toute la complexité, fera de *Robinson Crusoé* le premier livre d'Émile.

Gulliver-Swift contre Robinson-Defoe

Comme tous ses amis du *Scribblerus Club,* Swift détestait le *dissenter* Defoe, volontiers assimilé aux sots de la *Dunciad* [1]. Parus sept années après *Robinson Crusoé, les Voyages de Gulliver,* pourtant, peuvent paraître relever d'une même inspiration : même rôle central dévolu au narrateur, même recours aux récits de voyages et aux péripéties dramatiques — en fait, tout les sépare, et nous retrouvons ici, entre Defoe et Swift, dans sa plus grande clarté, le conflit dont nous avons tenté de suivre, déjà, quelques

1. *Scribblerus Club :* groupe formé en 1713 par Swift, Pope, Gay et Arbuthnot afin de dénoncer la superstition, les fausses sciences et le *mauvais goût,* qui publiait un « journal » : *les Mémoires de Martinus Scribblerus.* La *Dunciad :* épopée héroï-comique rédigée par Pope contre Theobald, éditeur de Shakespeare et Colley Cibber. Avec *les Voyages de Gulliver* de Swift et le *Beggar's Opera* de John Gay il s'agit probablement de l'œuvre la plus significative quant à l'état d'esprit des membres du club.

péripéties, qui oppose l'artiste et l'idéologue et dont nous allons pouvoir mesurer qu'il ouvre littéralement l'*enlightenment* anglais...

Satire, *les Voyages de Gulliver* relèvent d'un genre rhétorique précis qui refuse toute puissance ontologique à la fable : pour l'homme d'Église orthodoxe, conservateur rigide, tory convaincu que fut Swift, il s'agit en effet de dénoncer, par les moyens du ridicule — c'est-à-dire de l'écart —, les vices cachés d'une société, les travers des individus, l'hypocrisie des attitudes, l'arbitraire des coutumes — la fiction ne sera jamais plus, pour lui, qu'une convention, nécessaire à la démonstration, un artifice montré dans la distance d'une ironie, qui, faisant irruption dans le réel, en bouleverse le cours, et révèle par ricochets l'arbitraire qu'il dissimulait sous les couleurs du « naturel ». Supposons qu'un Persan de voyage à Paris considère nos mœurs, comment les jugera-t-il ? Imaginons qu'un homme soit soudainement placé parmi des êtres nettement plus petits que lui, ou plus grands, qu'adviendra-t-il de lui ? Ainsi le moraliste, pour la plus grande rigueur de son propos, élimine les éléments de vraisemblance par lesquels le romancier, jouant de toutes les possibilités de l'identification, assurait les séductions de son récit. Pour reprendre une opposition dont nous avons déjà usé, non seulement le moraliste, s'adressant au clair jugement du lecteur, se place tout entier du côté du *logos,* mais encore concentre-t-il ses attaques sur le *mythos,* chargé de tous les péchés, par lui tenu pour la puissance même de mystification, responsable des crédulités, des fanatismes, des superstitions — *Gulliver,* ou l'antiroman par excellence.

Tandis que Swift, occupé par les seules nécessités de sa démonstration, vise à l'universel par abstraction de l'accidentel, du maintenant et de l'incarné — autrement dit, de l'existence concrète — et ne veut concevoir ses personnages que comme des types, intemporels et immuables, pour atteindre, dans l'abstrait et le général, à la pureté des essences, Defoe, à l'inverse, tente l'aventure d'une immersion dans le réel par les moyens d'une fiction qui en restituerait la mouvante et inépuisable complexité. Ainsi ses personnages, accumulant les détails qui les situent en leur temps et en leur lieu, revendiquent-ils leur singulière concrétude jusqu'à la troublante étrangeté de cette part d'ombre en eux qui véritablement les désigne comme des individus et non point seulement comme la traduction d'une idée, l'épure d'un caractère, une allégorie. Alors, du plus profond de leur singularité, voilà que ces êtres de langage nous interpellent, nous troublent, et libèrent quelque chose de l'universel. « Ravissant » le lecteur, diluant son jugement, ils attendent, dit-on, que nous nous identifiions à eux — mais il s'agit bien moins de l'illusion d'une présence, par l'artifice d'une écriture, que de l'épreuve vécue, dans la trame d'une fiction, de l'énigme de la Présence, par ce mouvement du face à face qui littéralement nous fait « être » dans la limite imposée à notre prise de possession...

Swift l'idéologue joue de ses personnages pour développer une thèse, élaborer un discours, clair et univoque, qui sollicite notre seul jugement. Defoe n'a point le souci d'une telle maîtrise : en lui, et en nous le lisant, des voix surgissent et se croisent, dont nous ne saurons jamais d'où elles viennent, où elles vont, et qui résonnent parfois en de lointains échos, comme si elles réveillaient des continents perdus, vers le dedans des êtres. Et chacune de ces voix murmure obstinément quelque chose du vrai, si nous savons aussi qu'elle ne le dit point tout, tandis qu'elle se heurte, s'oppose et dialogue, pour restituer à la parole des hommes à la fois sa puissance et son essentielle équivoque. Ces pensées incertaines, ces questions sans réponse, ces contradictions tues, ces ratures et ces hésitations dont le discours philosophique ne veut plus rien savoir, qu'il s'obstine à masquer, pour mieux assurer sa maîtrise, les voilà enfin restituées dans leur foisonnement et leur ambiguïté : un monde, en vérité, *notre* monde, comme ressuscité dans un système ouvert de symbolisation où lecteurs et auteur, conduits par la musique inépuisable des choses et des êtres, font, à travers les voix mêlées des personnages, tout au long du récit, l'épreuve d'une quête.

Car nous vibrons aux aventures des héros, nous épousons leurs drames, nous sommes chacun d'entre eux — autant dire que nous n'en sommes aucun, ou sinon peut-être le lieu de leurs affrontements et de leurs dialogues : cette « identification » dont on nous a tant dénoncé les méfaits, ces séductions de la fable qui, altérant notre jugement, altéreraient notre identité, l'*aliéneraient,* comme nous le chantent encore aujourd'hui des « démystificateurs » imbéciles, sont donc bien à ressaisir dans leur véritable dimension d'un ressourcement à la puissance créatrice de la Parole, d'une réactivation du sens de la Présence, à travers cette épreuve où l'autre me révèle à moi-même ma transcendance, mon identité, donc, par-delà les mimiques sociales, puisque c'est seulement lorsqu'à l'extrême de la singularité s'éveille la flamme d'une universalité vraie, tressaille un vent d'éternité, qu'un texte, enraciné minutieusement dans son contexte, s'en arrache pourtant infiniment et, par-delà les contrées et les âges, nous parle. Révélateur d'éternité, le roman, dans sa pleine puissance, est donc tout à la fois, sans qu'on les puisse dissocier, épopée de la démocratie et quête spirituelle...

Ni la vérité de l'univoque énoncé philosophique, ni, pourtant, le mensonge : quelque chose y est donc dit qui ne pouvait l'être autrement — c'est dans la crainte et l'émerveillement que Defoe, fasciné, découvre les puissances de la fiction. Parfois le presbytérien rigide, en lui, s'en inquiète et cherche des excuses : ce ne sont point vraiment des affabulations, annonce-t-il en préface, mais une allégorie d'authentiques épreuves, conçue à la seule fin d'éducation morale. N'en reste pas moins la fable, « cette manière de raconter un mensonge qui le transforme en vérité » que lui reprochera vivement Gildon, autre membre éminent du Scriblerus Club, « ce crime des plus scandaleux, grâce auquel s'implante l'habitude du mensonge » : voilà qu'elle devient, tandis qu'il s'y enfonce, sans plus de concepts ni repères, le lieu d'une bouleversante *révélation* — de ses personnages, bien sûr, qui, parce qu'ils évoluent constamment au fil des circonstances, garderont à jamais une part d'ombre, mais, surtout, de lui-même. Comment Defoe ne serait-il pas effrayé par ce qu'ainsi, à tâtons, il découvre ? Dans un Occident de plus en plus voué à l'iconoclasme, voilà qu'un homme ressuscite les puissances de l'image, malgré l'absence des mots qui guideraient ses pas — ceux-là qui les trouveront, en pensant le symbole, seront dits romantiques... L'obscur dissenter ne le mesure pas encore : il s'agit bel et bien de l'annonce d'une révolution dans nos manières de penser et de voir, des prémices d'un nouveau mode de connaissance...

Symbole et démocratie

Idéologue, Swift n'assure son triomphe que par le préalable d'une mise à distance du monde; la signification de ses personnages ne réside pas en eux mais dans le système conceptuel qu'ils ont pour mission de traduire; leur verve se déploie sur un univers à jamais raisonnable, cadenassé, fini, préservé du mystère et de l'ambiguïté, *c'est-à-dire d'autrui;* de l'idée à son allégorie, c'est le réel lui-même qui est mis hors circuit, et le défi inscrit, contre toute maîtrise, dans le regard de l'autre, que l'on veut ignorer : sous leurs apparences sceptiques, critiques, libératrices, ses mordantes satires sont bien totalitaires... Ni copie inerte du sensible — car il n'aurait alors aucune puissance de retentissement — ni trop explicite allégorie, Robinson, à l'inverse, est de lui-même figure et s'impose aux lecteurs comme le surgissement, à travers l'épaisseur d'un signifiant, d'une présence autrement indicible, d'un visage que ne peut prétendre épuiser aucun énoncé : il est, au sens strict, transfiguration d'une représentation sensible, épiphanie d'un sens à jamais caché, *symbole*.

Éprouver les puissances du symbolique, ce n'est donc point s'éblouir aux séductions troubles de l'illusion, se complaire dans l'égarement de la pensée, bref, renoncer à l'intelligence, c'est, au contraire, briser la gangue des mimiques sociales, des égoïsmes et des déterminations du social-historique pour s'ouvrir à la possibilité du *face-à-face*. Du regard, j'ai déjà pu dire qu'il manifeste, dans l'ordre du monde, la présence d'un autre monde, qui le dépasse et lui donne sens. Telle est bien l'expérience bouleversante qui signe notre entrée en humanité : un « je » qui n'est pas « moi » me fait face dans le monde comme la limite ultime de ma prise de possession et ainsi me fait « je », puisque c'est seulement lorsque la conscience est arrêtée dans sa course par la transcendance de l'autre inscrite en son regard qu'elle ricoche, fait retour sur elle-même et découvre alors sa propre transcendance comme le vivant foyer de la Parole et de la Loi, dont aucun concept jamais ne réduira la flamme, parce qu'en lui demeure la puissance instauratrice du sens. Ainsi la fiction, loin de rabattre le monde sur ses apparences sensibles, ou de le limiter dans l'abstraction d'un concept, l'ouvre au contraire infiniment à ce qui vient lui donner sens, en le transfigurant. Ce n'est donc pas par ruse, lâcheté ou affectation, que le pauvre Defoe en appelle à la morale et épouse les formes de l'autobiographie spirituelle : parce qu'elle réveille les puissances du symbolique, la fiction porte toujours scandaleusement en elle, comme une promesse salvatrice, le message d'une transcendance.

L'opposition ne relève donc pas de dispositions psychologiques accidentelles, d'humeurs passagères, de jalousies littéraires : à travers Swift et Defoe, et bien au-delà de leurs éventuels agacements, s'affrontent deux options philosophiques fondamentales, rigoureusement inconciliables, qui, chacune se prétendant la seule libératrice, dénonce en l'autre le principe même, d'autant plus pernicieux que dissimulé, de l'absolutisme qu'elle combat. L'anglican humaniste Swift, féru d'antiquité et nourri de Polybe, ne hait Defoe avec une telle constance que parce qu'il lui paraît rassembler, et dans son usage même de la fiction romanesque, tous les dangers de « l'enthousiasme » propre aux dissenters, à commencer par cette aura biblique d'égalité transcendante dont ils entourent encore la notion de « contrat » formulée par Locke. Car l'opposition philosophique se redouble ici d'un conflit politique : comme Bolingbroke, Hume ou Gibbon mais aussi bien Walpole, puisque dans le fond les factions disputant âprement le pouvoir, whigs et tories, s'accordent sur cela, Swift met autant d'ardeur à se préserver sur sa droite des temps « gothiques », de la superstition des prêtres et des droits « divins » de l'absolutisme royal, qu'il repousse sur sa gauche l'égalitarisme biblique des dissenters, jusqu'à leur refuser la plénitude de leurs droits civiques.

Inconciliables : autant dire, s'agissant d'une aventure humaine, sans boussole ni portulan, dans ce grand labyrinthe du monde qui ne s'éclaire jamais qu'à l'avancée des pas, quand il faudrait pourtant, aux chemins qui bifurquent, choisir plus sûrement sa route; d'une guerre bien obscure, dans les contradictions et les tâtonnements d'autant plus renouvelés que ses enjeux réels, son sens, ne se devinent que par la progression des escarmouches, quand chaque être dans sa singularité s'éprouve douloureusement comme le champ même de la bataille; autant dire que, ruse ou illusion, l'on n'aura de cesse, tout en guerroyant, que l'on n'ait trouvé les voies d'une conciliation — le siècle, comme la destinée de chaque être, se joue dans l'espace ouvert par cette inguérissable déchirure...

Ainsi Defoe fait-il déjà de ses romans le lieu d'une tension, sinon d'un déchirement, entre le mouvement propre d'un texte, dont il ne mesure sans doute pas la puissance d'ébranlement, mais qui, réactivant le sens de la Présence, laisse effleurer en lui le chiffre bouleversant d'une transcendance perdue, et les thèses explicites, maintes fois répétées comme de pesants sermons interrompant l'action, d'une utopie lockienne de société civile assise sur l'appropriation par le travail et le libre contrat. Mais Locke, lui-même, n'est pas un bloc granitique, à l'entrée des Lumières, que ne travaille aucune fêlure. Par ses vertus de tolérance, son rejet de l'innéisme et surtout sa promesse d'une « physique de l'âme », l'auteur de l'*Essai sur l'entendement humain,* témoin d'un « Nouvel Esprit Scientifique » inspiré de l'empirisme baconien, peut être tenu, avec Newton, pour le grand initiateur du siècle des Lumières. Mais, contrairement à une légende tenace qui le veut statufier en penseur officiel du régime issu de la Glorious Revolution, inspirateur obligé de toute politique « éclairée », il n'en va guère de même pour le sympathisant des dissenters, auteur clandestin des *Traités sur le gouvernement civil* : celui-là fut tout à fait ignoré en France — il suffit de lire les *Lettres philosophiques* ou *l'Esprit des Lois* pour s'en convaincre — et fortement suspecté dans son pays, tant par Hume que par Bolingbroke, d'« extrémisme démocratique ». Lui-même prenait d'ailleurs grand soin de se dissimuler en d'aussi délicates matières : diffusés sous le manteau dans les années 1680, les *Traités* resteront longtemps anonymes, et, malgré les révélations de Tyrell, il niera jusqu'à ses derniers jours en avoir été l'auteur. En bon fils de puritain, il savait trop, sans doute, ce qu'il peut en coûter d'afficher d'aussi radicales idées! Ce n'est pas dans la Bible et le libre contrat que la pensée politique puise alors ses sources mais dans la théorie du *mixed government* inspirée de l'antique. Encore une fois, il suffit de lire : les constantes références de cette époque où le moindre membre de la gentry se prend pour un patricien romain sont Molesworth, Molyneux, Moyle, Neville, Harrington, Sidney, Temple et l'on ne jure plus que par Machiavel, Cicéron et Polybe. Il faudra donc, à la brisure du siècle, le grand retour du Mal que la raison avait voulu nier, du mal d'être, du mal de vivre, du mal social, la montée de l'inquiétude dans un monde qui paraît déserté par l'espérance, devenu inhabitable, la crise du whigisme polybien, le brusque embrasement du spirituel refoulé, dans la ferveur populaire du méthodisme, et le sursaut des enfants rebelles du piétisme, pour que, dans « l'espace de confusion » de l'homme sensible, surgisse le visage du dissenter Locke — dans le temps même que le Newton de l'âme se trouve contesté : alors seulement Rousseau, comme les *Insurgents* américains, redécouvrent le théoricien du contrat et de la société civile.

Ainsi donc les influences de Locke doivent-elles se comptabiliser en « parties doubles », et l'unité des parties restera à jamais problématique : elle fut l'aventure même, le déchirement et le problème de cet homme qui voulut trouver dans la physique et le principe d'association des idées le moyen de naturaliser la dissidence religieuse en principe de gouvernement. Ainsi retrouvons-nous une fois encore la confusion de l'empirique et du transcendantal comme l'origine même du projet des Lumières...

Laurence Sterne, ou le sens du « nonsense »

De cette déchirure dans la trame du monde par où le sens s'égare, mieux vaut peut-être rire plutôt que pleurer, semble nous dire à mi-voix, entre deux calembours, le très étrange pasteur Laurence Sterne, probablement l'auteur le plus original de son siècle, en tous les cas celui qui nous interpelle le plus vivement, et encore aujourd'hui, à travers les aventures burlesques et pathétiques de l'oncle Toby, du caporal Trim et de Tristram Shandy : des neufs volumes de *Life and Opinions of Tristram Shandy* au *Sentimental Journey,* dans un délire de jeux de mots, de coq-à-l'âne, d'acrobaties verbales, de brisures de syntaxe, comme emporté par l'urgence d'une course de vitesse contre l'usure des choses, le travail de la maladie et le sourd frémissement, au plus profond de lui, d'une fleur carnivore qui s'engendre de ses rires, de ses cris, de ses joies, le ronge peu à peu, dans laquelle il s'abîme, inéluctablement, et que l'on dira « spleen », il tente héroïquement de tenir ensemble ces deux visages du siècle, qui tant déchirèrent Locke, cherchant dans l'un le principe même de l'autre, non pas, comme l'essaya vainement le philosophe, par une théorie, *mais dans l'épaisseur d'une fiction.* Ainsi Laurence Sterne s'impose comme une figure-carrefour, qui domine son époque et l'ouvre à son *nonsense* : retournant la fiction sur elle-même, il ruine l'illusion réaliste et du même coup détruit les fragiles équilibres à peine élaborés par Fielding ou Smollett ; il fascine Diderot, au point de lui faire concevoir *Jacques le Fataliste* en référence constante à Tristram Shandy ; son *Voyage sentimental* sera une des bibles de « l'homme sensible », mais en même temps son ironie, ses arabesques (Schlegel *dixit*), son carnaval inquiet et solitaire, ne trouveront leurs véritables échos que dans le romantisme, qui seul saura comprendre quelle fut sa tentative héroïque de recréer l'homme et le monde par la seule puissance de l'art, et je sais bien, pour avoir tant appris dans ses sourires comme dans ses larmes, qu'il nous accompagnera longtemps encore, comme un double ému et fraternel... La référence à Locke est ici décisive : on sait quelles furent les difficultés du philosophe à fonder la possibilité d'une communication des consciences sur ses fameuses lois d'associations des idées, dès l'instant où il crut déceler, dans les divers jeux de mots et libres associations d'images, un élément d'aberration mentale, sinon de pure folie *(madness)* — c'est précisément depuis le tourment de Locke, dans l'assomption du malaise créé par ces aberrations, que Sterne tente l'aventure d'un univers où la déchirure se ferait principe d'humanité. Né d'un coït rural malencontreusement interrompu par une remarque saugrenue de « ma mère », quasiment privé de nez par un désolant dérapage des instruments de l'accoucheur Slop, affligé, en lieu et place de

Trismegistus, d'un nom de baptême ridicule à la suite d'une cascade d'incidents pour le moins bizarres, circoncis par la chute inopinée d'une fenêtre à guillotine alors qu'il pissait, une fois rien qu'une fois avait dit la bonne Suzanne, depuis sa chambre dans le jardin, parce que le caporal Trim en avait ôté les contrepoids de plomb pour les besoins en artillerie de l'oncle Toby, lequel livrait sur les pelouses une bataille miniature mais néanmoins farouche, Tristram apparaît bien comme l'hôte égaré, lamentable et touchant, d'un univers voué au chaos, irrémédiablement privé de « centre de gravité », où les personnages se perdent en discours ininterrompus sur le cours des choses et les aléas de la conjoncture, avec d'autant plus d'acharnement qu'équivoques et quiproquos font sans cesse échouer les amorces de dialogue : ainsi l'univers de Laurence Sterne épouse, au mépris de toute logique, les formes de son récit, pour se soumettre à tous les hasards, digressions, pirouettes, caprices, divagations, contaminations, syllepses, antaclanases, paronomases, des jeux de mots ou associations d'images qui peu à peu renversent le récit d'aventures en *aventures du récit.*

Pourtant, malgré les collisions bien souvent humiliantes, malgré les colères et les incompréhensions, malgré le foisonnement de ces discours où chacun parle toujours d'*autre chose,* une petite musique, ténue et douloureuse, vient animer les êtres et les ouvre à autrui. Ces personnages désordonnés peuvent bien agir en dépit du plus élémentaire bon sens, se livrer avec frénésie à des « dadas » ahurissants, se croiser, se heurter, se blesser, toujours ils se relèvent, extraordinairement vivants, et humains... Si le Dieu-Hasard manifeste une telle malignité à contrecarrer sans cesse les projets humains, s'il s'ingénie à faire du monde un chaos où trébuchent à tous coups les prétentieux stratèges, ce n'est jamais, nous dit Sterne, que pour humilier les volontés de puissance, ridiculiser les rêves prométhéens, ruiner toute prétention à la maîtrise des déterminismes qui permettraient de régner sur le monde et les hommes : « mon père », après tout, n'accumule les déboires que parce qu'il s'est mis en tête, tel un Dieu horloger, d'ordonner absolument le monde, ses proches, « ma mère » et ses étreintes pour engendrer quasi scientifiquement Trismegistus. Il y a donc, en quelque sorte, une *Providence du chaos :* les chocs qu'il nous inflige blessent parfois cruellement, arrachent les masques sans pitié, abaissent notre orgueil, mais en même temps ils nous libèrent de notre « trop-plein » haïssable de « moi », nous arrachent aux comportements convenus et aux vaines fatuités pour nous reconduire, par-delà les prétentions de la raison, à notre essentielle énigme, et nous ouvrir ainsi à l'inépuisable diversité des êtres et des choses...

Ce que Locke isolait — avec quelle inquiétude! — comme aberration logique, présence silencieuse d'une folie tapie en chacun de nous, déjà, voilà que Laurence Sterne l'assume comme notre « espace d'humanité » en le rapportant, par un complet retournement de perspective, au rituel carnavalesque! Dans l'espace d'une fiction, de Locke à Rabelais le chemin est très court, s'il est inattendu : pour oser le tracer, il suffit d'un pasteur, farfelu et tendre, perdu dans sa paroisse de Saint-Yves en Huntingdonshire, qui ne retrouvait sa ferveur que dans la compagnie de Rabelais, de Cervantès, de tous ces « irréguliers » burlesques qui prolongent à travers le baroque le grand rire de la place publique, et qui osa reprendre un jour à son compte le sévère chapitre 33 de l'*Essai sur l'entendement humain* pour montrer, dans une pirouette et un éclat de rire, que ce dont Locke ne pouvait faire théorie, il faisait, lui, fiction. Et en effet, le Carnaval bouscule les pédants cul par-dessus tête, met le monde à l'envers pour le recréer libre en guérissant chacun des excès de son moi par l'universalité de son éclat de rire, le foisonnement de son délire verbal, le jeu de ses images, ses ambivalences et ses coq-à-l'âne, sans que l'on puisse tenir pour « folie » ou chaos insensé ses tours et cabrioles : *madness,* disait Locke, *nonsense,* répond Sterne *qui tient fermement que ce « nonsense » a un sens, qui est le sens même de l'humanité, lequel ne se libère qu'à travers une carnavalisation du monde...*

Nonsense — et nous touchons sans doute à ce qui définitivement sépare Laurence Sterne, et après lui un tour très singulier de l'esprit anglo-saxon, de ce qu'il est convenu d'appeler, hélas, et encore aujourd'hui, « l'esprit français ». Que le *nonsense* puisse avoir un sens, voilà qui s'oppose en effet à tous les rationalistes, à Swift comme à Voltaire, à tous ceux-là qui tentent d'excuser leurs récits sous les prétextes du réalisme, ou, en bons gardes-chiourme des rêves, cadenassent nos nuits et nos fuyantes fictions dans les disciplines des distanciations, à tous les prophètes, donc, de l'absurde, sombres archanges du néant, dandys d'apocalypses, psalmodiant en chœur, comme le seul credo possible encore de la modernité, ce long chant funèbre qui nous convie à taire en nous les nostalgies d'éternité et les murmures rêveurs de l'âme pour nous précipiter vers ce grand fleuve Histoire dont nous ne recevons jamais de sens qu'en nous abandonnant à son tumulte, tels des fétus de paille...

Les tourments de M. Freud

Mais cette thèse « nonsensique » l'oppose tout autant à ce qui deviendra la démarche même de la psychanalyse : loin d'être, comme on le suggère parfois, non sans arrière-pensées, la prémonition géniale, si quelque peu brouillonne, du *Mot d'esprit dans ses rapports avec l'inconscient, Tristram Shandy* en prend plutôt, et comme par avance, l'exact contre-pied. Que dit Freud, en effet, sinon ceci que, l'autonomie des processus inconscients tenue pour assurée, le non-sens apparent de nos rêves et de nos jeux de mots possède une logique cachée, un sens latent qui renvoie au psychisme profond de chaque individu et peut se rendre manifeste par une stratégie interprétative adéquate? Si Freud, à travers l'étude minutieuse des tours les plus singuliers de nos mots d'esprit, ou des associations d'images dans les rêves, a toujours prétendu fonder l'originalité de la psychanalyse sur la caractérisation de l'inconscient par le travail de processus symboliques spécifiques, il a, sur ce point, totalement échoué : ses travaux de description et de classification sont d'une précision étonnante mais, comme l'ont magistralement montré Benveniste puis Todorov, ils ne font que retrouver le « vieux catalogue des tropes » élaboré, siècle après siècle, par la vénérable rhétorique, puis oublié vers la fin du XVIIIᵉ siècle. Il faut le dire nettement : aucun psychanalyste, jamais, n'a pu isoler une opération qui, s'écartant de celles du symbolisme linguistique, pourrait être rapportée à un symbolisme spécifique de l'inconscient. La première conséquence, dès lors que l'on s'obstine à maintenir, sans plus de preuve, le dogme d'un symbolisme de l'inconscient, sera que, pour masquer la faille, on « inconscientisera » des pans de plus en plus vastes de l'activité humaine, « mœurs, usages, proverbes, chants, langage poétique », « folklore, mythes, légendes, dictons, proverbes, jeux de mots, langage courant », dira Freud — bref, de proche en proche, tout l'espace humain...

Incapable de spécifier un symbolisme de l'inconscient, la psychanalyse ne peut donc justifier de son originalité que par ses stratégies interprétatives. De la première technique, définie par Freud comme « symbolique », qui s'appuie sur un caractère supposé constant et universel des « symboles » pour traduire terme à terme, par le moyen d'une « clef des songes », les images des rêves et pensées latentes, nous n'avons rien à dire tant elle est secondaire, sinon qu'elle contourne la difficulté en entendant le « symbole » dans le sens d'une allégorie. L'autre, dite « associative » parce qu'elle consiste à demander au rêveur, après le récit de son rêve, ce que ses divers éléments lui suggèrent, en tenant les associations qui ainsi apparaissent pour l'interprétation même du rêve, nous intéresse directement en ce qu'elle se veut et se dit individualisante. Relatif à une personne singulière, variable suivant les lieux et les moments, chaque contenu manifeste (symbolisant) peut suggérer une infinie variété de pensées latentes (symbolisés) ou à l'inverse chaque symbolisé être indiqué par différents symbolisants, et les associations ainsi foisonner à l'infini sans pouvoir jamais être rapportées à un sens univoque, du moins en principe, car voilà soudain que l'analyste ajoute : « [...] jusqu'à ce que, de proche en proche, on tombe sur un désir de la première enfance. » Ainsi donc, conclut Freud, même les meilleures plaisanteries ont une fin, il est des symbolisés ultimes qui ne se peuvent plus convertir en nouveaux symbolisants et nous sauvent fort opportunément tout à la fois des vertiges du non-sens et de l'épiphanie du symbole.

Mais d'où lui vient cette belle assurance? Si les opérations décrites par Freud comme relevant d'un symbolisme de l'inconscient ne se peuvent en rigueur distinguer de celles de tout symbolisme, il faut bien en conclure, avec Todorov, que les découvertes de la psychanalyse ne résultent pas du trajet parcouru mais étaient posées dès l'origine — que la psychanalyse, en fin de compte, ne découvre jamais dans le réel que ce qu'elle y avait d'abord dissimulé. Lorsque Laurence Sterne, multipliant le jeu de ses fictions pour les abandonner au libre cours de ses associations, pose qu'il est une Providence du chaos, que cette folie, grondant sous les eaux les plus calmes du langage, loin de nous condamner à la détresse, bien au contraire nous sauve, en nous révélant à la Parole parce qu'elle a, contre toute apparence, un sens, il l'appelle « nonsense » pour bien marquer qu'elle ne se peut réduire au sens univoque d'un énoncé, qu'elle est tout à la fois intraduisible et inépuisable : ce faisant, le pasteur de Saint-Yves dépasse définitivement tous les rationalismes de son époque et franchit un pas de plus que Defoe vers cette pleine assomption du symbolique qui marquera l'insurrection spirituelle du romantisme. Mais comment ne pas comprendre alors que le seul but que puisse se fixer la psychanalyse, ce pour quoi elle multiplie les tours et les détours, déploie un extraordinaire arsenal de moyens interprétatifs, c'est précisément la volonté d'en finir avec le scandaleux message du symbole? Machine d'interprétation, machine de guerre : feignant de reconnaître la puissance du symbolique elle n'aura de cesse qu'elle n'en limite le foisonnement, le canalise, le réduise, pour en fin de compte le maîtriser dans une interprétation, et cela non point par « science », nous venons de le voir, mais, dernière volte du doublet empirico-transcendantal, par la ruse même de toute entreprise de maîtrise. Aussi, lorsque Freud cède à la tentation d'expliquer le jeu de mots par le plaisir, que seuls éprouveraient les « fous » *(Freud, op. cit.,* p. 190), les « sauvages », les « ivrognes » (p. 192), les « hommes du peuple », les « sujets de certaines races » (p. 296), à faire retour au non-sens radical primitif, il n'y faut pas voir l'hésitation d'une pensée reculant devant les conséquences ultimes de son audace, mais bien le va-et-vient constant de qui entend faire feu de tout bois pour nier la transcendance inscrite en tout symbole. Bien loin que Sterne annonce la psychanalyse, celle-ci viendrait plutôt comme l'ultime conjuration du trouble qu'il suscite, de la même manière, mais en poussant sa logique à son *comble,* que jusqu'au XVIIe siècle l'exégèse patristique entendait limiter, en la canalisant vers un ordre établi, les élans de la foi. Woody Allen, toujours, digne fils de Tristram, sera la proie rêvée, mais aussi le tourment de tous les « psis », ces psychanalystes acharnés à nous guérir — qui a vu *Annie Hall* ne peut guère en douter...

La canne de Tristram, ou les paradoxes de l'excentrique

Car elle est difficile, la liberté des hommes, incertaine et fugace, sans cesse menacée, et par son propre élan, plus fragile encore que la tendre pervenche tant aimée de Jean-Jacques : la figure qui résume l'antinomie dans laquelle se déchire, sinon se brise, la rébellion des êtres, l'emblème de Tristram, comme le chiffre même de « cette œuvre de sagesse et de folie mêlées » qu'est l'aventure humaine, ce pourrait être ce moulinet extraordinairement compliqué décrit par la canne d'un des personnages du roman, lors qu'emporté par sa passion il discourt de l'idée de liberté. Laurence Sterne prend grand soin d'en reproduire graphiquement le mouvement dans le cours du récit et Balzac, fasciné, le placera en exergue de sa *Peau de chagrin.* N'est-ce point l'expression même de la liberté que le tracé virevoltant de cette ligne de « fantaisie » qui tout à la fois évoque les hasards heureux de la divagation romanesque et les caprices, détours, et flâneries hors des chemins tracés que l'homme, enfin libéré des rigides tyrannies, invente, comme en jouant, dans le jardin du monde? Mais une sourde inquiétude bientôt travaille les âmes, la fraîcheur des paysages n'était qu'une illusion, derrière le caprice qui seul guidait nos pas se devinent déjà les murmures mauvais de la nécessité. Nous sommes libres sans doute de suivre notre fantaisie, mais qui saura nous assurer que cette fantaisie elle-même échappe à la détermination des choses, à l'impact des sensations, aux lois mystérieuses de l'association des idées? Cette ligne de liberté changeant sans cesse de centre pour échapper au cercle où s'inscrivaient jadis et notre destin et notre corps, voilà qu'elle ne dessine plus que les ornières de nos égarements pour nous révéler en fin de compte pantins agis à notre insu par les lois de notre langage, de notre désir, de notre mort — et c'est quand le caprice ainsi se dit comme l'autre nom de la nécessité que l'âme, abandonnée, s'étourdit et s'épuise dans les tourments du spleen.

La canne de Tristram, les allées sinueuses des jardins à l'anglaise, ou cette ligne de beauté que poursuivait Hogarth dans la danse des anges sur la colline sacrée du *Paradis perdu, « mazes intricate, eccentric, intervolv'd, yet regular then most, when most irregular they seem »* que sut chanter Milton, sans doute rassemblent-elles l'étrange séduction, la secrète douleur et tous les paradoxes de cette « mode excentrique » qui emporte l'Angleterre. « *A nation of humourists* » dira Goldsmith, qui par ce mot entendait encore les victimes de déséquilibres humoraux, et, bien avant Laurence Sterne, le docteur Cheyne, ce très excentrique ami de Pope, déjà décrivait la manie du *hobbyhorse* comme le nécessaire antidote du spleen. Bizarrerie tenue pour la conséquence d'une trop grande tolérance lors qu'elle s'applique à des mœurs encore restés barbares ou preuve, à l'inverse, d'une obligation sociale réduite pour chacun au plus strict minimum, dangereuse incongruité ou promesse de liberté, l'excentricité anglaise bientôt fascine, choque, émeut l'Europe entière, quand elle ne suscite pas en réponse une vague d'anglomanie.

L'Histoire nous a certes laissé le souvenir de quelques personnages très singuliers, tels Beckford, Montagu, Shenstone, ce créateur du jardin des Leasowes, dont le pasteur Robert Graves fera son personnage de Columella, lord Baltimore, si « féru de mœurs turques » qu'il s'aménagea un harem, sir C. Denvers, qui changeait la couleur du bas de sa jambe droite pour signifier son appréciation de la politique gouvernementale, Grimshaw, le pasteur de Haworth qui rassemblait ses fidèles à coups de fouet et les enfermait à double tour dans son église pour faire, bon gré mal gré, leur salut, mais aussi bien Wolcot, ce prêtre de la Jamaïque si passionné de chasse qu'il payait ses paroissiens afin qu'ils s'abstiennent de le solliciter pour les offices du dimanche, et tant d'autres encore! mais par-delà ces cas extrêmes, petites et grandes bizarreries se multiplient sur tout le corps social avec une telle ardeur que force nous est d'y reconnaître un phénomène d'époque — le trait le plus significatif, peut-être, de la révolution anglaise. Fascinations morbides diverses, enterrements « gothiques », messes noires, momifications, testaments invraisemblables, jardins surchargés de « fabriques » et de « folies », de souterrains et de chutes d'eau disposées au hasard calculé de sentiers tortueux, quand ils ne reproduisent pas, comme ce parc de Chester, le massif du Mont-Blanc culminant à onze mètres, projets de réformes sociales ou religieuses défendus avec d'autant plus d'acharnement qu'ils sont évidemment insensés, inventions n'ayant rien à envier par avance à la roue élastique de Boris Vian, bâtiments « grotesques », aberrations vestimentaires et fantaisies sexuelles variées, art de se limer les incisives pour cracher à la manière des postillons, fureur de recueillement en des grottes ombreuses artistement conçues, ou bien encore embauche par Charles Hamilton d'un véritable ermite pour prier à sa place et décorer une grotte nouvellement installée, l'invention apparaît d'autant moins limitée que bien évidemment chaque être, par sa singularité même, est toujours l'excentrique de quelque conformisme : les critères de l'époque ne sont guère les nôtres, il est de ces passages du « réalisme grotesque » à l'excentricité que nous ne savons plus, ce qui sera tenu ici pour stupide, odieux, abominable sera tenu là-bas pour allant de soi, moral — ainsi devons-nous dire le méthodisme un retour de l'Esprit trop longtemps refoulé, ou bien railler comme une suprême extravagance le prosélytisme des *bible moths* ?

Seconds rôles souvent, faire-valoir exemplaires, dessinés à grands traits, dans les comédies de Garrick, de Steele, de Sheridan, pour le plus grand plaisir du public populaire, mais personnages aussi qui réveillent parfois de très lointains échos et nous émeuvent alors jusqu'aux tréfonds de l'âme, Parsons Adams, Matthew Bramble, Geoffroy Wildgoose ou même, avant M. Pickwick, Roger de Coverley, exaspérants aristocrates bouffis de prétention, monomaniaques inoffensifs, idiots porteurs de sainteté ou cohorte de vieilles filles ridicules et pourtant bouleversantes comme Mrs. Slipslop, Grizzle, Tabitha Bramble ou Barsheba Tipkin, pantins très hargneux ou bouffons si humains dans leur désespérance, les figures d'excentriques certes abondent dans la littérature du temps, mais placées dans des situations si diverses, avec une telle variété d'attitudes et de sentiments qu'elles découragent, bien souvent, l'analyse ou l'enferment à tout coup dans les séries de contradictions apparemment insurmontables. S'il n'est de théorie possible que de ce qui se répète, si le mouvement même du concept élimine le contingent et l'éphémère, que dire en effet de celui qui vise à la plus extrême singularité, sinon qu'au bout de son chemin il ne trouvera plus rien que le silence et la nuit chaotique des grandes terres perdues? Une « mode excentrique » n'est-elle d'ailleurs pas une contradiction dans les termes? Et n'est-elle pas étrange cette façon de dire « individualiste » *quelqu'un qui sort de lui-même pour échapper à son centre* — aussi étrange au moins que celle qui consiste à faire de l'excentricité un *trait de société*? Comment comprendre, enfin, qu'une littérature puisse, à la fois, et souvent à travers les mêmes personnages, faire l'éloge de l' « état moyen » et exalter l'excentricité la plus débridée — surtout lorsque l'on mesure qu'il en allait de même dans la vie, que le prêtre Wolcot était aussi connu, sous le nom de « Peter Pindar », comme le plus farouche défenseur de la normalité, et que la plupart des excentriques fameux étaient, comme lui, de furieux conformistes?

Le pèlerinage de l'Idiot

... En revenant, simplement, à la canne de Sterne. Son moulinet est net et tranchant comme un trait dans l'espace et réunit pourtant, dans le même mouvement, ordre et variété, déterminisme et fantaisie, les deux termes de la contradiction qui nous occupe. Il faut donc supposer que la confusion est seulement dans nos têtes, que nos catégories et nos concepts viennent ici nous troubler, qu'il est d'autres points de vue d'où peut se révéler la partie qui se joue. Le moulinet est d'un tracé sans équivoque, mais loin de résumer toutes les figures possibles, il ne trouve son sens qu'à s'opposer au cercle où Vinci inscrivait les proportions du corps, Ptolémée le cosmos et Parménide la perfection de l'être — ce cercle où depuis l'origine l'homme a tenté de penser son rapport à Dieu, au monde et à lui-même. Ainsi l'excentricité et le conformisme ne trouvent leur unité, ne signent leur trait commun qu'à tenter de refouler ce à quoi ils s'opposent : la figure même de l'intériorité.

Il est des voyages qui se font pèlerinages, d'autres qui nous proposent les séductions des égarements, des oublis et des dérives :

le chaos n'est pas en lui-même Providence, mais le lieu, seulement, d'une essentielle épreuve — ce n'est jamais qu'à son péril couru que l'homme peut retrouver, vers le dedans de soi, l'étoile salvatrice. Nous sommes nés mal nommés, mal conçus, mal centrés, jetés sans préambule dans cette humanité comme un asile de fous, malades déjà des jeux de nos désirs et de l'usage de la raison, lorsqu'elle entend partout étendre son empire, tristes épaves brisées sur les pierres de nos rêves, déjà prêts à jouer la cruelle insolence des rires de Don Juan et les effrois barbares des grands voleurs de feu quand ce n'est que le monde et sa langue, sa loi, qui parlent à travers nous — nous parlent... Les noces diaboliques de la raison et du désir, qui se disent dans les mythes à travers Dionysos, Prométhée, Faust et le Grand Séducteur, Laurence Sterne les appelle *hobbyhorses,* marottes, chimères, dadas, qui occupent les êtres, peu à peu les aliènent, les dévorent en silence, comme des « bêtes mauvaises », une « fièvre maligne » ou un « virus filtrant » — ainsi le nénuphar si doux venu des marécages sur l'écume des jours qui tant meurtrit Chloé, le Jean-Sol Partre de Chick, les mensuelles étreintes, dans la chambre nuptiale, de Walter Shandy et des œuvres de Bruscambille, toujours prises bien sûr entre deux « lits de justice », les rêves démiurgiques de « mon père » cherchant encore la « solution des nez » dans les forts traités de Slawkenbergius, ainsi toute une humanité s'agite, se croise, se heurte, chevauchant furieusement ses dadas, folle assurément, si persuadée pourtant de sa raison et de la liberté de ses fantaisies! Telle est donc notre humaine condition, sur cet étrange théâtre où nul ne sait son rôle, ni le titre de la pièce, ni le nom de l'auteur : il est une malédiction originelle de l'excentricité par laquelle, croyant nous libérer, nous fuyons notre « je » pour nous étourdir dans les mille tourbillons, ex-tases et grimaces de nos « moi », toutes ces ruses subtiles pour se reconnaître entre soi, se conformer en différant toujours, que l'usage, les codes, les conventions tacites murmurent à travers nous, vagabonds égarés sur les chemins du monde, pantins agis par des forces obscures qui nous travaillent, et nous dépassent.

C'est du fond de cette malédiction, pourtant, que se lèvera l'étoile que jamais ne sauront ceux-là qui par orgueil, ou scepticisme vain, se retranchent des autres et ainsi de la vie avec l'épicurien sourire d'un Voltaire à Ferney; c'est en courant vers le chaos des choses, dans le tohu-bohu frémissant des aventures humaines, au plein vent des orages, toutes amarres rompues, dans le risque assumé de notre condition, que l'errance peut se faire, en son sens le plus vrai, apocalypse : révélation, c'est-à-dire pèlerinage. Car ces chimères ne courent pas libres ainsi, dans l'ivresse des conquêtes, sur l'étendue des choses, mais bientôt se rencontrent, se heurtent, s'opposent en cris et tintamarres, comme elles se heurtent au monde, blessent et cruellement nous blessent, et du même coup nous ouvrent aux autres et à nous-mêmes — de cette cacophonie des égoïsmes, de cette malédiction de Babel à l'infini multipliée, voilà que dans l'espace d'une déchirure perce, pour qui veut l'entendre, la chanson douce-amère des tendresses humaines. Ainsi peuvent se dénouer les jeux de la puissance, lorsque notre égoïsme brisé par les autres égoïsmes et cette sourde résistance par laquelle le chaos épuise nos désirs, nous nous arrachons au chant funèbre de la raison pour entendre enfin qu'à chaque avancée de notre *hobbyhorse* répondait le murmure douloureux d'une intériorité blessée, qui nous faisait signe, obstinément, dans le tumulte de l'histoire, parce qu'en elle, seule, se trouve la force d'une résistance. Dernière volte de l'excentricité, qui nous arrache à notre trop-plein de « moi » pour nous conduire, à travers l'acceptation d'autrui, à la ferveur d'un « je » : assumée comme la marque de notre humaine condition voilà qu'elle peut cesser d'être vécue enfin comme un « fatum » tyrannique et absurde pour s'ouvrir à l'épreuve de la plus paradoxale et de la plus déroutante des libertés...

... de la même manière que l'écrivain est celui-là même qui, au lieu d'être parlé par les jeux du langage et le code de la langue, les détruit, s'en joue et les recrée, dans l'avènement bouleversant d'une Parole, pour en faire l'espace d'une liberté. Ainsi, *nonsense* contre *hobbyhorse,* Sterne échappe aux pièges de l'excentricité, révèle la partie qui se joue, affirme le lien du symbole et de l'intériorité : c'est seulement en « fictionnant » le monde qu'on le peut enfin réenchanter, vaincre la malédiction de Babel et retrouver son centre. Don Quichotte, le guide tutélaire de Laurence Sterne, comme Yorick, le bouffon du roi du Danemark, dont il prendra le nom à la fin de Tristram, sont des *idiots,* au sens strict de l'étymologie, c'est-à-dire des êtres *singuliers,* les plus excentriques qui soient selon la norme commune, étrangers à leur moi comme aux désirs de leur raison : ils sont pourtant les seuls à pouvoir dire, à juste titre, « je sais qui je suis » — « non seulement ce que j'ai dit, ajoutera le chevalier à la triste figure, une suite de héros, mais aussi les douze pairs de France et les neuf preux de la Renommée »... Dans l'âme de l'errant brûle le feu d'un paradis d'innocence et d'amour, voilà qu'il en vient porter la lumière ici-bas, dans le monde des ténèbres, et sous ses pas ricanent les multitudes — parfois, aussi, tressaillent... Car elles ne sont point hobbyhorses, ces chimères, maladie de raison ou de désir qui peu à peu tyrannisent nos espaces intérieurs, mais proprement *épiphanies,* dans notre monde historique, ordinaire, de l'« autre monde » qui le ressuscite et libère. Pur délire d'un débile ? Mais ces chimères émeuvent et retentissent encore par-dessus les âges, plus réelles assurément, d'une puissance d'ébranlement plus certaine, que les faits historiques qu'on leur peut opposer — elles portaient donc bien, plus que toute autre archive, message de vérité. Étranger à ce monde, à ses coutumes, à son regard, étrange assurément et même ridicule, le chevalier à la triste figure vient dire en son temps et en son lieu, sur les routes poudreuses de la Manche, comme plus tard Tristram par les chemins et les tavernes, quelque chose de l'éternité en sommeil dans le cœur de chaque homme — parce qu'il a vaincu la peur en s'échappant de la prison des choses, il est bien, en ce monde, le voyant, celui qui substitue aux yeux de chair les yeux de feu de la connaissance salvifique qui seule peut opérer la transmutation de l'homme intérieur. Contre tous les « bon sens » et les « réalismes », il aura donc eu raison de saluer en ces deux prostituées, sur le pas d'une taverne, « deux gentes damoiselles ou deux gracieuses dames qui folâtraient devant la porte d'un château » : émues, ne le servirent-elles pas comme jamais chevalier ne le fut ? Et c'est la peur encore qui « faisait voir à Sancho et nous fait voir à nous, simples mortels, des moulins à vent dans les géants immenses qui sèment le mal sur la terre » — « mais le Don Quichotte moulu de coups vivra, conclut Miguel de Unamuno dans un texte admirable, parce qu'il a cherché le salut à l'intérieur de lui-même et parce qu'il a osé s'attaquer aux moulins à vent ». Souverain, absolument, parce que dépourvu de tout pouvoir, sinon celui, inépuisable, du don.

Tristram, donc, au carrefour des temps, entre *Don Quichotte* et *l'Idiot,* comme la capitale de nos douleurs, le jardin silencieux de nos mélancolies, rassemblant en son ombre tous les tourments d'un siècle déchiré... Sur les routes mêmes de l'aventure occidentale telle qu'alors elle se dessine, épousant son époque plus que tout autre peut-être, voilà que Yorick Sterne, au péril du non-sens, dans l'énigme du symbole, retrouve les voies perdues d'un pèlerinage des vertiges, vers l'Orient intérieur, où conjurer enfin la grande nuit du monde. Du philosophe John Locke aux fureurs excentriques, tout se jouait donc bien sur l'oubli, le refoulement, la nostalgie parfois de cette transcendance inscrite en l'âme humaine...

L'introuvable « roman bourgeois »

« Une longue expérience me l'a fait reconnaître », confie son père à Robinson, dans un vibrant sermon sur les vertus de l'état moyen, « comme le meilleur dans le monde et le plus convenable au bonheur. Il n'est en proie ni aux misères, ni aux peines, ni aux travaux, ni aux souffrances des artisans; il n'est point troublé par l'orgueil, le luxe, l'ambition et l'envie des hautes classes. Tu peux juger du bonheur de cet état : c'est celui de la vie que les autres hommes jalousent; les rois, souvent, ont gémi des cruelles conséquences d'être nés pour les grandeurs, et ont souhaité d'être placés entre les deux extrêmes, entre les grands et les petits! » Sans doute Smollett et Fielding ont-ils voulu faire, avec celui de l'excentricité, l'éloge de l' « état moyen », mais le monde qu'ils campent à cet effet, où les possibilités d'une promotion de l'individu laborieux se peuvent conjuguer avec un ordre social tel que chacun se maintienne à sa place par la grâce d'une bonté fondamentale de la nature où raison et désir se réconcilient dans le sourire d'une universelle tolérance; cette *fiction de stabilité,* que l'on prétend encore aujourd'hui de facture « réaliste », est bien évidemment un plaisant conte de fées, une mystification que se joue la *middle class* montante pour taire ses scrupules tandis qu'elle précipite l'Angleterre, au mépris des plus humbles, dans la barbarie industrielle; un décor de théâtre, sans plus de vérité que les idylles de Gessner, qui s'effondrera bientôt sous les assauts de la violence urbaine, la rumeur formidable des forges de Coalbrookdale et les grandes flammes dans la nuit des ateliers détruits par les insurgés de Ned Ludd; en même temps que la *stabilité de leurs fictions,* ces conventions du récit conçues à la seule fin d'en limiter les puissances, et les accorder à la louange d'un « réalisme », sont littéralement pulvérisées par Laurence Sterne, à peine qu'esquissées : bien loin d'incarner l'heureux équilibre d'une forme idéale, Smollett comme Fielding révèlent ainsi leur essentielle instabilité, le jeu à travers eux de forces contradictoires, et le travail aussi d'une inquiétude croissante. On peut certes tenir leurs foisonnants récits pour l'espace réservé où s'élaborerait, par lente sécularisation de l'héritage spirituel d'ancêtres dissenters, cette « idéologie bourgeoise » si utile pour expliquer chaque chose et son contraire : ainsi, à la sacralisation de la propriété correspondrait une laïcisation générale des consciences, la réussite temporelle tiendrait lieu de salut et la foi en un Dieu incarné, aux vents allègres du négoce et des spéculations, s'égarerait en païenne « bonne fortune » d'une vague Providence — il suffit, pour ce faire, de ces dures cervelles, débordantes de bon sens et maniant la critique comme d'autres le tamis, que l'on nous dit « modernes ». Mais tout autant qu'une naturalisation de la transcendance humaine, pouvons-nous reconnaître dans l'attention d'un Fielding pour son pasteur Adams, comme dans la ferveur d'un Smollett évoquant la propriété de Bramble ou, passée la Tweed, un vent rêveur venu d'Écosse, la quête éperdue, drolatique et tendre, d'un Paradis perdu. S'il est exact que, enfant trouvé et bâtard, les thèmes les plus constants du roman anglais s'organisent autour de l'absence ou du refus du père, il n'en reste pas moins vrai que le récit trouve ses rebondissements et l'essentiel de sa signification dans la recherche qui en résulte, à travers les mille tracas de la quotidienneté, dont nous avons montré, tant par les formes littéraires qu'elle emprunte que dans son propos explicite, qu'elle prenait toujours la dimension d'une progressive révélation, d'un apprentissage spirituel : d'une quête d'humanité.

Contre le rigide classicisme de l'aristocratie, « inspiré de l'antique », et faute de traditions culturelles propres à la *middle class*, Fielding puis Smollett, à la suite de Defoe, reprennent les formes du roman picaresque et de l'autobiographie spirituelle, s'inspirent des techniques d'expression du théâtre populaire, des récits d'aventures maritimes, des *novels* et romances, retrouvent le grand rire carnavalesque et la tradition du grotesque — en vain tenteront-ils parfois, plus ou moins consciemment, de détourner le cours de ce fleuve profond à des fins toutes nouvelles, ou de le mêler à des eaux différentes; son immense rumeur couvre alors leur voix, les emporte, les bouscule et parle à travers eux. Fielding est ici exemplaire, en qui s'affrontent sans jamais de répit les puissances de la fable et les tentations discursives de la satire : Hogarth, d'ailleurs, lui fera plusieurs fois le reproche de mal distinguer grotesque et caricature et d'ainsi appauvrir nombre de ses personnages en schémas sans guère d'humanité, et il est vrai que Fielding ne nous émeut encore que lorsqu'en ses écrits le mouvement de la comédie dépasse l'intention satirique, car l'état moyen est ici impossible; les deux attitudes ne se peuvent conjuguer. C'est pourtant le projet qu'il se donne dans *Joseph Andrews* et *Tom Jones* et l'on peut lire encore les traces de cet effort dans les longues digressions, excuses et commentaires qui sans cesse contrarient le cours du récit, et dans son parti pris, aussi, d'y faire intervenir le narrateur, en toute première personne, pour souligner et du même coup détruire les « effets romanesques » comme s'il avait lui-même craint que, pris au jeu, les lecteurs comme l'auteur ne se laissent entraîner, hors de la conscience claire, vers d'inquiétants mystères où pourraient s'éveiller les flammes de la ferveur. En vain : le récit tout au long précipite sa course, les personnages en tumulte dépassent leur créateur et enjambent déjà les trop pesants sermons — amer, dans *Amélia,* Fielding reconnaîtra son douloureux échec...

Digues bien fragiles que ces conventions de la fable, et déjà balayées, aussi vigoureusement que les célébrations d'une nature aimable en tous ses avatars : le roman « bourgeois » n'a jamais existé que dans les obsessions hargneuses des petits maîtres du soupçon, maniaques comme il se doit de mystérieux complots, inquisiteurs prêts à tous les mensonges, et d'abord à eux-mêmes, pour faire taire les murmures des Irlande rêveuses qui s'en viennent chuchoter qu'eux aussi eurent une âme. Au pis, les sermons besogneux qui voudraient, en Fielding plus peut-être qu'en Smollett, éteindre les ferveurs en les laïcisant, se heurtent ici, se mêlent, puis s'égarent aux houles des fictions qu'agite l'infinie nostalgie de l'Eden perdu — à tout le moins doit-on lire leurs romans comme l'espace ouvert, par ces forces contraires, d'une intime déchirure... Mais nous ne les lisons que par ce qui, en eux, par-delà leur contexte, se dresse comme un texte, parcelle d'éternité : leur tendresse et leur douleur devant la souffrance des êtres, leur capacité aussi de mêler rires et pleurs, non leurs morales tirades. A peine se lient-elles, que ces forces se séparent : la fervente quête d'une liberté humaine dans les voltes et les tours d'un Carnaval enfin revivifié traversera le siècle pour être recueillie; amplifiée, prolongée, via le *Sturm und Drang,* par le romantisme même — le reste, qui proprement relève de leur classe et de son étroitesse, retombera inerte à la surface du temps, sans autre descendance qu'une très édifiante et mortifère littérature domestique, tout juste bonne à faire, pour l'usage des esclaves, l'éloge de l'étable...

Hogarth, ou le présent de l'humanité...

La respiration de l'époque ainsi restituée, son tourment intérieur enfin préservé des réductions faciles des criticismes modernes, nous pouvons sans doute distinguer ce qui profondément sépare, de tous ses successeurs, le grand vivant Hogarth. Dirons-nous en effet que ce sont ses théories, abondantes et tardives, sur cette « ligne de beauté » par lui inscrite, un jour de 1745, au fronton d'un livre de gravure, et dont les courbes, s'engendrant les unes les autres sans se refermer jamais, selon lui entraînaient le regard dans une « chasse capricieuse », qui nous le rendent aujourd'hui si nécessaire, quand ses contemporains le tenaient pour un créateur de second ordre? Car elle n'est pas si originale qu'on le croit, cette fameuse théorie, surtout puisée par son ami le Dr Kennedy dans le *Trattaro dell'arte della pittura* de Lomazzo : elle est même la théorie esthétique fondamentale des peintres maniéristes de la Renaissance, lesquels, jugeant que la régularité n'est belle que si le principe opposé en vient rompre la monotonie, tenaient cette union paradoxale des contraires pour la figure gardant en elle enclose l'énigme même de l'éternité; elle est au principe de la conception des jardins à l'anglaise comme de l'esthétique rococo, et bien avant Burke ou Winkelmann on en trouve déjà une esquisse chez Hutcheson. Plutôt y verrions-nous l'expression d'un Hogarth déçu et vieillissant qui voulut se donner sur le tard, près de la *upper class,* une stature nouvelle de théoricien et de peintre d'histoire, si une étude plus attentive ne révélait qu'elle a uni de la manière la plus paradoxale, par une pirouette très carnavalesque qui renvoie cette « ligne » vers l'esthétique du grotesque, la figure du peintre en quête de reconnaissance et celle du tonitruant et généreux contestataire : on ne remarque pas assez, en effet, que la gravure donnée par Hogarth comme l'exemple même de la « danse mystique » de Milton, intitulée *The Country Dance,* oppose l'élégance compassée, si exactement rococo, et la pose affectée tout à fait ridicule d'un « couple de beauté » à la tumultueuse exubérance, au débordement de vitalité, aux burlesques attitudes des autres danseurs, pourtant dessinés eux aussi dans le plus strict respect des principes sacrés de la « ligne serpentine » — Hogarth, donc, use moins des vertus de cette ligne pour exprimer la beauté que pour en faire la caricature, et réussit dans cette gravure le tour de force d'une charge dévastatrice contre l'afféterie rococo qui épouse étroitement — jusqu'à s'en vouloir faire l'illustration — l'esthétique même de ce pauvre rococo-là. Mais après tout, pourquoi pas ? Il suffit d'un changement de regard — de ce regard que Hogarth avait si vif et pénétrant — et d'un humour aussi énorme qu'imperturbable, pour que les canons jusque-là admis de la beauté apparaissent médiocres, compassés, mornes conventions d'une classe figée sur ses stéréotypes, et qu'à l'inverse le laid, l'incongru, le bizarre viennent camper désormais la Beauté elle-même — cette disposition de l'esprit à tout mettre à l'envers est comme la signature même de l'univers grotesque. Ainsi l'aquarelliste Sandby, lorsqu'il croyait moquer ce qu'il disait *line of Buty* pour rappeler les liens, à son avis honteux, qui unissaient Hogarth au ministre écossais, en inscrivant cette ligne, dans quelques estampes, sur la jambe de bois d'un estropié, était-il, comme on dit, « roulé dans la farine ». Ainsi Hogarth échappera jusqu'au bout aux mièvreries de son temps comme aux vertiges suicidaires de Rowlandson et Gillray par la grâce seulement de ses éclats de rire — non pas le rire sec de qui choisit de déserter le monde pour mieux le fustiger, non pas les ricanements sataniques des esthètes du malheur, non pas la rage froide des grands Inquisiteurs, mais le rire énorme, tonitruant, dévastateur, et pourtant si tonique de ces irréguliers vagabonds qui, courant tous les risques de l'humaine condition, s'en vont par les chemins de l'aventure à la poursuite de l'or du temps.

Très loin des eaux douceâtres de ces médiocraties où lentement s'épuisent toutes les passions et toutes les exigences, pour ne plus laisser en pâture à nos rêves que les soupes tièdes des petits sentiments, des petits renoncements, des petits égoïsmes, le totalitarisme flasque des arasements spirituels que l'on dit « tolérance », quand il s'agit d'abord de tout *se* pardonner et d'interdire enfin, sous l'hypocrite prétexte d'une excellence de la moyenne, les nostalgies superbes des conquérants de l'absolu, très loin de ces accommodements avec l'inacceptable où se perd sûrement le sens de l'humain jusqu'à ne plus lire bientôt dans ce mot galvaudé qu'un synonyme de la faiblesse, Hogarth, riant à perdre haleine, échappe à son siècle... Là en vérité se cache à l'abri des vents mauvais sa grâce singulière, un trésor d'humanité qui toujours le préserve des pleurnicheries de Greuze comme des vains nihilismes de la caricature et le conduit parfois, par-delà ses gravures, jusqu'au bord du miracle... Par refus de l'esprit, ce siècle orgueilleux ne sait plus accueillir l'énigme d'un visage dans l'assomption de son regard — j'ai cru lire ici, dans le surgissement magique de six visages de domestiques sur une toile peinte, dans la profondeur bouleversante de leur regard, comme sur les lèvres humides, presque offertes, entrouvertes, et si avides de vivre, d'une *Marchande de crevettes* telle qu'elle se dégage à grands traits de pinceau, des brumes de l'esquisse, comme la Joconde du siècle, ou dans le mouvement de main espiègle et tendre encore de *Mrs. Garrick,* quelque chose comme le signe d'autres forces, à l'œuvre sourdement sous les idéologies mortifères, le tressaillement, peut-être, de l'esprit refoulé, la promesse d'un art non encore advenu — l'épiphanie, sur la surface des choses, et le flux de l'Histoire, de l'éternel présent de l'humanité...

5

LE RIANT SYSTÈME DU PAGANISME

Une pêche, des prunes, quelques biscuits, un flacon et un pot de faïence simplement disposés sur une table pour une composition presque géométrique, travaillés dans une pâte grasse, torturée, granuleuse, et voici que la matière silencieusement s'anime, comme si une lumière naissait au cœur des choses qui, soudain, nous regardent. *Stilleben,* disent les Allemands, et *Stillife* les Anglais, quand platement nous pensons « nature morte » : nul drame, nulle éloquence ici, discours et bavardages s'éteignent en murmures, l'instant éphémère s'agrandit en présence quand le passé et l'avenir mystérieusement s'accordent et dans le temps, surpris, longuement résonne comme un écho d'éternité... Un enfant retient son souffle, tout entier absorbé par l'intensité magique de ce moment hors le temps quand le toton lancé garde son équilibre, un autre se recueille à l'instant de poser une dernière carte qui peut-être va détruire le si rare équilibre de son bel édifice et l'arracher ainsi à son monde intérieur, le jeune artiste, penché, contemple le dessin sur lequel il travaille avant de reprendre la taille de son crayon et plus rien ne compte pour lui que cette esquisse sur la table — le silence des choses rejoint alors la gravité rêveuse de l'enfance, ici rendue comme jamais personne d'autre en ce siècle ne le sut, sinon peut-être Watteau, et nous renaissons à travers leur regard au sentiment de la présence, pris à notre tour dans l'infime tressaillement de l'âme du monde...

Chardin, dans la lumière des choses

« Manque d'imagination », soulignera cruellement la rumeur de cette époque qui ne se rassurait jamais mieux que dans les gesticulations et les discours, surprise qu'un artiste aussi neuf, à la technique aussi éloignée du « vernis » à la mode, puisse se satisfaire d'imiter les objets les plus bas de notre quotidienneté. Et il est vrai qu'il peint et repeint sans cesse, tout au long de sa vie, les seuls objets qui l'entourent à demeure, au point que l'on pourrait sans doute dresser, par ses tableaux, l'inventaire de son très paisible logis : la cruche de *la Raie* se trouve encore dans *la Fontaine de cuivre*, un objet disparaît telle année, peut-être a-t-il été brisé par accident, le voilà bientôt remplacé par cet autre, des verres plus fins disent une aisance accrue, Mme Chardin s'est procuré de nouveaux gobelets, un changement de lumière marque le départ de la rue Princesse pour la rue du Four, puis pour l'appartement du Louvre, le pot de faïence insensiblement se ternit, l'écuelle se fatigue, les objets peu à peu s'absentent de leur fonction pour se transmuer en une mémoire gravée qui signe une habitation — nulle suggestion, ici, d'un « ailleurs », comme souvent chez les maîtres flamands, par l'ouverture d'une fenêtre, mais un espace rigoureusement clos sur lui-même, dans le vertige immobile d'une intériorité inlassablement approfondie. Triste imitateur, vraiment, pauvre d'imagination, celui-là qui découvre, dans le plus humble objet, l'immensité d'un univers ? Car il ne peint pas un simulacre des choses, comme le voudraient les « réalistes », mais ce qui, à travers elles, nous fait signe, et creuse le monde en demeure — d'où cette sensation étrange, maintes fois soulignée, que la lumière, ici, tremblante à la surface veloutée d'une pêche, ou recueillie au fond d'une bassine de cuivre, littéralement nous regarde. « Un Braque génial, mais tout juste habillé pour tromper le spectateur », disait Malraux de sa *Pourvoyeuse,* la formule vaut d'être retournée, puisqu'il s'agit de la très singulière aventure d'une découverte de soi à travers l'intériorisation du monde, d'une lente spiritualisation de la matière sensible jusqu'à ce point ultime, au terme de sa vie, où le peintre signera coup sur coup, au pastel, les plus bouleversants portraits de tout son siècle : moins un cubisme « habillé » qu'un cubisme *habité.*

Ainsi, seul en son temps, le très discret Chardin préserve les chances d'un art que les pesants docteurs ne sauront pas penser. « Faute d'être assez foncé (sic) dans le dessin et de pouvoir faire ses études et ses préparations sur le papier, M. Chardin est obligé d'avoir continuellement sous les yeux l'objet qu'il se propose d'imiter », note Mariette, qui lui en tient grief. Peintre de genre, donc, à qui l'on concède une sorte de perfection, tout en hésitant à reconnaître que ce genre puisse vraiment être de la peinture — en

1811 encore le *Portrait de Mme Chardin* et l'un des *Autoportraits* seront adjugés pour vingt-quatre francs, ensemble... Diderot, lui-même, pendant plusieurs années, ne prête guère attention à ces œuvres qu'il juge sans apprêt : « c'est toujours une imitation très fidèle de la nature », jette-t-il seulement lors du Salon de 1761, « avec le faire qui est propre à cet artiste; un faire rude et comme heurté; une nature basse, commune et domestique. Il y a longtemps que ce peintre ne finit plus rien; il ne se donne plus la peine de faire des pieds et des mains [...] Il s'est mis à la tête des peintres négligés. » Et puis, soudain, le voilà qui tombe en arrêt devant le *Bocal d'olives* du Salon de 1763 et, d'enthousiasme, écrit ce long chant d'admiration : « C'est la nature elle-même. Les objets sont sur la toile et d'une vérité à tromper les yeux. Pour regarder les tableaux des autres, il semble que j'aie besoin de me faire les yeux. Pour voir ceux de Chardin, je n'ai qu'à garder ceux que la nature m'a donnés et m'en bien servir. C'est que ce vase de porcelaine est de la porcelaine, c'est que ces olives sont réellement séparées de l'œil par l'eau dans laquelle elles nagent, c'est qu'il n'y a qu'à prendre ces biscuits et les manger, cette bigarade, l'ouvrir et la presser, ce verre de vin, et le boire, ces fruits, et les peler, ce pâté, et y mettre le couteau. Oh! Chardin, ce n'est pas du blanc, du rouge, du noir que tu broies sur ta palette, c'est la substance même des objets, c'est l'air et la lumière que tu prends à la pointe de ton pinceau et que tu attaches sur la toile. » L'adhésion est sincère, mais c'est toujours d'une nature consommable qu'il est ici question, d'une *perfection dans l'illusion :* bientôt le dépouillement de la toile, le silence voulu, l'absence totale d'anecdote dérouteront à nouveau le bouillonnant critique qui, deux années plus tard, après avoir encensé le « magicien des compositions muettes », conclura brutalement : « cette peinture que l'on appelle de genre devrait être celle des vieillards ou de ceux qui sont nés vieux. Elle ne demande que de l'étude et de la patience. Nulle verve; peu de génie; guère de poésie; beaucoup de technique et de vérité; et puis c'est tout. »

Il y revient pourtant sans cesse, comme à son plus intime tourment, avec le sentiment aigu que dans cette œuvre tranquille se tient l'énigme qui mettra au défi ses plus fines théories, et d'abord par sa « touche », la moins « naturelle », la moins imitative qui soit, qui place les couleurs l'une après l'autre, « de sorte que son ouvrage ressemble un peu à la mosaïque de pièces de rapport, comme la tapisserie faite à l'aiguille, qu'on appelle " point carré " » (abbé Raynal). « On n'entend rien à cette magie, ressasse Diderot, intrigué, ce sont des couches épaisses de couleur, appliquées les unes sur les autres et dont l'effet transpire de dessous en dessus [...] Approchez-vous, tout se brouille, s'aplatit et disparaît. Éloignez-vous, tout se recrée et se reproduit. » Et c'est peut-être dans ses conceptions esthétiques les plus hardies, alors même qu'il paraît enfin s'approcher de Chardin, qu'il s'en éloignera le plus absolument — dans cet écart se joue tout le destin du siècle...

« Drapé dans la robe antique des Titans »...

Mais voici que l'univers s'éveille, dans les brumes légères de la vallée jouent les premières lumières de l'aube, les esprits murmurent à la surface des eaux, un long frisson porte depuis la forêt engourdie l'appel du rossignol, et Ganymède, enfin, éperdu, ivre de sons et de couleurs, traversé par le « chant de l'universel amour », ouvre ses bras à l'aigle ravisseur.

Vers les hauteurs! Une force m'emporte vers les hauteurs!
Les nuages descendent vers la terre
Les nuages s'inclinent
Au-devant de mon désir
Vers moi! vers moi!
Emportez-moi là-haut
Enlacé, enlaçant
Là-haut jusqu'à me perdre dans ton sein
Père d'universel amour!

Ainsi le jeune Goethe s'arrache à l'étouffante ferveur des frères Hernutes comme aux trop pieuses attentions de Suzanne von Klettenberg pour courir, poitrine nue, cheveux au vent, sous les nuits de tempête, « lancer son chant à la face des nuages de pluie et des orages de grêle ». Une force inconnue tantôt l'écrase contre la terre et lui broie la poitrine, tantôt le déchire, le soulève et l'emporte jusqu'aux quatre horizons de la voûte céleste. Lorsque la lune pâle luit sur les étangs gelés, il s'élance et patine jusqu'à perdre le souffle, un poignard sur la peau pour en sentir l'acier, ou bien il va danser sur les clochetons de la cathédrale de Strasbourg pour vaincre le vertige, rôde les nuits très noires parmi les tombes fraîches, fréquente les hôpitaux afin de s'aguerrir au spectacle des blessures, se jette dans l'incendie du ghetto juif de sa ville et en ressort roussi, sauveur, héros. Pour Heine, il est un dieu, pour Lavater, un roi. Ah! se fondre dans le chant profond de l'univers, se laisser habiter par lui en le mimant, jusqu'à la transparence où naît enfin le cri, le murmure primordial de la vraie poésie! Ou bien, tous ses chevaux cabrés depuis le fond de l'horizon, déferler sur le monde tel un barbare rieur, drapé dans la « robe antique des Titans », et puis escalader le ciel pour insulter les Dieux! Tantôt il est Ganymède, et tantôt Prométhée.

Couvre ton ciel, Zeus,
D'un rideau de nuages,
Et pareil à l'enfant,
Qui cueille des chardons
Exerce-toi
Sur les chaînes et les cimes des montagnes!
Il faudra bien, pourtant, que tu me laisses ma terre
Et ma chaumière que tu n'as pas bâtie,
Et mon foyer
Dont tu m'envies la flamme.
Je ne connais rien de plus pauvre sous le ciel
Que vous autres, les Dieux...
[...]
Moi, t'honorer ? Pourquoi ?
As-tu jamais calmé les souffrances
De l'homme accablé ?
As-tu séché les larmes
De qui pleure dans le noir ?
Et qui donc m'a fait homme,
Sinon le temps tout-puissant
Et l'éternel destin
Qui sont mes maîtres et les tiens ?

Jamais l'Allemagne n'avait entendu résonner pareille voix. Les bons bourgeois de Francfort, comme M. le Conseiller, son père, s'inquiètent de ce désordre soudain, son entourage piétiste frissonne sous les blasphèmes, le tendre Wieland, effaré, le déclare « possédé ». Sombre, ardent, farouche, le jeune homme surgit sur la scène du temps comme l'archange sublime du *Sturm und Drang*, la foudre, ou un torrent.

Vite, vite, Kronos!
Presse ton trot ferraillant!
Le chemin descend vers la plaine.
Ta lenteur et tes craintes
Me remplissent d'un ignoble vertige.
Allons, malgré les cahots,
Par-dessus les troncs et les pierres.
Au galop, vers la vie!

A tous, au nom de la puissance qu'il sent gronder en lui, il annonce que les temps sont venus de se passer des Dieux.

> Me voici
> Je modèle les hommes à mon image,
> Une race pareille à moi,
> Qui souffrira, qui pleurera,
> Qui jouira, qui se réjouira,
> Et qui t'ignorera,
> Comme moi.

Entre ce jeune titan, brûlant encore du feu volé, qui éprouve dans l'ivresse l'élan de son génie, et le sévère Boileau, qui pareillement fondait tout son *Art poétique* sur la stricte exigence d'une « Nature imitée » l'évidence, pour le moins, d'une mutation culturelle...

Quand la Nature, en nous, s'éveille

Il s'agit bien toujours d'« imiter la Nature », mais les mots, entre-temps, pour épouser les âmes, ont dû changer de sens. « Belle Nature », « Nature idéale », imitée par le peintre comme le modèle absent, ou cachée dans les choses, que l'esprit, par des règles immuables, délivre du contingent comme l'harmonie celée dans le chaos du monde, toutes ces formules qui procèdent d'une déspiritualisation des notions de Révélation et de Tradition paraissent vidées de sens, vers le milieu du siècle, tandis que l'art lui-même s'appauvrit et s'égare — nul ne peut plus tenir, s'il se sent créateur, que l'œuvre encore imite une telle Nature. La pensée esthétique, disais-je un peu plus haut, s'éprouve dans l'impasse et la nature de l'art paraît lui échapper. Pas complètement, pourtant : voilà qu'une rumeur venue de l'Angleterre gagne l'Europe entière, d'autant plus séduisante qu'elle mêle en son premier tumulte les grands rêves barbares d'une jeunesse lassée du culte des Anciens et le sursaut déjà des nouveaux dissidents, criant face aux docteurs l'irréductibilité du sujet humain — sans jamais sortir du cadre obligé de l'imitation, elle impose une radicale mutation du regard, annonce quelque chose comme une révolution. Et cette rumeur, qui accorde au poète une fonction toute nouvelle, évoque la création dans des termes jusque-là inouïs, qui, dans le désarroi du temps, prennent tout à coup des allures d'évidence... On tenait jusque-là que l'œuvre d'art imitait, tout, partie, ou idéal prototype de la

Nature, *mais ne serait-ce pas plutôt l'artiste qui, produisant des œuvres, se laisse habiter par la puissance proliférante de la Nature, reçoit d'elle son impulsion, prolonge son mouvement créateur, imagine à son exemple — l'imite* ? Schiller fera du poète le gardien, le témoin et le vengeur de la Nature, celui qui en retrouve la voix rebelle, tumultueuse et belle, sous les alluvions des conventions sociales, des intérêts et des modes; Karl Philipp Moritz, considérant les œuvres moins dans leurs rapports de représentation que comme expression, évoquera une *Bildungskraft,* faculté de formation semblable à celle de la Nature, par laquelle l'homme s'éveille à la création; Goethe, superbement, dira que c'est la Nature, pour s'arracher à elle-même et se contempler enfin, qui produit ses chefs-d'œuvre, à travers les artistes auxquels elle insuffle simplement ses puissances créatrices : le renversement est copernicien.

Mais ces formules n'ont leur tranchant aussi acéré que parce qu'elles viennent en conclusion, ou en apothéose, d'un mouvement, et non comme on le dit généralement, croyant définir sans plus de réflexion le romantisme, en glorieuse ouverture — chantant le tressaillement des énergies vitales, que font Goethe et Schiller sinon prolonger, systématiser — et, quand il le faut, laïciser — les réflexions de leurs deux maîtres spirituels Hamann et Herder sur la *Naturpoesie,* cette « fille de la terre » qui a « sucé le sein de la Nature » ? Partout la poésie a précédé la prose, elle est comme la langue maternelle de l'espèce, et l'homme n'est d'abord qu'un animal qui chante. Les premiers âges du monde furent la demeure de la poésie vraie, libre des règles étouffantes qu'édictent les cités, joyeuse comme les feuilles des arbres chuchotant à l'éveil des printemps, limpide comme la mer jouant dans les goémons, terrible comme les tempêtes hurlant depuis les noires falaises de la Calédonie, mais rebelle toujours, rassemblant dans ses rythmes toutes les puissances de la Création, et chaque poème encore réveille par son chant les lointains souvenirs de ces temps libres et fiers. Mais diraient-ils cela, ces deux maîtres à penser, s'ils n'avaient pas vibré à la lecture de Young, s'ils n'avaient pas reçu comme une révélation les *Odes runiques* de Mallet, les *Reliques* de Percy, les *Bardes gallois* d'Evans, l'*Ossian* de Macpherson, toutes ces poésies des scaldes gaéliques, mangées de brumes et d'écume, où résonne encore, comme l'écho oublié de la harpe des forces, l'infinie nostalgie des paradis perdus ? Mais ces poèmes eux-mêmes n'auraient pas vu le jour si un obscur tressaillement dans les tréfonds du temps ne les avait pressentis; nul n'aurait songé à battre les chemins sauvages de la Calédonie et vaincre les préjugés pour recueillir, comme des pierres brutes non encore ciselées, les récits et les chants de bergers illettrés, si une mutation de la pensée, au plus complet ahurissement des tenants du classicisme, n'en avait tout à coup suscité le désir. Et comme l'a montré l'érudit W. Thomas, les *Conjectures on Original Composition* elles-mêmes, où, distinguant les besogneuses copies des Anciens de l'imitation de la Nature, Young réservait à celle-ci les vertus du génie, par une image végétale des plus révélatrices — « je compare l'ouvrage (de l'original) à ces végétaux que la Nature élève seule : il germe et sort du sein de son génie; il croît et vit sans le secours de l'homme; c'est un être de plus et non pas seulement une forme nouvelle » — ces thèses, qui eurent un si profond retentissement dans toute l'Europe, ne sont en fin de compte qu'une mise au point très remarquable des débats qui avaient opposé ou uni, tout au long du premier demi-siècle, Addison, Shaftesbury, Husbands, Blackwell, Warton, Hurt, Hogarth et Samuel Johnson. En 1740, l'historien des Celtes, Pelloutier, pouvait affirmer tranquillement que « l'ignorance et le mépris des lettres sont la véritable origine de la poésie », et mieux encore Vico, méditant sur l'origine des langues, refusait, en 1725 déjà, le dogme du caractère culturel de la poésie pour la définir comme une « nécessité naturelle » — l'idée en sera reprise, avec des résonances très étranges et très neuves, par Jean-Jacques Rousseau, dans deux essais fulgurants sur l'origine des langues et de l'inégalité, qui nous fascinent encore par leur rythme haletant, nerveux, exaspéré, et leur formulation souvent énigmatique, comme si en eux battait le pouls même de l'époque, en ce carrefour où convergent, se heurtent et brûlent toutes les énergies et toutes les fièvres d'un monde qui est aussi le nôtre...

Cette liste, sans doute, pourrait presque indéfiniment s'allonger, car il s'agit bien d'une intense fermentation intellectuelle, qui agite le siècle en son entier, et non pas simplement, comme on le dit souvent, s'interdisant ainsi toute compréhension des véritables enjeux, Nature contre Raison, d'une rébellion préromantique devant les prétentions excessives de l'intellectualisme des Lumières — étrange réaction en vérité, qui précéderait ici les grandes œuvres des Lumières! Et comment peut-on encore sérieusement tenir pour une « aberration », ou une « curiosité », que le matérialiste d'Holbach puisse chanter : « Reviens, enfant transfuge, reviens à la Nature », quand il s'agit, à l'évidence, du résumé de toute sa philosophie? Comment s'étonner de ce que La Mettrie, dans son *Homme machine,* vante les vertus du « génie » ? Cette Nature nouvelle, porteuse de tant d'élans, d'extases et de tempêtes, prise dès son apparition dans des rapports fort complexes d'attirance et de répulsion vis-à-vis du renouveau spirituel porté par la dissidence, est bien d'abord l'invention de l'empirisme lui-même, pressentie, prépensée, préformée dès lors que, cherchant, dans l'irritabilité des tissus ou dans les lois d'association des idées, l'équivalent du principe de la gravitation, on entend fixer la sensation comme la source obligée de la pensée. Alors, sourdement, la matière s'éveille, des forces obscures remuent dans nos tréfonds, les chairs tressaillent d'exigences nouvelles. Je ne suis plus cet être de seule raison, ce sujet désincarné, pure substance pensante, échappant à la loi d'un monde mécanisé conçu par le rationalisme du siècle précédent : ma pensée, mystérieusement, se noue aux déterminismes qui régissent les choses et aux tumultes de mon corps, tandis que la Nature, jusque-là tenue pour une création donnée une fois pour toutes, réservoir à jamais de types idéaux, morne mécanique répétant son tic-tac dans un espace indifférent à l'angoisse des hommes, soudain, se vitalise, bourgeonne d'efflorescences à ce jour inconnues, s'éveille à l'ivresse du devenir — des énergies nouvelles me traversent, me bouleversent, me soulèvent, dont je ne sais plus trop si je suis le maître et qui, peut-être, lors même que je crois en jouer comme de ma liberté, silencieusement, me jouent...

Ah, se sentir être, sentir la vie, enfin! Trop longtemps corsetée dans les dogmatismes et les mécaniques cartésiennes, l'époque s'abandonne à l'ivresse des sens, comme si elle découvrait un continent nouveau. Cyrano de Bergerac déjà, disciple de Lucrèce et sans doute d'Epicure, disait éprouver son existence comme un sentiment corporel, l'abbé Prévost, pareillement, liera ce sentiment à ce « composé auquel je donne le nom de mon corps » puisque, aussi bien, il « croît par la force et l'embonpoint de ses membres, tandis qu'il s'altère et qu'il diminue par leur dépérissement et par leurs maladies » et Buffon, merveilleusement, chantera cet instant où l'homme traversé par toutes les énergies de la nature se sent grandir aux dimensions de l'univers : « Je me souviens de cet instant plein de joie et de trouble où je sentis pour la première fois ma singulière existence; je ne savais ce que j'étais, où j'étais, d'où je venais. J'ouvris les yeux. Quel surcroît de sensations! La lumière, la voûte céleste, la verdure de la terre, le cristal des eaux, tout m'occupait, m'animait et me donnait un sentiment inexprimable de plaisir. Je crus d'abord que tous ces objets étaient en moi et faisaient partie de moi-même. » Et Jean-Jacques, déjà, comme en un écho cristallin, infiniment fragile : « Je naissais dans cet instant à la vie, et il me semblait que je remplissais de ma légère existence tous les objets que j'apercevais. Tout entier au moment présent, je ne me souvenais de rien; je n'avais nulle notion de mon individu, pas la moindre idée de ce qui venait de m'arriver; je ne savais ni qui j'étais, ni où j'étais; je ne sentais ni mal, ni crainte, ni inquiétude... »

La Tradition, entendue dans son sens spirituel, tenait l'âme pour ce lieu épiphanique, *mundus imaginalis* où les univers se symbolisent les uns dans les autres, s'incarnent les idées et se spiritualise la chair, l'entre-deux « concret-spirituel » où l'imagination créatrice opère la nécessaire médiation entre les perceptions des sens et les concepts de l'entendement. Car la Nature n'est pas bonne, de cette terre que l'homme, depuis sa Chute, éprouve comme un chaos méchant, un feu éteint, le lieu de son exil, où chaque chose, d'abord, nous dit la tragédie d'un Dieu perdu : ce sera donc notre humaine aventure, ici-bas, que de retrouver en nous, et dans le monde, les traces de Dieu, notre Orient, de « sauver la Nature » pour la rendre habitable — ainsi l'âme spiritualise la matière sensible, par le moyen de l'imagination créatrice, et creuse le monde en demeure...

L'âge classique, refusant toute puissance cognitive à l'imagination, séparant absolument l'Esprit de la Nature, s'enferre dans le strict dualisme de la pensée et de l'étendue, sans plus de moyens pour penser leur rapport — et probablement ne fait-il en cela que poursuivre le processus de sécularisation de la Révélation inauguré en l'an 869 lors du deuxième concile de Constantinople par le refus de la triade corps-âme-esprit, et surtout marqué au XIIe siècle par le « coup d'État » de l'Église, lorsque le sac de Byzance, le massacre des Albigeois, la liquidation des Templiers et la création de la Sainte Inquisition manifestent le surgissement d'une idéologie de conquête inspirée d'Averroès et d'Aristote, bientôt systématisée par Thomas d'Aquin.

Contestant le rationalisme innéiste de l'âge classique, *les philosophes éclairés, à la recherche d'un « médiateur » qui leur permettrait de rompre le cercle maudit du dualisme cartésien, ne trouvent rien de mieux que d'imaginer une nouvelle incarnation, mais laïque celle-ci, où la Nature vient confusément jouer le rôle autrefois dévolu au monde imaginal.* Mais Boehme, Platon et généralement les gnostiques, tentaient de sauver le monde en le spiritualisant, de lui donner un sens en trouvant notre Orient, cette fois c'est la Nature, comme un bloc d'énergie arraché de la nuit primordiale, un précipice, ou une prison, dans laquelle s'agitent des forces inconnues, qui pénètre l'homme, peu à peu l'envahit et le vide de son âme... Alors, passées les premières extases, dans l'amertume des après-fêtes, l'esprit vacille devant ce paradoxe incontournable d'une Nature dont on attend toutes les libérations, les règles morales et la sécurité, quand les savants nous la décrivent mue par des lois qui nous traversent et nous ignorent...

Jean-Jacques peut bien chanter, sur les tonalités les plus variées, les voluptés de l'infini rêvé, lorsque les pensées se perdent dans le vague, « cette étourdissante extase à laquelle mon esprit se livrait sans retenue et qui, dans l'agitation de mes transports, me faisait écrier quelquefois : " O grand être! O grand être! " sans pouvoir dire ni penser rien de plus », l'inquiétude, pourtant, n'est jamais loin, car dans ce flux de sensations qui le traversent de ses musiques, tel un vent rêveur de toutes les partances, qui jouerait de ses nerfs comme des cordes d'une lyre, la conscience de son individualité lentement se dissout, bientôt ne parvient plus, malgré tous ses efforts, à se ressaisir ou à se repenser. Le « sentiment de l'existence », cette ivresse de sentir la vie rugir à travers soi, où l'être humain éprouve toutes les jouissances d'une puissance démesurée, se paie d'une impossibilité, désormais, de penser la transcendance humaine, de se penser individu, sujet. « Ai-je un sentiment propre de mon existence, ou ne la sens-je que par mes sensations ? Voilà un premier doute qu'il m'est, quant à présent, impossible de résoudre », note Rousseau, en relisant *la Profession de foi du vicaire savoyard*. Et c'est bien la grande affaire, en effet, qui va voir s'opposer ce sentiment nouveau de l'existence et l'affirmation de la transcendance du sujet humain, tout comme Locke s'était déjà opposé à l'innéisme de Malebranche. « Plus j'examine cette idée de pure existence, résumera excellemment Maupertuis, plus je tâche de faire taire toutes les autres sensations qui m'en distraient, et plus il me semble que cette idée ne vient que d'une sensation : il me semble toujours que je ne sens mon existence que par quelque partie de mon corps. » Ainsi le sentiment de l'existence dérive presque nécessairement vers un physiologisme qui ne permet guère de ressaisir ce qui distingue l'homme de l'animal. Buffon tentera bien d'introduire une sensation particulière, nous arrachant à l'immersion extatique, que l'on dirait *mémoire* — « la conscience de son existence, ce sentiment intérieur qui constitue le moi, est composé chez nous de la sensation de notre existence actuelle et du souvenir de notre existence passée. Ce souvenir est une sensation tout aussi présente que la première... » — mais le naturaliste Charles Le Roy aura beau jeu de lui faire remarquer qu'un renard qui se serait libéré d'un piège en se coupant la patte garderait lui aussi, plus que probablement, un souvenir de son existence passée. Et s'il s'agit d'affirmer que l'homme est un animal historique, qu'a-t-on fait, sinon remplacer une difficulté par un mot, auquel on attribue subrepticement le rôle de la transcendance que l'on nie, nouveau doublet empirico-transcendantal qui viendra opportunément masquer les trop criantes contradictions de l'idée de Nature, toute comme le doublet Nature masquera, à son tour, les lézardes de l'Histoire ? Ainsi Nature et Histoire, loin de s'opposer, comme chacun feint de le croire, au contraire se répondent, se soutiennent, pour barrer plus sûrement toutes les voies d'accès à la transcendance perdue...

Ce qui distingue sans doute les philosophes de ce siècle prétendu éclairé de leurs prédécesseurs, Leibniz, Spinoza, Malebranche, c'est précisément... qu'ils n'en sont pas, mais des *idéologues,* qui, dans les situations délicates, se fixent moins pour objectif la quête ardente de la vérité que la conquête de l'opinion : bien rares seront les audacieux qui courront le risque de s'en aller voir jusqu'au bout de leurs idées, la règle commune étant, dès lors que la réflexion bute sur une contradiction en toute rigueur insurmontable, de la contourner aussitôt par quelque ruse ou compromis, de susciter en somme, par la grâce d'un nouveau doublet empirico-transcendantal, un espace de confusion où l'adversaire, à l'instant même qu'il croit vaincre, vient sûrement se perdre... L'empirisme, que l'on s'accorde à tenir pour le trait le plus caractéristique des Lumières, ne s'oppose pas seulement à l'absolutisme du rationalisme innéiste, mais aussi — et peut-être surtout —, au nom de la lutte contre la superstition, à cette grande mutation de la conscience religieuse qui se marque alors dans toute l'Europe par une rébellion du sujet face aux axiomatiques intellectualistes, une réactivation des puissances de l'art, une tentative en Allemagne, portée par la deuxième vague du piétisme, de conjuguer les leçons de Jakob Boehme avec celles d'un néoplatonisme que l'on redécouvre péniblement à travers ses réductions rationalistes, et le grand embrasement, enfin, du méthodisme — et il saura user de ruses d'autant plus subtiles pour conjurer ses ferveurs « libertaires », qu'il est par avance instruit des tours de sa pensée, la plupart des grands empiristes anglais étant nés dans la mouvance des dissenters. Aussi s'éviterait-on bien des confusions si, au lieu de s'acharner à vouloir partager le siècle, raison contre superstition, en deux camps irréductibles, on voulait bien reconnaître qu'aussi diverses soient-elles dans leur détail, les positions s'organisent toujours autour de trois pôles majeurs, rationalisme, empirisme, dissidence, les « affaires » n'éclatant en général que lorsque deux de ces pôles trouvent à s'allier, par compromis ou confusion « empirico-transcendantale », contre le troisième, en précisant enfin que les relations entre ces trois pôles ne sont pas identiques, rationalisme et empirisme ne s'opposant, au fond, que comme deux manières différentes de conjurer les périls de la dissidence, toujours prêtes à se lier lorsque par trop « l'infâme » menace! Ainsi, lorsque l'abbé Le Large de Lignac s'attaquera au sensualisme des disciples de Locke, au nom d'un « sens intime », étincelle divine en chacun, irréductible à toute objectivation, il trouvera comme premiers contradicteurs... les docteurs de la Sorbonne qui, suspectant dans cette subjectivité, où la personne s'éprouve par grâce divine sans plus de médiation, des relents de gnosticisme bien plus dangereux à tout prendre que le sensualisme ambiant, loin d'acclamer l'abbé comme le restaurateur de la foi en un siècle d'impiété, n'hésiteront pas, pour son plus grand désarroi, à l'accuser de lockisme!

L'idée de Nature que les philosophes, à tâtons, peu à peu élaborent, ou retrouvent, qui dans le *De natura rerum* de Lucrèce, qui dans un Épicure revu et corrigé par Gassendi, s'oppose dès l'orée du siècle au grand mécanisme de Descartes mais ne parvient pourtant à en triompher... qu'au moment où une jeunesse rebelle, au nom d'une Nature apparemment différente, puisque porteuse d'une spiritualité revivifiée, prétend rompre tant avec les « Cacouacs » qu'avec les rationalistes anciens. Et elle triomphe — en abandonnant, d'ailleurs, en chemin ceux des philosophes qui ne sauront pas s'adapter —, non parce qu'ainsi stimulée par la compétition elle a su trouver en elle-même les moyens de dépasser ses trop criantes insuffisances, mais parce qu'elle réussit le tour de force de paraître céder au mouvement de rébellion, jusqu'à lui emprunter ses thèmes et son vocabulaire, d'en prendre même la tête, pour mieux la reconduire en fin de compte, par un jeu subtil d'ambiguïtés entretenues et de changements de sens, dans le cadre formel du rationalisme. Ainsi, dans l'espace devenu stratégique de la production artistique, ne paraît-elle jamais mieux rassembler toutes les énergies d'une création enfin libérée de la tyrannie des règles héritées des Anciens que lorsqu'elle les coupe, en fait, de leur vivant foyer, l'affirmation de la transcendance humaine, cette puissance de transfiguration que nous avons montrée inscrite dans le symbole, pour les réinscrire dans le strict cadre d'une « Imitation de la Nature ».

L'insurrection Rousseau

« Ardents missionnaires d'athéisme et très impérieux dogmatiques, ils n'enduraient point sans colère que, sur quelque point que ce pût être, on osât penser autrement qu'eux [...] Je me dis enfin : me laisserai-je éternellement ballotter par les sophismes des mieux-disants, dont je ne suis même pas sûr que les opinions qu'ils prêchent et qu'ils ont tant d'ardeur à faire adopter aux autres soient bien les leurs à eux-mêmes ? Leurs passions, qui gouvernent leur doctrine, leurs intérêts de faire croire ceci ou cela, rendent impossible à pénétrer ce qu'ils croient eux-mêmes. Peut-on chercher de la bonne foi dans des chefs de parti ? Leur philosophie est pour les autres; il m'en faudrait une pour moi » — Jean-Jacques, bien sûr, au carrefour du siècle... Mais si ses œuvres alors bouleversent tous les paysages de l'Europe, réveillent des échos aussi rares, travaillent les consciences avec une telle puissance d'ébranlement, si les ferveurs sont telles et les haines si farouches, cela tient moins sans doute à l'extrême finesse, parfois, de leurs spéculations philosophiques, bien au-dessus des préoccupations de l'époque, qu'à l'évidence, soudain, au siècle des âmes meurtries par le jeu cruel des masques et les pirouettes de l'esprit, qu'ici un homme se dresse, qui parle en son nom propre. Non point d'abord une « pensée », mais une *musique,* jusque-là inouïe, et en chacun, lisant, se lève un vent de liberté, tandis que tressaillent les plus secrètes harmonies. La phrase, jusque-là encore gâtée par les apostrophes, périphrases, antithèses, de l'éloquence classique ou sinon concise, ramassée, pour mieux restituer, dans la clarté voulue de son énoncé, le piquant d'un trait d'esprit ou le tranchant d'une démonstration, ici s'anime, s'éveille à tous les bruissements de la création, se gonfle de parfums et d'images, précipite son élan comme si elle battait au rythme d'un cœur immense ou bien encore s'attarde en de savantes langueurs quand trop l'âme s'égare, erre, vagabonde, se nourrit de ses vertiges, joue de ses obscurités comme de ses transparences, en une étrange danse de séduction, tire de ses sonorités et de ses associations les plus troublantes suggestions, travaille dans l'épaisseur de la pâte des mots pour les arracher à leurs significations habituelles, nous surprendre encore et réveiller peut-être, en deçà de tout concept, la puissance de surgissement de la Parole — il s'agit bien d'une machine de guerre, dressée contre les philosophes, désormais décrétés ennemis de toute l'humanité.

Celui qui parle ainsi autrefois fut des leurs, jouant au bel esprit à l'imitation de Voltaire, servile à souhait et donc aussi cynique, « rampant » plus qu'à son tour pour enfin « parvenir », courant du salon de Mme d'Épinay à celui de M. de la Pouplinière, ami de Condillac et de Mably, collaborateur de l'*Encyclopédie*, n'avait-il pas même projeté avec Diderot de lancer un journal à la mode, *le Persifleur* ? Mais tout cela est fini, il a trop éprouvé les mensonges et les ruses de ces prétendus sauveurs du genre humain pour les supporter plus longtemps, désormais assuré que l'on ne peut croire dans les villes, que l'athéisme est nécessairement lié au phénomène urbain, que ces « Lumières » factices ne sont que citadines, voilà qu'il préfère aujourd'hui la calme retraite des forêts à la vaine agitation des salons, tandis que ses anciens amis le poursuivent de leur haine, de leurs sarcasmes et de leurs calomnies. Mais qu'importent les discours des plus savants docteurs lorsque, souffle divin ou élan de nature, « une voix s'élève en nous » que plus rien ne peut faire taire ?

La déchirure de l'histoire

Cette voix, comme une parole en deçà de toute langue, tressaillement ineffable au cœur même du silence, dans l'avènement de la pure présence à soi, encore faut-il la vouloir retrouver, sous le fracas du monde et les vains bavardages qui sans cesse nous séparent, dans une lente remontée vers cette source en nous d'où, un jour, a jailli le grand fleuve du langage.

Au commencement — et ce terme est ici à entendre dans le double sens d'une origine de l'histoire, « il y a des millions d'années », et de ce murmure d'éternité, dont la langue, inlassablement, nous sépare et qui, seul, pourtant, fait sens en chaque parole — au commencement, donc, quand le langage de l'homme n'était pas encore, Dieu, ou la Nature, *se* parlait en lui, sans nul besoin de code ou de traduction, parce qu'il était lui-même encore en Dieu, ou en la Nature : l'homme, simplement, *écoutait* cette pure respiration de l'Être, comme celle même de son intimité, et telle était sa Loi. Loi de nature ou loi divine, mais Loi, et non point impulsion impérieuse de l'instinct, car l'homme, à la différence de l'animal, écoute : il lui est donc donné la liberté, virtuelle, de ne pas entendre, et de désobéir.

Mais un cataclysme a détruit sans recours cet Eden, la brutale déflagration de l'anti-nature qui était en la nature de l'homme comme sa liberté, et ce fut, comme une irréparable expulsion hors de l'Être, l'aube même des temps. Alors, seulement, en son nouvel « état de nature », après la Chute, pour combler le manque d'Être qui le taraude comme une blessure inguérissable et toujours le sépare de lui-même, l'homme invente le langage et avec lui la société, puisque, pour communiquer dans la distance désormais creusée de soi à soi et de soi aux autres, celui-ci postule une langue, un code, une convention, autrement dit une *assemblée.* Ainsi la naissance du langage est-elle une catastrophe irrémédiable, qui affecte chaque parole prononcée d'une essentielle absence d'Être, car la langue n'est pas faite pour raviver notre intime déchirure et retrouver en nous les nostalgies rêveuses d'un Eden perdu, mais pour tout oublier au contraire, et d'abord nous-mêmes, sous le fracas des bavardages, jusqu'à ce moment où l'oubli de tout sens nous conduit vers la barbarie de notre ultime Nature, morte à l'espérance, devenue pur chaos — alors, vraiment le Paradis en nous pourra être dit perdu.

Mais si le drame de la Chute s'est joué en un seul coup de dé, à l'origine des temps, et ne se peut donc espérer conjurer, il ne se rejoue pas moins dans chaque parole humaine et se répète indéfiniment dans la trame des jours comme notre cauchemar, ou notre chemin de croix — ainsi seulement pouvons-nous comprendre ce paradoxe, avec lequel joue et rejoue le *Discours sur l'origine de l'inégalité,* que la langue est toujours nécessairement déjà là, comme condition de toute parole et de toute pensée, donnée en une seule fois, et qu'elle a, pourtant, une histoire : car cette Chute hors de l'Être, cette brutale déchirure dans le flux de l'éternité, a une histoire, pour cette raison, au moins, qu'elle *est* l'histoire, son drame, notre agonie...

La Parole perdue

Au commencement, dans cet hiver du monde, après la Chute, l'homme donc, seul et nu sous les cieux froids, crie son épouvante et ses appels courent, libres encore à la surface des choses, sans se prendre dans des codes. Cris, puis gestes, danses, chants bientôt, dans cet intervalle où elles anticipent encore sur leur langue, les paroles communiquent universellement parce qu'en deçà du concept elles signifient moins un objet qu'elles n'expriment un sujet parlant, dans sa pleine et neuve affectivité. Mais voici peu à peu que la langue s'élabore, nomades hier, les hommes se rassemblent et chacun de leurs groupes paie sa plus grande entente d'une perte d'universalité, puisque telle est sa malédiction originelle que la langue ne s'affine qu'en expulsant le sujet de sa parole. Ainsi est-ce l'autre de soi, toujours, qui, dans la langue, parle, et *se* parle à travers nous — autrement dit le tyran —, ainsi la langue est-elle nécessairement moyen de manipulation, « agent d'une universelle duperie », machine diabolique à recréer de la solitude à l'intérieur même des groupes où elle se parle — pourra-t-on jamais être plus seul que dans une ville, étranger aux autres comme à soi-même? Poète alors celui qui éprouve dans son âme ce drame d'une Parole qui ne peut plus se dire que dans le code d'une langue et sûrement s'y aliène, s'y déchire et entre en agonie, lors même qu'elle se croit chant de libération. Mais quelque chose pourtant tressaille encore dans la gangue des mots, et sourdement fait sens malgré les conventions et les vains bavardages, une flamme, une étincelle, l'écho peut-être encore de l'origine perdue, cette voix d'avant toute autre parole qui « parle à notre cœur », dont les savants docteurs ne veulent rien savoir — nous ne retrouverons jamais l'Eden d'avant la chute, mais nous reste encore à préserver le sens, à retenir le monde sur le bord du chaos, avant la barbarie. Au vrai, il est déjà trop tard et le chant du poète ne s'élève jamais qu'à l'extrême fin du monde, dans le dénuement de qui, contre toute langue, tente encore de parler en son seul nom propre, habitant rêveur de ces terres de l'âge d'or dont nous ne savons rien, mais qui nous tiennent l'âme, prophète assurément, non point pour prédire quelque avenir, car nous n'en avons plus en ce temps historique, mais pour proférer encore, contre l'empire du mal et contre toute raison, le « cri de la nature » et réveiller peut-être cette éternité douloureuse qu'emprisonnent les choses...

Le songe du philosophe

L'Eden d'une plénitude dans l'Être, la Chute, et, s'il se peut, les voies ou l'espérance d'un salut, fût-il imaginaire... Depuis sa première illumination, un jour de 1749, sur la route de Vincennes, lorsqu'il lisait dans le *Mercure de France* la fameuse question posée par l'Académie de Dijon « si le progrès des sciences et des arts a contribué à corrompre ou à épurer les mœurs », jusqu'à ses derniers *Dialogues,* ne s'en écartant sur tel ou tel point que pour y revenir aussitôt, comme si là était son « centre de gravité », Rousseau ne cessera d'osciller autour de cet ensemble de thèses : la proximité de leur organisation avec le ternaire gnostique est proprement étonnante, si l'on considère que cette pensée ne lui fut jamais familière, bien qu'il cherchât pourtant passionnément une voie de salut hors des Églises et des dogmatismes — et c'est assurément cette parenté, malgré toutes les ambiguïtés et les hésitations de la pensée, cette intime conjugaison d'une rébellion exaspérée contre la loi du monde et d'une révélation intérieure, dans la pureté incantatoire d'un chant où paraît s'éprouver une puissance inépuisable de reprise sur la nuit menaçante, qui le fera partout acclamer comme le prophète, sinon d'une spiritualité renouvelée, du moins d'une sensibilité rebelle.

Mais une gnose bien étrange, tout de même, à mieux la détailler. Car cette parole salvatrice qui précède toute parole, la dira-t-on d'un Dieu transcendant, rédempteur, qui nous arrache à notre nature pour nous recréer Homme, ou bien est-ce le murmure rêveur d'une Nature heureuse, perçue comme une donnée immédiate, immanente à la conscience ? La vérité vient de Dieu et parle à notre cœur, écrit Rousseau, mais en même temps n'intériorise-t-il pas le divin dans l'affectivité de telle sorte que, lieux d'émission et lieux de réception confondus, plus rien ne puisse plus venir brouiller la transparence du message ? Plutôt qu'un Dieu transcendant, n'est-ce pas l'homme qui, ainsi isolé du monde et des humains, se parle à lui-même, au bord de la folie, pour s'assurer, malgré tout, de lui-même ? Et comment tenir la dissolution dans la Nature, quand les grands rythmes cosmiques vibrent à travers soi, et le recueillement au plus intime de sa subjectivité, pour une seule et même expérience spirituelle, où Dieu se donne, sans médiation aucune ? Mais Rousseau jamais ne répondra : il ne *peut* pas répondre.

Ce ne sera pourtant pas faute d'essayer : il est un texte de lui, peu connu, probablement écrit vers 1760, tout à fait unique dans sa production, et pour cela sans doute trop rarement analysé, intitulé *la Fiction, ou morceau allégorique sur la Révélation* qui, de ce point de vue, rend un son très étrange... Pour la première fois en effet, et peut-être la seule, Rousseau y évoque la Révélation et tente de la définir, en des termes presque chrétiens, comme une grâce accordée par un Dieu transcendant, en récompense d'un renoncement à la tentation prométhéenne de la spéculation. Mais voici que le récit, qui jusqu'alors combinait adroitement les thèmes favoris de Rousseau et les catégories de la religion chrétienne, soudainement hésite, vacille, puis se brise, *dès lors qu'il s'agit de prendre en compte autrui :* le philosophe éclairé par Dieu se doit, nous dit-on, d'aller vers les hommes porter le témoignage, or, sans que rien ne nous y prépare, et plutôt que d'aller, voilà que le philosophe, épuisé par ses trop brutales émotions... *s'endort et se met à rêver.* Et voilà que dans son rêve des hommes surgissent en troupeaux, les yeux bandés par des prêtres ricaneurs, qui se livrent au meurtre et à la débauche, dans d'effroyables orgies, tandis qu'ils idolâtrent sept horribles statues, chacune représentant un péché capital, plus une autre mystérieuse, qui demeure voilée. Après qu'un premier philosophe eut été mis à mort pour avoir osé enlever les bandeaux qui aveuglaient ses semblables, Socrate lui-même intervient et arrache le voile de la huitième statue. Arrêté, condamné, il est exécuté — mais une gêne, sourdement, travaille notre rêveur : Socrate, mourant, a ordonné de toujours adorer cette idole démasquée — le philosophe, au fond, n'adore-t-il pas toujours les idoles qu'il dévoile ? Alors retentit une voix divine, et Jésus apparaît sur l'autel pour annoncer que les temps sont venus du repentir et de la guérison, en des termes, il faut bien le dire, d'une affligeante platitude. Le texte, comme asphyxié par ces platitudes mêmes, erre un instant encore puis, soudain, s'interrompt — notre philosophe rêveur ne s'éveillera donc jamais... Pourquoi Rousseau ainsi s'arrête-t-il en chemin ? Par embarras sans doute, et incapacité d'animer plus avant ce Jésus ambigu. D'ailleurs est-il un Dieu, celui-là, ou bien, certes, un idéal de l'homme, prophète sage et vertueux, sans doute ennemi des fanatismes, mais surtout un gêneur, ce tiers abhorré qui toujours vient brouiller la céleste communion, l'effusion frémissante de Dieu, seul, en Jean-Jacques, quand leurs souffles à tous deux se confondent en Parole, dans le miracle enfin réalisé de la transparence ? Rappelons-nous, dans l'*Émile,* ce cri révélateur : « Quoi ! toujours des témoignages humains, toujours des hommes entre Dieu et moi ! »...

Car nulle part en ce texte il ne sera question de la divinité du Christ. « Celui-ci est mon fils bien-aimé », disait la voix d'en haut, selon Marc et Matthieu. Rousseau, lui, choisit d'écrire, et ce n'est point hasard : « C'est ici le fils de l'homme. Les cieux se taisent devant lui, terre, écoutez sa voix » — ainsi son texte, qui déviait devant autrui, défaille devant la transcendance du Christ. Et ce n'est point là un détail de doctrine, mais une perversion qui affecte tout l'édifice et radicalement sépare Rousseau de cette renaissance spirituelle à venir que l'on appellera romantisme, ce recul devant le dernier saut qu'impose la foi, cette incapacité à supporter l'idée même de transcendance ne signifie pas autre chose — et le mouvement du morceau allégorique est, sur ce point, éclairant — que le *refus d'autrui,* jusqu'au point d'en faire l'incarnation du mal.

Nuage vaporeux et aigle dominateur

Sans doute a-t-il pensé d'abord à ces cyniques au cœur sec qui tant jadis le meurtrirent, d'Holbach, Diderot, Voltaire, ou même à l'intellectuel générique, puisque celui-ci, par essence négateur d'intériorité, produit l'Autre en chacun, c'est-à-dire le tyran, mais bien vite c'est le monde tout entier qui s'est fait sous ses yeux un lieu d'universel complot et c'est l'intériorité d'Autrui maintenant qu'il ne supporte plus, autrui comme la limite obligée à l'expansion de ses élans. Dans le face à face, tandis que je me donne, gémit Jean-Jacques, l'autre toujours m'oppose la muraille de son regard : quand la seule relation humaine concevable est la communion immédiate, la musique des cœurs sans nul besoin des mots, autrui se ferme sur son énigme et me repousse, c'est donc là qu'est le mal, *autrui est bien l'instrument d'une universelle aliénation* — cette catastrophe qui, à l'aube des temps, m'a précipité hors de l'Être, dans l'histoire, ce n'était donc que le regard de l'autre qui se posait sur moi! Mais aucun « je » ne se peut concevoir sans la rencontre d'un « tu », la transcendance de l'autre, seule, me désigne la mienne propre, « tu » repoussé comme le suprême mensonge, le « je » ne se peut plus ressaisir qu'en imagination dans l'immanence d'une Nature — ainsi Rousseau doit-il nécessairement poser comme équivalents, *à travers une fiction,* le recueillement de soi dans le silence de l'intimité et sa dilution dans les grands flux vitaux, sur un monde qu'aucun regard étranger, jamais, ne viendra plus borner; ainsi désigne-t-il indifféremment par « sentiment de l'existence » l'affirmation d'une inviolable intériorité et la danse extatique d'une Nature qui nous traverse et nous emporte. Une gnose, donc, jusqu'à en mimer les effusions, les étapes et les tours de vocabulaire, mais une gnose sans transcendance, sans Incarnation, sans Rédemption, une gnose brisée, en somme, tâtonnant en aveugle dans un monde de ténèbres, qui ressasse indéfiniment son vertige et erre, désorientée, sous un ciel sans étoile parce qu'elle veut refuser le visage de l'autre, et dont nous savons bien, pour cela, qu'elle est totalitaire en sa visée. « Une belle âme », dira Hegel, qui s'épuise d'elle-même « comme une vapeur sans forme qui se dissout dans l'air ». « Un aigle », répondra Hölderlin :

« Et il prend son vol, l'esprit audacieux, comme les aigles
A la rencontre des orages, prophétisant
Ses Dieux qui viennent. »

Ils auront, tous les deux, évidemment raison, sans percevoir, peut-être, qu'ils disent la même chose, *et qu'en ce « même » se tient la fortune de Jean-Jacques...* Longtemps les spécialistes tinrent sa pensée pour incohérente, juxtaposition hétéroclite d'emprunts mal digérés, puis ils insistèrent à l'inverse sur sa nécessaire cohérence, sans trop s'accorder cependant sur les définitions de son contenu — cohérente, elle l'est sans doute, cette étrange pensée qui se grise de ses mots comme pour ne pas se perdre, et toujours fuit comme eau vive entre les mailles du concept, mais de l'effrayante cohérence d'une compulsion névrotique qui, inlassablement, se répète dans le cercle qu'elle trace pour conjurer le monde, cohérente pour peu que l'on accepte sans murmure quelques mots clés, mixtes toujours de sensibilité et d'entendement, où, mystérieusement, se réconcilient toutes les contradictions, où la pensée peut se confondre avec la rêverie, l'essence avec l'existence, la Nature avec Dieu, le transcendantal avec l'empirique...

Et la singulière puissance de déflagration de ces œuvres qui littéralement changeront toute la physionomie du siècle, et situeront leur auteur au carrefour des énergies, tient évidemment moins à leurs vertus de cohérence qu'à la mise en œuvre, dans leur chant de rébellion contre l'ordre mauvais, de ces « mixtes » flottants où deux langages jusque-là opposés viennent se mêler de telle sorte que Jean-Jacques, lors même qu'il prétend briser le mensonge de son temps, et séparer enfin le mal radical du souverain Bien, toujours, parle le sensualisme dans le langage de la dissidence et crie l'insurrection de l'Esprit dans les catégories du sensualisme — qu'il régénère ainsi à son corps défendant et en fin de compte, miraculeusement, sauve. Lisez, dans le *Vicaire savoyard,* comme il s'oppose, sur la question du « sentiment du moi », au sensualisme de Locke et d'Helvétius par cet argument péremptoire : « mes sensations se passent en moi, puisqu'elles me font sentir mon existence » qui en fait reproduit exactement... le schéma du sensualisme lui-même, sensation/conscience de la sensation/conscience d'exister ; voyez sur ses manuscrits comme toujours il hésite, rature, va et vient entre « sentiment intérieur », « principe actif », « principe intérieur », « principe immédiat de la conscience », « sentiment du moi », « sentiment de l'existence » pour finalement y confondre, au sens strict, les deux figures de l'intériorité et de la sensation : c'est sa pensée tout entière qui s'organise autour de ces glissements de sens.

Non point qu'il fut, bien au contraire, plus mauvais philosophe que d'autres, mais sans doute lui fallait-il ainsi ruser pour conjuguer l'élan lyrique de son chant de rébellion avec l'exigence ressentie de plus en plus impérieusement d'une négation d'autrui — et ce fut cette ruse, plus encore que son chant, qui fit donc sa fortune, en ce qu'elle permit de séparer la rébellion de sa référence transcendante, pour la mêler enfin aux caprices du libertinage — car de quoi s'agit-il en effet, sinon d'un libertinage de la foi, lorsque l'autre nié sous le prétexte de transparence l'on se livre, chantant les vertus de la Nature, à la simple adoration de soi ?

Ainsi Rousseau, lors même qu'il les charge avec ardeur, par cette ruse, ou ce piège, d'une gnose sans transcendance, renforce les Lumières de toutes les ferveurs qu'elles combattaient jusque-là et véritablement les sauve — l'Histoire, ce me semble, en apporte témoignage. Et si l'on reconnaît dans la Révolution la figure par laquelle les rébellions singulières viennent se prendre et se perdre dans le piège de leur commune raison, d'une volonté générale où l'État se nourrit de sa propre contestation, alors, assurément, tout à la fois nuage vaporeux et aigle dominateur, emblème des Lumières, Rousseau peut être dit le premier penseur de la Révolution.

Une ruse folle, sans doute, mais une ruse de guerre, puisqu'il s'agissait d'abord d'exterminer cet « autre » insupportable, pour qu'enfin puissent venir les temps réconciliés de la pure présence, et sans doute lui fallut-il cette ruse pour vivre en sa folie — mais que l'on songe alors que sa folie fut la raison du siècle...

« Génie, pur don de la nature »...

L'endroit, comme il se doit, est solitaire et sauvage. Quelques hameaux, au loin, dans la plaine, une chaîne de montagnes inégales, déchirées, qui barre l'horizon et, sous l'ombre des grands chênes, le sourd grondement d'une eau souterraine : Dorval, la poitrine soulevée, respirant avec force, s'abandonne au bouleversant spectacle de la nature inviolée. « C'est ici que l'on voit la nature, s'écrie-t-il enfin, au comble de l'exaltation, la voix altérée par la vivacité des sensations qui le traversent en tumulte, voici le séjour de l'enthousiasme. Un homme a-t-il reçu du génie? Il quitte la ville et ses habitants. Il aime, selon l'attrait de son cœur, à mêler ses pleurs au cristal d'une fontaine; à porter des fleurs sur un tombeau ; à fouler d'un pied léger l'herbe tendre de la prairie ; à traverser, à pas lents, des campagnes fertiles ; à contempler les travaux des hommes ; à fuir au fond des forêts. Il aime leur horreur secrète, il erre. Il cherche un antre qui l'inspire. Qui est-ce qui mêle sa voix au torrent qui tombe de la montagne ? Qui est-ce qui sent le sublime d'un lieu désert ? Qui est-ce qui s'écoute dans le silence de la solitude ? C'est lui. Notre poète habite sur les bords d'un lac. Il promène sa vue sur les eaux, et son génie s'étend. C'est là qu'il est saisi de cet esprit, tantôt tranquille et tantôt violent, qui soulève son âme ou qui l'apaise à son gré. O Nature, tout ce qui est bien est renfermé dans ton sein ! Tu es la source féconde de toutes vérités ! »

Ainsi le poète, ivre déjà des énergies « qu'au céleste foyer déroba Prométhée » (Chénier *dixit*), titube devant les splendeurs du monde qu'il libère du chaos par la seule puissance de son chant, et ce sont les voix mêmes de la création, le rugissement des torrents, la noire rumeur des tempêtes atlantiques et les murmures du vent sur les prairies d'Eden, qui se lèvent et chantent dans sa voix. Ainsi s'éprouve-t-il à la fois créateur et créé, comme le médiateur par qui se révèle le sublime de la nature, tandis qu'une singulière faculté s'éveille en lui, jusque-là sans doute assoupie, ou maintenue en laisse par les règles et le goût, les conventions sociales, trop de civilités, une puissance sauvage qui le presse, le bouscule, le possède *et toujours pourtant strictement se confond avec ses élans les plus spontanés et les plus libres* : le génie — « le poète sent le moment de l'enthousiasme, poursuit Dorval de plus en plus agité, il s'annonce en lui par un frémissement qui part de la poitrine et qui passe, d'une manière délicieuse et rapide, jusqu'aux extrémités de son corps. Bientôt ce n'est plus un frémissement, c'est une chaleur forte et permanente qui l'embrase, qui le fait haleter, qui le consume, qui le tue, mais qui donne l'âme, la vie, à tout ce qu'il touche. Si cette chaleur s'accroissait encore, les spectres se multiplieraient devant lui. Sa passion s'élèverait presque au degré de la fureur. Il ne connaîtrait de soulagement qu'à verser au-dehors un torrent d'idées qui se pressent, se heurtent et se chassent. »

Les classiques, certes, n'ignoraient pas les mystérieuses vertus du style, ce « je ne sais quoi » par lequel une œuvre tout à coup retentit en chacun, non plus que les tumultes des « fureurs poétiques », ce « feu de l'âme », ou bien ces fièvres encore qui s'emparent de l'artiste à l'instant de créer, le rongent, le dévorent et parfois le soulèvent, mais faute de les pouvoir expliquer, sinon par quelque suggestion d'une imagination exacerbée, trop grande activité des viscères ou déséquilibre des humeurs, ils les tenaient en grande suspicion, comme puissances latentes de désordre et de rébellion, surtout préoccupés de les contenir dans le strict cadre de règles obligées. Et si Boileau y pouvait quelquefois reconnaître, du bout des lèvres, « du ciel l'influence secrète », cela n'allait pas jusqu'au sacrilège d'attribuer à l'imagination une capacité de création ou de connaissance : par-delà les variations dans l'interprétation des tumultes physiologiques ou psychologiques constatés, il va de soi, pour tous les classiques, que le « génie » ne se rapporte pas au mot latin *genius* mais à *ingenium* et ne désigne donc qu'un agencement particulièrement heureux des facultés de l'âme, une pénétration plus grande de l'entendement, une acuité particulière de la perception, une lumière plus pure de l'intelligence — « une raison active qui s'exerce avec art sur un objet », dira le dernier grand théoricien du classicisme, l'abbé Batteux, « qui en recherche industrieusement toutes les faces réelles, tous les possibles, qui en dissèque minutieusement les parties les plus fines, en mesure les rapports les plus éloignés; c'est un instrument éclairé qui fouille, qui creuse, qui perce sourdement ». Car le génie ne crée pas un monde, dans l'abondance de ses images et la fantaisie de ses rythmes — cela est affaire divine, qui s'est jouée en sept journées, à l'origine des temps, et l'univers depuis n'est plus qu'une mécanique, un catalogue de types —, il n'invente rien à proprement parler, mais découvre avant les autres ce qui existait déjà : « inventer dans les arts n'est point donner l'être à un objet, c'est le reconnaître où il est et comme il est. Et les hommes de génie qui creusent le plus ne découvrent que ce qui était auparavant... »

« La poésie suppose une exaltation de tête qui tient presque de l'inspiration divine », affirme à l'inverse le très matérialiste Diderot — ainsi, par-dessus l'âge classique, les intellectuels des Lumières paraissent retrouver la figure traditionnelle de l'artiste inspiré. Mais divine, vraiment? « Génie, écrit Saint-Lambert dans l'*Encyclopédie,* pur don de la nature. » Et c'est précisément dans ce passage que va se jouer toute la pensée du siècle, car cette « nature » nouvelle qui s'éveille, sourdement tressaille dans l'artiste, et dont on veut croire qu'elle le traverse, le dépasse, et parle par sa voix, sans jamais cesser de se confondre avec sa parole la plus libre, se trouve ainsi subrepticement parée de tous les attributs de la divinité — à l'exception, bien entendu, de la transcendance, puisqu'en cette affaire il ne s'agit jamais que de la nature humaine, quand l'homme « naturel » prétend se libérer de la divine tutelle, autrement dit, dans son sens le plus strict, du regard de l'Autre, pour s'affirmer son propre Dieu : le « mythe » de Pandore imaginé par Voltaire, sans doute à partir des *Métamorphoses* d'Ovide [1], comme le récit fondateur d'une autocréation humaine, dans lequel Prométhée anime son humaine stature d'une « flamme céleste » dérobée, non plus à des Dieux jaloux, cruels et sans puissance réelle de création, mais tout simplement au « Palais de l'Amour », et dont notre philosophe fit un livret d'opéra qu'il disait, en riant à demi, son « péché originel », pour l'opposer au mythe chrétien de la Genèse, que Milton venait superbement de raviver dans son *Paradis perdu,* ce « mythe » n'a pas d'autre signification...

La transcendance barrée, et donc toute Loi niée, autre que celle du pur désir, le génie, s'il faut en croire l'*Encyclopédie,* « ne se souvient pas : il voit; il ne se borne pas à voir : il est ému; dans le silence et l'objectivité du cabinet, il jouit de cette campagne riante et féconde; il est glacé par le sifflement des vents; il est brûlé par le soleil; il est effrayé des tempêtes », et par cette faculté d'une présence absolue à l'inépuisable diversité du monde, dans la communion éprouvée avec les forces élémentaires de la Nature, il découvre la puissance en lui d'une énergie intime, supérieure à toute autre parce que l'expression la plus vraie de sa personnalité : cette Nature qui le transperce, le bouleverse, s'agite et crie en lui est *sa* nature; ce monde par-delà les mornes horizons de la raison commune, plus loin que les étoiles, est son monde intérieur, le torrent des cosmiques énergies, son énergie vitale, ce qu'il croyait jusque-là la garantie de sa singularité, la signature même de son identité : sa raison, n'était donc que seconde, irriguée, portée, précipitée sur le grand fleuve des passions, ou sinon vain barrage de règles et conventions sociales tout juste bonnes pour le troupeau.

Ranimant, dès le premier siècle de l'hégire, la braise ardente que laissa l'Ange en lui, comme le témoignage de la Présence increéée, par la succession réglée d'exercices d'ascèse, de respiration, de prière, ou bien encore de danses, sur des rythmes obsédants, dans la mémoire brûlante toujours de Dieu, par la répétition inlassable de son seul nom, jusqu'à l'extase enfin où, disant le Seigneur, il prononce le mot « je », le mystique soufi vise à cette annihilation des attributs de sa personne dans la pure Essence inaccessible qu'il appelle « fana' » — mais c'est, pour le coup, les mimant dans

1. Cette idée d'une création de Pandore par Prométhée est en effet étrangère à la tradition grecque. Refusé par Rameau, au grand dépit de Voltaire, le livret fut en fin de compte mis en musique par Royer.

l'idolâtrie de la « Nature », que nos modernes matérialistes versent dans le plus pur fanatisme... Cette imagination de la matière en nous est supérieure à la raison, assure le rationaliste La Mettrie dans son *Homme machine,* car elle est comme sa source, sa chair, son dynamisme, par elle « le froid squelette de la Raison prend des chairs vives et vermeilles ». Et quel mépris pour « les hommes sensés, ces idoles des médiocres, faits pour suivre les chemins battus » chez l'autre grand matérialiste Helvétius! Car « le propre de l'esprit juste est de tirer des conséquences exactes des opinions reçues; or ces opinions sont fausses pour la plupart et l'esprit juste n'est donc, le plus souvent, que l'art de raisonner méthodiquement faux » : l'homme de génie se distingue du commun par la qualité de ses perceptions, l'intensité de ses sensations, l'irruption sauvage des forces de la nature en lui, qui brisent toutes les règles, comme les petites lois du goût, pour « voler au sublime, au pathétique, au grand ».

Et que dit d'autre Diderot, lorsqu'il écrit à Sophie Volland : « L'homme médiocre vit et meurt comme une brute. Il n'a rien fait qui le distinguât pendant qu'il vivait; il ne reste de lui rien dont on parle, quand il n'est plus; son nom n'est plus prononcé, le lieu de sa sépulture est ignoré, perdu parmi les herbes [...] tout ce que la passion inspire, je le pardonne. » La vertu ? la morale ? le simple respect d'autrui ? Hypocrites balivernes conçues par les faibles à la seule fin de justifier la dictature sournoise de leur médiocrité, la petitesse de leurs frileux élans, la platitude morne de leurs existences, s'écrie Helvétius, « mais en êtes-vous plus recommandables ? Qu'importe au public la bonne ou mauvaise conduite d'un particulier ? Un homme de génie, eût-il des vices, est encore plus estimable que vous! » Et Diderot, enfin, qui ne s'embarrasse pas de vaines précautions : « A qui passera-t-on les défauts si ce n'est aux grands hommes ? Je hais toutes ces petites bassesses, qui ne montrent qu'une âme abjecte; mais je ne hais pas les grands crimes : premièrement, parce qu'on en fait de beaux tableaux et de belles tragédies; et puis, c'est que les grandes et sublimes actions et les grands crimes portent le même caractère d'énergie. Si un homme n'était pas capable d'incendier une ville, un autre homme ne serait pas capable de se précipiter dans un gouffre pour le sauver. » En ces temps qui n'avaient pas encore appris les détours, les ruses et faux-semblants de nos modernes « désirants », le chemin, on le voit, est direct, du refus de la transcendance à l' « esthétique du crime »...

Voilà bien une providentielle faculté, appelée à jouer le rôle de ciment universel dans les branlantes murailles dressées par la

« philosophie » contre les « superstitions »! Les conceptions « traditionnelles » de l'Imagination Créatrice, telles que nous les pouvons découvrir dans les philosophies prophétiques, tant islamiques que chrétiennes, d'Ibn Arabi à Jakob Boehme, en passant par Molla Sadra Shirazi, Sohravardi, Suso ou Maître Eckhart, toutes articulées sur l'idée d'un Dieu inconnaissable, absolument transcendant, et d'une pluralité des degrés de l'être, sont, nous le verrons bientôt, d'une extrême finesse et d'une grande cohérence — rien de tel ici, mais le recours, en désespoir de pensée, à un mot fétiche où viennent « miraculeusement », et sans critique aucune, se mêler et bientôt se confondre le transcendantal et l'empirique, l'universel et le singulier, le sujet et l'objet, le déterminisme de la Nature et la liberté, le hasard et la nécessité et, bien entendu, le vrai et le faux, puisque le génie, comme nous le rappelle opportunément l'*Encyclopédie,* échappe à toute catégorisation — « le vrai et le faux, dans les productions philosophiques, ne sont point les caractères distinctifs du génie [...]. »

La tache aveugle de la genèse

Créateur ou créé ? Imagination comme pure réceptivité, quête d'une transparence pour l'appel enfin d'un chant déjà né, ou création, au contraire, de mondes recommencés ? Helvétius ne définit le génie comme la faculté même de l'invention — « génie dérive de *gignere, gigno,* j'enfante, je produis; il suppose toujours invention et cette qualité est la seule qui appartienne à tous les génies différents » — que pour aussitôt la rapporter, par des séries de métaphores très suggestives, à un « air du temps » soudain révélé dans la déflagration d'une rencontre fortuite : « Le hasard remplit auprès du génie l'office de ces vents qui, dispersés aux quatre coins du monde, s'y chargent de matières inflammables qui composent les météores; ces matières formées vaguement dans les airs n'y produisent aucun effet jusqu'au moment où, par des souffles contraires, portées impétueusement les unes contre les autres, elles se choquent en un point; alors l'éclair s'allume, brille, et l'horizon est éclairé. »

Créateur ou créé ? L'époque ne répond pas mais explore, fascinée, ces étranges contrées libérées de la présence divine, et ces états limites où la conscience, ivre encore de ses belles échappées hors des chemins trop obligés, tressaille et s'interrompt, inquiète soudain de deviner sous ses pas l'écho lointain d'une rumeur formidable — voilà qu'elle imagine déjà, qui s'agite sous elle, la travaille et peut-être même détermine ses élans les plus libres, une nuit immense, impénétrable...

En 1786, paraît une très singulière brochure, qui, en trente-trois pages et quarante-trois dessins, annonce *A new method of assisting the invention in drawing original compositions of landscape* dont le modernisme en effet, et encore aujourd'hui, a quelque chose de stupéfiant. L'auteur lui-même, Alexander Cozens, n'était pas moins étrange, qui se faisait volontiers passer pour le fils naturel de Pierre le Grand, et dont nous ne savons en fin de compte pas grand-chose, sinon qu'il fut un ami de Beckford, bien que son aîné de quarante ans, et qu'il participa aux fameuses orgies par lesquelles, portes closes sur son château de Fonthill plusieurs jours et plusieurs nuits durant, toute loi morale et institution humaine suspendues, sous les savants éclairages indirects dissimulés dans les lambris par Philipp Jacques Loutherbourg, « l'homme le plus riche d'Angleterre » célébra sa majorité avec la complicité de sa cousine, et maîtresse, Louisa et quelques autres amis très chers — on dit même qu'il joua le rôle d'entremetteur entre le noble excentrique et le jeune Courtenay et cela suffit sans doute à ruiner sa carrière, quand il s'imposait pourtant comme l'un des plus grands peintres du temps.

Mais quelle était donc cette méthode si nouvelle ? « La composition et l'invention des paysages ne consiste pas à imiter les détails d'une nature singulière ; c'est bien plus ; cela impose de concevoir une représentation artistique des principes généraux de la nature », avertit Cozens en ouverture. Rien que de très banal, dira-t-on, la sempiternelle reprise des thèses ordinaires de Reynolds et de Félibien — mais si la Nature, au lieu d'un catalogue de types idéaux, est désormais perçue comme un pur dynamisme, le surgissement d'une force obscure en soi ? Alors tout change et se pose le problème de laisser la puissance créatrice de la Nature se représenter elle-même à travers le peintre, hors des règles et conventions arbitraires, hors même de la réflexion qui trop souvent la bride en voulant la guider. L'idée lui en était venue, raconte Cozens, alors que travaillant sur une feuille tachée il s'était surpris à intégrer les formes de ces taches dans sa composition. Songeant alors à la fascination de Léonard de Vinci pour le fantastique des taches et marques sur les murs où il se plaisait à imaginer des paysages, des rochers, des nuages ou des visages grotesques, il avait tenté de systématiser son intuition dans la théorie du « blottisme »

— traduisons : tachisme interprété. Une telle tache « artistique », écrit-il, « est le produit du hasard, avec une petite part d'invention : tandis qu'il la réalise, le peintre doit fixer son attention sur le projet d'ensemble, sur la forme générale de la composition, et sur elle seule, en abandonnant les parties secondaires aux mouvements les plus spontanés et les plus rapides possible de la main et du pinceau ». Mêlant le noir de fumée, les encres à écrire et la gomme arabique pour composer ses encres noires, brunes et grises, travaillant sur des feuilles transparentes enduites d'un vernis à la térébenthine et préalablement froissées pour accroître encore, sous le va-et-vient du pinceau, le nombre des formes accidentelles, Cozens ainsi travaille jusqu'à ce point de tension hallucinée entre éveil et rêve où l'informel mystérieusement prend sens, quand hasard et intention enfin paraissent se confondre. « Une tache est un assemblage de masses sombres faites avec de l'encre sur une feuille de papier et de masses claires produites par le papier laissé en blanc », poursuit-il. « Toutes ces formes sont grossières et sans signification apparente, étant l'effet de mouvements les plus rapides possible. Pourtant, de la disposition générale de ces masses, se dégage peu à peu une forme compréhensive — qui peut coïncider avec celle projetée avant de commencer la tache. » Faire une tache consiste donc à « exécuter à l'encre sur le papier des masses produisant accidentellement des formes sans aucune ligne et qui suggèrent à l'esprit un certain nombre d'idées. Voilà qui répond à la Nature, car, dans la Nature, les formes ne sont pas distinguées par des lignes, mais par des jeux d'ombres et de lumières. Le trait dessine l'idée, le “ blotting ” la suggère. »

Arbres épouvantés, roches emportées au gré des vents mauvais, visages tels des jugements derniers, mains jaillies de la nuit qui nous appellent encore, bouche sombre ouverte sur un cri qui n'en finit pas de résonner en nous, yeux fous comme des trous sans plus jamais de fond, montagnes formidables déchirant des ciels lourds, torrents, tours improbables, monstres qui nous murmurent d'innommables tendresses, nuages, fleurs, rivières, simples taches inertes, jetées sur des pages froissées qui tressaillent soudain au détour d'un regard, nous regardent, nous brûlent, tandis que des forces sourdes remuent dans notre tréfonds... Pur hasard, processus inconscient, reprise intentionnelle ? L'artiste, en cette aventure, créateur ou créé, feuille blanche sur laquelle la Nature viendrait enfin se peindre, ou Prométhée rêveur, éveillant sous ses encres nos puissances de nuit ? A une époque où, sous le prétexte d'une vérité de nature, les peintres peu à peu abandonnent le travail en atelier pour courir les chemins en quête d'un pittoresque qu'ils saisissent sur le vif en de rapides aquarelles, Cozens, lui, au nom de la Nature, tente la grande aventure des paysages de l'imaginaire, traquant obstinément sous la course vive de ses pinceaux, toujours entre hasard et décision, l'instant halluciné de la genèse du monde.

Comment, de la dispersion indéfinie du donné reçu passivement par la sensibilité, *faire un monde* ? Comment concevoir que le divers de l'espace sensible puisse se *lier* pour, en deçà de tout concept, se délivrer pour nous en *présence singulière* ? L'époque peut bien chanter l'ivresse du sentiment de la pure existence, s'étourdir dans les transports de ce qu'elle dit son « génie », s'égarer à plaisir dans les chemins obscurs de sa « Nature », elle ne peut toujours ainsi masquer par quelques mots fétiches les difficultés qui la travaillent : pour que les taches d'abord informes de Cozens peu à peu s'animent, prennent sens et nous regardent, il faut, bon gré mal gré, supposer un lieu où s'opère une synthèse, un « effet de monde », entre ce qui est reçu dans la pure passivité d'une intuition et ce qui est produit a priori par l'entendement. Et voilà sans doute pourquoi tant elle défaille et ruse : il lui faudrait en toute rigueur oser penser ce que toute la métaphysique occidentale depuis Aristote a tenu pour impensable, *une imagination faculté créatrice de plein droit.* Kant, à l'apogée du siècle, rassemblant toutes ses interrogations et ses inquiétudes, ira jusqu'à la limite, sans doute, de la métaphysique occidentale, et ainsi l'achèvera, pour enfin ressaisir cette insaisissable faculté — vainement : ce sera donc l'aventure du romantisme allemand, ces limites tracées, que la reconduction de la philosophie vers son Orient perdu. Mais il lui faudra l'épreuve de la détresse du monde, pour rencontrer enfin les interrogations de Jakob Boehme et de Platon, un changement de regard, une réorganisation des concepts ordonnant a priori le réel, bref, une conversion spirituelle.

Cozens, face à l'énigme de la création artistique, se risque à la même aventure qu'Emmanuel Kant, mais en peintre, cette fois — et, ce faisant, il n'est pas cet esprit confus, ce génie solitaire ou cette aberration historique que l'on décrit le plus souvent, mais celui qui ose faire de la « tache aveugle » de son époque l'espace même de sa quête. Et s'il le peut ainsi faire, cela tient sans doute à ce que dans les hauts châteaux de la grande nuit gothique, comme dans les égarements du *Sturm und Drang,* les forces contradictoires mises en jeu par l'invocation au tout-puissant génie de la déesse Nature commencent d'exploser.

Mais il aura fallu d'abord s'affronter au « sublime » Milton...

Le dissident scandaleux

Car celui-là écrase le siècle de son immense stature — il sera, tout au long, plus encore que Shakespeare, l'obsession de Voltaire, qui s'en fit en France l'introducteur zélé, puis, faute de le pouvoir assumer jusqu'au bout, tenta par tous les moyens, y compris les plus vils, de le disqualifier, sans cesser jamais de l'admirer, pourtant, comme si l'affaire s'était jouée dans les replis obscurs de son imaginaire, là où la révolte religieuse, l'effroi sexuel, les figures de Dieu, de Satan et du Père viennent, étrangement, se heurter, s'opposent et s'attirent, comme si le refus de Milton avait signifié en vérité d'abord le refus ou la peur d'une part de lui-même. « Bientôt je m'en irai faire ma cour à Milton », confie-t-il en 1765 à d'Alembert, alors qu'en proie à la mélancolie, il se croit moribond — étrange ennemi, en vérité, que l'on salue ainsi une dernière fois, après tant l'avoir injurié, diffamé, manipulé aussi par des traductions scandaleuses, ennemi très intime, au point que l'on se prend parfois à songer qu'il lui fut comme la révélation d'une part ennemie de son intimité.

Nous touchons sans doute ici à l'essentiel : par-delà Voltaire, c'est toute l'esthétique des Lumières qui se joue sur la possibilité de résoudre, par raison ou par ruse, le problème épineux posé par ce très encombrant personnage. Dans le foisonnement de ses écrits, le tumulte de son existence, le flamboiement baroque de son style, son ambition proprement encyclopédique, aussi, de rassembler dans le mouvement d'une épopée la totalité du monde et de l'expérience humaine, il est le dernier et superbe représentant de ce grand idéal humaniste de la Renaissance que les âges rococo ne voudront plus, ou ne sauront, comprendre — mais de cette Renaissance des Pic de la Mirandole, des Nicolas de Cuse, des Marsile Ficin, où la plus haute spiritualité avait su se conjuguer avec la redécouverte de Platon et d'Hermès Trismégiste. Il a connu Grotius à Paris, fréquenté, bien que protestant, les milieux intellectuels italiens, rencontré Galilée, et il semble bien, à lire son étonnant *Common place Book*, que ce Dante égaré en plein XVIIe siècle n'ait eu d'autre préoccupation, pendant toutes ces années, que de se préparer, par un travail colossal de recherche, à la tâche à ses yeux décisive de refaire jaillir, à travers les mots mêmes de la modernité, toute la puissance encore du rêve renaissant. Mais il est en même temps la plus scandaleuse figure de la dissidence anglaise, ce régicide, libertaire, divorceur, qui osait proclamer la foi chrétienne un schisme pour bien la séparer des religions qui, elles, lient les hommes et souvent les enchaînent : la foi seule, répétait-il, l'affirmation contre toutes les institutions répressives d'une lumière divine en chaque homme, fonde le droit et les justes rébellions. D'abord aux côtés des presbytériens, quand les circonstances l'exigeaient, puis des baptistes et des indépendants congrégationnistes, avant de se rapprocher des *dissenters* humanistes, révolutionnaires et mystiques, il est une « secte » à lui seul, prompt à se dresser contre ses amis dès lors que parvenus au pouvoir ils prétendent oublier, sous la commode justification de la *good old cause,* les principes qu'hier encore ils défendaient. Lutteur infatigable, renonçant à toute création poétique vingt années durant pour se livrer tout entier au combat politique et à la défense des libertés; polémiste redoutable, auteur d'une trentaine de pamphlets virulents et superbes; seul intellectuel de l'époque, à l'écart de l'Etat total de Hobbes comme de l' « idéal romain » de Harrington, à défendre jusqu'au bout le strict idéal républicain, appuyé sur le droit et le libre contrat, il épouvante et scandalise l'Europe absolutiste. L'exécution de Charles Ier avait partout suscité indignation et horreur : pour la première fois dans l'histoire, par une décision de justice, l'autorité royale se trouvait séparée de toute référence transcendante — et c'est Milton encore, tour à tour pathétique, tonitruant, cinglant, qui avait, presque seul, riposté coup par coup aux libelles et essais qui voulaient accabler la jeune république! Pour Chapelain il est un « scélérat », « plus infâme », à en croire le comte de Comminges, « par ses dangereux écrits que les bourreaux et les assassins de leur roi », un monstre faisant reproche au monde de ses difformités, assure Saumaise, qui cite Virgile, « monstrum horrendum, informe, ingen, cui lumen ademptum » — sa *Pro populo anglicano defensio,* ce brûlot aux « maximes impies et séditieuses » sera en France saisi, et brûlé sur ordre des Parlements de Paris et de Toulouse.

On le hait et pourtant il dérange, et bientôt il fascine, à mesure que gagne en Europe l'idée de liberté, ce dissenter radical qui ne fut pas pour Cromwell un secrétaire si facile, car il fut sans conteste en son temps le plus ardent défenseur de l'idée de tolérance, tout entier cabré contre les presbytériens hystériques, hier martyrisés, qui à peine vainqueurs déjà dénonçaient comme gangrène pour l'esprit, dangereuses hérésies, *the great Diana of Toleration!* Il sauve

Dovenant, le filleul de Shakespeare, il exige le droit au divorce, dans une vibrante adresse au Parlement, et quand les puritains obtiennent par ordonnance le contrôle des *poisoned treatises* — en clair, le rétablissement de la censure — il se dresse encore, dans le plus beau texte peut-être jamais écrit pour la *Liberté de la presse sans autorisation ni censure,* qui traversera les siècles jusqu'à inspirer la charte fondatrice de l'Unesco. Contre tous les *new forcers of conciousness,* bigots et dévots hypocrites, « oiseaux amateurs de crépuscule », dénonciateurs d'almanachs, futurs dominicains, réducteurs de cerveaux, ennemis jurés de toute vie et de toute pensée, chancres de rouille, étiqueteurs débiles, publicains des douanes de la pensée, confits en leur vertu fuyarde et cloîtrée, marchands sournois de pureté, champions menteurs de la Vérité que seule anime l'inextinguible haine d'autrui, « car nous n'apportons certes pas l'innocence dans le monde, mais bien plutôt l'impureté : c'est l'épreuve qui nous purifie, or qui dit épreuve dit opposition » — il est affirmé avec une force souveraine, dans une langue somptueuse, ceci, que « les livres ne sont point choses absolument mortes », qu'en eux « est une puissance de vie aussi prolifique que le fut l'âme dont ils sont issus » : « Autant presque tuer un homme que tuer un bon livre! Qui tue un homme tue une créature de raison à l'image de Dieu; mais celui-là qui détruit un bon livre tue la raison elle-même, tue l'image et comme le regard de Dieu, crime qui ne se limite pas à l'anéantissement d'une vie végétative, mais atteint la quintessence spirituelle, le souffle de vie de la raison elle-même : c'est être meurtrier d'immortalité, non simple meurtrier. »

Mais Milton encore fascine, trouble, séduit, effraye, parce qu'il est de toute évidence, dans ses pamphlets comme dans ses poésies, odes, masques, épopées, un écrivain de génie. Sans doute ne sait-il rien des prétendues règles qu'édictent les pédants, sans doute manifeste-t-il en chaque circonstance un souverain mépris des conventions du bon ton, mais il ravit, emporte, étonne, bouleverse, par le jeu foisonnant de ses images et de ses symboles, la violence de ses contrastes, le tranchant de ses formules, le rythme incantatoire parfois de ses longues périodes, ses excès, ses redites, les feux de sa passion. Sa phrase encercle, frappe, rugit, se fait musique, où l'idée vibre intensément, comme un son qui réveille de complexes harmonies, torrent d'imprécations, soudain, qui submerge l'adversaire, forêt inextricable bientôt d'arguments qui sans cesse se ramifient, s'enlacent, et peu à peu enserrent, elle crie, souffre, caresse, bondit, trébuche et se relance, épouse les mouvements les plus singuliers de l'âme mise à nu, et l'auteur dès lors ne se peut plus séparer de ce qu'il énonce, à la différence des « classiques » qui toujours se dissimulent derrière l'exigence d'une stricte imitation de modèles extérieurs fixés une fois pour toutes : pour Milton affirmant ainsi le primat de l'expression sur la représentation, de toute évidence, le style, c'est l'homme même. Et voilà bien ce qui embarrasse les Lumières, retrouvant Milton lorsqu'il s'agit d'échapper à ces pièges en cascade du principe d'imitation qui sûrement conduisent la littérature à sa ruine, car si le style, c'est l'homme, *comment séparer en lui le style de l'homme, le « sublime » de sa littérature de l'expérience la plus brûlante de la foi, de sa dissidence scandaleuse* ?

Dieu, la rébellion, la fiction

Lorsque Milton, aveugle, retiré des affaires publiques, commence, dans sa maison de Bread Street, l'immense épopée du *Paradis perdu*, il y a longtemps déjà qu'il a perdu ses illusions — s'il en eut jamais : trop jeune encore cette dissidence, trop naïve face aux ruses du vieux monde, sans claire conception de ses implications, si faible devant les tentations de la puissance — « cette folie nous laissera aux mains des ennemis de la liberté et de la foi », confie-t-il à un ami étranger, évoquant les multiples chicanes, la guerre civile larvée, bien avant le rétablissement de Charles II. Et s'il publie en 1760 *The Ready and Easy Way to Establish a True Commonwealth*, ce n'est plus guère que comme « les derniers mots de notre liberté mourante », pour affirmer jusqu'au bout qu'il ne cédera pas. Malgré Charles II, il rappellera encore, en deux très courts pamphlets, les droits imprescriptibles de la conscience face aux institutions — « hérésie » ne signifie-t-elle pas, étymologiquement, « libre choix » ? —, mais le projet qui l'occupe alors est plus vaste, infiniment : rien moins que la tentative, folle apparemment, dans un monde défait qui peu à peu se brise, de dire l'Homme et Dieu par le souffle du Verbe, dans la trame d'une fiction dont on veut tenir qu'elle porte une Vérité autrement indicible, de rassembler encore le cosmos dans l'élan souverain d'une Imagination Créatrice — ce poème total, l'épopée prodigieuse de l'humaine condition, comme la grande prophétie républicaine et biblique, le livre enfin de la dissidence...

Total, parce que le Verbe ici noue l'Histoire à l'éternité, le temps du monde à celui du mythe. Total, parce que le drame cosmique se joue à l'origine du monde et, pourtant, sans cesse se rejoue dans l'âme de chacun comme l'épreuve de sa liberté. La montagne d'Eden s'est effondrée sous les eaux du Déluge, il n'en reste plus rien qu'une île morne et sèche, et sur l'étendue chaotique de notre terre d'exil, tous les lieux désormais se vaudront, sans plus de Paradis extérieur, c'est à l'homme seul qu'échoit la dure tâche d'assumer l'ordre de l'Esprit, pour racheter le monde et retrouver en soi le Paradis perdu — mais c'est toute l'aventure religieuse et le drame du monde, qui se trouvent alors intériorisés, de la Chute au Rachat — et, du même coup, ce que chante le poète s'affirme tout à la fois véridique absolument, puisque au surgissement même de l'Histoire, et pourtant imaginaire. Mais n'est-ce pas là justement désignée l'énigmatique puissance de la fiction, ce par quoi un Texte s'arrache à ses contextes et dépasse ses interprétations pour nous faire face, par-dessus les âges, et nous faire signe ? Prophète donc le raconteur d'histoires, puisqu'en elles se dit quelque chose du Verbe qui échappe à l'Histoire et toujours nous enchante, comme la petite musique de l'éternité...

Il est donc dit ceci, commun à toutes les gnoses, principe même de la dissidence, que plus tard retrouvera William Blake, que l'Histoire n'a pas de sens sans un point de repère au-delà de l'Histoire d'où s'opère la mesure, sans une *métahistoire* — une dimension d'éternité. Contre tous les historicismes qui, refusant cette dimension transcendante, s'extasient de découvrir dans l'histoire empirique une causalité qu'en fait ils introduisent subrepticement, et se condamnent du coup à rejeter comme « mythes », sans les pouvoir penser, ce qui constitue pourtant la trame spirituelle des événements, contre les empirismes qui veulent inscrire l'homme *dans* l'Histoire et le réduire à ses déterminismes, il est ici affirmé, avec une prodigieuse vigueur, que c'est l'Histoire qui est dans l'Homme, comme son exil, ou son exode, que c'est seulement avec l'Homme que commence quelque chose comme l'Histoire, et qu'il y a donc au fond de son être quelque chose qui précède ontologiquement l'Histoire — et il est dit aussi que ce transhistorique, cette dimension d'éternité s'indique dans la Parole, dont l'œuvre d'art recueille les puissances de retentissement, lorsqu'elle s'affirme Texte.

Perdu le Paradis, l'Homme et le Verbe ont chuté de l'éternité dans le temps, et se trouvent captifs désormais dans leurs enveloppes terrestres, leur chair, et leur langue.
transcendant, inconnaissable, se manifeste dans le mo
pluralise en des épiphanies — sans elles nous seri

condamnés sans recours à l'exil, sans nul amour possible, nulle foi, nulle prière, sans nostalgie d'éternité ni appel d'un Dieu caché, à jamais sans salut, voués tout entiers aux puissances du monde, et à la quête de la puissance. Pour qu'obscurément nous nous sentions étrangers à ce monde, qu'en nous s'éveille la douleur de l'exil, il faut donc supposer comme une Présence-Absence de Dieu ici-bas, il faut qu'il vienne à notre rencontre, et qu'en nous s'élève quelque chose vers lui. Dieu certes n'est pas le monde, mais nous ne sommes pas en ce monde, abandonnés de Dieu, une lumière demeure en nous, le sourd tourment de l'infini dans le tumulte du désir, l'énigmatique puissance de l'art, enfin : l'homme, tombé dans la matière et le temps, peut donc se souvenir et, par ascèse, remonter vers cette Lumière où renaître à lui-même. Mais ce drame ne s'est point joué dans l'Histoire, à une origine assignable, dans une fin projetée : il est le drame même de l'Histoire. Aussi faut-il comprendre, comme le cœur de toute gnose, que puisque l'Histoire est dans l'Homme, Satan n'est pas seulement l'autre, comme le suggérait une formule célèbre, ni même l'ennemi de classe, mais qu'il est d'abord une part de nous-même, notre part de damnation, notre « nature » en somme : c'est bien en nous d'abord que l'univers accomplit son infortune, et c'est en nous qu'il nous faudra bâtir le temple de la Jérusalem céleste, si nous voulons quelque jour recréer une cité pour les hommes. Il y a donc une *récurrence de la Création* par laquelle nous échappons aux déterminismes de l'Histoire comme aux séductions de l'Éternel Retour, et demeurons libres, créateurs, dans l'Imagination divine. La Chute se répète sans cesse, à chaque instant le Christ meurt pour nous, rien n'est jamais joué : mais l'autre monde ne se perd pas pour autant dans un ailleurs inaccessible, un passé ou un futur incommensurable, il est, au présent de chaque homme, cette dimension spirituelle qui l'accompagne, comme son Origine et son Retour.

Seul, le Verbe peut nous reconduire ainsi vers notre éternité. Non point les discours et effets de langue, mais la Parole révélée-révélante, lors même qu'elle se dit au travers d'une histoire : œuvre d'art est ainsi ce qui communique par-dessus le fleuve des temps innombrables, et plaît universellement sans concept. Mais le Verbe lui-même, confronté dans le monde à ce qui le détourne et le tue — sa désincarnation par l'intellect, sa désintellection par les jeux de la fantaisie — connaîtra sa Passion avant de retrouver son authentique fonction qui est de prophétie. Non que le prophète, habité par le Verbe, nous prédise l'avenir : tout autre est sa fonction — il s'agit pour lui de proférer l'invisible, de le manifester en ce monde par des épiphanies. Le Verbe, donc, littéralement *transfigure,* il est ce qui, à travers l'épaisseur du monde, la résistance de la matière, fait surgir un *visage.* Et puisque se lit dans son regard l'infinie transcendance d'un univers, chaque visage n'est-il pas déjà comme le visage de Dieu ? Quand se tait l'amour, quand meurt entre les êtres la simple respiration de la parole, pour faire place au seul tintamarre des discours, ne dit-on pas justement des visages qu'ils se ferment ? Aussi bien, cette immense construction de la genèse du monde, à travers le récit du Livre révélé, joue-t-elle sa vérité à se pouvoir reprendre comme une fiction splendide, où se dit simplement le surgissement d'un regard, l'aventure bouleversante du visage d'autrui — mais une fiction vraie absolument, même si sa vérité ne se peut point dire en dehors du jeu de ses figures.

Nous sommes ici au plus près de cette intuition, la plus profonde peut-être de la gnose, que plus tard retrouveront en chemin, comme une étape obligée, William Blake et tous les romantiques allemands, selon laquelle l'objet perçu par les sens n'étant pas plus en lui-même Idée que l'Idée n'est en elle-même perceptible par les sens, il faut donc poser entre les données empiriques et les concepts abstraits de l'entendement un plan médian, où les corps se spiritualisent et s'incarnent les Idées — ce « troisième monde » que Jakob Boehme déjà disait notre « Demeure », ou le « Saint Élément », et que la Tradition désigne par le mot « âme », doté d'un organe de perception spécifique, ayant de plein droit une fonction noétique : l'Imagination Créatrice, par laquelle se symbolisent formes sensibles et formes intelligibles. Et cette fonction de symbolisation radicalement distingue l'Imagination Créatrice de la simple « fantaisie », productrice d'imaginaire au sens habituel, c'est-à-dire d'irréel — celle-là n'est que le triste résidu du dualisme occidental, lorsqu'oubliant la nécessaire médiation, l'esprit, désorienté, défaille devant les séductions de l'image sans la pouvoir penser. Non, point d'irréel, ni de fantaisie : ici, dans l'émerveillement de la beauté, le ciel se symbolise avec la terre, et le Verbe se fait chair.

De quelque façon qu'on la veuille définir, la beauté en effet doit se distinguer de l'utile par ceci au moins qu'elle ne renvoie pas à une finalité extérieure : une œuvre est toujours belle en elle-même, et le beau se peut donc caractériser comme le propre d'un tout existant en lui-même, accompli, autonome, sans justification externe. « Tout accompli en lui-même » : n'est-ce point la définition même de Dieu ? Cette œuvre d'art qui me bouleverse, devant laquelle je m'arrête soudain, tremblant d'une émotion incomparable, cette œuvre pourtant est close, limitée, circonscrite! Autant dire que le trouble qui nous saisit au spectacle de la beauté vient de ce qu'elle est toujours inscription d'un infini dans le fini : *théophanie*. Et le sublime alors désigne, au spectacle des choses, ce frisson d'infinité, comme une risée sur la crête des vagues, annonciatrice de la présence de Dieu. Pas si simple, on le voit, de séparer en Milton l'inspiration de l'écrivain de la ferveur rebelle du dissenter...

Petit Poucet et ordre du monde

Boileau, commentant le traité de Longin, distinguera le « style sublime du rhéteur », qui toujours recherche de grands mots pour imposer sa majesté, du sublime proprement dit qui « enlève, ravit, transporte », dans un « éblouissement », par une seule pensée, parfois, une seule figure, un seul tour de paroles : « “ Dieu dit : que la lumière se fasse, et la lumière se fit ”. Le tour extraordinaire d'expression qui marque si bien l'obéissance de la créature aux ordres du Créateur est véritablement sublime et a quelque chose de divin. » Le sévère calviniste Daniel Huet le chicanera bien un peu sur ces formulations, car le « véritable sublime », selon lui, le « sublime original », ne peut être que le propre de la parole de Dieu, devant laquelle Moïse sut pieusement s'effacer, plutôt que de travailler les tours de son récit à la façon d'un écrivain — le sublime, répète-t-il souvent, ne se peut plus trouver dans les mots trop humains, désormais séparés de la tendresse de Dieu, mais au moins s'accordent-ils tous deux pour rapporter le « sublime » à la révélation divine. C'est pour cela d'ailleurs qu'en bon intégriste, homme d'ordre et d'institution, pour qui la communion avec le Seigneur ne se peut opérer qu'au sein de l'Église terrestre, Boileau prend bien garde de ne le point mêler à son *Art poétique,* sinon par un bref rappel qui révèle son embarras : la poésie n'est pas affaire pour lui d'inspiration sacrée, de « feu divin », de « génie prophétique » mais d'ingéniosité, d'habileté artisanale, de « goût » dans l'agencement de formes convenues, purement décoratives — où plutôt elle *doit* l'être, si l'on veut préserver la Cité de sa plus sûre menace.

Peut-être pouvons-nous mieux comprendre alors les enjeux réels de cette querelle des Anciens et des Modernes — trop souvent présentée comme un pur affrontement littéraire, quand de toute évidence c'est l'ordre même du monde qui s'y trouvait engagé — et le rôle qu'y vint jouer *le Paradis perdu,* en plein cœur des Lumières. Comment comprendre, en effet, qu'un catholique aussi intransigeant que Boileau ait pu tout à la fois combattre le paganisme, interdire dans l'ordre de la foi la moindre connivence avec l'esprit, vivace encore, du polythéisme et recourir pourtant aux divinités des mythologies grecques ou romaines, dès lors qu'entré en littérature il voulait célébrer, par exemple, la gloire de son roi ? Car il ne s'agit pas d'une piquante exception, mais d'une règle générale : poètes, peintres, musiciens, à peu près tous paraissent aussi chrétiens de religion qu'ils sont païens d'imagination — les plus grands peintres d'église, eux-mêmes, dès qu'ils abordent un sujet profane, multiplient les Diane, Apollon, Circé, Protée, Isis, Psyché, Proserpine et Thétis, dont les ébats déjà occupaient les écrits de Saint-Amant, d'Assouci, Benserade, Scarron, l'Hermite, Corneille. Il y a là comme une contradiction, que ne manqueront pas de faire valoir les tenants du merveilleux chrétien, Desmarets de Saint-Sorlin, Le Moyne, Chapelain, La Mothe, Charles Perrault. Desmarets, qui publiera contre Boileau un Discours pour prouver que les sujets chrétiens sont les seuls propres à la poésie héroïque, résume bien l'enjeu, lorsqu'il prend pour sujet de son épopée *Clovis* le « paganisme mourant » : n'est-il pas impie, en effet, de préférer les fables païennes au merveilleux chrétien, dont la Bible nous donne le plus beau témoignage, dans une langue poétique et sublime ? Au moins savons-nous celui-ci véridique, quand nous ne croyons plus à celles-là depuis longtemps. C'est par une même volonté, toujours, de liquidation des mythologies gréco-latines que s'expliquent la vogue soudaine du merveilleux féerique, des *Histoires ou Contes du temps passé* de Perrault, du *Cabinet des Fées,* des *Contes* de Mme d'Aulnoye, où géants très méchants et loups-garous sournois, gnomes malicieux ou cruels, sorciers redoutables et fées bienfaisantes, sylphes, ondines et salamandres, Poucet et Chat Botté se mêlent, surgis « de la grotte enchantée de l'enfance », pour notre douce épouvante et notre ravissement : ils égaieront bientôt, et sans doute à l'exemple du Tasse dans sa *Jérusalem délivrée,* le merveilleux édifiant des épopées chrétiennes de Desmarets ou de Le Moyne — mais c'est qu'on y croyait encore confusément, aux fées et loups-garous, comme en témoigne *le Comte de Cabalis ou entretien sur les sciences secrètes* de l'abbé Monfaucon de Villars, publié en 1670, et l'on pouvait donc les tenir comme les figures, ici-bas, à travers lesquelles se poursuivait l'éternel combat des anges et des démons...

Boileau, hautain, répondra :

> De la foi d'un chrétien les mystères terribles,
> D'ornements égayés ne sont point susceptibles.

L'argument, après tout, se tient : si l'art n'est qu'ornement gracieux, avec ce que le terme suppose d'une puissance potentielle de tromperie, peut-être vaut-il mieux en effet ne lui autoriser l'usage que de mythologies vidées de toute substance, de figures convenues, sans guère de présence — ainsi nous sauverons-nous plus sûrement encore de la tentation de nous y laisser prendre. Mais s'agit-il encore de l'art, ou bien de sa police ? Qu'une exigence nouvelle anime les artistes, qu'une autre idée de l'art, plus attentive à ses puissances, tente de se définir et c'est tout l'édifice classique qui se trouve en crise tandis que rebondit la querelle du « sublime » : le renouveau de l'art, alors exténué dans les strictes ornières de l'imitation, ne se pouvait concevoir que par un retour, contre les grâces fanées de l'Olympe grec, au prophétisme biblique. Mais si Perrault et Desmarets disent vrai, si l'artiste a pouvoir de créer, si quelque chose du souffle divin l'inspire, alors ce sont nos modernes rebelles qui se trouvent à leur tour confrontés à une tâche pour eux insurmontable — rien moins que d'oser opérer une intériorisation complète de l'expérience religieuse et retrouver ainsi les chemins de la gnose, ou de cette dissidence anglaise qui tant alors effraie. Comment, catholiques, le pourraient-ils, quand toute déviation est sévèrement traquée, Fénelon bientôt suspecté à son tour ? Ce n'est point d'abord le talent qui distingue *le Paradis perdu* de l'*Adam ou la création de l'homme* de Charles Perrault, mais l'audace de la pensée, la hauteur de la vision. Le rêve d'une épopée chrétienne traversera tout le siècle des Lumières, sans se concrétiser jamais en une vraie réussite : Milton fascinera tour à tour Ramsay, Louis Racine, Bitaubé, Boesnier, l'abbé de la Baume, Dulard, l'abbé Bérault, Dubourg — toujours ils reculeront devant le pari de la dissidence.

Mais la position de Boileau n'est pas mieux assurée : plutôt s'agit-il même d'un compromis tactique. Car il n'est pas vrai que l'esprit du paganisme soit mort, et ces mythologies tout à coup devenues innocentes — comment le faire croire lorsque, dans son Olympe païen, un Roi Soleil, entouré de ses nobles demi-dieux, se fait adorer dans le faste et la gloire ? Les grands flamboiements des mythologies héroïques, des poésies glorieuses, des pièces éclatantes du XVIIe siècle à ses débuts ne sont point oubliés, car ils répondaient trop à la Fronde des grands, à la magnificence insolente de ceux-là qui se voulaient sans maître, héros souverains qui exigent et qui prennent selon leur bon plaisir, surhommes dédaigneux des lois et des morales, qui trouvaient, dans l'Olympe céleste et les jeux de ses Dieux livrés à la seule règle de leur désir, une image insolente à opposer aux principes chrétiens d'abstinence et d'humilité. Tout Corneille vibre encore de cet orgueil et de cette gloire d'un « moi » qui se veut sans limites, dans le déploiement de sa force, et place son honneur au-dessus de son roi. Du roi, comme de Boileau, la grande affaire sera de réduire cet héroïsme-là — non point de l'affronter directement mais de le circonscrire, le rabougrir, le mettre en cage : un tout-puissant monarque a plus besoin de fonctionnaires zélés que de demi-dieux orgueilleux. Les *Maximes* de La Rochefoucauld, qui, cyniquement, rapportent toutes les valeurs aristocratiques, mépris de la mort, vaillance, constance, honneur, aux seuls jeux de l'amour-propre; ces jansénistes qui, pour les humilier plus sûrement, détruisent au passage toute grandeur humaine; Racine, qui cesse de soutenir la passion par la claire volonté pour la rapporter au tumulte de la nature en soi et toujours met en scène l'instant où la règle domine le héros; Bochart, Vossius, Huet, qui prétendent démontrer que la mythologie gréco-latine procède tout entière de l'Ancien Testament, par plagiats successifs et falsifications — de toutes parts convergent les attaques, dans le même temps qu'à la cour les nobles se soumettent, tout en se jouant encore la comédie de la grandeur, à travers des mythologies affadies en badinages galants et vaines préciosités.

Se préserver sur sa « droite » de l'héroïsme aristocratique, en lui laissant la consolation de se donner le spectacle de ses valeurs païennes, dès lors qu'il se trouve dans les faits privé de sa puissance, prévenir aussi sur sa « gauche » toute hérésie possible en séparant l'art humain du « sublime » divin : il s'agit bien pour Boileau d'un compromis passé pour le maintien de l'ordre. Et qu'importe après tout s'il se paie de l'agonie de l'art! Mais que le compromis s'effondre, et, dans l'instant, se repose le problème de l'héroïsme païen : les épopées chrétiennes qui surgissent alors disent assez leur angoisse, et la nécessité d'inventer un héroïsme chrétien — leur impuissance à le définir signera leur échec. *Le Paradis perdu* apportait à l'homme une réponse, qui fait du combat, dans le ciel et en l'Homme, contre les légions infernales, le centre de son drame : elle ne sera pas retenue, ni même sans doute comprise, et ne pouvait pas l'être...

Satan aristocrate, Satan rebelle

Tous les lecteurs pourtant seront frappés, et troublés dans leurs orthodoxies, par la splendeur de la vision miltonienne de l'Enfer : Satan, majestueux, superbe, et plus glorieux qu'un roi, siège sur un trône rehaussé de perles et d'or, et ses paroles sont celles d'un maître. Point de doute pour Milton : l'Enfer séduit, parce qu'il est cette part en nous-mêmes qui s'enchante aux séductions de la maîtrise, dans un conflit qui nous déchire et qui nous fait, comme il déchire le monde. Le Satan miltonien est donc de stature héroïque, mieux, il est l'archétype de tous les héros des épopées guerrières — *l'Enfer, pour le républicain Milton, et l'Enfer seul, est de structure monarchique.* Mais précisément parce que ce combat se déroule à l'intérieur de chacun et n'a jamais de cesse, il ouvre à la possibilité d'un autre héroïsme, lavé de toute ambition de maîtrise, celui par lequel chaque homme peu à peu s'affirme, surmonte son démonisme dans les souffrances et les errements, en affrontant le mal, en lui et dans le monde. Car la puissance de Satan n'est que l'autre nom de la faiblesse humaine : que l'homme distingue en lui une seule étincelle de la lumière divine, ou, si l'on préfère, qu'il apprenne à lire dans le regard d'autrui sa propre transcendance, et les légions infernales alors refluent, tandis que Satan perd de sa gloriole — comme elle est déjà loin au Dixième Chant du *Paradis,* la « sombre grandeur » du concile des démons, partout ce n'est que cris, ricanements, dans le déferlement des égoïsmes déchaînés, tandis que Satan, devenu une brute animale, siffle et rampe sur le dos en bavant! Pour nos catholiques poètes, qui toujours rapportent le sublime esthétique et moral à l'exaltation de la maîtrise, l'héroïsme de Satan est à peu près inconcevable, en tous les cas scandaleux. Au mieux, le diable sera pour eux la brute bornée et fourchue des croyances populaires, au pis, le chef d'un empire étranger, maléfique, symétrique de l'empire céleste, et l'on se réjouit, sans tourments intérieurs, de sa défaite, puisque l'on se place dès l'abord tout entier dans le camp du vainqueur assuré. Aucune fascination, aucune angoisse, aucun « suspense » — et donc, hélas, pour nos poètes, nulle véritable épopée possible : à la limite, on ne comprend même plus cet acharnement satanique, voué à la répétition de l'échec. Satan chef d'empire, symétrique de Dieu, ne peut être héros, puisque toujours il perd, l'héroïsme, comme le sublime, sont les attributs de Dieu seul, dont l'apparition suffit à précipiter les légions démoniaques en déroute — autant dire que les héros ne sont point de ce monde, et qu'il n'est pas d'autre idéal pour les hommes que l'obéissance à l'ordre divin, tel qu'il se manifeste ici-bas. La seule riposte est bien pâle, trouvée par nos auteurs, à l'idéal païen — elle signifie en tous les cas l'échec de leur pari littéraire, car voilà nos « modernes », faute de comprendre, ou d'oser assumer, le républicanisme de Milton, reconduits aux positions qu'hier ils combattaient, contraints en fin de compte d'interdire à l'homme sublime et héroïsme.

Mais toute la rébellion, parce qu'elle engage des vies contre une autorité, postule un héroïsme : qu'un idéal de liberté tente de se formuler dans les figures et les images de l'époque et il ne le pourra faire, toute perception de la dissidence interdite, qu'en épousant les formes, les mythologies et les pièges redoutables de l'idéal aristocratique païen. Et l'on verra s'opérer alors une étrange lecture du *Paradis perdu* qui prétendra deviner en Satan le personnage central du drame. Qu'irréligieux on veuille ainsi renverser le dogme catholique — après tout, Milton n'était-il pas républicain et régicide ? — ou que, conservateur, l'on s'épouvante des excès de la Révolution, qu'on le veuille louer comme Parny, ou définitivement condamner comme La Harpe, Satan, par une spectaculaire inversion, va prendre peu à peu le visage du révolté radical et républicain. Cette dimension satanique de la révolte, ce couple du rebelle et du démon, qu'un « classique » comme Byron, par exemple, prétendra jusqu'au bout incarner, sont à coup sûr parmi les images les plus fortes, et les plus constamment reprises, tout au long du siècle, et déterminent bien de nos attitudes, particulièrement esthétiques — ainsi, dans notre imaginaire, se noue dès l'origine, par un retour fatal aux mythologies païennes de l'héroïsme aristocratique, l'idéal libertaire et la fascination de la maîtrise... Mais n'est-ce point, précisément, toute l'aventure de Don Juan que ce lent glissement de sens par lequel, de Molière à Byron en passant par Mozart, le sombre aristocrate dressé contre la menace chrétienne qui prétend limiter sa maîtrise, se retrouve, sans rien changer à son défi, héros révolutionnaire chantant *Viva la Libertà* sur les barricades de l'esprit, contre toutes les oppressions ?

Comment traverser la formidable contruction dressée par Milton à la face du malheur, comme la cathédrale des libertés humaines ? Comment y puiser les forces d'un renouvellement des formes mêmes de l'art, sans rien laisser entendre de son scandaleux message de dissidence ? En opérant, pourrait-on dire en boutade, songeant aux avatars de Satan, une lecture systématiquement inversée. *Mais encore fallait-il trouver le point depuis lequel effectuer ce retournement :* voilà qu'entre l'ivresse de se créer un paradis retrouvé ici-bas en de plaisants jardins et les emportements de l'imagination dans les tumultes de la nature, par l'invention, simplement du paysage, tout le siècle empiriste s'affaire à inscrire le sublime divin dans le chant nocturne de la matière...

Les jardins de l'âme

Le Satan de Milton, méditant la mort de toute vie, à l'orient d'Eden découvre une montagne escarpée, que protègent d'abord un désert hérissé de buissons capricieux et sauvages, puis des hautes futaies de cèdres et de palmiers. D'un bond il s'envole, et sur l'arbre de vie se pose tel un grand cormoran...

> « Au-dessous de lui, avec une nouvelle surprise, dans un étroit espace, il voit renfermée pour les délices des sens toute la richesse de la nature, où plutôt il voit un ciel sur la terre; car ce bienheureux paradis était le jardin de Dieu, par lui-même planté à l'orient d'Eden. Eden s'étendait à l'est depuis Auran jusqu'aux tours royales de la Grande Séleucie, bâtie par les rois grecs, ou jusqu'au lieu où les fils d'Eden habitèrent longtemps auparavant, en Telassar. Sur ce sol agréable, Dieu traça son plus charmant jardin; il fit sortir de la terre féconde les arbres de la plus noble espèce pour la vue, l'odorat et le goût. Au milieu d'eux était l'arbre de vie, haut, élevé, épanouissant son fruit d'ambroisie, d'or végétal. Tout près de la vie, notre mort, l'arbre de la science, croissait; science du bien acheté cher par la connaissance du mal.
>
> « Au midi, à travers Eden, passait un large fleuve; il ne changeait point de cours, mais sous la montagne raboteuse il se perdait engouffré : Dieu avait jeté cette montagne comme le sol de ce jardin élevé sur le rapide courant. L'onde, à travers les veines de la terre poreuse qui l'attirait en haut par une douce soif, jaillissait, fraîche fontaine, et arrosait le jardin d'une multitude de ruisseaux. De là, ces ruisseaux réunis tombaient d'une clairière escarpée et rencontraient au-dessous le fleuve qui ressortait de son obscur passage : alors divisé en quatre branches principales, il prenait des routes diverses, errant par des pays et des royaumes fameux dont il est inutile ici de parler.
>
> « Disons plutôt, si l'art le peut dire, comment de cette fontaine les ruisseaux tortueux roulent sur des perles orientales et des sables d'or; comment en sinueuses errances sous les ombrages abaissés, ils épandent le nectar, visitent chaque plante et nourrissent des fleurs dignes du paradis. Un art raffiné n'a point arrangé ces fleurs en

couches, ou en bouquets curieux; mais la nature libérale les a versées avec profusion sur la colline, dans le vallon, dans la plaine, là où le soleil du matin échauffe d'abord la campagne ouverte, et là où le feuillage impénétrable rembrunit à midi les bosquets.

« Tel était ce lieu; asile heureux et champêtre d'un aspect varié, bosquets dont les arbres riches pleurent des larmes de baumes et de gommes parfumées; bocages dont le fruit, d'une écorce d'or poli, se suspend aimable et d'un goût délicieux; fables vraies de l'Hespérie si elles sont vraies, c'est seulement ici. Entre ces bosquets sont interposés des clairières, des pelouses rares, des troupeaux paissant l'herbe tendre; ou bien des monticules plantés de palmiers s'élèvent, le giron fleuri de quelque vallon arrosé déploie ses trésors, fleurs de toutes les couleurs, et la rose sans épines... » (*Le Paradis perdu*, traduction de Chateaubriand.)

D'Égypte, où les larmes du Dieu Râ, né d'un bouton de lotus, ont formé toutes les plantes qu'Osiris faisait croître dans le murmure rêveur de ses eaux de lumière, quand les centaurées, les épilobes, l'héliotrope de Nubie, les alcées ou le chrysanthème s'ouvraient comme une offrande aux Dieux, mêlés aux caroubiers et aux térébinthes, aux peupliers de l'Euphrate et aux sycomores; de Perse, où Eden, la déesse de l'arbre, régnait sur ce jardin d'Eridu où se dressait, dit-on, l'arbre de la lumière aux racines de cristal, quand le roi Manosher imagina les premiers « paradis », lieux clos plantés d'essences rares, où devaient se rassembler toutes les beautés éparses sur la terre, que chanta Xénophon dans l'éblouissement de Pharnabase, et Babylone, alors, dans le silence du couchant, près des eaux calmes de l'Euphrate, vibrait doucement sous la senteur des roses — les Hébreux, venus d'Ur, firent de cet Eden le paradis terrestre d'où partent les quatre fleuves, les Sassanides qui tenaient les jardins pour les images du monde divin, en hiver, nostalgiques, suspendaient au-dessus de leur lit des grappes de raisins d'or, les musulmans nomades rêvèrent Al-Djannel, le lieu de la retraite bienheureuse comme une oasis où il ferait bon s'étendre, sous l'arbre au tronc d'or de la félicité, dans le murmure inépuisable d'une rivière; de Grèce où l'on voulut rêver, telle était sa beauté, que la rose naquit d'une goutte de nectar versée par les Dieux éblouis à la vue d'Aphrodite, parce que la Nature tout entière, bruissante de légendes, parlait encore aux hommes, où Narcisse, trop épris de sa beauté fut changé en fleur, en héliotrope Clytie, amoureuse du soleil, où du sang d'Hyacinthe versé par Apollon vint le lis martagon, tandis qu'Héraclès apportait avec lui l'apollinaire et l'origan sauvage; d'Israël, où l'Éternel se manifesta à Moïse dans un buisson ardent, sous un arbre à Abraham, et près d'un térébinthe à Gédéon, où les Psaumes diront le cèdre l'arbre même de Dieu, où, en bordure des rivières, l'Ecclésiaste, dont la sagesse selon la Bible se pouvait comparer au cyprès de Sion, aménagea jardins, vignes et vergers, et le poète inspiré du *Cantique des Cantiques* chanta le visage de sa bien-aimée, comme le plus merveilleux des jardins, où se réconciliaient les plantes qui jusqu'alors ne pouvaient vivre ensemble :

> Elle est un jardin bien clos,
> ma sœur, ô fiancée;
> un jardin bien clos,
> une source scellée.
> Tes jets font un verger de grenadiers,
> avec les fruits les plus exquis :
> le nard et le safran,
> le roseau odorant et le cinnamome
> avec tous les arbres à encens;
> la myrrhe et l'aloès,
> avec les plus fins arômes [...]
> J'entre dans mon jardin,
> ma sœur, ô fiancée,
> je récolte ma myrrhe et mon baume,
> je mange mon miel et mon rayon,
> je bois mon vin et mon lait.

et sous l'arche de Sekem se dresse l'Arche d'alliance : le jardin se donne comme un lieu de culte autant que de culture, sanctuaire des Dieux, offrande au Très-Haut, acte d'amour ou bien lieu de plaisir, ou image ici-bas conçue dans la piété d'une Terre de Résurrection, et dans ses formes s'inscrivent des croyances millénaires, des symbolismes complexes, qui nous guident encore sans que nous le sachions. D'autres temps viendront, où l'homme se croyant libéré des Dieux voudra célébrer sa propre puissance sur la Nature, ou son désir d'enfin se fondre en elle, pour échapper au tourment d'être soi et recueillir de son tumulte des puissances nouvelles, ou bien les rivières et les allées se feront labyrinthes initiatiques, comme dans l'imaginaire Arnheim d'Edgar Allan Poe ou le parc des monstres de Bomago, pour figurer ainsi à chaque homme le tracé de son voyage existentiel, à travers les mystères, les pénombres et parfois les dangers, vers le refuge suprême de la Matrice originelle, antérieure sans doute à la division du moi et du toi, mais que l'on y veuille sortir de soi ou que l'on veuille intégrer les vibrations de la Nature, que l'on tente de s'y perdre ou que l'on tente au contraire de racheter la terre de la catastrophe de la Chute, les jardins ne sont pas innocents : ce sont nos paysages intérieurs qui toujours s'y inscrivent, notre rapport aux hommes, au monde et à Dieu — les querelles de jardiniers doivent être lues comme des querelles métaphysiques.

Espace rural, espace mental

« Dans les mains de l'homme simple et sauvage, l'art n'était que le coopérateur de la nature; dans les mains de la richesse fastueuse, il devint un moyen de la combattre », tranche Walpole dans son fameux *Essay on modern gardening*. Et d'ajouter, narquois : « On étêta les arbres, on arrêta de côté leurs branches : ainsi la plupart des bosquets, en France, paraissent des coffres verts posés sur des perches [...] Dans le jardin du maréchal de Biron, à Paris, qui contient quatorze arpents, chaque allée est bordée, des deux côtés, d'une rangée de pots de fleurs qui se succèdent selon les saisons. Quand je l'ai vu, il y avait neuf mille pots d'asters, ou reines-marguerites. » Ainsi s'opposent, explique Mason, auteur du *Jardin anglais,* l'absolutisme français et la liberté anglaise...

En 1712 déjà, Addison, dans le *Spectator,* s'agaçait des prétentions de l'art topiaire — « je ne sais pas si mon opinion est singulière, mais pour ma part je préférerais contempler un arbre déployant des branches et des rameaux luxuriants, plutôt que de le voir ainsi transformé, par la taille et le découpage, en une figure géométrique » — et l'année suivante Pope, dans le *Guardian,* s'amusait à imaginer un catalogue grotesque de ces arbres taillés, ainsi rédigé : « Adam et Eve en ifs; Adam un peu secoué par la chute de l'arbre de la Connaissance, au cours de la grande tempête; Eve et le serpent en pleine forme. » Si une époque se définit autant par ses dégoûts que par ses goûts, nul doute que nous ne soyons ici à l'instant d'un basculement! Le Nôtre, pourtant, découpant ses jardins en massifs et parterres symétriques, toujours horizontaux, soulignés de bordures, déployés sans ombre ni recoin ou mystère gardé, dans la stricte régularité de ses figures et la rectitude de ses allées, sous le regard qui ainsi l'embrasse et le domine d'un seul mouvement, avait, tout autant que Pope, Walpole ou Addison, le sentiment « d'imiter la Nature », mais, tenant cette Nature pour une mécanique conçue par un Dieu géomètre, il tentait de délivrer, par opération intellectuelle, l'universel-rationnel inscrit dans les choses comme leur forme idéale, tandis que nos empiristes anglais, déchiffrant à travers la sensation le murmure en eux d'une Nature dynamique, puissance créatrice diversifiante, pensaient, quant à eux, que l'artiste n'imite véritablement la Nature que lorsqu'il se laisse habiter par sa force de prolifération, reçoit d'elle son impulsion, prolonge son mouvement créateur et imagine à son exemple. Mais crée-t-il alors, hors des moules de l'imitation, ou bien retombe-t-il sous la menace d'un impérieux déterminisme ? Sous ses proclamations nouvelles d'anti-absolutisme se lèvent des ombres très inquiétantes — il se dira bientôt qu'il y va de l'avenir de notre liberté et de la cohérence de notre raison que cette voix de Nature qui traverse le poète jusqu'à le posséder puisse se confondre avec ses élans les plus libres et les plus spontanés — le jardin à l'anglaise va être le lieu privilégié de cette quête d'une harmonie telle qu'en l'homme la puissance créatrice de *sa* Nature coïncide avec l'exercice le plus rigoureux de sa Raison ; telle aussi que le foisonnement de la Nature dans son apparent désordre, ses caprices, ses mystères, coïncide avec l'invention humaine la plus libre. Une légende tenace, tout au moins en France, voudrait que ces jardins, par leur opposition à Le Nôtre, annoncent la naissance d'un « préromantisme » qui trouverait, dans l'exaltation de la Nature et les émois du sentiment, les valeurs susceptibles d'enfin briser l'impérialisme d'une Raison desséchante — il n'en est rien, évidemment, Pope et Addison ne sont pas des romantiques mais les plus purs représentants de l'idéal classique « romain », et il est assez triste de voir certains auteurs, cramponnés à leurs illusions, tenter d'expliquer qu'en leurs jardins, sans doute, ils exprimaient une tendance « romantique » qu'ailleurs ils refoulaient — dans le jardin anglais ce ne sont point les prémices de la philosophie de la Nature du romantisme à venir qui s'éprouvent, mais les valeurs fondamentales des Lumières. « L'idéal du Bienheureux Jardinier se détache sur la ligne d'horizon intellectuelle des Lumières comme une autre statue de la Liberté à l'entrée d'un Nouveau Monde enchanté », concluait Maren Sofie Rostvig dans un essai remarquable, hélas non traduit : l'agronomie ici renvoie à une métaphysique, cet espace rural est bien d'abord un espace mental...

Après Worlidge et Timothy Nourse, Stephen Switzer définit systématiquement le style nouveau dans les trois volumes de son *Ichnographia Rustica* tandis que William Temple, auteur en 1699 des *Jardins d'Epicure,* tente de mettre ses idées en pratique dans sa demeure de Moon Park. Lord Bolingbroke qui, dans ses lettres d'exil, déjà, vantait les charmes de la vie rustique, s'installe, dès que rentré en Angleterre, à Dawley Farm, près de la « ferme ornée » de

Philip Southcote, que Gary appelait « le paradis de Southcote », dans cette vallée de la Tamise où Pope encore, creusant pendant dix-neuf années son jardin de Twickenham, peu à peu édifiera tout un monde féerique de cavernes, de tunnels, de galeries, et Shenstone enfin, sur les cent soixante acres de son héritage aux Leasowes, tente, à travers jardinage, peinture et poésie, dans un jeu subtil de correspondances, contre la fugacité du temps, de recréer l'éternité rêveuse du monde de son enfance. Mais ce sont William Kent, le plus proche sans doute de l'inspiration picturale de Claude Lorrain et de Salvator Rosa, dont Walpole dira qu'il fut le premier à sauter la clôture et à découvrir « que toute la nature est un jardin », Charles Bridgeman, inventeur du « ha-ha » et grand ami de Pope et de Thornhill, Gibbs et Vanbrugh qui créeront à Chipswick pour Lord Burlington, Esher pour le duc de Newcastle, Cirencester pour Lord Bathurst, Rousham pour les frères Dormer et surtout à Stowe dans le Buckinghamshire, décrit comme un « paysage d'Albano d'une indicible profusion », les jardins les plus admirés de ce début de siècle. « Tout le monde aujourd'hui, quelle que soit sa fortune, écrit un rédacteur anonyme du *Commonsense* en 1739, fait quelque chose à sa résidence — puisque tel est le mot à la mode; et l'on ne rencontre personne qui, après les premiers compliments, ne vous informe qu'il est en plein mortier et charroyage de terre : manière modeste de dire qu'il bâtit et jardine. »

Plus qu'une mode : une passion dévorante que Lord Chesterfield, joliment, dira *« furor hortensis »* et qui gagne toute l'Europe vers 1760. Ermenonville en France, où le marquis de Girardin, auteur d'un très remarquable ouvrage, *De la composition des paysages ou des moyens d'embellir la Nature* (1777), tente de prolonger le rêve du domaine de Stowe, Worlitz en Autriche, la villa Torlonia à Rome, Haga Park en Suède, Glasnevin en Irlande, marquent l'extension de cette quête d'une réconciliation, enfin, de l'homme et de la Nature, qu'avant Goethe dans *Hermann et Dorothée* puis les *Affinités électives,* Rousseau, superbement, chantera dans *la Nouvelle Héloïse.* Le duc de Nivernais traduit l'*Essai sur les jardins* de Walpole; le poème de Saint-Lambert, *les Saisons,* et les *Jardins* de Delille sont accueillis comme des événements de première grandeur, les édifiantes *Idylles* du libraire-graveur Salomon Gessner, partout, bouleversent les âmes sensibles, tandis que les esprits éclairés de passage à Zurich ne manquent pas de rendre une respectueuse visite à Jacob Gujer, le « Socrate rustique », découvert par Hans Gaspar Hirzel, laboureur admirable et modèle de toutes les vertus antiques.

C'est qu'il s'agit, renouvelant constamment les points de vue par un jeu subtil de lignes serpentines, imaginant voûtes ombreuses, cascades, déserts de pierre, jouant de tous les accidents pour surprendre encore et plus sûrement ravir, multipliant les essences rares, sycomores, cèdres, épicéas, effondrant les enceintes ou creusant des « ha-ha » de telle sorte que le jardin s'ouvre sans limite sur la nature entière, les vergers et les bois, de rien moins que de nier la malédiction de la Chute, pour réinventer ici-bas le « Paradis perdu ». Milton est bien la référence constante des jardiniers anglais : John Philips, chantant dans *Cyder* les pommes « irradiées d'or et de vermillon » des vergers du Herefordshire, évoque le fruit défendu « vermeil et or » de l'arbre de la Connaissance dans *The Paradise Lost*; Steward imagine le jardin des Chiswick comme le *Paradis Reconquis*; Stephen Switzer, dès 1715, puis le marquis de Girardin, en épigraphe de son *Traité sur la composition des paysages* publié en 1775, donnent la description miltonnienne de l'Eden en sa conclusion — « asile heureux et champêtre d'un aspect varié... » — comme le modèle de tout jardin nouveau; Jean-Marie Morel dans sa *Théorie des Jardins* (1776) se réfère plus volontiers au début du fameux Chant — « dans un étroit espace renfermée, pour les délices des sens, toute la richesse de la nature » — qui semble annoncer le microcosme précieux et clos de la *Julie* de Rousseau. Jonathan Richardson déjà soulignait, dans les premières années du siècle, que « la lecture du *Paradis perdu* fait voir la nature avec des yeux meilleurs qu'avant, et apparaître des beautés qui n'avaient pas été remarquées jusque-là ». William Mason pareillement distingue dans l'œuvre du grand poète aveugle « dont l'esprit supérieur et éclairé par une lumière divine reçut et réfléchit, comme un miroir fidèle, le premier ouvrage du Planteur tout-puissant », le premier modèle « d'un Jardin que la Nature dessina elle-même »; le duc de Nivernais, qui introduisit en France l'*Essay on modern gardening* de Walpole, consacrera en France la gloire paysagiste du grand dissident en traduisant le Chant IV du *Paradise Lost,* qui contient la description que nous avons donnée plus haut, mais c'est sans doute Walpole qui fera l'analyse la plus fine du rôle capital joué par le poète : il fut, dit-il, le véritable « sauveur » des jardins parce qu'il témoigne de ce qu'en lui se peuvent confondre les voix de la Nature et la plus libre invention — *cette description d'une Nature libérée fut par lui imaginée sans modèle :* « Il est nécessaire que le témoignage de ses contemporains atteste à la postérité que la description rapportée ci-dessus a été écrite plus d'un demi-siècle avant l'introduction des jardins modernes; sans quoi nos incrédules descendants enlèveraient au poète la moitié de sa gloire, en se persuadant qu'il n'a fait que copier un ou plusieurs jardins qu'il avait vus; tant ses idées sont exactement conformes aux modèles présents! »

Le riant système du paganisme

Mais le Paradis, ici-bas, de main d'homme. « Avant la Chute, la demeure de nos premiers parents était un jardin », écrit Addison — c'est bien la Chute, et le péché, qui sont ici en jeu quand la Nature se voit ainsi parée des attributs de la divinité. Car ne nous leurrons pas : ceux qui ainsi plébiscitent Milton, s'ils estiment le poète, ne sont pas de son bord, mais représentent, tous, ces classes bénéficiaires de la seconde Révolution, soucieuses de maintenir catholiques et *dissenters* hors de la vie publique. Nourris dans les *public schools* de la *Roman History* d'Echard, des *Antiquités de Rome* de Kennett, un peu plus tard de la *Roman History* de Nathaniel Hooke, fascinés par la grandeur de l'Empire romain, son sénat, son organisation administrative, ses valeurs culturelles, ils se veulent tous poser comme ses héritiers directs, désignés par l'Histoire pour faire de l'Angleterre la « nouvelle Rome » impériale, conquérante et civilisatrice. Addison retrouve dans Pétrarque, Bruni, Machiavel, la tradition de l'humanisme florentin, dont dérivera la formule célèbre *« King, lords and commons »,* le sceptique, volontiers blasphémateur et parfois « satanique » Bolingbroke vit littéralement dans Tacite et Tite-Live, se fixe la tâche de nouer indissolublement la « liberté anglaise » à la liberté romaine, et à ce titre pourra être dit l'inventeur du mythe républicain romain — bientôt le Parlement s'inspirera du Sénat romain, le lord-maire du consul, les aldermen des sénateurs et les marchands de la City ne dédaigneront pas à l'occasion de se faire représenter par quelque peintre en vogue, drapés dans une toge de louage, adossés à une colonnade. Leur univers culturel n'est certes pas la Bible, mais ce que Gibbon un peu plus tard dira le « riant système du paganisme », ils n'éprouvent qu'horreur pour l'égalitarisme des *dissenters,* leur enthousiasme et leur théorie du contrat — voyez avec quelle hauteur Pope et ses amis du Scribblerus Club écrasent de leur mépris le malheureux Defoe! Leur idole Machiavel, déjà, opposait violemment la *virtus* romaine, laquelle assurait la force de la cité dans le sacrifice de chacun à un idéal de grandeur, à l'humilité chrétienne, qui ronge comme un cancer : « Pour quelle raison les hommes d'à présent sont-ils moins attachés à la liberté que ceux d'autrefois : pour la même raison, je pense, qui fait que ceux d'autrefois sont moins forts. [...] Notre religion glorifie plutôt les humbles voués à la vie contemplative que les hommes d'action. Notre religion place le bonheur suprême dans l'humilité, l'abjection, le mépris des choses humaines; et l'autre, au contraire, la faisait consister dans la grandeur d'âme, les forces du corps et dans toutes les qualités qui rendent les hommes redoutables. » Avec lui convaincus que le paganisme est la religion d'État par excellence, parce que ses Dieux « ne déifiaient que des hommes d'une gloire terrestre, des capitaines d'armées, des chefs de république », ils sont les plus sûrs adversaires, en ce siècle, d'un christianisme qu'ils jugent responsable de l'effondrement de l'Empire. Donc, le Paradis *ici-bas*, dans le mouvement d'une progressive divinisation de la Nature — et de la Nature en soi — quand Milton faisait de la *perte* de ce Paradis, par la double épreuve de l'exil et de la liberté, la condition même de l'entrée de l'homme dans l'Histoire : ainsi se prolonge en Angleterre, par le biais des « upper classes » férues de Machiavel et de Polybe, le rêve païen des libertins du XVIIe siècle et se retrouvent la tradition alexandrine, Lucrèce et Epicure, ainsi tout « naturellement » l'époque se prend-elle à rêver à l'idéal romain : pour tous ces riches anglais rêvant d'une Nature sans péché, fascinés par l'art du « loisir rural » des patriciens de l'âge d'Auguste, il s'agira donc d'évoquer en leurs jardins, par un système réglé d'allusions littéraires et architecturales, un mode de vie et une esthétique auxquels ils se réfèrent dans une perspective de plus en plus résolument anti-chrétienne.

> Que ton regard saisisse
> Les paysages d'or qui ont appris à Claude
> A donner au tableau des couleurs d'Hespérides
> Et, semblables décors gravés dans la mémoire,
> Rapporte-les ici, et donne un air anglais
> A chaque idée inscrite. Si la Nature prête
> De quoi bien composer — torrents, rochers, ombrages,
> Forme des Tivoli!

Ainsi Mason, en quelques lignes, définit l'esthétique de l'époque — les *Illustrations des villas antiques* de R. Castell qui proposent une reconstitution des plans des villas romaines d'après les descriptions de Pline le Jeune, l'exemple surtout de la villa d'Hadrien à Tivoli, dont quelques marbres viennent orner ce jardin de Chiswick dont chaque allée, dira J. Macky, se terminait « par une petite construction, l'une par un *temple païen,* l'autre par un petit pavillon », seront de référence constante, le jardin de Stourhead s'organise autour d'un ensemble d'allusions à l'*Énéide* de Virgile, et le temple de la Vertu de Stowe reproduit le temple de la Vesta de Tivoli. « Les Dieux n'étant plus et le Christ n'étant pas encore, il y a eu, de Cicéron à Marc Aurèle, un moment unique où l'homme seul a été », dira Flaubert : ces temples et folies de Stourhead, Rousham ou Bagatelle, dédiés, qui à Vénus, qui à Bacchus, qui au dieu Pan, tentent de ressaisir le vertige de ce moment-là — car ce ne sont plus les Dieux que l'homme ici véritablement idolâtre, mais lui-même, comme le seul créateur d'une Nature enfin réconciliée.

L'impossible idylle

Nul plus que Claude Lorrain, parcourant les campagnes du Latium quand la lumière semble dissoudre toute forme et toute structure dans son pur frémissement, ou guettant dans les ports d'Italie l'instant miraculeux où le jeu sur les vagues du soleil et des brumes nous ouvre à l'éternité, n'a poursuivi plus obstinément la nostalgie rêveuse des terres enchantées. Et s'il peuple ses compositions de temples, de châteaux de légende et de personnages mythologiques, dans de subtiles correspondances littéraires, ce n'est point chez lui coquetterie, mais volonté de poursuivre jusqu'au bout son rêve d'une recréation de l'espace propre du mythe — pour cela les Anglais lui voueront au XVIIIe un véritable culte, plus encore peut-être qu'à Salvator Rosa, Poussin ou Dughet. Mais il s'agissait, pour le peintre, de retrouver, à partir du divers empirique, une Nature idéale : *les jardiniers anglais, eux, vont tenter, à partir de ses toiles, de peindre la Nature et l'arracher ainsi, par une sorte de cosmétologie générale à l'éphémère et à l'empirique, pour la faire ici-bas Paradis, où l'on suppose que l'exercice le plus audacieux de l'imagination coïncidera avec la libre effervescence de la Nature, où l'imagination humaine, en somme, pourrait rendre la Nature à elle-même.* Tel est bien, par-delà le goût de la variété, du caprice, de l'étonnement, qui n'en est qu'une conséquence, le sens profond du pittoresque — *picturesque* — que tentera de systématiser Gilpin : une « artialisation » de la Nature, une recréation radicale qui la ferait enfin Paysage.

Selon Heely, Hagley Park « offre un paysage qui honorerait le crayon de Poussin »; Gilpin, lors de sa visite à Stowe, remarque un « beau rocher », superbement mis en relief par un effet de clair-obscur, orné d'une profusion de buissons, de lierre et de branchages morts « de toute évidence à l'imitation de Rosa »; Van-brugh à Castle Howard conçoit un « temple des quatre vents » et un pont palladien à l'exemple des « fabriques » les plus fréquentes dans les tableaux de Lorrain; Kent, dit-on, aimait planter les arbres morts pour obtenir des effets à la Salvator Rosa; les temples de Stourhead renvoient au *Rivage de Délos avec Énée* de Lorrain; le fond du lac de Painshill est traité à partir de dessins de Rosa; les statues de nymphes et de satyres de la clairière de Rousham tentent de recréer un site bachique à la Poussin : Edgar Poe, plus tard, dans son étrange nouvelle du *Domaine d'Arnheim,* y verra une tentative sans doute désespérée, en tous les cas « angéliquement » diabolique, de rivaliser avec le Grand Jardinier paysagiste, Dieu lui-même...

Mais il suffit que le mal fasse irruption, soudain, dans le monde et les âmes, pour que l'éloge de la puissance qu'implique le paganisme se retourne aussitôt en impuissance illimitée, tandis que la puissance du mal s'érige en idole, sans plus rencontrer nulle part de résistance, puisque nous sommes, nous aussi, tout entiers de ce monde-là — ainsi la course du siècle révèle ce rêve d'une idylle en des paradis retrouvés ici-bas comme l'éternel mensonge du « riant paganisme ». Le jardin à l'anglaise sera donc le rendez-vous des insatisfactions et des nostalgies, jamais le lieu d'une pure présence. Dans ses ruines factices, sous ses frondaisons apprêtées, au détour des chemins, murmure un vent de mort — dehors, sur une terre convulsée, rugissent les machines formidables de la révolution industrielle.

Sans doute les *gentlemen farmers* qui ainsi se livrent à leur *furor hortensis,* et que célébrera Lord Kames en un poème fameux, ont-ils le souci de conjuguer l'utile et l'agréable en ornant leurs terres « d'arbres à l'ombre vénérable et au bois rémunérateur »; sans doute les jardins anglais, portés, sinon suscités, par la généralisation des *enclosures* et l'introduction de techniques nouvelles, s'insèrent-ils dans un projet général qui n'exclut pas nécessairement la rentabilité — les domaines de Lord Rockingham à Wentworth et du duc de Bedford à Woburn sont *aussi* des fermes expérimentales, rigoureusement gérées —, mais leur « paradis » se paie à l'extérieur d'une crise sociale majeure. En fait de « pittoresque », Goldsmith, amer, ne trouvera dans les bourgs ruraux que le spectacle de la misère, tandis que du Dorset au Yorkshire montent des rumeurs de révolte et de détresse, car le passage de l'*open field* aux *enclosures,* condition du jardin, suscite aussi prolétarisation et exode de populations qui bientôt fourniront le bétail humain nécessaire à la révolution industrielle. Comment tenir dès lors, sans quelque hypocrisie, qu'en ces jardins s'esquisse un autre monde possible de la pure présence humaine, dans la transparence enfin trouvée des âmes, en rupture avec la frénésie meurtrière des villes et des usines? Ils ont partie liée avec les flammes infernales des forges de Coalbrookdale, les taudis, la prostitution et le crime, qu'ils nourrissent dans les faits, dont ils se nourrissent aussi, tandis que vertigineusement s'accroît le fossé entre ce que Disraeli bientôt appellera les « deux nations » anglaises — l'éternité qu'ils tentent de célébrer est d'abord la fiction de qui veut se cacher des orages de l'Histoire qu'il déchaîne au-dehors, ces Edens trop humains sont tous hantés par le pressentiment d'une fin inéluctable. Mais sans doute l'idylle s'était-elle éprouvée dès l'abord impossible — la multiplication des cascades, des ponts, des artifices, l'accumulation aussi des temples, pagodes, « follies » ou ruines gothiques, disent assez la tentation de rassembler la totalité de l'univers dans ses variétés de paysages comme d'architecture, de résumer le monde, sa mémoire, et la diversité de nos sensations, de le ramener à soi, donc, par l'effet d'un vertige de collectionneur — mais cette accumulation même est le signe d'un manque impossible à combler, la Nature sauvage et le travail humain ne s'épousent donc pas, la transparence des âmes était une illusion, rien n'est présent, tout est *représenté,* dans l'espoir peut-être qu'à la clôture du catalogue les inscriptions bavardes, les références multiples, qui faisaient du jardin un texte à déchiffrer, s'animeront en présence — rien que l'absence, à l'infini répétée, et la mort qui rôde..

Dans une fable qui ne va pas sans gravité, *Columella or the distressed anchoret,* le pasteur de Claverton, Richard Graves, condamne sans appel la tentation de « sécession » de son ami Shenstone : certes, il voulait ainsi se ressaisir, se rassembler dans la solitude et la méditation, à l'écart d'une vie sociale jugée par essence « aliénante », mais voilà qu'en l'absence d'autrui c'est lui-même bientôt qu'il ne ressaisit plus, comme s'il se dissolvait lentement, s'abandonnait, tandis que son jardin, d'abord objet de tous ses soins, retourne à la sauvagerie. Et c'est un gouffre qui lentement se creuse, le jeu qui se ferme en cauchemar, parce qu'il n'est point d'autre lieu où renaître à soi-même que ce regard qui nous fait face : de l'avoir interdit l'âme sensible s'éprouve comme absence et voulant s'adorer ne se ressaisit plus — que pleure-t-elle alors, sinon elle-même, dans ce vide où elle se perd ? Goethe, admirablement, dira ce vertige du « cœur sensible », par lequel Werther sûrement se détruit, lorsque traversé par des sensations extraordinairement vives qui jouent de ses nerfs comme d'une harpe, incapable de les ressaisir en un « effet de monde » pour une parole qui le libérerait, il se ronge et s'épuise jusqu'au point du suicide.

Ainsi nécessairement se rompt la fiction d'une culture raffinée qui pourrait rendre à la Nature son authentique liberté. Alors, pour conjurer cette absence où son être s'égare, le jardinier multiplie les signes de connivences culturelles, jusqu'à toucher parfois au ridicule de qui prétend habiller d'une perruque la Nature, tel ce Mr. Tyers qui conçut à Denbies un parc où chaque pierre s'ornait d'une inscription morale, chaque sentier se voulait emblème de la condition humaine jusqu'à une « Vallée de l'ombre de la mort » aux bosquets décorés de crânes « pittoresques » où les colonnes étaient taillées en forme de bières. Ou bien c'est la culture qui désespère d'elle-même, et la puissance de la Nature alors qui déferle par-dessus les barrages et « ha-ha », jusqu'à envahir l'âme humaine de ses tumultes, de ses pénombres, de ses terreurs et de ses ruines.

« La cime écrêtée d'un vieux château gothique... »

« Les ruines d'un château, ou repaire de brigands, feraient un effet merveilleux dans une partie du jardin qui offrirait un site romanesque », suggère Grohman dans son *Recueil d'idées nouvelles pour la décoration des jardins et des parcs dans le goût anglais,* « l'air aride et sauvage des pièces environnantes ne contribuerait pas peu à donner de l'énergie aux sensations déjà vives par elles-mêmes que la liaison des idées éveillerait en nous » : que les esprits éclairés y trouvent matière à réflexion morale, ou rêverie mélancolique, sur le modèle disparu dont elle n'est plus qu'une forme dévastée, que Grohman se laisse ravir par le charme troublant de son pittoresque *actuel,* la ruine s'impose à tous comme le lieu fascinant où se rencontrent la volonté humaine et le destin, la liberté et les déterminismes, l'art et la nature. « Le charme de la ruine, écrit G. Simmel dans ses *Mélanges de philosophie relativiste,* consiste dans le fait qu'elle présente une œuvre humaine tout en produisant l'impression d'être une œuvre de la nature. Les mêmes forces qui, par désagrégation, érosion, effondrement, envahissement de végétation ont fini par donner à la montagne sa ligne générale, se sont exercées ici sur les murs. [...] Ce qui a dressé la construction dans un élan vers le haut, c'est la volonté humaine; ce qui lui donne son aspect actuel, c'est la force mécanique de la nature, dont l'activité rongeante et destructrice tend vers le bas. Mais cependant, tant que l'on peut parler de ruines et non de monceaux de pierres, la nature ne permet pas que l'œuvre tombe à l'état amorphe de la matière brute; une nouvelle forme est née, qui, du point de vue de la nature, est absolument sensée, compréhensible, différenciée. La nature a fait de l'œuvre d'art la matière de sa création à elle, de même qu'auparavant l'art s'était servi de la nature comme de sa matière à lui. La proportion caractéristique qu'ont atteinte les énergies cosmiques de l'âme et de la nature dans cette formation nous permet de la considérer comme un jeu des forces naturelles. » Il était donc fatal que les ruines ainsi interprétées trouvent leur place dans ce grand catalogue que veut être le jardin anglais, entre les « fabriques », ces petits temples romains construits à l'imitation des tableaux de Lorrain, et les « follies » : dès 1709 Vanbrugh avait envisagé d'inclure les ruines de Woodstock Manor dans le jardin aménagé autour du palais de Blenheim, mais son idée ne fut point retenue; plus tard William Aislabie et Thomas Duncombe incorporèrent les ruines des abbayes de Fountains et de Rievaux dans les jardins de Studley Royal et de Duncombe Park — les ruines ne sont-elles pas, en fin de compte, les seules figures où se peuvent ainsi rencontrer et épouser création de la nature et création humaine? « Leur effet propre est d'exercer l'imagination en la portant fort au-delà de ce qu'on voit », analyse sir Thomas Whately, théoricien alors très écouté du jardin, « toutes les ruines piquent notre curiosité sur l'état ancien de l'édifice, et fixent notre attention sur l'usage auquel il était destiné. Indépendamment des caractères qu'expriment leur style et leur position, elles font naître des idées que les bâtiments eux-mêmes, s'ils subsistaient, ne produiraient jamais. De tels effets n'appartiennent proprement qu'à des ruines réelles; mais des ruines artificielles peuvent aussi les produire jusqu'à un certain degré. Les impressions n'ont pas la même force, mais elles sont de la même nature, et, quoique la représentation ne rappelle point de faits à la mémoire, elle peut beaucoup exercer l'imagination. » Ce court extrait des *Observations of modern gardening* est sans doute essentiel, qui marque l'instant d'une mutation de la sensibilité, quand la ruine cesse d'être simplement perçue comme le mémorial d'une grandeur passée admirable, sans autre intérêt que de renvoyer à une fin extérieure qui toujours la dépasse, pour acquérir enfin une autonomie et être contemplée en elle-même — et dès lors qu'elle apparaît ainsi, belle, hors de toute fonction médiatrice, comment ne pas songer à bâtir des ruines artificielles ? Bientôt les jardins anglais se peupleront de fausses ruines, où la « cime écrêtée d'un vieux château gothique » se conjugue plus ou moins heureusement aux temples romains, aux Hoie-ta chinois et à ces pièces d'eaux « où des ruines d'édifices anciens, des inscriptions monumentales et des fragments de sculpture aiguisent la curiosité et rendent plus touchante la tristesse ». Dans ses jardins de Franconville, à l'imitation des Anglais, le comte d'Albon fait construire un temple en ruine contenant les bustes d'Homère et d'Apollon; Hubert Robert, pour la princesse de Monaco en ses jardins de Betz, outre quelques temples, obélisques, pavillons, fait édifier un château féodal factice, partiellement ruiné; François Racine de Monville enfin, dans son « Désert de Retz » — en fait un parc splendide, planté d'essences rares et déjà agrémenté d'une glacière en forme de pyramide, de grottes, d'ermitages, de temples dédiés à l'Amour et au dieu Pan, de tombeaux, de ruines d'une église gothique, d'une maison chinoise et de laiteries et métairies factices — fait construire une luxueuse maison d'habitation de trois étages, en forme de fût tronqué de colonne dorique. Le diamètre en était environ de quinze mètres, les ouvertures étaient dissimulées dans seize cannelures artistement lézardées, et le sommet irrégulièrement brisé dissimulait, sous les mousses, un toit en forme de cône — le duc de Lignes, enthousiasmé, décréta que Dieu lui-même pourrait en être jaloux...

La profondeur poétique nouvelle du thème des ruines, sa puissance d'ébranlement sur le siècle entier, naît précisément de cette complexe alliance de sentiments apparemment contradictoires, quand les ruines apparaissent esthétiques en elles-mêmes, pleines d'un charme étrange, supérieur peut-être à celui du monument intact : « Je crois que de grandes ruines doivent plus frapper que ne le feraient des monuments entiers conservés. [...] La main du temps a semé, parmi la mousse qui les couvre, une foule de grandes idées et de sentiments mélancoliques [...] je reviens sur les peuples qui ont produit ces merveilles et qui ne sont plus », écrit Diderot, sinon l'inventeur, du moins le théoricien le plus précis du « sublime des ruines » — fascinée par « l'énorme profondeur obscure et muette » que le temps découvre sous les pierres disjointes, rêvant, dans le silence et la solitude parmi les ombres fantomatiques de tous ceux qui y imprimèrent leur marque, leurs songes, ou leur fureur, l'âme s'émeut d'une telle grandeur passée, mais rêve moins peut-être de ce qui fut que de ce qui, bientôt, ne sera plus, emporté à son tour sur le fleuve de l'Histoire. Dans un monde sans Dieu, sans transcendance et sans éternité, la ruine est peut-être la seule inscription sur cette terre encore où se dire quelque chose de l'incommensurable — ainsi le déferlement de ces temps innombrables, ruinant toutes les formes de la stabilité, indifférents aux hommes qu'il conduit dans son cours, sous le silence des astres froids devient pour la première fois un thème poétique...

Le chroniqueur visionnaire de ce drame cosmique, fouillant jusqu'à sa mort la campagne romaine avec son ami Corradini, à la poursuite d'un rêve de pierre, qu'il restitue avec une exactitude hallucinée, en des planches qui sans doute rappellent la peinture scénique des âges baroques, les « capricci » de Tiepolo et les « vedute » de Canaletto, de Marco Ricci, de Giovanni Paolo Pannini, mais surtout imposent une conception toute nouvelle de l'espace, où l'amplification des perspectives, l'exagération, jusqu'au vertige, des proportions replongent l'édifice dans les forces naturelles dont il apparaît alors comme le microcosme, dans le temps même que les êtres humains, réduits à une taille dérisoire figurent devant la fuite inexorable du temps la démesure d'une orgueilleuse volonté de puissance et son perpétuel échec, ce chroniqueur, bien sûr, est Giovanni Battista Piranesi, toujours hanté, dira Focillon, par d'obsédantes tristesses, « qui l'escortent à travers les décombres du passé comme dans cette espèce de divination de l'avenir, dans cette architecture de l'âge des métaux, échafaudée sur les cloaques étrusques et sur les gémonies de Tibère »— en lui se révèle la profonde connivence du grand rêve gothique et de ce que l'on appelle très improprement « néo-classicisme ».

Car cette rencontre de la nature et de la culture où l'idéal des Lumières jouait sa cohérence est nécessairement instable, qui ne se peut effectuer que sous le signe de la mort. Une force obscure de destruction sûrement disjoint les blocs de pierre, les orages les éclatent et le lierre les effondre; il ne restera bientôt plus rien à la surface du monde, plus rien sous les cieux froids pour rappeler que des hommes, autrefois, y dressèrent un songe de pierre à la face de l'éternité — une vague de l'océan des âges qui passe, indifférente, sur les traces de nos pas dans le sable à jamais les efface... « Déjà les forces purement naturelles commencent à triompher de l'œuvre humaine; le rapport entre la nature et l'esprit représenté par l'œuvre architecturale penche en la faveur de la nature, conclut Simmel, au moment où l'écroulement de l'édifice détruit l'achèvement de la forme, les partis opposés se séparent de nouveau l'un de l'autre et révèlent leur hostilité originaire et universelle, comme si la formation artistique n'avait été qu'un acte de violence de l'esprit. »

Alors l'épouvante peut naître au détour d'un sentier, dans ces jardins qui se voulaient sur cette terre un Eden, et l'imagination bientôt les peuple d'appareils de tortures, de gibets menaçants, d'usines cachées crachant flammes et fumées, comme à Wörlitz pour figurer un volcan toujours en éruption — « les scènes d'horreur, décrit Chambers dans ses *Jardins anglo-chinois,* représentent des rocs suspendus, des cavernes obscures et d'impétueuses cataractes. Les arbres sont difformes et semblent brisés par la violence des tempêtes. Ici et là, on en voit de renversés, qui interrompent le cours des torrents et paraissent avoir été emportés par la fureur des eaux, quelques-uns des édifices sont en ruine, quelques autres sont consumés à demi par le feu ». Nous sommes déjà en plein dans les décors fantastiques des grands romans « gothiques »...

Le plaisir des ruines, lorsqu'il va jusqu'à construire fabriques et châteaux à demi dévastés, ne se peut-il pas prolonger dans le rêve barbare des grandes destructions ? Voilà que Saint-Aubin dessine une *Vue prophétique de l'Eglise Sainte-Geneviève pour l'an 3000,* voilà qu'Hubert Robert, par le Roi nommé garde du musée du Louvre, ne se contente plus de peindre des ruines anciennes dans le goût de Pannini, mais assiste, fasciné, à l'incendie de l'Hôtel-Dieu, court quelques jours plus tard dans ses ruines fumantes, bientôt double son *Projet d'aménagement de la grande galerie du Louvre* d'une vue imaginaire de la même galerie — en ruine, évidemment...

La sombre beauté des précipices affreux

« Des rochers surplombant audacieusement, et comme menaçants, des nuages orageux s'amoncelant dans le ciel et s'avançant avec un cortège d'éclairs et de tonnerre, des volcans dans toute leur puissance de destruction, des ouragans qui laissent après eux la dévastation, l'océan sans borne dans sa fureur, les hautes cascades d'un fleuve puissant, voilà des choses qui réduisent à l'insignifiance notre force de résistance comparée à leur puissance », déclare

Emmanuel Kant dans sa *Critique du jugement* — encore fallait-il les voir, c'est-à-dire, au sens le plus strict, les imaginer, pour en faire des *paysages,* car la nature par elle-même est comme morte, muette, esthétiquement indifférente, seul notre regard la vient informer, et il a donc fallu que ces gouffres, ces rocs, ces tempêtes se creusent d'abord en nous...

Au début du XVIIIe encore la montagne ennuie par sa monotonie ou terrorise par sa sauvagerie quand elle n'exaspère pas par ses désagréments. « Vous ne voyez rien jusqu'à Trente que des montagnes », note Montesquieu dans son journal, alors qu'il quitte l'Italie pour entrer dans le Tyrol, « tout ce que j'ai vu du Tyrol, depuis Trente jusqu'à Innsbruck, m'a paru un très mauvais pays : nous avons toujours été entre deux montagnes. » Buffon soutiendra encore en 1764 dans son *Histoire naturelle* que « la nature brute est hideuse et mourante ». Mais on pouvait trouver dès 1720 dans les *Voyages de Jacques Massé* quelques descriptions exaltées de la « sombre beauté » des « précipices affreux » et des « cavernes vertigineuses », probablement inspirées par les paysages hallucinés de Magnasco ou le pittoresque tourmenté de Salvator Rosa et lorsqu'en 1739 Thomas Gray et Horace Walpole, tous deux âgés de vingt-trois ans, frais émoulus de Cambridge, franchissent le passage des Alpes pour contempler la Grande Chartreuse, « l'horreur pleine de charme » d'un torrent les transporte d'enthousiasme : « Tantôt il bouscule des fragments de roche qui y sont tombés; tantôt il se précipite sur de vastes pentes avec un bruit semblable au tonnerre, et l'écho des montagnes redouble ce bruit. Le tout forme une des scènes les plus solennelles, les plus romantiques et les plus étonnantes que j'aie jamais vues. Pas un précipice, pas un torrent, pas une falaise qui ne soit gros de religion et de poésie. » Il était de tradition que les jeunes étudiants fortunés anglais achèvent leurs études par un grand tour sur le continent, à travers la Hollande, la Suisse, la Savoie, jusqu'aux rivages de l'Italie où découvrir enfin les splendeurs de l'héritage classique : ils en rapportaient bien sûr des gravures de Rosa, Dughet, Lorrain, quelques merveilles archéologiques parfois, mais aussi le souvenir, tout à la fois émerveillé et horrifié, de leur passage des Alpes par le col du Mont-Cenis, malgré l'absence de route — ainsi Gilbert Burnett, Shaftesbury, John Dennis, Thomson et Talbot, avec Walpole et Gray, sans doute, inventèrent-ils les Alpes comme un continent nouveau de leur imaginaire. Rousseau, bientôt, s'écrie : « Il me faut des torrents, des rochers, des sapins, des bois morts, des montagnes, des chemins raboteux à monter et à descendre, des précipices à mes côtés qui me fassent peur. » Et c'est, à n'en pas douter, un nouvel espace mental que Werther décrit « depuis le sommet inaccessible de la montagne perdue dans les nues jusqu'au désert que ne foula jamais un pied vivant, jusqu'aux bornes inconnues de l'océan immense »... De Montesquieu à Rousseau, l'évidence d'une mutation de la sensibilité : l'un, et avec lui une époque qui s'achève, se détourne de la montagne *parce* qu'elle est horrible, l'autre recherche le spectacle de ses abîmes et de ses cascades pour se laisser emporter par la trouble séduction de leur horreur. En vain, l'abbé de La Porte, suivant Voltaire sur ce point, exprime-t-il quelque agacement devant l'extraordinaire succès du poème *les Alpes* du botaniste Haller — « il pourrait bien se faire qu'un pays où l'on ne voit que des précipices, des torrents et des glaces, ne fût pas un séjour aussi charmant qu'on voudrait nous le persuader » — il s'agit bel et bien d'une lame de fond, qui emporte le siècle...

Saint-Preux découvre dans les Alpes « ces sortes de beautés qui ne plaisent qu'aux âmes sensibles et paraissent horribles aux autres » : « Je cours, je monte avec ardeur, je m'élance sur les rochers, je parcours à grands pas tous les environs, et trouve partout dans les objets la même horreur qui règne au-dedans de moi. On n'aperçoit plus de verdure, l'herbe est jaune et flétrie, les arbres sont dépouillés, le séchard et la froide bise entassent la neige et les glaces, et toute la nature est morte à mes yeux, comme l'espérance est morte à mon cœur. » « J'aime la terreur que m'inspire une forêt obscure », confie Buzot, l'ami de Mme Roland, « j'aime le sifflement des vents qui annoncent l'orage, les arbres agités, le tonnerre qui éclate et gronde, et les torrents de pluie qui roulent à grands flots. Il y a pour moi dans cet instant un charme horrible. » « J'aime de ce désert la sauvage âpreté », renchérit Parny, devant les rocs noircis d'un paysage volcanique, « oui, ton horreur me plaît, je frissonne et j'admire ». Regnard, quant à lui, ne se lasse pas de « l'horreur des torrents, des rochers et des bois » des paysages nordiques : « Ces solitudes affreuses ne laissent pas d'avoir leur agrément et de plaire autant que les lieux les plus magnifiques. » Pour toutes ces âmes en quête de puissants ébranlements, c'est la campagne, bientôt, la nature domestiquée, qui apparaît insupportable d'ennui, le printemps « impatiente » le poète Léonard — « je voudrais quelquefois que les campagnes fussent couvertes de neige et que le fleuve en débordât » —, Mlle de la Quesnerie fait dire à l'une de ses héroïnes : « L'horreur de ce séjour, la sombre mélancolie qu'il inspirait, avaient plus de charme pour mon père que le paysage le plus riant et le plus varié. » Et l'on peut lire, comme un résumé des passions du siècle, des fièvres qui l'animent à l'appel des orages, de cette attente et de cette crainte mêlées de quelque chose, enfin, « d'énorme, de barbare, de sauvage » (Diderot) qui le délivrerait, pense-t-il, de son tourment, ces notes prises par Horace Vernet à l'occasion de la commande d'un tableau : « une tempête bien horrible. Des cascades dans des eaux troubles, des rochers, des troncs d'arbres et un pays affreux et sauvage ». Comme un symbole, peut-être : la dernière idylle de l'Age des Lumières, *Paul et Virginie,* s'achève sur une tempête...

Les forges cruelles de l'Enfer

Mais ces tempêtes, ces torrents en furie, ces avalanches emportant tout sur leur passage, ces cataclysmes cosmiques, quand le ciel et la terre se déchirent pour vomir leurs flammes infernales, séduisent-ils, au point de devenir des objets esthétiques, parce que, forces naturelles, ils menacent d'écrasement des hommes réduits à une dimension dérisoire, ou bien parce qu'ils exaltent, dans le tumulte et la fièvre, les puissances d'écrasement et de domination jusque-là inconnues, tapies en la nature humaine ? Voilà que de jeunes enthousiastes, en attente de puissants ébranlements, s'élancent vers les paysages les plus désolés de la Calédonie, de Galles ou même d'Irlande, quand ils ne courent pas se pâmer, comme Francis Brooke, devant les chutes du Niagara, ou se perdre dans quelque lointaine Océanie, à la poursuite de leur rêve d'une poésie, enfin, qui serait de nature. Les lettres emportées de Thomas Gray, bientôt, lancent la mode de la région des lacs, il devient de bon ton de fréquenter les bords de mer, à la belle saison, les récits de voyages sentimentaux et pittoresques font fureur, où s'illustreront Smollett, Young, Sterne, Beckford, Swinburne, Johnson, les peintres, à leur exemple, quittent l'atelier pour saisir en de vives aquarelles l'éclair d'une sensation, dans ces instants privilégiés où la nature semble coïncider avec un état d'âme pour se faire paysage, Wilson, mélancolique et grave, fasciné par les jeux de la lumière sur les eaux froides de son pays de Galles, Thomas Jones, son élève, William Hodges, perdu dans le rêve des Iles de Lumière, George Barret, qui expose en 1760 son fameux *Powerscourt Waterfall,* le Suisse Caspar Wolff qui peint les glaciers, les torrents, les avalanches de ses Alpes natales, et ces centaines aussi d'artistes « topographes » qui courent les chemins tels des « chevaliers errants de la peinture de paysage », relevant monuments anciens et sites pittoresques en dessins minutieux, presque « photographiques », tout juste relevés de quelques touches d'aquarelle, tous explorent avec frénésie l'espace ouvert dans le monde et en eux par le renversement de l'idée de « nature » — car cette grandeur qui nous surprend et nous émeut au spectacle des choses est peut-être moins en elles que dans l'imagination qui les informe : Horace Vernet, dont Diderot jugeait qu'il « balançait Claude Lorrain dans l'art d'élever des vapeurs sur la toile » et qui connut un prodigieux succès comme peintre de tempêtes et de lieux pittoresques, se fit vivement réprimander lorsque, chargé par le marquis de Marigny, au nom du roi, de peindre les ports de France, il proposa à celui-ci de peindre le Port de Sète en imagination, depuis Bordeaux; Hubert Robert surtout marqué par les « védutistes » italiens et le pittoresque des jardins de la villa d'Este à Tivoli, non content de peindre l'incendie de l'Opéra ou la démolition des maisons bâties sur le Pont-Neuf, se plaît à inscrire ses phantasmes de pyromane dans des tableaux de bâtiments réels qu'il imagine en ruine, et c'est le jeune Girtin, le plus précis des artistes topographes, qui osera ce *Château de Banburgh,* tout en heurts et en contrastes, où se confondent le jaillissement du rocher, comme une main frénétique dressée vers le ciel, et l'effondrement des ruines d'un château fort, dans une vertigineuse exaltation de la hauteur. Ainsi cette grandeur supposée de la Nature se renverse-t-elle aisément, et le plus souvent chez les mêmes artistes, en un simple jeu d'illusion. L'Anglo-Alsacien Philipp Loutherbourg, disciple de Cagliostro, amateur de messes noires, décorateur du théâtre de Garrick à Drury Lane, inventeur de l'Eidophusicon, théâtre miniature d'illusions optiques, et dont Waterhouse dira « qu'il était capable de peindre de tête tout ce qu'il voulait mais était trop paresseux pour se reporter à la nature », tente de donner, en des tableaux d'un dramatisme spectaculaire où se devine le souvenir des grandes machineries théâtrales, un « Spectacle de la Nature » annonciateur de l'art « catastrophe » de Turner, de Martin, de Danby.

Mais cette coïncidence entre l'Homme et la Nature, où se joue le destin du sensualisme des Lumières, peut-être désigne-t-elle en l'homme, d'abord, un état de *sa* nature, oublié ou non encore advenu, où se déploieraient toutes les énergies de la création, tout à la fois en deçà de la culture, dans les premiers âges, libres et fiers, de l'humanité, quand toute parole était musique, et au-delà, dans le monde neuf qui s'annonce ouvert, par l'aventure industrielle, au déferlement de toutes les volontés de puissance — ainsi la terreur, l'émerveillement, le trouble éprouvés à la lecture des *Odes runiques* de Mallet, des *Reliques* de Percy, des *Bardes gallois* d'Evans, de l'*Ossian* de Macpherson, cette âpre poésie venue des étendues glaciaires de l'Arctique ou des déserts de Tartarie, tous ces chants des scaldes gaéliques, ne s'opposent pas mais se confondent avec les vertiges prométhéens de la modernité : sous les harmonies subtiles des Edens préservés grondent les clameurs sauvages des forges et des usines, comme dans le jardin de Worlitz venait s'inscrire le *sublime naturel* des éruptions volcaniques, par le moyen d'une *machine* souterraine. Dans la *Christiade,* épopée à l'imitation de Milton, l'abbé de La Baume donnait de la « forge cruelle de l'Enfer » une vision grandiose : « Déjà mille démons, de leur souffle puissant, raniment les feux par mille soupiraux; les noires forges se remplissent d'une fumée épaisse et infecte qui précède les tourbillons de flammes bleuâtres; les unes forgent le fer, les autres trempent l'acier; quelques-uns placent un creuset profond dans les fournaises; les lingots d'un or pâle sont apportés et mis en fonte, l'or se liquéfie, il devient malléable; le fer rougit, on frappe; l'enclume retentit et ses violentes secousses ébranlent les voûtes de Tartarie. » Mais il arrive, quand on veut nier Dieu, que l'Enfer se pare de troublantes séductions : quoi de plus impressionnant en effet, exaltant et terrible, que ces machines formidables broyant l'acier sous les cieux noirs des Midlands, dans le rougeoiment des creusets et les lumières fantomatiques du gaz d'éclairage ? Leur bruit infernal n'est-il pas la musique même de l'aventure humaine, le chant profond de sa puissance ? Ne sont-elles pas précisément ce qui, tout à la fois, domine la nature et asservit les êtres, ces machines formidables qui bientôt dépasseront toutes les fureurs naturelles et déjà écrasent l'homme quand elles ne sont pourtant que le produit de leurs rêves de puissance ? Arthur Young, devant les forges de Coalbrookdale, dira leur spectacle « horriblement sublime », et Wright of Derby, membre de cette Lunar Society où se côtoyaient Priestley et le grand-père de Darwin dans une même célébration de la modernité, — Soon shall thy arm, Unconquered Steam ! Afar drag the slow large, or drive the rapid car ! — se fera le peintre inspiré du fantastique de l'industrie, des fabriques de coton d'Arkwright, la nuit, qui, sous la lune brouillée, suggèrent irrésistiblement une nouvelle et très étrange Crèche, des muscles saillants sous la lumière crue des métaux chauffés à blanc, qui gardent quelque chose de la puissance jaillie des entrailles de la Terre, telle qu'il la restitue dans sa superbe gouache de l'éruption du Vésuve — à Narcisse se mirant dans les eaux claires de son parc, à l'aimable Pygmalion s'aimant trop dans ses œuvres, succède, dans la sombre fureur des forges infernales, formidable, le nouveau Prométhée de l'Age du Désir.

The « natural sublimity »

Il est des gouffres plus inquiétants encore que dans les Alpes, des sommets plus inaccessibles, et des vertiges plus troublants. Sous le microscope de Leuwenhoek, des insectes jusque-là tenus pour des êtres imparfaits, négligeables, révèlent une organisation d'une merveilleuse complexité; en deçà du visible s'anime un continent fabuleux d'animalcules, d'infusoires, de germes grouillant d'une vitalité irrépressible, que prolongent et multiplient aussitôt les fièvres de l'imagination; la découverte des spermatozoïdes, les travaux de Wolff sur l'épigenèse, renforcent l'intuition d'une nature animée, en état de renouvellement, de création et de destruction toujours recommencés; l'étude rigoureuse des fossiles par John Ray, la découverte de mammouths gelés, par des Suédois déportés en Sibérie, multiplient le foisonnement biologique sur la dimension temporelle : ces montagnes, ces fleuves, ces vallées, toutes images jusque-là de la permanence d'une demeure, voilà qu'à leur tour elles s'animent, se creusent, s'érodent, dans un mouvement d'une infinie lenteur qui transforme la Terre. La Terre a une histoire, mais son histoire n'est pas la nôtre, l'Homme n'est pas la mesure du monde, mais un fétu de paille jeté dans la rumeur immense d'un fleuve sans source ni embouchure. Alors, la conscience, désorientée, s'inquiète de ses pouvoirs : dans ce maelström voilà que l'homme apparaît négligeable, mû par des déterminations qui infiniment le dépassent...

Mais le vertige commence lorsque l'esprit tente d'intérioriser en un espace mental ces infinis incommensurables — car il s'agit toujours de l'humaine nature. Shaftesbury, déjà, avait vu dans l'esprit, moins un réceptacle connaissant le monde par réflexion et déduction, que la source bouillonnante de l'imagination créatrice — mais c'est Hartley, dans ses *Observations on man,* qui, le premier, franchit le pas, en s'efforçant de pousser jusqu'à la mathématisation, par une démarche inspirée de la physique newtonienne, la première psychologie résolument matérialiste. Les perceptions, affirmait-il, sont transmises par les vibrations de nos nerfs jusqu'au cerveau, dont la substance, ébranlée, produit des sensations; les idées élémentaires naissent des traces laissées par ces sensations répétées et les idées complexes en dérivent par association. Locke, au nom de la sensation, déjà, prétendait rejeter l'innéisme, mais il l'avait réintroduit subrepticement, vers la fin de sa vie, en deux chapitres nouveaux de son *Essai sur l'entendement humain,* pour tenter de sauver la conscience claire de la menace des associations d'idées, et l'assurer de ses pouvoirs d'abstraction, de distinction, de combinaison. Hartley, lui, pousse à son terme la négation de l'innéisme : nul besoin d'une activité propre de l'esprit, sa psycho-physiologie vibratoire permet, par le biais de l'association, d'aller jusqu'à l'abstraction sans recours à la réflexion; l'esprit sans cesse traversé d'un flux de sensations vibre sous la rumeur de la matière comme l'*Aeolian Harp* de Coleridge et les idées les plus abstraites peuvent naître, dira Priestley, à la manière de ces clusters qui sonnent tout entiers lorsqu'une seule de leurs notes se trouve animée — ainsi l'activité mentale se peut donc réduire à des vibrations et associations liées, qu'accompagnent des sensations plus ou moins vives de plaisir et de douleur; l'esprit s'éprouve comme un lieu où la matière se pense, les grandes orgues sur lesquelles son chant profond se joue. A peine l'homme des Lumières pose-t-il en principe, contre tout innéisme, et toute transcendance, qu'en lui se peut prendre en raison connaissance de ce qui rend possible toute connaissance, qu'il découvre avec inquiétude puis effroi qu'il s'est ainsi rendu étranger à lui-même, tandis que s'animent sourdement des puissances aveugles, qui le traversent...

Leur surgissement aveugle, ces chocs, ces ébranlements, lorsque l'esprit tressaille sous la violence des sensations et que la raison s'éprouve emportée, écrasée, ballottée, court-circuitée, en somme, par un tumulte qui la dépasse, cette panique de l'entendement quand l'âme surprise est remplie d'un objet terrible qui la domine, voilà ce qu'Edmond Burke et avec lui toute l'époque appelle le *sublime.* Roches en fusion, cratères brisés sous les orages, quand les étoiles elles-mêmes vacillent dans les tourbillons des ténèbres infernales, épopée hallucinée de montagnes croulant depuis les cieux comme un jugement dernier, torrents, avalanches, glaciers figés dans leur fureur mauvaise, tempêtes de neige, naufrages, chairs bleuies flottant entre deux eaux, vagues dressées telles des griffes pour une dernière insulte à la face des nuages, mâts brisés, coques éventrées, quand le ciel et la terre se déchirent pour vomir leur colère, entassements cataclysmiques de roches ténébreuses, architectures folles perdues dans les nuées, bouillonnement de sang, de lave, d'écume, gouffre vertigineux où l'âme tremble et s'égare, nuages comme des cavales de cauchemar déferlant sur nos nuits depuis des horizons noyés, bras tendus, yeux exorbités, bouches figées dans un cri d'épouvante ou de haine, corps brisés, éclatés, broyés, dans le maelström des dévastations, femelles perverses courant sous les lunes pâles un poignard à la main, rouge encore du sang de leurs enfants, corps offerts pour se sauver ou pour se perdre, morts amères dans le vent qui ricane sur les steppes désertes, arbres brisés, emportés dans les tempêtes, éclatés par la sourde folie qui depuis l'origine les travaille, et le tumulte dans notre chair de désirs formidables : voilà tout ce que Anne Radcliffe désormais appelle *the natural sublimity*...

Le sublime miltonien convoquait en l'homme sa ferveur et toutes les puissances rebelles de l'Imagination Créatrice pour le conduire vers l'énigme du commun surgissement de la Parole et de la Loi, le Beau de l'idéal classique renvoyait au sentiment de plénitude d'une conscience claire, devant une œuvre conçue dans le respect de toutes les œuvres du goût, le « sublime de la Nature », lui, n'a que faire de la ferveur et de la loi, des règles du goût, du Beau ou de l'Imitation des Anciens, comme il n'a que faire, à la limite, de toute culture ou de tout art, énonce, le premier, Edmund Burke dans ses *Recherches philosophiques sur l'origine de nos idées de sublime et du beau :* il relève d'un transport de l'âme, tout jugement suspendu, dans le déferlement de nos passions les plus violentes. Or, « il n'est point de passion qui ôte à l'esprit le pouvoir qu'il a d'agir et de raisonner comme le fait la *peur* [...] Tout ce qui est propre, de quelque façon que ce soit, à exciter des idées de douleur et de danger, je veux dire tout ce qui est, de quelque manière que ce soit, terrible, épouvantable, ce qui ne roule que sur des objets terribles, ou ce qui agit de manière à inspirer de la terreur, est une source de sublime; c'est-à-dire qu'il en résulte la plus forte émotion que puisse éprouver l'esprit ». Autres éléments de sublime, énumère Burke, dans un inventaire qui se veut systématique de nos sensations les plus fortes : l'obscurité, le grand, l'infinité, les puanteurs insupportables, les amers excessifs, les monstres, la laideur, le pouvoir, *l'oppression politique.* Dès lors, tout est joué : des jardins préservés aux plus hautes montagnes, des landes désertes aux abîmes intérieurs, voilà, peu à peu, dans la course frénétique de l'Homme des Lumières, le sublime miltonien renversé en son exact contraire, inscrit désormais dans le chaos ténébreux de la matière, quand il désignait autrefois ce qui en l'Homme échappe à la Nature, à sa nature, et à toute maîtrise. Alors seulement, toute dissidence niée,

Satan pourra être lu comme le héros véritable du Paradis perdu, et se nouent pour la postérité la figure du rebelle et celle de l'ange déchu, dans le personnage du héros fatal au visage hautain, creusé par une douleur ancienne, hors-la-loi poursuivi par une malédiction secrète, condamné à l'errance, traînant le poids d'une faute inexpiable, que Byron plus tard, à travers *le Corsaire, le Giaour* et *Manfred,* portera à la perfection du cliché. Déjà la figure traditionnelle du « bandito » pittoresque, que Salvator Rosa avait coutume de camper dans ses paysages tourmentés, se charge d'une puissance fatale et ténébreuse — *the tempestuous loveliness of terror* — « l'honorable malfaiteur » Karl Moor, dans les *Brigands* de Schiller, devient un monstre majestueux se précipitant de crime en crime, comme mû par la fatalité, vers un gouffre de désespoir, tel ce « premier meneur scélérat qui précipita dans le feu de la révolte des milliers d'anges innocents et les entraîna avec lui dans le profond abîme de la damnation », tandis que la frêle Amalia s'agrippe à lui en gémissant : « Assassin ! Démon ! Je ne peux renoncer à toi, mon ange ! » La référence à Milton est d'ailleurs constante, et explicite : dans une scène supprimée par la suite, et citée par Mario Praz dans son étude *La chair, la mort, le diable,* Karl Moor en effet déclarait : « Je ne sais, Maurice, si tu as lu Milton. Celui qui ne put souffrir qu'autrui le dominât, et qui osa provoquer en duel le Tout-Puissant, n'était-il pas un génie extraordinaire ? Il avait affronté l'Invincible, et bien qu'en succombant il épuisa toutes ses forces, il n'est point humilié; éternellement, jusqu'à aujourd'hui, il fait de nouveaux efforts et tous les coups retombent sur son chef et pourtant il n'est point humilié... Une tête intelligente, qui néglige les tâches mesquines, pour un but plus élevé, sera éternellement malheureuse, tandis que le fripon qui a trahi son ami et pris la fuite devant l'ennemi monte au Ciel grâce à un petit soupir opportun. Qui ne voudrait rôtir dans le four de Bélial avec Borgia et Catilina, plutôt que de s'asseoir là-haut à la table de cet âne vulgaire ? Voilà celui au nom duquel nos femmelettes font le signe de la croix. » Le héros du roman d'Ann Radcliffe, *The Italian or the confessionnal of the Black Penitent,* l'inquiétant moine Schedoni, est décrit comme une « créature qui n'était pas de ce monde » : « Il y avait quelque chose de terrible dans son apparence; quelque chose de presque surhumain. En outre, son capuchon, en jetant une ombre sur la pâleur livide de son visage, en augmentait la fierté et conférait un caractère presque d'horreur à ses grands yeux mélancoliques. Ce n'était pas la mélancolie d'un cœur sensitif, blessé, mais apparemment celle d'une nature sombre et féroce... De nombreuses passions semblaient avoir moulé ces traits que maintenant elles n'animaient plus. Une tristesse et une sévérité habituelles prédominaient maintenant dans les lignes profondes de son visage et ses yeux étaient si intenses que d'un seul regard ils semblaient pénétrer dans le cœur des hommes et y lire les pensées les plus secrètes : rares étaient ceux qui pouvaient supporter leur investigation, ou même souffrir de les rencontrer une seconde fois. » Montoni, l'aventurier des *Mystères d'Udolphe,* Schedoni, Karl Moor, Abbalino, le bravo de Venise de Heinrich Zschokke, Ambrosio, le moine de Matthew Lewis, bientôt le chevalier Harold, hôte désenchanté d'un monde livré au troupeau, errant, sombre et amer, de pays en pays, telle « une algue arrachée au rocher qui, sur l'écume de l'océan, vogue partout où la houle veut l'emporter, où souffle la tempête », ou bien encore le Corsaire, « démon éveillant à la fois la rage et la crainte; là où sa grimace de haine se posait, l'Espoir fuyait en pâlissant et la Pitié soupirait : adieu » : étrange et pourtant très « rationnelle » trajectoire que celle de cette Raison qui entendait régenter les espaces du dedans pour libérer l'Homme de ses vains préjugés et qui ne trouve, en bout de course, que les vertiges de la Terreur : nous sommes ici en plein cœur de la véritable révolution des Lumières, lorsque les définitions nouvelles du génie et du sublime entrent en incandescence — voici enfin venu le temps des grands effrois barbares...

Prisonnier et bourreau

« Gothique », c'est-à-dire *libre,* de la sauvage, indomptée, insolente, barbare liberté de la Nature — pour tous il va de soi que ce style est né de la Nature, à l'imitation des arbres enchevêtrés. William Stukely, devant le cloître de la cathédrale de Gloucester juge que son idée « découle d'une allée d'arbres, dont les branchages se trouvent curieusement imités dans le toiturage ». Pope rêve de « planter une ancienne cathédrale sous la forme d'arbres » : « De grands et beaux peupliers à troncs blancs (débarrassés de branches jusqu'à la hauteur voulue) conviendraient fort bien pour des piliers, et pourraient former les différents côtés et péristyles, selon leurs divers écartements et leurs hauteurs diverses. Ils feraient fort bien de près; et leur voûte s'élevant en une masse convenable au centre ferait fort bien aussi de loin. » Le jeune Goethe chante la cathédrale de Strasbourg comme un arbre majestueux « qui s'étale au large, et qui, avec ses milliers de branches, ses millions de rameaux et de feuilles est comparable au sable de la mer ».

La brutalité de la révolution industrielle, qu'accompagne une misère effroyable, un profond désarroi spirituel, la scandaleuse corruption affichée aux Communes, la rébellion américaine, contestent, vers le tournant du siècle, l'orgueilleuse image de « Nouvelle Rome » que l'Angleterre avait voulu jusque-là donner, et l'idéal démocratique qui, jusque-là, opposait, dans l'exemple romain, l'Empire colonisateur à la République héroïque trouve à s'appuyer sur l'idée nouvelle de Nature portée par l'associationnisme et sur le mythe, lié, de l'origine gothique des libertés anglaises, la *witema gemot*, cette démocratie idéale de très lointains ancêtres, analysée par Burgh, Hulme, et l'école écossaise, et chantée aussi dans les poèmes et les sagas alors ressuscitées par les poètes et antiquaires. Walpole croit découvrir dans les vitraux des cathédrales *the true rust of the baron war* et décore son bureau de Strawberry Hill d'une copie de la Magna Carta; le premier cours d'histoire du droit prononcé par Wilson devant Washington en 1790 s'intitule *The saxon law of liberty;* en 1774 déjà, Jefferson prétendait fonder le droit à l'indépendance sur l'exemple saxon et demandait que le sceau du nouvel État porte les effigies de Hengist et de Horsa — en 1824, dans une lettre à Cartwright il se dira toujours convaincu de l'origine barbare des libertés politiques. La jeunesse révoltée du *Sturm und Drang,* le Schiller des *Brigands,* le Goethe insolent de *Ganymède,* de *Prométhée,* de *Goetz von Berlichingen,* contre la dictature des règles et du goût, s'étourdissaient pareillement dans le grand rêve gothique, jusqu'à la glorification pure et simple du hors-la-loi, pour affirmer à la face d'un monde sclérosé leur soif inextinguible d'une liberté sans limite — et l'on ne comprendra rien au *gothic revival* si l'on ne le rapporte pas ainsi aux enjeux de l'époque...

Mais liberté de *nature,* quand tout dans la Nature, sous les pas du savant, dit l'impitoyable enchaînement des déterminismes aveugles, comme si, toute transcendance niée, la quête frénétique d'une liberté humaine ne rencontrait partout — et d'abord dans l'Homme même — que le tumulte du désir de maîtrise, les séductions de la mise à mort, les grands frissons de la Terreur, comme si l'âme humaine révoltée contre tous les tyrans se refermait en forteresse inexpugnable juchée sur des montagnes inaccessibles, ou se creusait en labyrinthes et souterrains sans issue, tandis que dans la nuit remuent d'effroyables machines et que gémissent encore les emmurés vivants. Précisément cela, le gothique : cette rencontre explosive de la Liberté et de la Terreur, l'instant d'épouvante où la raison se perd, quand elle découvre ou pressent que l'une n'est jamais que le masque de l'autre. Les *Carceri* de Piranèse, dont Loutherbourg s'inspira pour décorer le château de Fonthill lors de ces fameuses orgies par lesquelles Beckford célébra sa majorité, ces *Prisons* ne renvoient à aucun « dehors », non plus d'ailleurs qu'à un « dedans », mais nous soumettent à l'épreuve d'une essentielle désorientation, d'un intime décentrement : partout la même galerie qui se répète pour se briser sur le vide, partout le même personnage qui vainement se précipite, partout la même rampe à l'infini prolongée — sommes-nous, regardant, le bourreau dont la cruauté infernale, la volonté de puissance sans limite, a conçu cet effroyable édifice, ou bien le prisonnier hagard, soumis à un supplice indéfiniment répété ? Toute la puissance d'ébranlement de ces œuvres hallucinées tient dans la découverte que nous sommes les deux, parce que bourreau et prisonnier ne font qu'un. Füssli compose son célèbre *Cauchemar* en 1782 pour dénoncer, dit-on, le malaise qui alors gagnait l'Angleterre — mais ce n'est pas seulement cette femme endormie qui rêve, abandonnée à une extase mortelle, sous le ricanement sardonique d'un incube simiesque, les cheveux dénoués, ouverte face au rideau que déchire cette tête fantastique de cheval, comme un fantasme de viol surgi d'un incommensurable ailleurs : le trouble et le plaisir qui nous retiennent devant cette scène d'épouvante déplacent le rêve en nous, déjà nous nous savons complices du mal qui rôde...

Le crime, la terreur, la mort, nécessairement noués à l'idée de liberté dès l'instant où se trouve niée toute transcendance : Voltaire, on le sait, se gaussait des naïfs qui veulent à toute force « allumer des cierges en plein midi » — mais ce sont des nuits noires que le siècle des Lumières éveille au cœur du jour...

6

DANS LA TERREUR DE L'HISTOIRE

Tragédie et dialectique

> J'étais debout, seul, et regardais vers les plaines desséchées de l'Afrique; du haut de l'Olympe, il pleuvait du feu.
> Au loin glissa la montagne, maigre comme un squelette pérégrinant...

Comme si nous étions, d'un seul coup, devenus étrangers à nous-mêmes, séparés de notre origine, condamnés à l'exil : voilà que la Grèce idéale de la Raison et de la Mesure, de la forme maîtrisée et de la clarté bienheureuse, qui, jusque-là, signait notre identité, en quelque sorte assurait notre adhésion aux choses, lentement bascule, sous les figures trop lisses de sa calme perfection se lèvent d'étranges clameurs : falaises blanches et ocre du Péloponnèse dressées sur le bleu sombre de la mer, pierres sèches éclatées de soleil, sans plus de terre ni de chair, pur esprit, pure ivresse, la Grèce qui hante Hölderlin, qu'il invente, peut-être, à travers les œuvres violentes et terribles d'Eschyle et de Sophocle, sera celle, cruelle, aride, sublime, des vins lourds, du sang noir, des taureaux brûlés en sacrifice, celle furieuse, mystique, des Dieux et des héros, en proie au « monde sauvage des morts », noire peut-être de trop de lumière, les yeux crevés, tel Œdipe, par la démence du feu céleste — *la Grèce de la tragédie*.

Mais n'était-ce pas précisément le « miracle grec », que cette coïncidence d'une perfection de l'art et d'une vérité de Nature, l'exemple proprement unique d'un « art de nature », où la libre expansion du désir, loin de se renverser en puissance destructrice, trouvait en elle-même sa propre loi, sa forme — ce que Schiller tentera de penser dans la catégorie du « naïf », opposé au « sentimental », cet état de « simplicité naturelle » où « l'homme agit encore avec toutes ses forces à la fois en tant qu'unité harmonieuse, et où, par suite, la totalité de sa nature s'exprime complètement dans la réalité », de telle sorte que l'art du poète s'y peut constituer encore de « l'imitation la plus complète du réel » ? N'était-ce pas déjà *l'essence de la tragédie antique,* que cette énigmatique liaison de la liberté et de la nécessité, qui tant obsède une modernité en attente de délivrance?

Schelling, en 1795, dans ses *Lettres philosophiques sur le dogmatisme et le criticisme,* écrit — il a tout juste vingt ans : « On s'est souvent demandé comment la raison grecque a pu supporter les contradictions de sa tragédie. Un mortel destiné par la fatalité à être un criminel, luttant lui-même *contre* la fatalité et cependant terriblement puni pour le crime qui était l'œuvre du destin : la *raison* de cette contradiction, ce qui la rendait supportable, était plus profonde que là où on la cherchait : elle était dans le conflit de la liberté humaine avec la puissance du monde objectif, conflit où le mortel, lorsque cette puissance était une puissance supérieure — (un fatum) —, devait nécessairement succomber et, cependant, comme il ne succombait pas *sans lutte,* être *puni* de sa défaite même ». Plus tard, dans ses *Leçons sur la philosophie de l'art :* « L'essentiel de la tragédie est [...] un conflit réel entre la liberté dans le sujet et la nécessité en tant qu'objective, conflit qui se termine, non par la défaite de l'un ou de l'autre, mais parce que tous les deux, *à la fois vainqueurs et vaincus, apparaissent dans l'indifférence parfaite.* »

Hegel, dès ses premiers écrits, telles ces *Manières scientifiques de traiter du droit naturel,* publiées en 1802 dans le *Journal critique de philosophie* qu'il édita avec Schelling pour battre en brèche les thèses de Fichte, place le tragique au centre même de son système, qui en fait l'énigme majeure à élucider, le principe même du monde, et le définit par l' « identité-opposition » de l'individuel et de l'universel, de l'état de nature et du « caractère divin de l'état de droit », non plus perçue comme harmonie stable mais au contraire comme un processus dynamique, *dont le mouvement interne serait celui-là même de la dialectique de l'Esprit :* « Le tragique originel consiste en ce que, au sein de cette collision, les deux termes de l'opposition, pris en eux-mêmes, ont une *justification,* alors que, par ailleurs, ils ne sont pourtant pas en état de porter à achèvement le véritable contenu positif de leur but, de leur caractère, autrement que comme la négation et la blessure de l'autre puissance. »

En mars 1804, après bien des atermoiements, Schiller enfin décide de s'affronter à l'impossible gageure d'écrire une « tragédie moderne », qui retrouverait, par le détour de la culture, le « secret de Nature » de l'Antiquité : Démétrius, le tsarévitch perdu que tous croient retrouvé, tel est son rayonnement, en Grischka, le jeune homme de Sambor, qu'une « volonté immense d'accomplir l'impossible », pareille en lui à une « voix divine », arrache à l'innocence gracieuse d'un état de nature pour le jeter dans le tumulte de l'Histoire; Démétrius, hagard, qui marche vers un destin d'autant plus implacable que sa fatalité se confond avec l'élan de sa liberté, et qui découvre ainsi, dans la stupeur et l'épouvante, que c'est la voix du cœur en lui, seule source de son salut, qui fait son infortune, que sa rectitude morale toujours se renverse en puissance de destruction, le juste se révèle l'injuste, et le bien, le mal; Démétrius qui deviendra le tyran du peuple qu'il veut sauver — « pour que malheur il y ait, il faut que le bien lui-même fasse mal », note Schiller en maxime, dans les brouillons de cette œuvre par avance condamnée à l'inachèvement, « gain et perte logent sous le même toit. »

Entre 1798 et 1801, par trois fois, Hölderlin tente de donner forme à la dialectique du tragique dans cette *Mort d'Empédocle* qui devait être sa grande tragédie. « La présentation du tragique repose principalement sur ceci que l'insoutenable, comment dieu-et-homme s'accouple, et comment, toute limite abolie, la puissance panique de la Nature et les tréfonds de l'homme deviennent UN dans la fureur, se conçoit par ceci que le devenir UN ILLIMITÉ se purifie par une séparation illimitée », écrivait-il alors — et ceci, encore, à voix tremblée, au bord du silence : « A la limite extrême du déchirement, il ne reste plus rien que les conditions du temps et de l'espace. » Empédocle est pour lui le héros tragique par excellence, « fils des formidables antagonismes entre la nature et l'art, sous lesquels le monde apparaissait à ses yeux » : il est « l'homme en qui s'opère une fusion si profonde de ces oppositions qu'elles deviennent *un* en sa personne » — et pour cela même se trouve sûrement condamné à périr, « sinon, le général se perdrait dans l'individu et la vie d'un univers viendrait mourir dans une singularité ». Par trois fois il échoue, si les fragments demeurent, ruines d'un fabuleux élan, parmi les sommets de l'art allemand, et c'est comme s'il y perdait, littéralement, son identité — aussitôt après ce sera le départ pour Bordeaux, la fuite vers ce Midi que déjà il identifie à la Grèce, et la catastrophe du retour...

Ainsi, à travers la tragédie antique, l'époque tente de résoudre la contradiction qui l'épuise, pour échapper enfin à sa fatalité : comme le ressac furieux des océans du monde, qui s'en viendrait obstinément heurter cette étrange muraille, apparue dans l'Histoire, pour les séparer et les enclore... *Qui, malgré l'exil de sa culture, maîtrisera l'énigme de l'antique tragédie tiendra les clés de l'avenir du monde* — tel est d'abord le sens, dans l'effondrement des illusions « classiques », de ce mouvement que l'on dit de « retour vers l'antique ». Mais cette énigme d'une liberté qui se trouve ainsi nécessairement nouée à la Terreur, par elle engendrée tout autant qu'elle l'engendre, cette scandaleuse évidence d'un cœur noir de la lumière, ce vertige d'une raison qui se découvre sans plus de fond, ne sont pas à compter parmi les leçons douloureuses de la Révolution française : elles s'inscrivent d'abord dans le siècle des Lumières comme le destin de la pensée, ce sur quoi elle bute dès lors qu'elle tente de se ressaisir dans les catégories de la Nature, du génie, du sublime — dans les frénésies et les clameurs de Diderot, dans le ressassement sans fin de l'écriture sadienne, dans les labyrinthes de pierre et le délire des machines de Piranèse, s'obstine une fureur, nouée à la Raison et à la Nature, comme leur principe même, et pourtant insensée.

Comment circonscrire encore, pour la chance d'une vie, la sombre rumeur de la matière et le tumulte en nous de nos désirs aveugles, dans la rigueur d'une pensée, la pureté d'un trait ? Par quelle raison nouvelle, ruse ou stratagème, faire de ce noyau infracassable de nuit, de ce néant sans plus de sens, le principe d'une liberté à ce jour inouïe, le moteur de l'action, le foyer d'une morale ? Comment réintégrer le scandale du mal dans l'économie générale d'une pensée qui, lui donnant sens, en ferait le principe d'un bien supérieur ? Ici, dans un effort gigantesque d'arrachement hors de soi, par ce véritable « saut périlleux » de la pensée, devant le naufrage qui menace, que l'on dira « dialectique », l'époque, lentement, bascule pour naître enfin à la modernité...

L'être sombre, dans le mystère de sa fureur

Les Grecs le disaient victime de la Némésis, aussi le destin qui perdait le héros coupable du crime d'« ubris » lui demeurait-il extérieur — mais c'est dans leur propre cœur, noué à leurs plus libres élans, que les héros du *Sturm und Drang*, traversant le monde, dira Schiller, tels des somnambules errant sur le faîte d'un toit à pic, découvrent le travail obstiné d'un effrayant déterminisme

— « l'homme croit diriger sa vie, se conduire lui-même et il n'est qu'un jouet inconscient aux mains souveraines du Destin », s'écrie le superbe Egmont à l'instant de mourir. Parfois cette fureur libertaire, cette passion amoureuse, artistique, politique, s'empare d'un être jusqu'à le posséder, ajoute Goethe, le réduit presque en esclavage et celui-ci se dit alors Shakespeare, Mozart, Raphaël, Byron, Paganini. Parfois aussi cette force, à travers lui, explose dans le monde, et l'homme alors se fait démon, tel Napoléon, sombre puissance de séduction, auquel rien ne résiste, et les foules fascinées, malgré les mises en garde, se précipitent à la rencontre de qui, croient-elles, a su apprivoiser le Destin : de ces hommes « émane une puissance prodigieuse, et ils exercent un pouvoir incroyable sur toutes les créatures, sur les éléments eux-mêmes, et qui saurait prédire les limites d'une telle influence ? Contre eux toutes les forces morales sont désarmées ». Il n'est point libre pourtant, ce héros fulgurant, mais l'instrument aveugle de la Fatalité, sa mission remplie, « les démons lui donnent un croc-en-jambe et le font tomber ». Où la liberté, dès lors, où le bien, où le mal ? Méphisto est l'esprit qui toujours dit non, l'incarnation du principe métaphysique du Mal : tout entier à sa rage meurtrière, il multiplie les cataclysmes, les orages, les tempêtes et les guerres, engloutit les générations dans le péché, les décime par des épidémies, s'insinue en chaque être pour le corrompre et le séduire, et pourtant rien n'y fait, la vie semble à chaque fois puiser dans les épreuves une vigueur nouvelle, une insolente jeunesse. Il veut circonvenir Faust, génie désabusé aspirant à la mort, mais ses ruses toujours se retournent contre lui, les épreuves qu'il suscite ne le peuvent perdre mais le guérissent — dans un éclair de lucidité, Méphisto alors réalisera qu'il est « une partie du Tout qui toujours veut le Mal et sans cesse crée le Bien ».

« Dans la nature vivante et sans vie, animée et inanimée, je crus reconnaître, écrit Goethe dans son autobiographie *Poésie et Vérité*, quelque chose qui ne se manifestait que par des contradictions et, par suite, ne pouvait être compris dans aucun concept, moins encore dans un mot. Cela ressemblait au hasard, car nulle conséquence ne s'y manifestait; cela paraissait voisin de la Providence, car cela laissait entrevoir un rapport » : cette énergie primordiale qui s'identifie, pour qui la possède ou en est possédé, « par-delà le Bien et le Mal », avec le Destin, et pour cela nous plonge, quand nous en prenons conscience, dans une « espèce de Terreur » (*Angst*), mais qui signifie, en même temps, l'individualité nécessaire, immédiate, proférée à la naissance même de la personne, la caractéristique par laquelle un individu se distingue de chacun des autres individus, cette puissance de négation qui se manifeste pourtant dans une énergie entièrement positive, cette force qui semble « se mêler aux autres, tantôt pour les séparer, tantôt pour les unir », cette rumeur souterraine que la conscience ne peut ni véritablement comprendre ni dominer mais qui toujours l'appelle, la réduit, et la meut — rien que la vie, peut-être, en son irrépressible flux, qui nous traverse et secrètement dessine notre personnalité —, cette fatalité mystérieuse qui se confond pourtant avec notre liberté, cette part de nous-même qui s'allie dans la Nature avec « tout ce qui dépasse la forme », peut-être « ce tréfonds dont parle Jakob Boehme, et qui contient l'élément pur, mais aussi l'être sombre dans le mystère de la fureur » et qu'accompagne sans trêve, invisible à tout autre, une « haute menace » dont « il tire les forces toujours renouvelées », Goethe, sans cesse glissant de mot en mot — comme si dans « l'interdit » libéré par le jeu constant de leurs contradictions et de leurs similitudes quelque chose, autrement indicible, pouvait se révéler dans son énigmatique évidence —, le nommera tour à tour Dieu, les dieux, la Providence, le Seigneur, le Père d'amour, le Tout-Puissant, l'Amour éternel, l'Être lointain, l'Éternel, l'Insondable, l'Être Suprême, les bons esprits, la Nature, le Divin, les Astres, l'Esprit du monde, les Immortels, les Puissances souveraines, les Démons, et puis surtout, superbement, *démonisme,* et nul sans doute n'en parla mieux que lui, parce qu'il fut, jusqu'à la fin, sa force et son tourment : « ce quelque chose n'était pas divin, car il semblait déraisonnable, pas humain, car il n'avait pas d'intelligence, pas diabolique car il était bienfaisant, pas angélique car souvent il laissait voir de la malignité mauvaise. Il ressemblait au hasard car il ne se montrait pas de suite, il rappelait la Providence car il faisait penser à un enchaînement. Tout ce qui nous limite lui semblait pénétrable; il paraissait jouer arbitrairement avec les éléments nécessaires de notre existence; il resserrait le temps et étendait l'espace; il semblait ne se complaire que dans l'impossible et rejeter loin de lui le possible d'un air dédaigneux. J'appelais *démonique* cet être qui semblait se mêler aux autres, tantôt pour les séparer tantôt pour les unir, suivant en cela l'exemple des Anciens. Je tentais de me sauver de l'emprise de cet être effrayant en me réfugiant, selon mon habitude, derrière une figure. »

Demain soir, à Rome!...

Ce démon qui l'obsède, l'emporte, en sa jeunesse lui faisait écrire les quatre actes de *Clavigo* en huit jours, toujours le précipite de l'orgueil sans limite de Prométhée à l'impuissance de Werther, pour le laisser en fin de compte brisé, ne rêvant plus qu'à « cesser d'être une huître magique sur laquelle passent des vagues mystérieuses », Goethe d'abord le fuira dans l'administration des êtres et des choses, devenu le conseiller du duc Charles-Auguste à Weimar, absorbé dans ses programmes de réformes, au point d'abandonner presque toute création. *Werther,* déjà, avait été par lui écrit en quatre semaines, au printemps 1774, après le suicide de son ami Jérusalem, dans l'exaltation de son impossible amour pour Lotte Buff, comme une liquidation, ou une conjuration, pour se guérir enfin d'un vertige mortel, et le succès incroyable de ce livre, cette « mode Werther », frac bleu, bottes, gilet jaune, qui bientôt fit fureur, ces vagues de suicides, à la façon du cordonnier qui se jeta un jour par sa fenêtre en tenant le livre à la main, ou de cette Suédoise qui choisit de se noyer dans l'Ilm, sous ses fenêtres, ces cris de louange ou de haine, toujours, le laisseront perplexe : « tandis que je me sentais soulagé et libéré parce que j'avais transformé la réalité en poésie, mes amis s'y trompèrent en croyant que l'on devait transformer la poésie en réalité, imiter un tel roman, et à l'occasion se suicider, dira-t-il plus tard — Dieu me garde de jamais me trouver à nouveau dans le cas d'écrire un *Werther*! » Mais on ne se libère pas aussi aisément de la rumeur, en soi, de l'Indicible — « les démons m'ont conduit ici comme dans une souricière », se plaint-il amèrement dans une lettre à Knebel, le 30 octobre 1784 — voilà qu'il se sent bientôt « pauvre esclave du devoir », à ce point écrasé par ses fonctions que, « lorsque ces mains ne le supportent plus, il s'accroche avec les dents », peut-être aussi rendu inquiet par les intrigues hasardeuses de son protecteur, et sans doute lassé de sa liaison avec Charlotte von Stein...

> Connais-tu le pays où fleurissent les citronniers
> Où les oranges d'or brillent dans le feuillage sombre
> Un vent léger descend du ciel bleu,
> Le myrte discret y pousse, le laurier croît superbe,
> Le connais-tu bien? C'est là, c'est là
> Que je voudrais aller avec toi, mon bien-aimé...

chantait déjà Mignon : là-bas, sous l'éternité de la lumière, des hommes autrefois se délivrèrent de leur fureur, dans un art qui ne fut jamais égalé — et c'est comme s'il était en lui une fleur en germe encore, inconnue, magnifique, en attente de soleil pour éclore. Ce sera donc comme pour une fuite, sous le masque du négociant Jean-Philippe Moeller, qu'il quitte brusquement Weimar en 1786, sans en aviser quiconque, sinon son domestique-intendant Seidel, pas même sa maîtresse, pour courir, lui le chantre enthousiaste de la cathédrale gothique de Strasbourg, qui mêlait aux lettres de Werther des fragments « ossianiques », vers l'Italie, Venise, Rome, Naples, la Sicile, à la rencontre de la lumière et du « miracle antique ». Un « *salto mortale* », écrit-il à Herder, non pas tant pour le risque couru de perdre ainsi l'amour de Mme de Stein, et la protection du grand-duc, que parce qu'il joue alors la possibilité d'une « nouvelle naissance » — une métamorphose radicale de son être. Sans doute faut-il faire la part de ce qui, dans cette fugue, fut joué en conformité avec les traditions du voyage littéraire en Italie, tout ce qui fut soigneusement préparé, prépensé et que l'on dira « révélation », mais quelque chose ici dans le ton ne trompe pas, une fièvre, une urgence, qui se donne aussi à juger par les œuvres : « Je n'ai qu'une existence, je l'ai cette fois totalement jouée et la joue encore, tente-t-il d'expliquer, quatre mois plus tard, à Charlotte von Stein, si j'en sors sain et sauf physiquement, spirituellement, si ma nature, mon esprit, ma chance, surmontent cette crise, je compenserai mille fois pour toi ce qu'il faut compenser. Si je succombe, je succomberai ; de toute façon je n'étais sans cela plus bon à rien. »

« Ainsi, demain soir à Rome ! » note le 28 octobre, sur ses carnets, le négociant Jean-Philippe Moeller, qui, d'impatience, a passé les dernières nuits tout habillé. Il s'installe aussitôt sur le Corso, en face du Palazzo Rondanini, dans la fameuse maison de Serafino Collina, devenue le quartier général de la colonie allemande, où le peintre Tischbein, qui s'improvise son guide, lui prête une petite chambre. Séjour studieux : il travaille chaque matin à son *Iphigénie,* flâne dans les ruelles, visite les musées, « croque » les monuments, s'initie à l'archéologie à travers l'histoire de l'art de Winckelmann, fréquente Heinrich Meyer, Kayser, Hirt, Schultz, Reiffenstein, le sculpteur Trippel, Angelica Kauffmann, le paysagiste Huckert, rencontre le père Jacquier, Cassas, d'Argincourt, Jenkins, Moore, Worthley, est reçu à l'académie des Arcades, écoute patiemment les théories extrémistes de Hirt et les projets allégoriques de Tischbein, mais surtout il lit, étudie assidûment, s'enivre de beauté — peut-être même s'ouvre à une sensualité qu'on ne lui connaissait guère auparavant :

Un enthousiasme joyeux me transporte, sur cette terre classique.
Le monde passé, le monde présent me parlent haut et me charment.
Ici, je suis le bon conseil, je feuillette l'œuvre des anciens,
D'une main attentive, et chaque jour se renouvelle mon plaisir.
Mais pendant les nuits, Amour m'occupe à d'autres travaux,
Et si je n'ai acquis qu'une demi-science, double sera mon plaisir.
N'est-ce pas m'instruire qu'examiner la courbe d'un beau sein
Et doucement laisser descendre ma main
Le long d'une hanche ?
C'est alors que je comprends le marbre; je pense, je compare,
Je vois d'un œil qui tâte, je touche d'une main qui voit.

Mais Rome, « capitale du monde antique », « source de toute grandeur », où se peut encore, croit-on, trouver le « secret perdu de la beauté », n'exerce une si intense fascination que parce qu'elle est en pleine effervescence, devenue, pour reprendre les propos de l'ambassadeur Bernis, « durant huit mois de l'année, le rendez-vous de toute l'Europe » — au détriment de Paris, et sans doute en réaction aux afféteries de son style « rococo ». Allemands, Anglais, Russes, Polonais, Suédois, artistes et écrivains, s'y pressent, s'y bousculent, au point que l'on organise bientôt des visites guidées à un sequin par jour; plâtres, estampes, livres, journaux à tous les coins de rue, comme ailleurs les reliques, entretiennent ou exploitent la ferveur pour l'antique : point de rencontre des rébellions contre le « goût français », alors assimilé aux grâces du rococo, voilà que la ville Éternelle apparaît, ainsi que le note justement Michéa, comme le « trait d'union entre l'Europe, l'Afrique et l'Asie », l' « antichambre de la Grèce », le « berceau de l'égyptologie », la porte magique de l'Orient : le lieu peut-être d'une Renaissance — ici s'invente, dit-on de plus en plus fort, un Nouveau Monde, libéré des vaines sensibleries, retrempé dans la *virtus* des grands héros antiques. Goethe aurait pu applaudir : voilà qu'il se détache, au contraire, insensiblement. Peut-être la sensualité rayonnante des *Elégies romaines* n'était-elle, à tout prendre, qu'un effet charmant de la réminiscence, et la belle Faustina, l'image retrospective de Christina Vulpius : passé les premiers temps de l'enthousiasme obligé, le ton des lettres se fait plus solennel, pour ne pas dire compassé, et l'on devine à demi-mots une intense déception — comme s'il étouffait à nouveau dans une société étriquée. Rome bientôt lui apparaît un cimetière, et vaines toutes les théories qui s'y agitent, la modernité qui s'y rêve n'est certes pas pour lui. Il faut donc fuir, encore, plus loin que la rumeur du monde, vers le sud...

Ici est la clé de tout

Naples était alors tenue par les voyageurs étrangers comme la limite extrême du monde civilisé. Au-delà, pensait-on, sur les plaines dévastées par la malaria, erraient, faméliques, quelques rares habitants et des troupeaux de buffles sauvages : pays de rocailles, pays de broussailles, terre irritée de sécheresse, étendues écrasées de soleil, jusqu'au vertige, sans autre loi que la force, dans le déchaînement des passions mauvaises, retournées à la sauvagerie « féodale ». Plus loin encore, la Sicile, au risque des pillards barbaresques par la mer, des hordes de brigands par la terre, sans route ni auberge, dont on ne sait presque rien, sinon que s'y mélangent les monuments les plus étranges, byzantins, arabes, gothiques, baroques — étrusques aussi, disent les uns, grecs, assurent les autres. La Grèce ? On l'imagine sans plus guère d'intérêt, tous ses monuments disparus, retournée à la barbarie, les marchands eux-mêmes, par crainte des Turcs, l'évitent...

Ici, aux portes de l'inconnu, Goethe à nouveau respire, l'atmosphère pesante de nécropole qui, à Rome, l'oppressait se dissipe dans les lumières de Naples : devant l'effervescence d'une foule prodigieusement vivante, enjouée, sensuelle, insouciante, c'est l'illumination, bientôt, qui va déterminer toute son existence, par une sorte « d'oubli enivré de soi-même », d'une possible réconciliation avec le démonisme de sa jeunesse. Les formes trapues des temples doriques de Paestum et de Ségeste, d'abord, l'avaient déconcerté, sinon même effrayé, comme s'il avait pénétré dans un univers étranger : là où il croyait trouver, magnifiée par le marbre antique, la grâce aérienne des monuments romains, il avait découvert une forêt touffue de colonnes, sans base, pyramidales, plus énergiques que gracieuses, taillées dans une vulgaire pierre brune. La Sicile lui sera comme un révélateur, où les choses et les êtres, les troupeaux de chèvres et de moutons, le port altier des paysannes, leurs vêtements d'une « noble simplicité » et leur sens de l'hospitalité, évoquent, à ses yeux, « la plus antique Hellade », et les si belles descriptions de Théocrite. « Ici est la clé de tout », répète-t-il, ébloui, l'architecture dorique y retrouve son décor naturel, comme si la nature se faisait, spontanément, et par elle-même, *paysage,* pour restituer enfin, dans la vibration de la lumière, l'unité profonde du monde antique, la clef universelle par laquelle s'accordent l'idée et la sensation, l'art le plus maîtrisé et la nature la plus libre. Ici le démonisme fut assez rayonnant pour trouver en lui-même sa loi, dans le moment même qu'il brisait toutes les règles, ici la connaissance esthétique ne se sépare plus de la connaissance scientifique, ici les artistes ont touché à la pleine lumière de la création, leurs facultés d'invention et d'imagination se sont pour ainsi dire immédiatement combinées avec la matière parce qu'ils ont su procéder selon les lois mêmes de la Nature : « Ces œuvres d'art sublimes ont été, comme les plus grandes œuvres de la nature, produites selon des lois vraies et naturelles par des hommes. Tout l'arbitraire, l'imaginaire s'effondre : là est la nécessité, là est Dieu. »

Comment lire dans les plantes le secret de l'antique

Ces « lois de Nature » qui font les chefs-d'œuvre, il tente aussi de les découvrir dans les métamorphoses des plantes, l'incessante prolifération du végétal — et l'on ne peut comprendre le sens véritable de son « retour à l'antique » si l'on néglige les travaux de botanique qu'il mène conjointement : ainsi qu'il s'en explique dans ses lettres à Charlotte von Stein et au duc Charles-Auguste puis, retour d'Italie, par un petit traité *Einfache Nachahmung der Natur, Manier, Stil,* c'est précisément lorsqu'il découvre les principes de l'organisation végétale qu'il pense tenir la clé de l'art antique...

Sa passion pour les plantes s'était éveillée au contact du professeur Büttner de Göttingen ; les *Lettres sur la botanique* de Jean-Jacques Rousseau, puis la *Philosophie de la botanique* de Linné longtemps l'avaient fasciné, mais le tour d'esprit du savant suédois lui restait décidément étranger : « ce que Linné cherche à séparer de force, expliquait-il, tend nécessairement à s'unir, selon moi. C'est là le besoin le plus profond de ma nature » — et l'on peut entendre là comme un écho de la condamnation de Méphistophélès

> Pour reconnaître un tout vivant et le décrire,
> On tente en premier lieu d'en expulser l'esprit
> Et voici désormais les morceaux dans la main.
> Il n'y manque vraiment que l'esprit qui les lie!

Ce que vise Goethe, en effet, n'est pas un ordre statique où viendrait s'inscrire, en classes et sous-groupes, tout le divers de la Nature, car la cohésion du multiple ne se peut, selon lui, assurer que par la saisie de l'unité originelle, et chaque forme n'est jamais qu'une manifestation particulière d'un principe présent en toutes : « Dans l'immensité du règne végétal, écrit-il, une telle diversité de formes ne pouvait apparaître sans qu'une loi fondamentale, si cachée soit-elle, ne les ramenât toutes à l'unité » — plutôt faudrait-il évoquer l'intuition d'un « principe actif qui créerait le particulier par spécification de la forme originelle », la quête d'une loi fondamentale de métamorphose, la tentative de ressaisir *la genèse intuitive de la forme.* Déjà, en traversant les Alpes, il avait étudié l'influence de l'altitude sur l'écartement des nœuds, l'épaisseur des tiges, la forme des feuilles, et plus généralement le principe de variabilité des formes végétales, à partir de feuilles de saule et de gentiane, mais c'est dans le jardin botanique de Palerme, en 1786, où il se rendait, dit-il, « avec l'intention ferme et paisible de poursuivre ses rêves poétiques », qu'il touche enfin à la pleine intuition de son *Urpflanze* — quelque chose comme la perception directe de la « forme fondamentale avec laquelle la Nature joue et, en jouant, produit la diversité de la Vie ». La lettre qu'il écrit alors d'enthousiasme mérite d'être citée, *qui peut se lire aussi comme la clé de son rapport nouveau à l'antique* : « Toutes les plantes que je n'apercevais d'ordinaire qu'en caisses ou en pots, voire derrière les vitres la plus grande partie de l'année, sont ici, fraîches et heureuses, à ciel ouvert; et, en remplissant leur destination, elles nous deviennent plus intelligibles. A la vue de tant de formes nouvelles et renouvelées, ma vieille lubie me reprit et je me demandai si, au milieu de cette variété, je ne pourrais découvrir la plante originelle. Car il doit bien y en avoir une : à quoi reconnaîtrais-je que telle ou telle formation est une plante, si elles n'étaient pas toutes créées sur le même modèle ? » Voilà que la luxuriance des plantes entremêlées, le chatoiement de leurs couleurs, la sourde rumeur du végétal en métamorphose, cet irrépressible élan par lequel s'échangent bourgeons, fleurs et feuilles, le saisissent soudain — une végétation surabondante transforme les fleurs en feuilles, tandis qu'une végétation pauvre transforme les feuilles en fleurs; feuilles, calices et corolles sont des organes végétaux identiques issus par développement d'une forme première inconnue; « la plante a beau germer, fleurir ou porter des fruits, ce sont toujours les mêmes organes qui, dans des fonctions multiples et des formes changeantes, accomplissent la tâche que leur prescrit la nature ». Ses lettres à Herder se font chants de triomphe, qui vibrent d'impatience contenue : « Il me faut en outre te confier que je suis tout près du mystère de la production et de l'organisation de la plante et que c'est la chose la plus simple que l'on puisse penser. Sous ce ciel, on peut faire les observations les plus belles [...]. La plante originelle (*Urpflanze*) devient la plus étrange créature du monde, pour laquelle la nature elle-même doit m'envier. Avec ce modèle et sa clef, on peut ensuite inventer encore à l'infini des plantes qui doivent être logiques, c'est-à-dire que, même si elles n'existent pas, elles pourraient cependant exister et ne sont pas comme des ombres ou des apparences pittoresques et poétiques, mais ont une vérité et une nécessité intérieures. La même loi s'appliquera aussi à tous les autres êtres vivants. [...] Étreindre une telle idée, en porter le poids, la découvrir réalisée dans la Nature, nous met à la fois dans un état d'anxiété et de délices. »

Mais gardons-nous ici d'une interprétation trop hâtive. Cette *Urpflanze* n'est pas une plante primitive, historiquement première, non plus qu'une structure entendue comme schéma géométrique, elle est une *loi génétique organique,* c'est-à-dire que, *loi,* elle est certes générale, mais, *génétique organique,* elle ne se peut pourtant saisir que dans ses manifestations concrètes. Tantôt Goethe la dit pure Idée, tantôt il la tient pour une réalité : plus qu'un concept, elle est en somme une *image*, intermédiaire entre le sensible et l'intelligible, un *archétype,* « concret-spirituel » en ceci qu'il est comme la condition même de l'exercice de la pensée mais ne se peut jamais saisir que par une intuition, dans le sensible — identiques du point de vue de l'idée, les organes végétaux, certes, se différencient dans le monde sensible, mais ce divers n'est pas indifférent, il reste identifiable, et renvoie donc à une Image... Nul matérialisme « vitaliste », ici : pour Goethe en effet l'organique ne se peut saisir dans les catégories de l'inorganique, mais appelle un mode de perception spécifique. L'*Urpflanze* est un *supra-sensible*, une Image qui intègre en elle par étapes successives, selon une échelle ascendante, un processus de métamorphose qui culmine dans cette spiritualisation de la matière qu'est la fécondation — la plante, en somme, tend à s'arracher de l'inorganique pour se « réaliser-spiritualiser » dans son archétype, quand bien même la matière sans cesse contrarie son élan. Tel est, songe Goethe triomphant, le principe a priori d'une genèse de la nature dans la pensée, le premier stade d'une auto-organisation de l'élément, ainsi, déjà, « l'esprit se réalise dans la nature et triomphe de la matière dans la forme même qu'il lui donne ».

Toutes ses lettres de l'année 1787 portent ainsi la marque d'une libération, et d'un accomplissement, d'une intuition aussi sur la création artistique qui touche à l'absolue clarté : « Je suis guéri d'une passion, d'une maladie violente, pour recommencer à jouir de la vie, de l'histoire, de la poésie, des antiquités et j'ai pour des années de réserves à élaborer et à compléter [...]; je puis bien dire que, dans cette solitude d'une année et demie, je me suis retrouvé moi-même. Mais retrouvé comment ? Artiste. » Artiste, c'est-à-dire celui qui procède à une genèse intuitive intégrale de la forme, de telle sorte que la Nature révèle immédiatement l'idée; celui qui opère le passage de la sensation à l'idée, et des ténèbres du démonisme fait jaillir la lumière de la forme.

De retour à Weimar, après une année d'études encore à Rome, replongé dans l'atmosphère étriquée, les mesquineries et la somnolence hargneuse de cette petite ville bourgeoise, Goethe aussitôt rédige pour « décharger son cœur » le résultat de ses études dans un *Essai d'explication de la métamorphose des plantes* dont il imagine qu'il va faire vaciller le monde intellectuel sur ses bases, puisqu'il contient en somme la première « clé de tout » : à sa grande surprise, son éditeur Goschen le refuse et l'ouvrage ne paraît qu'en 1790, à Gotha... dans l'indifférence générale. Les nouveaux conseillers du duc ricanent, Charlotte von Stein lui bat froid, la jeunesse allemande ne retrouve plus guère dans ce classicisant hautain, passionné de physique, d'ostéologie et de botanique, le bouillonnant génie de *Werther* et de *Goetz,* et le dit vivement, Schiller, dans un premier mouvement, qui résume l'opinion générale, le déclare « fini ».

Fini, on peut le croire : trop pris par ses études scientifiques, sa production littéraire se raréfie; de lui-même il se place sur les marges de la bonne société de Weimar : pour la plus grande humiliation de Mme de Stein, il vit en concubinage notoire avec une « fille du peuple », Christina Vulpius; ses anciens amis l'abandonnent, à l'exception du duc et des Herder, ou bien il s'en détache, ne fréquente plus guère que les critiques d'art Karl Philipp Moritz et Heinrich Meyer qu'il a connu à Rome et fait venir près de lui; ses lettres le montrent infiniment amer : « Je n'ai plus rien à chercher dans le monde, confie-t-il aux Herder en 1790, tout est partout canailleries et pouilleries... » On ne le comprend guère — on le comprendra encore moins lorsqu'il décide de se lancer dans les recherches apparemment insensées sur la lumière et les couleurs.

Faust, dans la douleur de la lumière

Le problème, déjà, l'avait occupé en Italie. Si l'œuvre d'art, en effet, est créée selon les lois « vraies et naturelles », que les dessinateurs ont su admirablement préciser, quelles sont les lois qui régissent l'usage du clair-obscur et de la couleur, ou les rapports des couleurs entre elles ? Les peintres, consultés, avouent leur embarras : dans ce domaine règne encore le plus grand arbitraire. Sans doute les artistes les plus farouchement antiquisants veulent-ils ignorer la couleur, pour ne plus s'intéresser qu'au dessin, pur trait d'esprit, rêve d'un art qui toucherait à la transparence des idées, mais c'est peut-être là une faiblesse déguisée en vertu, songe Goethe, non point la maîtrise, signifiée, du démonisme, la transmutation, manifestée, de la matière, la sublimation du désir, mais, plus hypocritement, le refus de la vie dans sa puissance de surgissement. Et rien ne sert ici de prétendre recourir à la simple « imitation des couleurs de la Nature » : il s'agit bel et bien d'oser enfin penser la *nature des couleurs*. Or, dans cet espace éminemment « qualitatif », la théorie « quantitative » de Newton, qui prétend définir la couleur par la décomposition prismatique de la lumière, comme tous les peintres peuvent le constater, ne peut être d'aucun secours, car le problème posé par la peinture tient à ceci que les couleurs, d'une manière spécifique, *signifient*. Pourtant, la tradition héraldique, qui voudrait assigner à chaque couleur une « qualité innée », le génie pour le rouge, la servitude pour le vert, sans doute estimable parce qu'elle témoigne d'une première perception du problème, n'est guère plus satisfaisante car elle fait de l'œuvre d'art un jeu de traduction, en rapportant toujours ces significations à des sens propres extérieurs, quand la puissance de retentissement de l'œuvre, de toute évidence, tient à ce qu'elle n'est pas le bien-dire d'un discours, mais dit quelque chose d'autrement indicible. Ce que Goethe tente donc de définir, ce sont des « universaux visuels », qui permettraient enfin de comprendre *comment les couleurs ont puissance de générer des formes pour accéder à la signification*. Plus qu'une grammaire, une syntaxe, ou même une sémantique : une poétique, qui aurait toute la rigueur d'une science puisqu'elle jouerait sa cohérence dans le dévoilement des règles d'autostructuration des énoncés chromatiques — une *symbolique*, donc, exactement [1].

1. Les beaux esprits se sont abondamment gaussés de cette théorie « absurde » des couleurs, avec d'autant plus de dédain qu'évidemment moins de connaissan-

De cette recherche trop souvent négligée, généralement incomprise, qui l'occupera toute sa vie, où il voyait probablement le sommet de son œuvre, le *Betrage zur Optik*, publié en 1791, présente déjà l'intuition majeure : refusant l'hypothèse de Newton sur la nature composée de la lumière blanche, il définit au contraire celle-ci, au niveau purement phénoménal, comme « l'être le plus simple, le plus homogène, la moins décomposée que nous connaissions », et l'oppose à un principe obscur, permanent, non plus conçu comme simple manque, absence de lumière, mais force agissante, élément dynamique, puissance ténébreuse de la matière, pour faire, de leur réciproque pénétration, naître la couleur. Ni pure Idée, ni matière livrée à sa fureur aveugle, mais l'affrontement ici-bas de la Lumière et des Ténèbres : une flamme se trouve dans la matière enclose, qui souffre et aspire à rejoindre son origine perdue, et l'échelle de son ascension recompose toute l'étendue du spectre — « les couleurs sont les actes de la lumière, les actes et la souffrance. C'est en ce sens que nous en pouvons attendre une connaissance de la lumière ».

Cette polarité dynamique des ténèbres et de la lumière, productrice de la couleur — c'est-à-dire aussi de toute la beauté du monde — est universelle, qui pareillement gouverne tout l'univers moral : ici la pensée de Goethe éprouve superbement sa cohérence, ainsi peuvent se lier les deux affirmations contradictoires de son *Faust,* « au commencement était l'action » et « je suis l'esprit qui toujours dit non » — « une partie de la partie qui au commencement était tout, explique Méphisto, une partie de cette obscurité qui donne naissance à la lumière, la lumière orgueilleuse maintenant dispute à sa mère la Nuit son rang antique et l'espace qu'elle occupait » —, alors le « démonisme » cesse d'être éprouvé comme une puissance sauvage qui vous traverse et qui vous broie, mais se révèle, dans le mouvement d'une recherche tout à la fois esthétique et scientifique, comme la condition même de la couleur, alors Faust peut se libérer de son pacte avec le diable, qui retrouve du même coup son rôle d'incitateur, de ferment, de moteur — mais n'était-ce point déjà la leçon du *Prométhée* d'Eschyle, cette révolte païenne liée au mythe d'un Lucifer créateur ?

ces : de cette recherche, confrontée aux intuitions de Jakob Boehme et aux expériences du physicien Steffens, est née en 1810 la « Sphère des Couleurs » de Philip Otto Runge qui, permettant enfin de repérer la couleur par ses trois dimensions de teinte, de luminosité et de saturation, devait devenir le premier instrument pratique offert aux peintres, et la référence constante des grands théoriciens de la couleur, de Klee à Kandinsky. Enfin les expériences de Goethe sur le principe de polarité ont trouvé une application inattendue, par la mise au point récente du polaroïd...

Cette synthèse écrasante, cette harmonie conquise sur la fureur en soi, cet « ordre olympien » rigoureusement déduit d'un ésotérisme, le monde d'abord l'ignore, qui choisit d'autres voies — il faudra la rencontre avec Schiller, et la vivacité de leurs échanges, pour que le « sage de Weimar », retrouvant le goût d'écrire, retrouve la gloire littéraire, avec *Hermann et Dorothée*, puis les *Années d'apprentissage de Wilhelm Meister*. A son retour d'Italie, Goethe s'était à maintes reprises déclaré agacé par le bruyant Schiller, devenu en son absence, grâce à ses *Brigands*, l'idole de la jeunesse allemande — parce que, disait-il, « ce talent vigoureux, mais non parvenu à maturité, avait répandu sur la patrie, à pleins flots impétueux, précisément les paradoxes ethniques et dramatiques dont je m'étais efforcé de me purifier », Schiller, de son côté, reconnaissait éprouver à l'endroit de son aîné « un singulier mélange d'amour et de haine » : voilà que le désarroi suscité par la Révolution française, une commune exaspération devant la mode outrancière de ces « Xénies » qui caricaturent les attitudes du *Sturm und Drang* sans en avoir jamais éprouvé les tourments, l'évolution aussi de Schiller vers l'idéal de « noble simplicité » attribué à l'antique, rendent possible enfin le rapprochement, en juillet 1794... sur la question de la métamorphose des plantes — ce fut, dira Goethe, comme « un nouveau printemps dans lequel tout germa joyeusement côte à côte ». Pour tous, il sera alors « l'Olympien », qui unit « la jeunesse de l'imagination et la virilité de la raison en une humanité magnifique », un « être de nature », ignorant le dualisme de l'être, qui se crée une Grèce « du dedans vers le dehors » et toujours, à travers la multiplicité des phénomènes, va vers l'Un avec une puissance sereine, un « esprit grec » jeté par le hasard, ou le destin, dans une « nature nordique », superbe, certes, mais condamné à l'isolement dans son époque parce que aussi énigmatique dans sa sérénité hautaine que l'art grec lui-même. Schiller écrit son essai *Sur la poésie naïve et la poésie sentimentale* pour tenter de cerner son rapport, complexe, à ce génie solaire, et s'efforce vainement de trouver comment, dans l'exil de la modernité, retrouver, par les voies de la culture, c'est-à-dire de la liberté, cette « nature perdue ». Hölderlin, pareillement fasciné, mais éperdu d'amour, déchiré, épuisé par le sentiment d'une essentielle *absence*, commence à pressentir, dans l'échec d'*Empédocle* et la catastrophe de sa fuite à Bordeaux, que cet ordre olympien ne fut peut-être qu'un leurre, *que le miracle grec n'a jamais eu lieu* — que cette harmonie bienheureuse se paie d'une ignorance d'Autrui. Et il est vrai que ce « retour à l'antique » est violemment antichrétien, que les textes publiés au retour d'Italie furent d'abord conçus comme des machines de guerre contre les tenants d'une divinité transcendante, comme il est vrai que Goethe manifeste en chaque occasion le plus parfait égocentrisme, frileusement replié sur lui-même, ne supportant pas la contradiction, méprisant tour à tour Hölderlin, Kleist, Jean-Paul, Heine, fuyant tout rapport avec Beethoven comme avec Schubert, indifférent à la musique qu'ils conçurent pour ses plus beaux poèmes, avant tout soucieux de se préserver dans sa gloire — j'ai parfois songé que ce « sage » vécut, jusqu'à la fin, terrorisé. « J'aime mieux commettre une injustice que de souffrir un désordre » : son mot fameux ne dit pas autre chose, le désordre, pour lui, est d'abord Autrui. Une petite cour d'admirateurs, une femme voulue simplement sensuelle, mais jamais l'épreuve du face à face avec Autrui, dans l'acceptation de son infinie transcendance, sauf à le jouer symboliquement comme une rencontre unique de géants, à mille lieues du reste des humains — cet homme, hélas, ne fut pas généreux.

Reste sa pensée, immense, mais comme pétrifiée : il appartiendra au romantisme de surmonter son opposition au christianisme en une figure nouvelle, de délivrer en somme son ésotérisme de la solitude où il se figeait par la déchirure du regard d'Autrui, mais ceci est une autre histoire — il nous aura fallu d'abord, de l'Histoire, éprouver la Terreur...

Les délices de l'ordre moral

Lorsqu'au Salon de 1755, en pleine faveur encore des badinages piquants et des voluptés polissonnes du rococo, Greuze présente son *Père de famille expliquant la Bible à ses enfants,* il ne rencontre guère, malgré les transports exaltés de son acheteur, La Live de Jully, qu'un succès de curiosité, tant le sujet choisi apparaît surprenant, et la manière ignorante des grâces alors d'usage. Six années plus tard, ce sont pourtant ses trois œuvres proposées, un portrait de la *Babuti en vestale grecque*, le dessin de son *Paralytique soigné par ses enfants* et surtout sa grande « peinture morale » : *Un mariage, à l'instant où le père de l'accordée délivre la dot à son gendre*, dite parfois aussi *l'Accordée du village*, qui font sensation, tandis que la *Pastorale* de Boucher passe à peu près inaperçue. Diderot lui-même applaudit à grands cris, qui veut y voir la matérialisation de son idéal esthético-moral : « Le genre me plaît, c'est de la peinture morale. Quoi donc! Le pinceau n'a-t-il pas été assez et trop longtemps consacré à la débauche et au vice? Ne devons-nous pas nous réjouir de le voir concourir enfin, avec la poésie dramatique, à nous toucher, à nous corriger et à nous instruire à la vertu? » Entre ces deux dates, de toute évidence, une mutation des sensibilités...

Dans la *Pastorale* de Boucher, de jeunes bergers et bergères aux chairs lisses batifolaient dans les décors rêvés d'une Arcadie intemporelle, vouée à l'accomplissement du désir, Greuze, à l'inverse, inscrit minutieusement sa scène dans un temps, un lieu et un milieu social précis, et choisit de placer la transaction financière au centre de sa toile pour bien marquer que la relation amoureuse ne se peut séparer de son institutionnalisation : sa toile a d'autant plus valeur de manifeste que la distribution rigoureuse des personnages, l'exemplarité de leurs mimiques, la netteté des contours, toute une recherche de sobriété monumentale, entendent là s'opposer aux grâces faciles, aux arabesques et aux « chicorées » rococo, de la même manière que l'exaltation de la vertu — entendue comme la coïncidence naturelle d'un conformisme social et d'une exigence morale personnelle — prétend rompre brutalement avec l'amoralisme du temps.

Sans doute Greuze exprime-t-il ainsi spectaculairement l'effervescence, jusque-là souterraine, d'une sensibilité nouvelle, marquée par l'influence anglaise, les romans de Richardson, certaines gravures aussi de Hogarth, telles que cette série *Travail et Paresse*, inspirée du *Marchand de Londres* de Lillo, qui trouve son répondant dans la comédie larmoyante d'un Nivelle de La Chaussée et les sanglots versés par Delille sur les malheurs des hirondelles, des poissons, des chiens, ou l'excellence de l'allaitement des nourrissons, et certes l'on pleure dans ses tableaux, l'on s'y pâme, yeux révulsés et mains tordues, mais l'on y chercherait vainement quelque trace de l'inquiétude d'un Vauvenargues ou d'un Prévost, quelque attention prêtée aux plaintes de Cleveland, Mme Benoist, ou Marmontel, sur le malheur de l'âme sensible, le « fatal présent du ciel » qu'est le fardeau d'un « cœur trop tendre », quelque écho, même assourdi, du chant douloureux de la mal-vie, de cet ennui de vivre qui ronge alors les âmes, jusqu'à la tentation du suicide, de la révolte aussi d'un « sens intime » institué en juge suprême face à un ordre social contraignant ou injuste : nulle déchirure, ici, nul tourment, mais une fable édifiante où la « poésie du cœur » se tisse dans la trame même de la prose des « rapports sociaux », la fiction bienheureuse d'une harmonie de nature entre le sens intime et les conventions sociales — en cela il s'affirme comme l'un des pôles des Lumières...

La volonté d'en finir avec quelque référence transcendante que ce soit, pour fonder la Raison en Nature, sur la seule sensation, s'était trouvée au long du siècle sans cesse confrontée à l'urgence d'en déduire, parce qu'elle est le principe même de l' « être-ensemble », une morale capable d'affronter la morale chrétienne : comment établir en effet, sinon en rigueur, du moins par ruse ou stratagème, les règles du bien, les critères d'une action, les garanties d'une liberté, à partir d'une « Nature » que les savants, en même temps, révèlent sans finalité aucune, seulement régie par le strict déterminisme de forces aveugles ? Et quel autre moyen imaginer pour naturaliser la morale qu'une moralisation de la Nature ? Dans les premiers élans du siècle, dans l'euphorie capricieuse de ce que l'on veut croire l'entrée en liberté, tout à l'idéal de briser net les contraintes odieuses des religions révélées pour réconcilier enfin l'homme avec lui-même, de telle sorte que sa volonté s'accorde spontanément à l'ordre universel, dans un nouvel âge d'or délivré de cette sinistre fable du péché qu'inventèrent autrefois des moines haineux et fanatiques, l'on veut poser que les élans de la passion et la voix de la raison toujours se réconcilient en un droit sentiment, dans l'ordre harmonieux de la nature : s'il est des conflits, ils ne peuvent donc être que des malentendus passagers, séquelles encore de l'obscurantisme de cette criminelle religion qui, par haine de la nature, avait voulu séparer l'homme de lui-même — comme le dit plaisamment la marquise de Lambert, « *il n'y a qu'à* avoir de bons yeux et connaître ses véritables intérêts pour corriger ses mauvais penchants »! On feindra donc de croire que, pour qui s'ouvre pleinement à la voix de sa nature, la vertu se révèle un besoin plus qu'un devoir, qui trouve en elle-même sa récompense — ce que résume si exactement, en sa superbe hypocrisie, la phrase du troglodyte de Montesquieu : « *La vertu ne doit pas nous coûter.* » Morale facile, morale aimable, morale menteuse de consciences satisfaites qui entendent d'abord s'attendrir sur elles-mêmes et confondent le monde avec la scène gracieuse des bergeries galantes — qu'on l'interroge avec rigueur, que le réel enfin fasse entendre ses clameurs, voilà déjà qu'elle file comme sable entre les doigts, bientôt couleront à flots les larmes de ceux qui découvrent à l'œuvre dans le monde une fatalité inexorable. L'abbé Prévost déjà, à rebours de son siècle, avait su finement relever les redoutables sophismes de la « petite morale », son héros des Grieux peut être gratifié de toutes les bontés de la nature qu'il n'en sera pas moins, victime de ses passions, meurtrier, escroc et libertin — voyez avec quelle application, maître de toutes les ruses de l'amour de soi, il joue au « pécheur repenti » pour séduire le supérieur de Saint-Lazare! —, car, nous dit l'auteur, il y a, de la nature à la vertu, un incommensurable gouffre et la morale ne se conquiert qu'à l'épreuve du malheur, au prix d'une ouverture à Autrui, dans la découverte de l'humanité : « Prédicateurs qui voulez me ramener à la vertu, dites-moi qu'elle est indispensablement nécessaire, mais ne déguisez pas qu'elle est sévère et pénible! » C'est toute l'époque bientôt qui vacille, stupéfaite, devant les forces mystérieuses libérées par son refus de transcendance, inquiète de découvrir que chaque réponse portée semble agrandir encore la déchirure des âmes, précipiter la catastrophe. Voilà que l'âme sensible ne se ressaisit plus, se dissout dans ses larmes, jusqu'à ne plus éprouver que le tourment d'un vide affreux en elle, impossible à combler, et la fascination, parfois, de très étranges pénombres, en ses replis secrets. Dirons-nous la voix de la Nature une effusion de l'âme, ou le déferlement furieux de passions égoïstes? Vauvenargues, déjà, ne séparait pas « l'âme tendre » de « l'âme forte », Fénelon, de Catilina; Diderot, le sublime rebelle, rétif à tout ordre social est en même temps le chantre très édifiant des vertus bourgeoises, le jeune Goethe sans cesse oscille de Werther à Prométhée, ce sont les âmes les plus éplorées, telle Clara Reeves, qui s'émeuvent d'errer dans les souterrains humides des grands châteaux de nuit, le roman gothique naît du roman sentimental, c'est Baculard d'Arnaud, dans ses *Délassements de l'homme sensible* et *les Epreuves du sentiment*, qui invente le « genre sombre »; effusion et fureur se tiennent donc comme l'envers et l'endroit de la monnaie dont toujours se paie l'amour de soi, et la pensée, dès lors, comme le sentiment, sans plus de guide ni de frein, se retrouve condamnée à sans cesse osciller d'un extrême à l'autre, au risque de se briser dans les tempêtes déchaînées — il y va donc de l'assurance de notre raison, comme de la pérennité de l'être-ensemble, qu'ils trouvent quelque part un principe qui les assure, et les protège de leurs tumultes : « Si la passion a des limites qu'elle ne peut franchir sans nuire aux intérêts de la créature, interroge Shaftesbury dans un essai de grand retentissement, *l'Essai sur le Mérite et la Vertu*, qui déterminera ces limites? Qui fixera ce point? *La Nature, seule arbitre des choses...* » — mais c'est alors vouloir faire de la Nature, plutôt qu'une catégorie, un jeu de mot, un tour de passe-passe, par lequel on désigne indifféremment, et selon les besoins de la polémique, un fait empirique et un idéal transcendant. Ainsi se réintroduit subrepticement, par l'exigence d'un « sens interne », d'un « sentiment intérieur » prétendu « naturel », qui sûrement nous guiderait dans les embûches du monde et les excès de nos passions, l'innéisme que l'on voulait à toute force combattre. Oui, comment se sauver de cette contradiction mortelle ? Comment conjurer cette puissance destructrice introduite par la Raison dans la Raison elle-même, pour son plus grand péril, lorsqu'elle croyait ainsi se fonder sur elle-même en assumant la subjectivité de chacun ? La question, vers le tournant du siècle, prend une urgence extrême... Rousseau, Diderot, David, d'autres encore, chacun à sa manière, répondront — et cette réponse annonce une révolution esthétique et morale : *en la socialisant.*

Tendres rosières et honnêtes laboureurs

Un souvenir obsède Rousseau, que toujours il oppose à cet « antre obscur » des théâtres, où, dans la division des consciences et l'obsession du paraître, se célèbrent les mortels prestiges de l'illusoire : comme une musique légère dans les lointains, où tressaille, fragile, l'infinie nostalgie des âges d'or perdus, ce récit à mi-voix, vers la fin de sa *Lettre à d'Alembert*, du souvenir gardé d'une fête toute simple, improvisée sur la place de Saint-Gervais :

« Ce ne fut qu'embrassements, ris, santés, caresses. Il résulta de tout cela un attendrissement général que je ne saurais peindre, mais que, dans l'allégresse universelle, on éprouve assez naturellement au milieu de tout ce qui nous est cher. Mon père, en m'embrassant, fut saisi d'un tressaillement que je crois sentir et partager encore. " Jean-Jacques, me disait-il, aime ton pays. Vois-tu ces bons Genevois ? ils sont tous amis, ils sont tous frères, la joie et la concorde règent au milieu d'eux "... » Ici, dans le monde corrompu des « Cacouacs », on croit s'assembler au spectacle et c'est alors que chacun s'isole dans ses petites loges, se retranche de lui-même et des autres, dans le temps même qu'il se donne en représentation : art de la façade, règne du mensonge, société de solitude... Là-bas, nul rôle, nulle représentation, aucune scène mais « le grand air, le ciel ouvert » et l'allégresse d'un *espace libre* où se peut célébrer, dans l'effusion des cœurs, l'avènement de sociabilités nouvelles conjurant heureusement l'ordre et la liberté, la raison et le sentiment : les passions les plus intimes de chacun s'y donnent libre cours, au sens strict se libèrent dans l'effusion commune, « souvent dans les transports d'une innocente joie, les inconnus s'accostent, s'embrassent, s'invitent à jouir de concert des plaisirs du jour », les plus rudes travaux apparaissent comme des récréations, et les moindres délassements, la musique, les jeux, forment par eux-mêmes, et sans plus de discours, une « instruction publique », le bonheur naît dans les cœurs les plus simples de l'accomplissement des actes conformes au devoir. La société corruptrice nous séparait tragiquement des autres et de nous-mêmes en ce qu'elle nous séparait d'abord de notre nature et nous demeurions alors égarés dans la tempête de nos passions, voilà que chacun, s'unissant aux autres, peut renaître à lui-même, ses désirs libérés dans l'allégresse de la fête. Admirable construction, appelée à la plus grande fortune, par laquelle, croit-on, se trouve enfin contournée la difficulté de l'innéisme : l'homme, aujourd'hui aliéné, ne se peut retrouver que par le saut d'une *deuxième naissance*, à travers l'institution d'une société de transparence, où la volonté générale se confond d'autant plus « naturellement » avec le sens intime retrouvé qu'elle en est au principe. Ainsi, croit-on, la vertu réalise en chacun la raison de ses désirs et l'art se trouve chargé d'une mission moralisatrice, tandis que le civisme partout se voit loué.

Jadis l'on chantait publiquement les lois divines et humaines, les traits d'héroïsme et les vertus aimables, songe Jean-Jacques Rousseau, et quelle autre fin imaginer à l'art, en effet, que la perfection de la cité ? On n'a pas encore trouvé de moyen plus efficace « pour graver dans l'esprit des hommes les principes de la morale et la connaissance de leurs devoirs » ! « Rendre la vertu aimable, le vice odieux, le ridicule saillant, professe Diderot, voilà le projet de tout honnête homme qui prend la plume, le pinceau, ou le ciseau » ; Falconet veut voir dans la sculpture « le dépôt le plus durable des vertus des hommes » ; Voltaire ne distingue plus guère la tragédie, « école de vertu », des livres de morale que parce que l'instruction se trouve, dans la tragédie, « toute en action » ; pour dénoncer « l'influence pernicieuse des mauvais livres », et enseigner l'excellence des vertus familiales, Marmontel imagine, à la demande du directeur du *Mercure de France*, Boissy d'Anglas, le genre du *Conte moral* où pleurent d'abondance bons pères, accordées de village, époux constants et honnêtes laboureurs ; Manon Phlipon, future Mme Roland, déclare tout net que, pour n'être pas sensible à la vertu de *la Nouvelle Héloïse*, il faut « une âme de boue », tandis qu'à sa lecture le baron Thiébault « hurle comme une bête » ; Greuze adresse aux curés de village un prospectus par lequel il les engage, pour l'édification de leurs ouailles, à faire connaître sa « peinture morale » : un raz de marée. L'abbé de Saint-Pierre retrouve le néologisme, déjà imaginé par Guez de Balzac, de *bienfaisance* et Voltaire aussitôt s'écrie qu'en vérité « le mot lui plaît », dont « l'univers entier » devra « chérir l'idée » : romans, contes, chansons, on ne jure bientôt plus que par elle, les peintures de Greuze, comme les *Epreuves du Sentiment* de Baculard d'Arnaud, se donnent pour « œuvres de bienfaisance », le « tableau de la reconnaissance » devient un poncif obligé de l'opéra-comique, les poètes s'emparent de la découverte, par l'intendant de Soissons, d'une fête de village dans l'Aisne où l'on couronnait chaque année une jeune fille pauvre et vertueuse pour lancer la mode des « couronnements de rosière », piment délicieux de la vie de château, parfois relayé par une « fête des bonnes gens » où le seigneur du lieu, solennellement, couronne le meilleur père, la plus tendre épouse, le travailleur le plus méritant parmi ses gens, le *Mercure de France* et *l'Année Littéraire* consacrent une rubrique régulière aux récits des traits d'humanité les plus remarquables, d'estimables philanthropes multiplient les projets de bienfaisance, il devient de bon ton de soulager l'infortune, de visiter les femmes en couches, d'allaiter ses enfants; une certaine Catherine Vassent ayant repêché trois citoyens dans une fosse d'aisances, sa patrie de Noyon reconnaissante lui décerne une médaille d'or et une « couronne civique »; « on est si ravi d'être sensible à la vertu, commente Louis Bertrand, qu'on irait au besoin jusqu'à inventer de beaux exemples de sacrifices, afin d'avoir la joie de les couronner et une occasion de s'attendrir » — ainsi se trouvé laïcisée, tant il est vrai que la Raison des Lumières veut s'accomplir ici en religion civique, la « charité » de saint Vincent de Paul, et la dimension métaphysique du don se voit du même coup ignorée, qui signait pourtant la co-naissance du Je et de l'Autrui, tandis qu'aux protestations de désintéressement l'on prend soin d'ajouter à mi-voix qu'il se trouve par surcroît, et bonté de nature, que l'effort héroïque exigé par la vertu n'est jamais contraire aux intérêts de qui l'exerce. Dans sa satire *les Philosophes,* Palissot lancera en boutade que « pour parler vrai, ma foi, je les soupçonne d'aimer le genre humain et de n'aimer personne » — le mot, hélas, vise juste...

Tous enfants de la Patrie

Et puis l'on se veut, homme sensible, *patriote.* Le mot étonne, que l'on veut aujourd'hui opposer au cosmopolitisme — gardons-nous cependant des erreurs de perspective : le très cosmopolite Leibniz, qui vécut une partie de sa vie en pays étranger, et rêvait de finir ses jours à Paris, avouait « n'être pas de ces hommes passionnés par leur pays » mais il ne s'en déclarait pas moins « patriote sincère », et la Société patriotique de Hambourg dans sa revue *Der Patriot* tenait « le monde entier pour sa patrie », ils n'étaient pas encore marqués par nos partages et nos querelles, probablement d'ailleurs sommes-nous ici, dans l'acception du mot, à un tournant majeur. Cette « patrie » nouvelle venue dérange, dont on ne peut plus se passer, mais qui ne se laisse pas aisément définir. Il ne peut s'agir de l'État, encore qu'elle requiert « l'amour de la loi », pas plus que d'une communauté humaine, définie par ses permanences, sa langue, son territoire, sa race, car ce serait alors vouloir réduire le « patriotisme » à une superstition, principe d'exclusion — pour être bon patriote faut-il devenir l'ennemi du reste des hommes ? s'inquiète déjà Voltaire. Quelle est-elle donc, cette puissance que l'*Encyclopédie* reconnaît « aussi ancienne que la société, fondée sur la nature et l'ordre », mais qui ne se peut confondre avec elle, la doublerait plutôt, comme son vivant principe ? « Ce ne sont ni les murs ni les hommes qui font la patrie, tente de répondre Rousseau, ce sont les lois, les mœurs, les coutumes, le gouvernement, la constitution, la manière d'être qui résultent de tout cela. » Mais c'est l'époque entière qui ainsi tâtonne — et ce sont ces hésitations qui aujourd'hui nous disent la nature de l'enjeu.

Sans doute la société doit-elle se fonder sur le droit, si elle entend se préserver des tentations barbares — mais tout droit suppose le recours à un juge indépendant, accepté des parties, qui règle les conflits : la transcendance bannie, comment sérieusement tenir qu'un « droit naturel » puisse conjurer la guerre civile, puisque les infractions n'ont plus d'autres juges que les parties elles-mêmes ? Cette loi de nature pourrait bien n'être, en fin de compte, que la loi du plus fort... Si la « patrie » prend alors une telle importance, c'est qu'elle vient miraculeusement répondre à cette question — en masquant la contradiction qui l'avait suscitée. *Patrie* sera donc pour l'*Encyclopédie* « la puissance qui soumet à ses lois ceux qui commandent en son nom, comme ceux qui obéissent », en sorte qu'« il ne peut y avoir de patrie dans les États qui sont asservis » : là où il n'y a plus de patrie, dit Rousseau, il ne peut plus y avoir de citoyens — ni territoire, donc, ni État, mais le principe transcendant garant de la démocratie, le corps spirituel de la Nation, qui assure sa cohésion, et suscite une solidarité, un consensus, entre des êtres que leurs situations matérielles, leurs différences de fortunes, leurs intérêts égoïstes, pourraient par ailleurs opposer. Du livre d'Ezéchiel dont s'inspirèrent les Esséniens de Qumrân aux cosmologies du Mi' râj d'Ibn Arabi, des kabbalistes chrétiens aux orafa islamiques, des chevaliers extasiés en route vers ce Graal qu'éleva le roi Titurel sur le sommet du mont Salvat à la Jérusalem spirituelle de Milton et de William Blake, de la Nova Hierosolyma de Swedenborg à la deuxième Jérusalem de Schelling, tout ce qui s'est inscrit en dissidence dans ce monde, obstinément, répète l'exigence d'un temple à reconstruire, entre Terre et Ciel, où l'humanité enfin pourrait se délivrer, Lieu des lieux, qui seul peut faire d'un espace un lieu, en lui donnant un sens, centre spirituel du monde, où cette terre mauvaise, qui me brûle et me blesse, comme le chemin de mon exil, le territoire insensé de mes errances, se transfigure en une demeure, pour boire enfin l'eau fraîche de la vraie vie, Sinaï mystique, Rocher d'Emeraude, vers Avallon ou vers Sarras, Ile de Lumière dans l'océan stellaire, Ile au trésor, Orient intérieur, fictions où se disent à la fois la transcendance et la présence d'Autrui, notre commune naissance, dans le don du regard, notre contemplation — ce rêve que fit Jacob, sur la montagne de Muriah, où fut scellée l'alliance avec Dieu, d'une *échelle dressée qui atteignait le ciel.* Lieu du « non-où », utopie, un autre monde double celui-ci comme la condition de son sens, affirme William Blake, il n'est point de société civile véritable qui ne doive se doubler d'une « société spirituelle » : jadis, la destruction du Temple signa la perte de notre verticalité, notre naissance au monde de l'exil, la noyade dans les eaux de l'Histoire, la soumission au politique, l'oubli de notre intériorité — la société des hommes se crée dans l'effort de retrouver le Temple, vers le dedans de nous, cet « autre-monde » intermédiaire entre le sensible et l'intelligible, où se peuvent « imaginairement » symboliser le « Je » et l'Autrui. Nulle religion, ici, qui viendrait lier les êtres par fanatisme ou superstition, nul « pacte » par lequel, s'immolant dans la substance commune, l'individu regagnerait une prétendue « liberté », mais la révélation d'Autrui, dans la vulnérabilité acceptée : *cette « Jérusalem spirituelle » n'est pas aliénation, mais, au sens le plus strict, altruisme.*

Comment ne pas voir que la « Patrie » vient exactement occuper la place de la « Jérusalem », si chère aux dissenters anglais, nécessaire à leurs yeux pour fonder une démocratie qui serait autre chose qu'une guerre civile poursuivie par d'autres moyens ? Et, certes, cette idée magnifique d'une patrie « humanité », sans territoire ni frontière, principe d'une communauté éthique des hommes, souleva les troupes révolutionnaires dans leurs premiers élans, ces armées « impossibles », chantées par Michelet, dans « les chœurs et les farandoles de la nouvelle amitié », qui « demandaient d'aller ensemble, les amis avec les amis, mus par un même souffle » et traitaient dit-on leurs prisonniers comme leurs frères — leur patriotisme alors était un altruisme! Mais comment ne pas voir aussitôt l'ambiguïté de cette Patrie, honteuse toujours de la position qu'elle occupe, de la fonction qu'elle joue, soucieuse de se racheter de son péché de transcendance, obstinée à s'inscrire dans une Nature ou une Histoire, au risque de toutes les xénophobies, sans cesse tentée de s'identifier à une terre, à une ethnie, à un projet aussi qui se voudra justifier d'une tradition, non plus entendue dans son acception spirituelle d'une présence de l'autre monde, mais bien d'un ensemble d'us et de coutumes : les siècles précédents prudemment distinguaient au moins la *patria propria,* terre des pères, collectivité soumise à des coutumes, et la *patria communis* principe d'humanité, corps mystique de la communauté chrétienne — la Patrie bientôt, s'incarnant dans un État-nation, télescope les deux, et les confond. Ici, et non dans je ne sais quel « romantisme » imaginé par Jean Plumyène pour les besoins de son essai sur *les Nations romantiques,* par laïcisation de la Jérusalem des dissenters, se met en place le tourniquet fatal « empirico-transcendantal » par lequel la Patrie, s'inscrivant dans un social-historique, peut subrepticement masquer sa fonction transcendantale, mais aussi, quand il le faut, l'État-nation se justifier de ses ravages, de ses excès, de ses outrances, par référence à la Patrie transcendante — et l'altruisme se faire le prétexte d'un impérialisme, d'un colonialisme bientôt, le masque d'une essentielle aliénation.

Ce constant va-et-vient se marque dès l'origine, c'est dans un même élan qu'artistes et philosophes chantent l'universalisme de l'idée de patrie et la confondent avec l'amour d'une terre natale que l'on veut chargée, par tradition, ou grâce du ciel, d'une vocation particulière — avec d'autant moins d'hésitations que la guerre de Sept Ans enflamme les esprits... En réponse aux *Lettres sur l'esprit du patriotisme* de Lord Bolingbroke, que venait de traduire le comte de Brissy, Basset de La Marelle publie *la Différence du patriotisme national chez les Français et chez les Anglais;* l'abbé Desjardins et Colardeau composent tour à tour de vibrants poèmes sur *le Patriotisme; la Partie de chasse de Henri IV, Tancrède, la Veuve de Malabar, Gabrielle de Vergy, Adèle de Ponthieu,* tant d'autres pièces encore, exaltent les vertus nationales, l'héroïsme guerrier et la mission civilisatrice des troupes françaises; *le Siège de Calais* reçoit un accueil triomphal, le plus impressionnant, peut-être, du siècle, dans un déchaînement hystérique des passions chauvines; pour conforter le sentiment national, après le traité de Paris, le gouvernement en organise des représentations gratuites, avec rafraîchissements, à Paris et dans les villes de garnison; son auteur, De Belloy, est alors présenté comme le fondateur d'un genre nouveau, la « tragédie nationale », qui s'en prend vivement aux « mauvais Français », traîtres à leur patrie pour cause de cosmopolitisme :

> Je hais ces cœurs glacés et morts pour leur pays,
> Qui, voyant ses malheurs dans une paix profonde,
> S'honorent du grand nom de citoyens du monde...

Mais la querelle est feinte, l'opposition largement déplacée, c'est le grand cosmopolite lui-même, le sage de Ferney, Voltaire, toutes griffes dehors comme à ses plus beaux jours, qui par son *Tancrède* bat le rappel des énergies

> Ne pensons, croyez-moi, qu'à servir la patrie
> — Qu'elle en soit digne ou non, je lui donne ma vie

et s'improvise bientôt le Grand Inquisiteur du « parti des traîtres » — l'alliance des patriotes et des cosmopolites va en effet de soi, il suffit pour cela de dire la guerre une croisade menée par les Lumières, moins pour une conquête ou une redistribution des pouvoirs que pour la libération des esprits étrangers, encore enténébrés de barbarie : ainsi l'ennemi se trouve-t-il « libéré » à l'instant qu'on le vainc! Voyez comme Voltaire, alors, s'affaire à imposer l'ordre de ses goûts et de ses dégoûts, par son *Appel à toutes les nations de l'Europe des jugements d'un Anglais,* contre le « parti de l'étranger », la cinquième colonne coupable d'aimer Shakespeare, cet « intrus » qu'il avait eu autrefois le malheur d'introduire en France, ce « monstre », ce « loup barbare », ce « sauvage ivre » dont les « pièces de foire » sont « tout juste bonnes pour des Hottentots » : c'est bien d'une *épuration* qu'il s'agit, et d'une doctrine de guerre, pour restaurer sur le monde intellectuel l'empire de l' « esprit français » — de *son* esprit. Et l'on ne cessera plus, dès lors, sous le prétexte d'universalisme, de briser les peuples et les cultures...

Ainsi, dans l'avènement de l'homme sensible, et comme pour le sauver de ses naufrages, de ses orages, des risques aussi de se perdre dans le « plaisir des larmes », s'imposent un nouvel état d'esprit et de nouvelles valeurs, vertu héroïque, esprit civique, bienfaisance, patriotisme. Mme de Pompadour elle-même se lance dans la gravure et l'imprimerie, les gens du monde bientôt se pressent au « Lycée » pour suivre les cours de Condorcet, Fournoy ou Marmontel, quand ils ne mettent pas en pratique les recommandations de Rousseau — « apprends à manier d'un bras vigoureux la hache, à équarrir une poutre, à monter sur un comble, à poser le faîte, à l'affermir avec des jambes de force et d'entrait ; puis crie à ta sœur de venir t'aider à ton ouvrage, comme elle te disait de travailler à son point croisé » — aussi n'est-il pas rare de les trouver en bras de chemise, s'initiant à la fabrication du pain, au tissage des draps, ou à la serrurerie. La Font de Saint-Yenne, déjà, en inconditionnel enragé du grand genre de la peinture d'histoire, « seul capable de former des héros à la postérité », avait, dans ses *Réflexions sur quelques causes de l'état présent de la peinture en France* (1746), couvert d'imprécations le style contourné, apprêté, décadent, de Boucher et de ses émules. En 1754 encore, dans ses *Sentiments sur quelques ouvrages de peinture*, comme en écho au *Discours sur les Arts* de Rousseau, qui s'indignait de ce que la peinture ne propose à la curiosité des enfants que « des images de tous les égarements du cœur et de la raison... sans doute afin qu'ils aient sous leurs yeux des modèles de mauvaises actions avant même de savoir lire », il avait réclamé que l'art, enfin, se fasse « école de mœurs » et, s'inspirant des exemples glorieux de Socrate et de Charlemagne, de Brutus et de Bayard, présente « les actions vertueuses et héroïques des grands hommes, les exemples d'humanité, de générosité, de courage, de mépris des dangers et même de la vie, d'un zèle passionné pour l'honneur et le salut de la Patrie ». Tandis que le marquis de Marigny, directeur des Bâtiments du Roi et favori de Mme du Barry, continue d'encourager par ses commandes, pour la décoration de la salle à manger du Petit Trianon, un art de cour inspiré des mythologies galantes de Boucher, l'Église qui déjà patronnait Hallé, Van Loo, Restout, très opportunément relaye ces exigences nouvelles en commissionnant la décoration par Beaufort, Lagrenée l'Aîné, Pierre, Van Loo, Vien, Hallé, Brenet, Durameau, de la Chapelle royale de l'École militaire, sur des motifs inspirés de la France médiévale. *Saint Louis lavant les pieds des pauvres, Saint Louis offrant à sa mère la Régence du Royaume, Saint Louis apportant la Couronne d'épines à la Sainte-Chapelle, la Dernière Communion de Saint Louis* : autant de thèmes par lequels, sans doute, l'Église voulait rappeler le roi à ses devoirs, mais qui, bien au-delà de l'inspiration chrétienne, résonnent dans l'air du temps comme le rappel d'une époque de gloire de la patrie, de dévouement des gouvernants, et d'excellence des mœurs. L'avènement de Louis XVI, le roi philosophe, élève attentif de Buffon, de Bailly, de Lavoisier, homme sensible s'il en fût, soucieux d'utilité, détestant le frivole, passionné d'agronomie, pour qui Delille composera son *Homme des champs,* excellent père de famille, patriote convaincu, formé dans l'admiration des grands hommes et décidé à promouvoir une « peinture morale » résolument profane, marquera un tournant décisif : le marquis de Marigny mis à l'écart, le très austère comte d'Angiviller, son remplaçant, entreprend aussitôt une réorganisation des Beaux-Arts, protège particulièrement le groupe des peintres occupés à décorer la Chapelle royale, passe commande d'une série de tableaux destinés à illustrer quelques épisodes édifiants de l'Histoire de France, et réussit, par une politique autoritaire, le tour de force d'opérer *en une année* un renversement complet de l'esthétique officielle — sur ordre exprès du roi lui-même au comité d'accrochage, tous les sujets licencieux et nudités frivoles sont bannis du Salon de 1775 et triomphent alors, sombres, graves, imposants dans leur solennelle magnificence, *le Gâteau des Rois* de Greuze, la *Continence de Bayard* de Durameau, *les Honneurs rendus au connétable Duguesclin* de Brenet, et *la Mort de l'amiral Coligny* de Suvée...

La religion du politique, ou le paganisme retrouvé

Mais où trouver plus beaux exemples de vertu que dans le monde antique ? Cette quête d'une morale, par laquelle l'homme, séparé de lui-même, retrouverait dans le pacte social sa véritable nature, pourrait en effet passer pour illusoire, ou prétexte d'un ordre, si elle ne trouvait pas références et cautions dans les leçons de « noble simplicité » données par les Anciens. Nausicaa lavant son linge à la rivière, Auguste, au faîte de sa gloire, enseignant la nage à ses enfants, l'innocence et la frugalité des premiers Romains, tel Caton le Censeur, demeuré soldat et paysan, mais aussi Socrate, victime de la « superstition », buvant la ciguë en héros, l'implacable Lycurgue, d'une poigne de fer contraignant les Spartiates à n'être qu'un seul corps dans l'amour exclusif de la patrie, Caton d'Utique, l'inflexible Caton, « vertueux insensé », dressé face à la République à l'instant qu'elle chancelle, qui ne peut lui survivre, déchirant ses entrailles, Brutus, par haine des tyrans, condamnant ses fils Titus et Tiberinus à la hache des licteurs, et cette femme spartiate, que raconte Plutarque, apprenant sans trembler la mort de ses enfants — « vil esclave, t'ai-je demandé cela ? Nous avons gagné la bataille. La mère court au temple et rend grâce aux Dieux. Voilà la citoyenne » —, autant d'images, de clichés, de lieux communs, que ressasse l'époque jusqu'au point de la monomanie. Combien de *Mort de Socrate,* outre celles dessinées par Alizard, Challe, Cignarolli, David, Peyron ? Combien d'opéras, de drames, d'essais qui se réclament de son glorieux exemple ? Et combien de *Brutus* ? Onze compositeurs, déjà, pour le seul livret *Caton à Utique* de Métastase... « Sans cesse occupé de Rome et d'Athènes, vivant pour ainsi dire avec leurs grands hommes, dira plus tard Rousseau dans ses *Confessions,* je me croyais Grec et Romain. » Dans la *Vie de Lycurgue* par Plutarque, il découvre Sparte comme « le dernier asile de la vie selon la nature », l'exemple parfait de cette « personne publique qui se forme par l'union de toutes les autres [...] en sorte que chaque particulier ne se croie plus un, mais partie de l'unité, et ne soit plus sensible que dans le tout », et certes pour y parvenir Lycurgue dut imposer aux Lacédémoniens « un joug de fer, tel qu'aucun autre peuple n'en porta jamais un semblable », ne laissant à personne la liberté de vivre à son gré, organisant la cité comme un camp militaire, où chaque occupation était réglée par la loi, mais tel est le prix toujours à payer pour accéder enfin, dans la substance commune, à la pleine liberté du citoyen, aussi Lycurgue doit-il être dit un surhomme, presque l'égal des Dieux, qui sut « changer, pour ainsi dire, la nature humaine ; de transformer chaque individu, qui par lui-même est un tout parfait et solitaire, en partie du plus grand tout, dont cet individu reçoit en quelque sorte sa vie et son être, d'altérer la constitution de l'homme pour la renforcer... ». Rome, de la même manière, la Rome frugale et vertueuse des premiers âges de la République, se donne à travers les récits de Tite-Live comme un prodige moral, le miracle d'une société où, par la grâce de la *virtus,* se trouva réalisée absolument l'unité de l'éthique et du politique... Parvenu à ce point Rousseau peut bien distinguer cette nécessaire « profession de foi purement civile » des dogmes religieux, c'est pourtant bien d'une religion qu'il s'agit, mais sans plus de transcendance, de part en part politique — la *virtus* romaine, cette « antique vaillance » mise au service du bien public, cette maîtrise sublime de ses sentiments jusqu'au point d'aimer la patrie « exclusivement à soi », telle que l'exprime le sacrifice de Brutus, s'oppose absolument à la vertu chrétienne, puissance de pardon, de renoncement — et de sédition — comme le Héros s'oppose au

Saint. Pour quelle raison les hommes d'à présent sont-ils moins attachés à la liberté que ceux d'autrefois? demandait déjà Machiavel : parce que « notre religion glorifie plutôt les humbles voués à la vie contemplative que les hommes d'action; notre religion place le bonheur suprême dans l'humilité, l'abjection, le mépris des choses humaines; et l'autre, au contraire, la faisait consister dans la grandeur d'âme, les forces du corps et dans toutes les qualités qui rendent les hommes redoutables » — de la même manière, toute l'époque des Lumières redécouvre, abandonnées les trop aimables mythologies de la décadence, le paganisme antique dans sa véritable dimension d'une *religion d'hommes politiques* : celui-là ne déifia jamais que les héros, des capitaines d'armes, des chefs de républiques! Ainsi se met en place la plus formidable machine de guerre, peut-être, contre la religion chrétienne, dans le retour en force, sinon du paganisme antique, du moins de sa légende : Voltaire, déjà, dans son *Essai sur les Mœurs,* avait voulu rendre la religion chrétienne responsable de la barbarie, du fanatisme, de l'obscurantisme du Moyen Age, et lui avait opposé l'exemple de la morale antique — on n'attaquera bientôt plus le christianisme pour ses erreurs ou ses superstitions, on lui reprochera tout à la fois d'avoir sauvagement ignoré, refoulé, meurtri, les voix, en l'homme, de sa nature, et de n'avoir jamais pu susciter que l'anarchie, au nom des Droits de l'Homme, ou le pire des despotismes, par alliance avec la barbarie, d'être en toutes occasions un facteur de décadence, bref, *de n'être pas une religion politique.* Préoccupé par les revendications d'indépendance des colonies américaines, et la réactivation des voix du *Dissent* en métropole, Gibbon, whig convaincu qui avait rêvé l'Angleterre comme la « Nouvelle Rome » destinée à étendre son Empire sur la planète, entreprend une colossale investigation du monde antique pour démontrer que le principal facteur de décadence de l'Empire romain, son poison insidieux et fatal, fut déjà la religion chrétienne. Une phrase de Chamfort, excellemment, illustre cette évolution des esprits : « M. de..., qui voyait la source de la dégradation de l'espèce humaine dans l'établissement de la secte nazaréenne et dans la féodalité, disait que, pour valoir quelque chose, il fallait se défranciser et se débaptiser et *redevenir grec et romain par l'âme.* »

La parade gréco-romaine

On sera donc romain, et grec, avec fureur. C'est en versant des larmes que la très sensible Mme Roland, à la suite de Jean-

Jacques, lit Plutarque. Vauvenargues « ne passe point de nuit sans parler à Alcibiade, Agésilas et autres », et pleure comme il se doit. Le précepteur du baron d'Holbach, Lagrange, publie le *De Natura Rerum* de Lucrèce dans une édition des Fermiers généraux qui scandalise fort le parti des bigots. On entreprend, avec l'abbé de La Blatterie, de réhabiliter Julien l'Apostat. Diderot songe à une *Vie de Sénèque*. Le médiocre Thomas, qui restitue la rhétorique de Cicéron dans ce qu'elle peut avoir de plus creux, et qui préfigure ainsi les orateurs révolutionnaires, lit à l'Académie un vibrant *Éloge de Marc Aurèle*. L'admirateur de Greuze, La Live de Jully, toujours en avance sur le goût de son temps, avait surpris, et même choqué, lorsqu'il avait ouvert en 1758 un cabinet « meublé à la grecque » par les soins de Le Lorrain : quelques années plus tard la mode était lancée, les laques et les vernis délaissés pour le marbre et le bronze, le bois lui-même peint en bleu, en rouge ou en vert céladon pour suggérer le marbre, les « contours outrés » du style Louis XV, ces « extravagantes chicorées », ces « formes papillotantes », ces « moulures grimaçantes » que dénonçaient Milizia, Le Camus et même Cochin, à son retour d'Italie, cèdent la place à un style plus épuré, équilibré, amoureux de la symétrie, les pieds de table, de lit, de commode, adoptent les formes antiques, pied de chèvre, pied de bœuf, griffes de lion, et l'on veut même pour les serrures, les anneaux des tiroirs, et les médaillons de porcelaine, imiter l'art pompéien récemment découvert. La place de la Concorde de Gautier, le théâtre de l'Odéon de Peyre et Dewailly, le Panthéon de Soufflot, directement inspiré du Panthéon d'Agrippa, la Barrière de Paris édifiée par Leroux dans le style « primitif » de Paestum, rompent brutalement avec l'architecture rococo, que déjà pourfendait avec rage en 1754, dans son *Essai sur l'architecture*, l'ex-jésuite Laugier, admirateur inconditionnel de la monumentale simplicité des Grecs et des Romains. Les poètes, tels Delille, Lemierre, Roucher, Lebrun, ne jurent plus que par Virgile, Ovide, Lucrèce, Pindare, qu'ils s'efforcent d'imiter. Les traductions de Bitaubé, puis de Villoisin, venant opportunément supplanter celle de Mme Dacier, imposent Homère comme le suprême poète, auquel l'abbé Arnault rend un hommage triomphal, en 1778, à l'Académie française. L'abbé Barthélemy, numismate de génie, érudit considérable, nommé directeur du Cabinet des Médailles en 1753, publie un *Voyage du jeune Anacharsis en Grèce* qui décrit avec infiniment de verve et de talent la vie des Grecs au temps de Platon à travers les surprises et les émerveillements d'un jeune Scythe. Procession des Panathénées, jeux du stade, culte de l'amitié, splendeur des tragédies, séance à l'Académie, vie domestique, jusqu'aux détails de l'habillement et des recettes de cuisines, tout un monde lointain soudain reprenait vie : synthèse de l'érudition de l'époque mais aussi récit de voyages, le livre connaît aussitôt un immense succès. « Tout se fait aujourd'hui à la grecque, notait déjà Grimm dans sa *Correspondance* en 1763, la décoration intérieure et extérieure des bâtiments, les meubles, les étoffes, les bijoux de toute espèce; nos petits maîtres se croiraient déshonorés de porter une boîte qui ne fût pas à la grecque » : les éventails se font à la grecque, on se meuble à la grecque, ou sinon à l'étrusque, on organise des « soupers à la grecque » en s'inspirant des recettes de l'abbé Barthélemy; une fête est donnée à Marseille en l'honneur de Mme de Saint-Huberty, où celle-ci apparaît « vêtue à la grecque », sur une gondole, pour se faire couronner en scène par Apollon lui-même; une galère grecque construite sur les plans de Le Roy vient jeter l'ancre au Louvre, en 1787, après avoir remonté la Seine sous les vivats; on veut même restaurer la tradition des récompenses civiques, et le culte des grands hommes, à la manière de cette actrice à la mode, Mlle Clairon, qui choisit un de ses fameux « soupers du mardi » pour couronner le buste de Voltaire : « Soudain deux rideaux s'ouvrent, raconte Edmond de Goncourt dans sa *Correspondance littéraire,* et l'on voit le buste de Voltaire placé sur un autel, et, au pied de l'autel, Mlle Clairon habillée en prêtresse antique et plaçant sur la tête du dieu de Ferney une couronne de laurier. »

Mauvais théâtre ? Peut-être. Mais il est vrai qu'il n'est plus de succès au théâtre qu'à l'imitation de l'antique : Voltaire abandonne sa veine exotique, ses *Mahomet* et ses *Zaïre* pour un *Oreste* et un *Catilina*; Chateaubrun, à plus de soixante-dix ans, revient à la scène avec ses *Troyennes* en 1754, *Philoctète* en 1755, *Astyanax* en 1756; Guimond de la Touche triomphe en 1759 par une *Iphigénie en Tauride* pathétique à souhait, où Grimm croit voir enfin « toute la simplicité grecque »; Ducis étonne plus encore par son *Œdipe chez Admète,* en 1778, qui mêle fort adroitement la terrible grandeur de la tragédie grecque à la sentimentalité de l'époque, dans un éloge ému des vertus familiales, tandis que Sophocle, enfin, s'impose au goût classique à travers les traductions, pourtant médiocres, de La Harpe. Mlle Clairon encore, dont Voltaire dira qu'elle « rendit à l'Europe le théâtre d'Athènes », se fait l'instigatrice d'une révolution sur la scène, qui renonce à la déclamation emphatique du Grand Siècle pour un « jeu au naturel », d'un débit voisin de la conversation en prose, encourage une étude *historique* des personnages que la tragédie classique voulait au contraire « idéaux », recourt systématiquement à la pantomime « antique », réclame enfin une plus grande « couleur locale » des costumes et des décors — dont on va chercher désormais l'inspiration dans les *Costumes des anciens peuples* de Dandré-Bardon ou *l'Histoire universelle des théâtres* de l'abbé Desfontaines et Lefuel de Méricourt.

La « bataille d'Hernani », par laquelle s'imposera aux esprits le « retour à l'antique », ne se jouera pourtant pas sur la scène d'un théâtre, mais à l'Opéra : la représentation de l'*Iphigénie en Aulide* du chevalier Gluck, le 15 avril 1774, dix années après la mort de Rameau, pour un public encore marqué par la « querelle des bouffons », qui goûte par-dessus tout le charme gracieux des opéras-comiques de Philidor et de Grétry, étonne, scandalise, enthousiasme, déchaîne les passions. L'introduction déjà, quelques mesures sereines comme la respiration d'une nature apaisée, qu'interrompent sauvagement, dans le déferlement de toutes les puissances de l'orchestre, éclairs, fracas du tonnerre, orages, hurlements en rafales d'une tempête effroyable, traversés par les cris déchirants et terribles d'Iphigénie et de ses prêtresses, avait, dès l'abord, laissé les spectateurs pantois. Considérant la musique « non pas seulement comme l'art d'amuser l'oreille, mais comme un des grands moyens d'émouvoir le cœur et d'exciter les affections », Gluck avait voulu, en effet, comme il l'expliquera lui-même dans quelques lettres et sa préface d'*Alceste,* substituer « aux descriptions fleuries et aux comparaisons superflues [...] le langage du cœur et un spectacle toujours varié [...] » par la recherche systématique des « passions fortes, de grandes images et des situations tragiques qui secouent les spectateurs [...] de ces traits terribles et pathétiques qui fournissent au compositeur le moyen d'exprimer de grandes passions, et de créer une musique énergique et touchante ». Resserrement de l'action scénique, suppression des danses, digressions et virtuosités vaines, des trilles, passages et cadences, aussi, qui altéraient la pureté expressive du trait vocal, mise en valeur des timbres par la suppression du clavecin, utilisation nouvelle des bois, flûtes, hautbois, clarinettes, relief éclatant des cors, rôle nouveau des percussions, introduction de la grosse caisse, participation totale de l'orchestre à la vie dramatique, toutes les audaces, vocales ou instrumentales, tous les sons et même les silences tendaient ici à un seul but : l'expressivité maximale. Mais en même temps cette fureur, ces passions en tumulte, ces plaintes déchirantes, exemplaires de l'esthétique du sublime, se disaient avec une telle économie de moyens, un tel caractère de grandeur, presque religieux — « avec un pareil air, on fonderait une religion! » s'était écrié l'abbé Arnaud, bouleversé par le chant du pontife *Au faîte des grandeurs* —, la ponctuation frémissante des chœurs soutenait l'action avec une telle présence, que l'on crut enfin ressuscitée la tragédie antique de Sophocle et d'Eschyle : c'était bien là, magnifié, le cri humain de la Douleur et de la Passion saisi dans sa pureté primitive, à l'instant qu'il se maîtrise en une musique pour se faire langage et retrouver ainsi l'universalité des Anciens. L'impression sur les esprits fut extraordinaire. « J'en ai été transportée, écrit la dauphine Marie-Antoinette, il règne dans toutes les têtes une fermentation aussi extraordinaire que vous le puissiez imaginer; c'est incroyable; on se divise, on s'attaque comme s'il s'agissait d'une affaire de religion. » « Cette musique m'a rendue folle, s'écrie Julie de Lespinasse, elle a été si profonde, si sensible, si déchirante, si absorbante, qu'il m'était absolument impossible de parler de ce que je sentais, j'éprouvais le trouble, le bonheur de la passion, j'avais besoin de me recueillir; et ceux qui n'auraient pas partagé ce que je sentais auraient pu croire que j'étais stupide. » En un mot, « l'ouvrage d'un génie », renchérit l'abbé Arnaud. « Pour moi, déclare tout net un enthousiaste, je ne salue pas un homme qui n'aime pas Gluck. » « On n'avait pas figure humaine, se plaint La Harpe, quand on ne regardait pas la musique de Gluck comme la plus belle possible [...] la véritable tragédie chantée, la tragédie grecque, la " douleur antique " par lui seul retrouvée. » Pareille œuvre « tue toutes celles qui ont existé jusqu'à présent », conclut Dauvergne, le directeur de l'Opéra.

La querelle s'envenime, les intrigues de Mme du Barry et de l'ambassadeur de Naples en font presque une affaire d'État, le bruit court que l'attachement de Marie-Antoinette, qui fut son élève, aurait d'autres raisons que musicales — exaspéré par ces rumeurs, déçu par la médiocrité des salons parisiens, persuadé de n'être pas, dans le fond, compris, Gluck bientôt quittera Paris pour n'y plus revenir... *Iphigénie en Aulide, Orphée, Armide, Alceste, Iphigénie en Tauride* : autant de chefs-d'œuvre, comme des coups de tonnerre dans un air confiné, dont les enjeux sans doute dépassaient les limites où voulaient frileusement se blottir les âmes trop sensibles, amoureuses de l'antique — voilà que le grand fleuve de la musique se détourne de la France, les œuvres de Gluck resteront ici sans postérité immédiate.

Mais au moment même où triomphent *Iphigénie en Aulide* et *Orphée*, d'Angiviller frappe le grand coup qui va décider de l'avenir de la peinture française : l'école des Élèves protégés, ouverte à Paris en 1748, est fermée et Noël Hallé appelé à la direction de l'Académie de France à Rome, en remplacement du trop faible Natoire, qui l'avait laissée péricliter. Depuis Paris, d'Angiviller rétablit une discipline de fer — lever à cinq heures, travail sur le modèle dès six heures! —, impose un programme d'études rigoureux où le dessin, l'anatomie, la perspective retrouvent une place prééminente et où le nu féminin se voit proscrit au bénéfice du nu masculin, héroïque et austère, plus accordé à la nouvelle faveur du civisme viril. Après le *Marc Aurèle faisant distribuer au peuple des aliments et des médicaments, dans un temps de famine et de peste* de Vien, *l'Empereur Trajan partant pour une expédition militaire, très pressé, eut néanmoins l'humanité de descendre de cheval pour écouter des plaintes d'une pauvre femme et lui rendre justice* de Noël Hallé, le *Rapporte ce bouclier ou que ce bouclier te rapporte — discours d'une Lacédémonienne à son fils (Plutarque, Vie de Lycurgue)* de Lagrenée, mais avec un dramatisme plus intense, une simplification extrême des lignes, une palette plus sobre, aussi, privilégiant les tons bleu-gris et les blanc-rose, un traitement de l'espace inspiré des reliefs antiques, le *Bélisaire* de Peyron en 1779, les envois de David au Salon de 1781, *Hector, Patrocle, les Funérailles de Patrocle,* et son superbe *Bélisaire,* imposent définitivement le nouveau cours de l'art.

« Drame bourgeois » et retour à l'antique

Ce « retour à l'antique », une tradition d'autant plus obstinée qu'évidemment stupide, ignorante des faits, défiant le bon sens , le prétend opposer à la rébellion des âmes sensibles : ainsi l'époque se partagerait entre un « néoclassicisme » et un « préromantisme », un « avant » et un « après », qui, seuls, lui donneraient sens, simple transition, donc, qui ne rassemblerait que des imitateurs exsangues et des précurseurs fulgurants — voilà bientôt qu'elle s'évapore, et avec elle toutes les contradictions embarrassantes, tout ce qu'elle pourrait nous dire encore aujourd'hui sur nous-mêmes, s'il est vrai que s'y nouent les fils de notre modernité, devenue cet étrange espace vacant, sans plus d'identité, où se perdent toutes les pistes, se brouillent nos perspectives, cet espace de perdition — notre tache aveugle.

Comme si nous voulions jusqu'au bout refuser l'évidence, pour ne pas *nous* voir, tels qu'en nous-mêmes, sans plus de déguisements : ici, en effet, se met en place la suprême ruse, s'élabore et se masque le mensonge sur lequel pourra s'édifier toute la modernité, ce tourniquet qui permet de soutenir n'importe quoi sans jamais de dommage, dont le moins qu'on puisse dire est que nos intellectuels, aujourd'hui, l'empruntent plus qu'à leur tour. Quelque forte tête dénonce-t-elle dans l'esthétique néoclassique une des composantes majeures de tous les totalitarismes ? Voilà qu'aussitôt l'on se sauve, en proposant un idéal des cœurs sensibles, la douceur des larmes dans un monde trop cruel, une nouvelle tendresse. L'air du temps dénonce-t-il au contraire, dans l'idéal de transparence des âmes, ce rêve d'une communauté à l'image d'un seul corps, le principe même des totalitarismes ? On s'en accommodera, bien sûr, par le retour à la rigueur d'un classicisme. Repousse-t-on, après usage, ces deux idéologies mortifères, tout juste bonnes pour le troisième âge ? Se lèvera aussitôt le grand vent des séductions du démonisme. Et les sarcasmes dont les tenants des Lumières criblent nos malheureux « romantiques », tenus pour les initiateurs du nazisme, ne se peuvent évidemment comparer, dans la férocité, qu'à ceux retournés par les « romantiques » eux-mêmes — ou bien l'on se veut croire aventurier des idées et des mœurs, explorateur d'une audace inouïe, rejetant d'un sourire dédaigneux la rigueur desséchante des Lumières comme les humidités lacrymales du romantisme, lorsque l'on s'échoue dans ces archipels que l'on dit du « romantisme noir ». Ainsi vont, aux carrefours de l'Histoire, ces criardes girouettes qui prétendent rameuter l'opinion à grands cris pour lui faire découvrir les nouveaux continents de l'Esprit quand elles n'ont même pas changé de place, ainsi se perpétue le grand mensonge : car toutes ces positions renvoient les unes aux autres, le retour à l'antique et le si mal nommé « préromantisme » bien évidemment se répondent — leur unité définit l'esthétique des Lumières.

Le très « sensible » La Live de Jully lance en même temps Greuze et l'ameublement à la grecque, dans les opéras de Gluck l'on veut voir à la fois le triomphe du sublime et le retour à l'antique, les *Idylles* de Gessner répondent aux *Idylles* de Théocrite, le barde inspiré, cheveux au vent dans les tempêtes, trouve son modèle dans les *Odes* pindariques, on acclame en même temps, et pour les mêmes raisons, Homère et Ossian — mais à quoi bon poursuivre ? Et comment sérieusement contester que *Fabricius recevant des députés au moment qu'il fait cuire des légumes* de Moreau le Jeune (1783) relève de la même esthétique, et de la même éthique, que *l'Empereur Sévère reprochant à Caracalla, son fils, d'avoir voulu l'assassiner dans les défilés d'Écosse et lui disant :*

si tu désires ma mort, ordonne à Papinien de me la donner avec cette épée, comme cette tentative historique de Greuze ne diffère que très secondairement de ses tableaux de genre, *Fils puni,* ou autre *Cultivateur remettant la charrue à son fils* ? Les habits et l'époque importent moins ici que l'intention édifiante. Bélisaire, Mort de Socrate, Brutus, gestes héroïques, dévouements exemplaires : ces thèmes répétés par les peintres jusqu'au point de l'hallucination sont d'abord des moyens de lester d'une vérité d'histoire des valeurs politiques et sociales, événements actuels et hauts faits antiques sont parfaitement interchangeables — ainsi l'on croit se rassurer face aux orages qui grondent, en soi et dans le monde, par le rêve d'une Antiquité exemplaire, puis on la veut mimer en retour au présent, comme si elle n'était pas seulement une image, mais une réalité. Époque somnambule, titubant, effarée, dans son théâtre d'illusions, pantomimes dérisoires : Mlle Vigée-Lebrun, artiste peintre célèbre pour ses « portraits sensibles », donne un repas à la grecque où l'on veut copier dans leurs moindres détails les descriptions du jeune Anacharsis, Mme de Genlis, avec David, organise chez le duc d'Orléans des « tableaux vivants » fort courus, au jeu de Paume les conjurés rejouent le *Serment des Horaces,* lequel était probablement inspiré d'un ballet-pantomime de Noverre, avant d'inspirer à son tour un opéra de Salieri, plus tard la Convention transforme le théâtre des Tuileries en un Sénat romain, dresse en face de la tribune un buste de Brutus, orne les murs des figures de Lycurgue, Solon, Cincinnatus — ainsi les révolutionnaires voudront mimer jusqu'au délire, sur la scène de l'Histoire, par leurs vêtements, leurs coiffures, leurs sculptures, leurs architectures, leurs fêtes, leurs rhétoriques, cette Antiquité dont ils avaient élaboré, quelques années auparavant, le leurre.

Gestes convulsifs, ici, cris affreux, râles, voix brisées d'émotion, larmes, évanouissements, comme si chaque élément devait surabondamment souligner, expliquer, signifier; là, corps pâmés, bras tendus qui condamnent ou invoquent, conspiration des mimiques, conflits dramatisés, gesticulations, et titres interminables pour mieux décrire encore — sur la scène du monde, comme sur la toile du peintre, ce sont des sentiments joués que l'on n'éprouve pas. « Appliquer à la pantomime les lois de la composition pittoresque », se fixait en programme Diderot, qui trouvait dans l'œuvre de Greuze l'illustration parfaite de son « drame bourgeois » — et c'est bien en effet cette rhétorique des passions mêlant la pathognomonie de Le Brun à la physiognomonie de Lavater, cette orchestration expressive de la gestualité, qui fait de la *Malédiction paternelle* l'envers du *Serment des Horaces*. Sans doute un peu gênés par *le Père de Famille* ou *le Fils naturel,* pièces édifiantes s'il en fut, mélodramatiques à souhait, nous négligeons trop souvent cette théorie du « drame bourgeois », ces dissertations sans cesse recommencées de Diderot sur les vertus de la pantomime : avec le *Discours sur l'origine des langues,* à la vaine poursuite de ce signe plein, signe propre, univoque, qui ne se détacherait pas du sujet parlant mais le restituerait, en deçà de toute langue, sans nul malentendu possible, où littéralement s'achèvent les systèmes rhétoriques, dans la volonté obstinée de réduire ce que nous avons dit ici le symbolique, comme lieu de recueillement de la présence — « Ce que les anciens disaient le plus vivement, ils ne l'exprimaient pas par des mots, mais par des signes; ils ne le disaient pas, ils le montraient... Que d'attention chez les Romains à la langue des signes! Des vêtements divers selon les âges, selon les conditions, des ovations, des triomphes; tout chez eux était appareil, représentation, cérémonie, et tout faisait impression sur les cœurs des citoyens... les guerriers ne vantaient pas leurs exploits, ils montraient leurs blessures. A la mort de César j'imagine un de nos orateurs voulant émouvoir le peuple épuiser les lieux communs de l'art pour faire une pathétique description de ses plaies, de son sang, de son cadavre; Antoine, quoique éloquent, ne dit point tout cela; il fait apporter le corps. *Quelle rhétorique!* » — le *Discours sur la Poésie dramatique* nous donne probablement, plus qu'une réflexion sur un sujet particulier, la clé de toute l'époque. Ainsi la peinture morale se condamne à ne pouvoir jamais laisser advenir, dans le silence des discours, l'éternité d'une présence, la vérité qu'à sa manière voulait exprimer le geste de l'acteur, mais à toujours mimer la mimique elle-même — un mensonge donc, exactement...

Comme un rêve éveillé, qui commence en idylle et s'achève en cauchemar..

Je, l'Etat, pense

Lorsque Goethe, fuyant Weimar et les tourments du démonisme, arrive à Rome, à la rencontre du « miracle antique », en attente déjà de révélation, les peintres qu'il rencontre, à commencer par son ami Tischbein, qui vient de renier d'un coup le Moyen Age germanique et « l'art caractéristique », pour s'attaquer à un *Hector excitant Pâris au combat sous le regard d'Hélène,* en figures grandeur nature, tous ces artistes lecteurs fervents de Mengs et de Winckelmann, cherchant, qui dans la statuaire, qui sur les vases grecs, le secret d'une Beauté idéale qui se laisserait saisir dans la pureté d'un contour, la linéarité d'un trait, au risque souvent de la fadeur ou de l'inertie, sont comme hébétés encore sous l'effet du coup assené par David et son *Serment des Horaces* — un événement, dira Vogts, comme on n'en avait peut-être pas vu depuis des siècles dans la Ville éternelle. Comme si tout ce qui s'était ici rêvé, discuté, échangé, affronté, depuis des décennies, entre les diverses communautés de peintres, de sculpteurs, de poètes, de savants, après une longue maturation, venait de se rassembler en une synthèse nouvelle pour exploser enfin sur la scène de l'Histoire; artistes, princes, prélats, bourgeois et ouvriers mêlés, la ville tout entière, recueillie comme devant un miracle, a défilé jour après jour dans l'atelier du peintre, les poètes déjà célèbrent l'événement — le grand chef-d'œuvre du siècle. D'autres serments « à l'antique » sans doute l'avaient précédé, parmi lesquels le *Serment de Brutus* de Gavin Hamilton en 1764, *Hannibal prêtant serment* de Benjamin West en 1771 et surtout le dramatique *Serment des Trois Suisses,* un des sommets de l'esthétique du *Sturm und Drang,* où, sur un horizon tourmenté, se détachent, superbes, les trois corps liés, au paroxysme de la fureur athlétique, dans un effort sublime de surpassement, peint par Füssli en 1779 pour célébrer l'origine des libertés suisses, mais aucun n'avait su comme David, avec l'aide de Drouais, rassembler les signes épars de cette époque inquiète pour les porter à l'incandescence. Et si règne dans Rome, devant son œuvre, une atmosphère de ferveur presque religieuse, c'est que chacun pressent l'annonce d'une table rase, et la promesse d'un recommencement : les épées fermement tenues par le vieil Horace tranchent à vif dans les chairs et les âmes — il y aura désormais un avant et un après.

Nous sommes, dans une Antiquité imaginaire, à l'instant de la naissance d'un monde : avant d'affronter les Curiaces, les Horaces jurent sur les épées brandies de vaincre, ou de mourir. Nul appel ici à la clémence des dieux, nul ciel où se pourrait inscrire la nostalgie d'un ailleurs salvateur, et plus aucune nature : le damier du dallage, les colonnes doriques, massives, sans même de base, la composition presque géométrique, en bas-relief, dessinent un espace hermétiquement clos — la lumière pâle et froide se concentre sur les lames des épées, ce sont vers leurs gardes, et non vers quelque Dieu, que regardent les hommes, et que se tendent leurs mains, le glaive, seul, signe le surgissement d'un monde, qui s'arrache à l'ordre ancien des attaches sensibles, des émois et des peurs, que symbolisent les femmes, dessinées à la Greuze, abandonnées en pleurs, sur la droite de la toile. Comme un instant d'éternité, suspendu hors le monde, par lequel s'annoncerait l'irruption de l'Histoire : ici la liberté, tout à la fois, s'éprouve illimitée dans l'acte souverain d'une mise en jeu de sa propre mort et s'anéantit dans la loi commune acceptée, ici des hommes, librement, unissent leur volonté pour se soumettre à la menace de tous et conjurer ainsi l'usure inexorable du temps, l'érosion de l'enthousiasme, l'étrangeté, aussi, de leur désirs en eux, peut-être même la perte, un jour, de la *virtus* et chacun se découvre alors, par lui-même recréé, dans une nouvelle Alliance. Au moment de se battre, les Horaces renoncent à eux-mêmes pour ne plus appartenir qu'à leur serment; la mort acceptée scelle à la fois l'acte de naissance de la communauté et leur propre naissance, sans plus d'intériorité désormais, et tout dans la facture du tableau, la violence contenue, l'extraordinaire tension des muscles, la rigidité des attitudes, l'implacable rigueur des contours, comme l'usage des couleurs primaires, presque métalliques, bannissant toute chaleur ou sensualité, souligne que ce sont bien là des hommes neufs, qui trancheront comme des glaives.

Greuze, pour les femmes en pleurs, mais pareillement Füssli : toute la fureur du *Sturm und Drang,* l'inquiétante rumeur, au fond des âmes, d'une matière obscure, les sublimes orages de la Nature, les cavales épouvantées et séductrices de nos cauchemars, cette explosion de démonisme par laquelle l'homme, parfois, se croit l'égal d'un Dieu, sans plus de contrainte ni de loi, pour se découvrir aussitôt esclave, jouet d'un ordre obscur, inexorablement broyé, le sombre tourment aussi des corps inapaisés, toujours saisis à la limite du crime ou de la transgression, déformés, étirés, ramassés dans un délire athlétique encore accentué par des effets de perspectives, et un art subtil de la contre-plongée, qui ouvrent vertigineusement l'espace, ne se trouvent pas ici ignorés, niés ou refoulés mais au contraire portés à leur plus haute incandescence pour être enfin expulsés hors de soi, dans l'acte du serment — et ce sont ces fureurs, ces élans et ces peurs singulières, liées à toutes les autres, et ainsi purifiées, qui s'énonceront comme Loi, pour revenir enfin sur chaque individu, vidé désormais de ses nuits intérieures, de ses nostalgies, de ses ferveurs, comme la raison trouvée de ses désirs, le rationnel de ses vouloirs, sa Raison d'État... L'homme jusque-là vacillait devant le non-sens qu'il découvrait en lui, comme si la Raison, dans son effort pour s'assurer d'elle-même, l'avait révélé condamné à ne jamais savoir son désir, livré sans recours à la ruée sans frein des instincts, la solitude haineuse des populaces, les ténèbres de la barbarie, la bouche d'ombre, en lui — voilà qu'à l'instant du serment, l'État et l'Homme nouveau naissent l'un à l'autre, l'idiotisme des désirs s'illumine en Volonté générale, rationnel enfin trouvé de nos ténèbres, et les broussailles de l'âme s'aplanissent en prairies, comme une page vierge où le législateur éclairé viendra écrire son Ode à la Raison. Table rase, page blanche : Hobbes, bien sûr, dans son *Léviathan* — « les esprits des vulgaires sont comme une feuille blanche, prête à recevoir tout ce qui y sera imprimé de par l'autorité publique » — mais aussi bien Mao Tsé-toung — « le peuple chinois possède deux particularités remarquables : il est pauvre et il est blanc. Sur une feuille de papier blanc rien n'est écrit : on peut y graver les mots les plus neufs et les plus beaux ». Le *Serment des Horaces,* ou le Cogito enfin trouvé de la modernité : Je, l'État, pense.

Le dernier des Mohicans

Cette Antiquité tant rêvée, dont on voudrait qu'elle épouse encore tous les traits du présent, les informe, les suscite, n'est donc plus cette « manière de parler » qu'évoquait de Bartas, l'Olympe de convention de nos mythologies galantes, ou même la terre élue de ces Anciens dont les classiques réclamaient la stricte imitation, mais un continent nouveau de l'aventure humaine, une terre préservée des lassitudes du temps comme des corruptions du pouvoir, le lieu rêvé d'un ressourcement, où l'art, comme la morale, dans l'innocence des matins, se révéleraient encore comme des productions de Nature : le *Serment des Horaces* n'est pas un événement situé dans l'Histoire, dont le peintre David se serait inspiré, il est l'image de cet événement sans cesse recommencé au présent de chacun par lequel s'ébranle l'Histoire, quand l'homme retrouve sa Nature : les cieux peuvent être vides, les oracles muets, les prêtres peuvent le menacer et le maudire comme sacrilège, plus rien n'échappera désormais à son emprise, puisqu'il s'est affirmé, par le serment donné, son propre créateur — la voix de sa Nature qui tant l'avait séduit, mais le brisait sûrement dans la terreur de ses solitudes, voilà qu'elle se fait, projetée hors de lui, socialisée en une Volonté générale, le foyer d'une nouvelle naissance. Grec, *c'est-à-dire* homme de Nature...

Dans le sol, sous les pierres et les laves d'Herculanum ou de

Pompéi s'éveille un peuple d'ombres, qui accompagne le travail des chercheurs, peut-être même le guide, parmi les temples et les théâtres, les maisons et les rues, ensevelies intactes, animées presque encore d'une vie silencieuse, avec leurs fresques, leurs mosaïques, leurs médailles préservées, jusqu'aux lampes et instruments de sacrifices, comme si le flux du temps s'était là suspendu, il y a plusieurs siècles, par un caprice de la Nature, pour nous restituer enfin l'Antiquité au présent. Les *Mémoires historiques et critiques sur la ville souterraine d'Herculée* par le marquis de l'Hôpital en 1748, les *Lettres sur l'état actuel de la ville souterraine d'Herculée et sur les causes de son ensevelissement* du président Des Brosses en 1750, la *Lettre sur les peintures d'Herculanum* de Cochin père en 1751, les *Observations sur les antiquités d'Herculanum avec quelques réflexions sur la peinture et la sculpture des Anciens,* de Cochin fils et Bellicard en 1757, les *Lettres sur les découvertes d'Herculanum au comte de Brühl* de Winckelmann en 1764, l'*Histoire de l'art chez les Anciens,* du même, en 1766, la *Description historique et critique de Pompéi* par l'abbé Richard en 1770 : autant de textes, parmi un flot ininterrompu de publications, que l'on lit avec passion, comme si se cachait là un secret essentiel, la carte peut-être d'un nouveau monde. Mais gardons-nous bien des erreurs de perspective : sans doute le grand rêve antiquisant trouve-t-il à s'entretenir dans les *Antiquités d'Herculanum* de Sylvain Maréchal, ou le *Recueil d'Antiquités* de Caylus, mais plus sûrement encore est-il à l'origine de leur élaboration. Car la présence de ruines englouties à Herculanum et à Pompéi était connue depuis le XVIe siècle au moins, sans que l'opinion y prête grande attention : pour que Charles de Bourbon, roi de Naples, s'en préoccupe soudain, pour que des hommes vouent leur existence à creuser le sol, à la poursuite d'un rêve obscur, au moment précis où d'autres « antiquaires », frémissants d'impatience, parcourent les chemins rocailleux des Highlands pour recueillir, à travers les chants de bergers illettrés, les derniers échos d'une civilisation qui autrefois fut grande, ou bien encore, comme Mallet, rassemblent dans les *Monuments de la mythologie et de la poésie des Celtes,* les poèmes des scaldes d'Islande, les Eddas, leurs légendes, avec le sentiment d'ainsi exhumer, peut-être, les premiers fragments d'une saga oubliée du monde occidental, la « source de la liberté en Europe », il faut d'abord supposer une mutation du regard, des impatiences nouvelles, une immense nostalgie, un rêve qui s'obstine, sur les lèvres des bardes comme dans les pierres des temples, à se créditer d'un réel.

La patience de Caylus, la méticuleuse précision avec laquelle il substituait aux dissertations littéraires d'usage face aux monuments l'étude des techniques, qu'il s'agisse des moyens d'incorporer la couleur dans le marbre, de peindre à l'encaustique ou de fabriquer du papyrus, cette manie de collectionner les « vieilles guenilles » plutôt que de s'abandonner au « vrai » sublime antique agaçaient au plus haut point Diderot : « l'érudition, cette souveraine empesée, expliquait l'architecte Ledoux, conduit rarement à l'heureux délire » — le trait le plus étonnant peut-être, en tous les cas singulièrement révélateur, de ce « retour à l'antique » orchestré par les « philosophes » et les artistes comme une revue à grand spectacle, est son indifférence à peu près totale à l'égard des faits. Sans doute s'amuse-t-on parfois, comme Vien, sur la suggestion de Caylus, à peindre un tableau selon le procédé à l'encaustique, ou bien l'on recourt au motif en bas-relief, au dessin des vases grecs, et l'on s'attache à l'exactitude des costumes, mais ces efforts relèvent moins d'un souci de vérité que d'une volonté têtue de donner à leurs fictions d'un « paganisme héroïque libérateur » la caution d'un réel, d'agrémenter leur rêve d'une « couleur locale » — mais le rêve lui-même ignore tout de l'Histoire. Les érudits auraient même mauvaise presse, qui passent le plus souvent pour de bien tristes sires, rabat-joie, empêcheurs de danser librement, et il est vrai qu'ils souffrent de deux maux alors rédhibitoires : ils se recrutent surtout dans le clergé et savent en général de quoi ils parlent. Aussi les travaux de Freret et de Sainte-Croix sur la *Philosophie des mystères du paganisme* sont-ils résolument ignorés, de même que les travaux d'Anville sur la géographie antique, les recherches historiques du janséniste Le Nain de Tillemont et de Levesque de Pouilly, les études philologiques d'Ansse de Villoison — lequel devait pourtant découvrir le plus ancien manuscrit d'Homère, avec les scolies donnant la clef des signes critiques des alexandrins —, les traductions savantes de Hardion, Massieu, Dupuy, Gédoyn, Larcher, qui auraient pu rectifier les erreurs les plus grossières sur Théocrite, Pindare, Sophocle, Euripide ou Homère sont dédaignées, sinon parfois raillées pour leur exactitude, qui trop ignore le goût du jour, auxquelles on préfère l'élégance des traductions « mondaines » de Marmontel ou de La Harpe, de Lagrange ou de Lemonnier, lesquelles alimentent d'autant mieux la polémique antireligieuse des « philosophes » qu'elles sont conçues à cet effet, en négligeant superbement le texte original. Quel « philosophe », dissertant péremptoirement sur « l'antique vaillance », prendra la peine de consulter les quinze volumes de l'*Antiquité expliquée et représentée en figures* de dom Bernard de Montfaucon, d'une érudition pourtant considérable ? Mais il est vrai que Voltaire, Diderot, Marmontel, étaient en toute bonne foi convaincus de mieux connaître le latin que n'importe quel chercheur de l'Académie des Inscriptions...

Cette Antiquité idéale qui prétend désigner à la fois un moment historique et un état de nature, quand l'homme, par-delà les âges et les cultures, se trempe et se recrée dans la substance commune, libéré de tout péché comme de toute transcendance, est donc bien à comprendre comme un *leurre,* un *lieu mythique,* où l'on veut croire que se trouvera enfin l'heureuse solution de cette contradiction mortelle qui déchire la pensée dès lors qu'elle entend nier toute référence transcendante — mais n'était-ce point là un aveuglement passager, l'effet d'une décadence des mœurs, d'une perte de la *virtus* ? — l'alliance du primitif et du policé, de l'héroïsme et de l'idylle, du Désir et de la Raison, de la lumière et de la nuit. Diderot peut trouver l'Eden perdu du monde moderne à Athènes, où la plus « exquise délicatesse savait se conjurer avec la violence de sa tragédie », « comme la liberté savait s'y conjuguer avec tout le sublime de la nature », Rousseau peut en condamner la « honteuse décadence » au nom de la Sparte vertueuse de Lycurgue : ils ne s'opposent jamais que très secondairement sur la localisation de leur rêve commun d'une « société de nature », qui puise ses aliments dans une masse incontestée de lieux communs, d'attitudes héroïques, d'effigies idéalisées, véhiculées par Tite-Live et Plutarque. Ce qu'ils ne veulent surtout, ni l'un, ni l'autre, savoir, mais qu'ils découvriraient s'ils voulaient consulter les œuvres érudites, c'est qu'il s'agit, dans tous les cas, de légendes, non d'Histoire : la Sparte de Lycurgue fut probablement un enfer, l'ouvrage de Plutarque est un panégyrique, qui vient couronner une entreprise de propagande déjà fortement dessinée par Xénophon, de la même manière que Tite-Live ne fait pas œuvre d'Histoire mais déjà élabore, pour conjurer les contradictions qui déchirent la société de son temps, le mythe d'une pureté originelle à laquelle il suffirait de faire retour pour trouver la solution de tous les problèmes. Et l'on verra ce rêve, tout au long de l'époque, avivé d'abord, puis immanquablement déçu, par la recherche historique, condamné à toujours dériver, et tenter de s'inscrire dans un passé, ou un ailleurs, de plus en plus lointain, primitif ou barbare — on se fera même, à l'occasion, faussaire.

Dans ses *Essais d'un jeune barde,* Charles Nodier a laissé un portrait très ému, éclairé encore du souvenir, fragile et tendre, de son amour pour Lucile Franque, de cette étrange secte des « Illuminés », dite encore des « Primitifs », qui s'était formée dans l'atelier de David, à l'instigation d'un peintre résolument sans œuvre, Maurice Quaï : tous ces élèves peintres, fort heureusement doués d'humour, qui se promenaient dans Paris noblement drapés, telles des statues antiques, et que fréquenta l'enthousiaste écrivain à l'époque de son *Prince Bibi,* ne juraient donc que par Homère, la Bible et Ossian, ne trouvaient de véritable grandeur que dans les dessins anguleux des vases étrusques et prétendaient impitoyablement traquer dans l'imagerie antiquisante toutes les tentatives de corruption — ainsi Périclès était-il à leurs yeux « un autre Louis XIV » et leur malheureux maître un suspect de choix, dont ils criblèrent de sarcasme *l'Enlèvement des Sabines,* décrété, suprême injure, du plus pur style « Van Loo », « Pompadour », « rococo ». Leur cas est extrême, sans doute, à la limite du canular, mais il est révélateur de cette lente dérive, qui condamne le rêve d'une forme originelle, naturelle, commune à toutes les sociétés, parce que rationnelle, à se chercher dans des arts archaïques, étrusques, précolombiens, ou même indiens. Dans les sables d'Assyrie, d'Égypte, de Chaldée, Viel de Saint-Maur affirme avoir trouvé les preuves d'une commune antiquité, l'architecte Boullée veut démontrer que la pyramide n'est pas seulement une composition égyptienne, mais une forme originelle universelle, d'autres encore, plus poètes peut-être, hantés par les gravures de Piranèse, troublés par la rumeur formidable enclose dans la pierre, rêvant d'une architecture enfouie qui pourrait apparaître comme un ébranlement aveugle, une autostructuration, presque, de la matière, dessinent, comme Ehrensvard dans ses paysages de Suède, des monuments ensevelis, des colonnes doriques si trapues qu'on les pourrait imaginer inspirées de l'Égypte — et pourquoi pas de Stonehenge ? Comme en écho des nostalgies de la *Chaumière indienne* de Bernardin de Saint-Pierre, et en prémonition peut-être des rêves qui agiteront Sénancour, d'une « institution heureuse, premier exemple pour l'univers social, quelque part, vers le Pacifique », Wright of Derby, le grand peintre de la révolution industrielle, du métal en fusion des forges embrasées, transforme la Sabine du *Serment des Horaces* en une *Veuve indienne* éplorée, au pied d'un arbre mort, dont le digne maintien et la douleur muette s'opposent au spectacle « terrifiant » d'une nature au paroxysme de la fureur. Fenimore Cooper, plus tard, fera de l'inoubliable Sagamore Chingachgook, fils aîné des Leni Lenapes qui jadis portèrent le monde sur leurs épaules, descendant d'Unamis la

Grande Tortue, dernier survivant de l'antique race des Mohicans, immobile, debout, devant la tombe de son fils Uncas, le plus superbe Romain de l'état de nature. D'autres enfin, moins antiquaires, sans doute, que visionnaires logiques, prenant le problème à l'envers, songeront que les formes les plus sûrement antiques parce que les plus rationnelles, les plus sobres aussi et les plus nécessaires, sont les figures élémentaires de la géométrie et se proposeront en conséquence, pour retrouver la Nature perdue, d'édifier des demeures, des monuments et des cités *irréfutables* dont l'habitation serait comme une pédagogie libératrice. *Palais municipal de la capitale d'un grand empire, Projets d'une Bibliothèque nationale,* d'un *Museum,* d'un *Cénotaphe de Newton* par Étienne-Louis Boullée, *Plan géométral d'un temple consacré à l'égalité pour le jardin d'un philosophe* de Jean-Jacques Lequeu, *Tombeau en l'honneur de Newton,* de Pierre-Jules Delépine, *Maison d'éducation, Plans de la saline de Chaux,* et de la *Maison sphérique des gardes agricoles de Maupertuis* par Ledoux : autant de plans fabuleux, rationnels jusqu'au vertige, qui ne seront jamais réalisés, parce que trop extrémistes, mais qui nous fascinent encore, comme la limite d'une folle aventure, d'une nostalgie immense, qui se voulut, rêve ou cauchemar, graver dans la pierre et le marbre...

Ossian a remplacé Homère dans mon cœur...

Jadis la vie coulait, libre et heureuse comme l'eau claire d'une fontaine, dans les rires et les chants des enfants de Waldheim, les travaux partagés et les rudes amitiés, mais voilà qu'un interminable automne s'est abattu sur le monde, le soleil s'est éteint, et la vie, et les joies, un vent de mort ricane par les chemins mouillés et par les landes, et Werther s'abandonne à la désespérance, qui retrouve dans Ossian les paysages de son âme : « Quel monde, que celui où me mène ce génie sublime! Errer sur les bruyères tourmentées par l'ouragan qui transporte les vapeurs du brouillard, les esprits des aïeux, à la pâle clarté de la lune; entendre, venant de la montagne, dans le rugissement du torrent de la forêt, les gémissements des génies des cavernes, à moitié étouffés, et les soupirs de la jeune fille se lamentant dans une douleur mortelle, près des quatre pierres couvertes de mousse et enfouies sous l'herbe, qui couvrent le héros noblement mort qui fut son bien-aimé; et quand alors je rencontre le barde, errant aux cheveux gris, qui sur les vastes bruyères cherche les traces de ses pères et ne trouve, hélas! que les pierres de leurs tombeaux, qui alors gémit et tourne ses yeux vers la chère étoile du soir se cachant dans la mer houleuse, et que le passé revit dans l'âme du héros [...] alors, ô mon ami! tel un noble écuyer, je voudrais tirer l'épée, délivrer tout d'un coup mon prince du tourment lancinant d'une vie qui lentement s'éteint, et envoyer mon âme après ce demi-dieu enfin délivré. » Plus tard, à l'instant des suprêmes adieux, c'est encore par Ossian qu'ils diront leur douleur et ces chants de Selma, la plainte déchirante d'Alpin sur la tombe de Morar, qu'à voix nouée Werther récite à Charlotte en pleurs : « Lorsque les orages descendent de la montagne, lorsque le vent du nord soulève les flots, je m'assieds sur le rivage retentissant, et je regarde le terrible rocher. Souvent, au déclin de la lune, j'aperçois les esprits de mes enfants estompés dans le clair-obscur, ils marchent ensemble dans une triste concorde » — ainsi, indissolublement, se lient dans l'imaginaire de l'époque les émois de Werther et les paysages d'Ossian, l'effusion des cœurs sensibles et la plus étonnante figure, sans doute, du « retour à l'antique ».

Il les avait recueillis, disait-il, et simplement traduits du gaélique, ces chants fiévreux et nostalgiques, mêlant l'épopée et les tendres murmures de l'élégie, encore hantés des ténébreux mystères de la forêt sacrée des anciens Celtes, auprès des rudes montagnards des Highlands qui les avaient gardés, depuis quinze siècles, en leur mémoire. Les *Fragments d'ancienne poésie recueillis dans les Hautes-Terres de l'Écosse, et traduits de la langue gaélique ou erse, Fingal, ancien poème épique, en six livres, avec plusieurs autres poèmes,* puis *Temora,* jadis composés, assurait-on, par le barde Ossian, fils du roi de Morven, accompagnés de savantes dissertations, notes, et commentaires, destinés à les authentifier, publiés à Edimbourg en 1760, 1761 et 1763, firent aussitôt sensation dans toute l'Europe lettrée. Pour leur style, sans doute — cette prose rythmée, passionnée, frémissante, surchargée de métaphores, que l'on veut croire effusion de nature, état premier de poésie, tout à la fois lyrique, épique et dramatique, d'une époque noble et pure où la division arbitraire des genres n'était pas encore venue contraindre l'épanchement des cœurs, et respectant pourtant, comme le montrait Blair, les canons d'Aristote, qu'il faut donc tenir pour des règles de nature —, pour leurs paysages plus encore, si exactement accordés aux goûts du jour, aux émois des cœurs sensibles, aux charmes doux-amers de la mélancolie — lacs perdus dans les brouillards bleuâtres, landes rases, nuages sombres, bruyères désolées sous la lune froide, rocs dressés tels des fantômes, sanglots portés par l'âpre vent du nord, appel lointain d'un cor, tempêtes aussi, parfois, fracas des torrents, fureurs de l'océan escaladant les falaises de Calédonie, orages balayant les maigres forêts de chênes, qui s'apaisent bientôt dans la nostalgie des temps évanouis, des cultures englouties, d'une grandeur perdue — mais, surtout, *parce qu'on les voulait croire authentiques, monuments historiques, fabuleux témoignages d'une Antiquité ignorée, comme si resurgissaient, de l'océan des âges, les archipels engloutis de la celtitude, au moment même où l'on retraduisait Homère, et que, des laves de Pompéi, renaissait une civilisation romaine préservée* : c'était l'idée même d'Antiquité qui ainsi vacillait et venait se nouer à l'idée de nature, le rêve d'une alliance du primitif et du policé, délivrant la pensée de la contradiction où elle s'épuisait, qui, à peine formulé, trouvait comme par miracle à se fonder sur des textes d'histoire. Traduits dans toute l'Europe, portés aux nues par Gibbon, Hume, Blair, Herder, Diderot, Grimm, Turgot, Goethe, Rousseau, Cesarotti, tour à tour revendiqués comme épopées nationales par les Allemands, les Scandinaves et les Irlandais, bientôt imités, illustrés, pillés, transformés en cantates et en tragédies, en tableaux et en symphonies, en opéras et en romances, ces poèmes furent assurément parmi les plus grands succès de librairie du siècle des Lumières — et leur « découvreur », James Macpherson, un obscur instituteur écossais, le « traducteur » le plus furieusement jalousé...

Il ne les avait pourtant « traduits », d'abord, qu'à contrecœur, sous la pression et la contrainte des milieux lettrés d'Edimbourg, quand ses goûts le portaient vers les formes classiques, amples et régulières : c'est en effet au hasard d'une rencontre, aux eaux de Moffat, que l'écrivain John Home découvrit en ce précepteur guindé, auteur de poèmes d'un rare conformisme, un parfait connaisseur de la langue gaélique, qui gardait encore en mémoire les ballades chantées par les paysans de son village natal — prié d'en donner une traduction écrite, Macpherson s'exécuta, dit-on, sans enthousiasme, par seul souci de se gagner une éventuelle protection, et livra donc une *Mort d'Oscar*. Mais l'affaire aussitôt le dépasse : cette ballade à laquelle il n'avait guère prêté d'attention, qu'il jugeait même rude, grossière, barbare, lue par John Home à ses amis d'Edimbourg, fait sensation, Hugh Blair, professeur de rhétorique que l'on disait alors le « dictateur littéraire du Nord », s'en empare, s'enthousiasme, presse Macpherson de lui en livrer d'autres, suggère l'abandon de la versification classique pour la plus grande liberté d'une prose rythmée, rassemble les seize meilleurs chants ainsi « traduits » — dont nous savons aujourd'hui que quatorze furent tout simplement inventés par le jeune précepteur — dans une brochure pour laquelle il rédige une longue *Introduction,* qui va tout déclencher : car ces poèmes, dit-il, sont, de toute évidence, des fragments de deux épopées, par le style et l'ampleur, comparables à *l'Iliade* et à *l'Odyssée,* écrites vers le IIIe siècle après Jésus-Christ, qu'il s'agit maintenant de recomposer, par collectage sur le terrain. « *Our Epic!* » s'écrie-t-il, avec une fierté où il faut voir, sans doute, le désir d'ainsi trouver le « chaînon manquant » d'une « Antiquité de Nature » mais aussi la volonté d'affirmer la grandeur d'une culture niée — n'oublions pas en effet que tout ceci se passe quinze années à peine après l'écrasement de l'Écosse, par les troupes anglaises, à Culloden... Macpherson, d'autant plus irrité par ce remue-ménage que l'on s'obstine à ignorer ses propres poésies, hausse les épaules, se gausse de ces chimères — en vain : on le presse de toutes parts, David Hume lui-même s'emploie à le fléchir, une souscription est lancée, Blair, enfin, organise un grand dîner littéraire, où l'élite d'Edimbourg, rassemblée, le supplie de partir. Après deux mois de tergiversations, enfin, il se laisse convaincre et prend le chemin d'Inverness, de l'île de Skye, des Hébrides, puis de Ruthven — mais aussi quel autre moyen trouver pour assurer sa gloire ? Et c'est ainsi qu'au mois de décembre 1761 paraissait à Londres, pour le plus grand triomphe de Hugh Blair, la première épopée gaélique retrouvée dans les formes mêmes qu'il avait « pressenties ». « Beau comme de l'Homère! », s'écrie Grimm, ému par le caractère « simple et antique » des montagnards écossais, qui compare l'épisode d'Oïthona à Le Tasse. « L'élévation d'un Pindare », renchérit Suard dans le *Journal étranger,* et Diderot lui-même se dit « confondu par le goût qui règne là, avec une simplicité, une force et un pathétique incroyable » — ne l'avait-il pas, en quelque sorte, appelé, pressenti, prépensé, quelques années auparavant, ce « poète de nature » qui mêlerait sa voix au torrent tombant de la montagne, sentirait le sublime d'un lieu désert, s'écouterait dans le silence de la solitude, comme Gray l'avait de son côté, par avance, campé dans son ode pindarique *le Barde,* dont John Martin devait faire un si saisissant tableau ?

« Le jour rajeuni renaît au sein des ombres, mais nous, hélas! nous ne revenons point du sein du tombeau » : Ossian, donc, dernier survivant de l'antique race de Fingal, erre, mélancolique, aveugle, tel Homère guidé par la belle Malvina figée dans sa douleur, parmi les ruines de Balclutha ou de Temora, les landes désertes et les bruyères rases de la noire Calédonie où passent, parfois, furtifs, des chevreuils effarés, tandis qu'au loin roulent des flots sombres comme la mort, chantant aux accents de sa harpe la gloire des batailles, la fuite irrémédiable des jours, le néant des espoirs, la fin tragique des amours, et les vents de l'automne en répons gémissent, dans les branches des chênes, sur les tombes en ruine, tandis que pleurent dans la brume, sous le silence des astres morts, les âmes inconsolées des héros valeureux, et certes jamais l'on ne chanta héros plus fiers, loyaux, compatissants, vierges plus tendres et vertueuses — parfois, las, amer, il s'assied, songeur, sur les rochers moussus et il attend, porté par le murmure du vent dans les plus hautes herbes, l'appel du voyageur qui le viendra chercher pour sa délivrance... Les lecteurs auraient gardé un soupçon de sens critique, qu'ils auraient pu s'étonner de l'absence de ces détails pittoresques qui abondent dans les antiques épopées, du caractère étrangement abstrait de cet âge d'or des Celtes — nulle maison, en effet, nul meuble, nulle cité, nulle agriculture, et moins encore d'industrie, nul métier décrit, aucune présence du peuple, nul repas, nulle coutume, aucun détail vestimentaire, à peine nous dit-on les armes et les armures, les personnages chantés sont des chefs, en posture héroïque, tandis que les soldats demeurent indistincts, en arrière-plan, ces êtres toujours sublimes, purs esprits de nature, ne boivent que la brume, ne mangent que le vent! — ils se félicitent, au contraire, de cette idéalité, où ils veulent voir une excellence de nature, préservée des fatales corruptions des civilisations, tout comme ils applaudissent, tel était leur désir d'affirmer face à la morale chrétienne un idéal de « noble simplicité », une morale de l'héroïsme et du devoir, une esthétique civique, virile et laïque, à l'absence des druides, comme de toute référence transcendante : à peine Macpherson évoque-t-il un « esprit de Loda » par le peintre Runciman dessiné fantôme gigantesque jailli des flots, qu'affrontera Fingal comme la figure peut-être de son démonisme, et l'on ne célèbre guère d'autre culte que le chant par lequel survivent les âmes des héros — cette absence des druides, « prêtres infâmes », « pontifes couronnés », s'explique, selon les premiers traducteurs, Le Tourneur et Saint-Simon, parce qu'ils furent chassés, leurs complots découverts, dénoncés comme un fléau public, dès avant le IIIe siècle, et en cela encore ces héros à l'antique nous montrent la voie à suivre si nous voulons quelque jour retrouver notre *virtus*. « L'état des Calédoniens sous le règne de Fingal doit être regardé comme celui de la pure nature... C'est au sein d'un tel peuple, dénué de toutes les sciences raisonnées, et de presque tous les arts, qu'il est consolant pour l'humanité de trouver toutes les vertus, tout l'héroïsme, et tous les grands sentiments que peuvent donner la meilleure éducation », commente Saint-Simon, qui conclut : « Leurs vertus ne cèdent en rien à toutes celles dont Rome et la Grèce ont ébloui les yeux de l'univers. » Gibbon, fanatique de l'Antique s'il en fut, et farouchement antichrétien, applaudit, qui leur trouve même une vaillance, une tendresse, une délicatesse naturelle bien supérieures à la brutalité spontanée des Romains; un critique allemand les juge quant à lui « plus doux que les brigands d'Homère, qui n'ont de sublime que leur force physique », l'abbé Cesarotti, illustre professeur de Padoue, place Ossian bien au-dessus d'Homère, dont il vient pourtant de donner une très grande traduction, pour les valeurs d'humanité qui animent ses personnages : « grand sans effort », « vaillant sans férocité », « sensible sans faiblesse », « amant passionné des siens, affable envers les étrangers, ami tendre, ennemi généreux », Fingal « prend pitié des malheureux », « sent les maux de l'humanité » et donne ainsi le plus bel exemple d'un « héroïsme de nature », « opposé à l'héroïsme de société » — Herder, enfin, donne la mesure exacte de l'événement, qui proclame, triomphant, que la perfection de la bravoure et de la tendresse, l'unité heureuse du sauvage et du policé, de la délicatesse et du pathétique, de la liberté et du « sublime », de la Nature et de la Raison, n'étaient donc pas réservées à la Grèce mais correspondaient à une époque de tout le genre humain — et à un état de nature à retrouver en nous. Ainsi l'Histoire venait donner la preuve que cette contradiction des Lumières, que l'on craignait mortelle, se pouvait surmonter...

Homère et Ossian, tous les deux poètes de nature, tous les deux aveugles, guidés, qui par un jeune garçon, qui par une veuve éplorée, tous deux également « antiques », Ossian et Caton dans la tragédie de Gottsched, Ossian et Pindare, Ossian et Virgile, Ossian et Le Tasse : le Diderot des *Discours sur la poésie dramatique* place la vérité des Anciens, la beauté de Philoctète, dans les paysages d'Écosse, Ingres dessine d'un trait classique qui évoque la statuaire grecque un *Songe d'Ossian* où Evirallina apparaît comme une nouvelle *Nymphe à la coquille,* Wright of Derby place son *Miravan violant la tombe de ses ancêtres,* inspiré d'Ossian, dans un décor gréco-romain, *Fingal affrontant l'esprit de Loda* est dessiné par Runciman en soldat romain, ce sont les grands maîtres du « retour à l'antique » qui seront les plus fervents illustrateurs d'Ossian — Ossian, ou le « retour à l'antique » des Lumières enfin dévoilé, puisqu'il s'agissait, ainsi que devait l'établir, en 1805, une enquête de la Highland Society d'Edimbourg, d'un faux.

Dans le triangle des Lumières

Mais le monde est si vieux, notre fatigue si grande! la poussière des chemins recouvre les traces de nos pas, comme si toutes les musiques, tous les poèmes, toutes les ferveurs, déjà, s'étaient éteints sous le vent froid du temps : comment retrouver cette transparence heureuse des premiers âges du monde dont les Anciens, Grecs, Romains, ou Celtes, nous laissent, dans le libre déploiement des puissances de leur « nature », des témoignages aussi irréfutables, lorsque toute notre culture nous révèle aujourd'hui tragiquement séparés de nous-mêmes ? Goethe surprend, irrite, fascine, parce qu'il apparaît dans son siècle comme le seul être encore de « nature », poète « spontané », génie solaire, olympien, mais on mesure mal encore la puissance de retentissement de son intériorisme. Kleist, probablement, exprime un sentiment largement répandu lorsqu'il note dans son *Théâtre de marionnettes :* « Le Paradis est verrouillé et l'Ange est derrière nous, nous devons contourner le monde et voir si le paradis n'est pas ouvert, peut-être, par-derrière. Pour retourner à l'état d'innocence, nous devons manger une nouvelle fois de l'arbre de la Connaissance. » Ainsi l'époque tout entière, prise de vertige, vacille, désorientée, au bord de la bouche d'ombre qu'à chaque pas, sous elle, révèle la Raison. David, le premier, rassemble toutes les puissances d'un art superbement maîtrisé pour apporter une réponse saisissante qui, littéralement, nous ouvre à la modernité : le nouvel « état d'innocence » impose un passage par la mort acceptée, *l'homme ne se peut recréer libre, dans l'immédiate présence de tous, que par l'épreuve de la Terreur*. Qui, comme les Horaces, prête serment, demande qu'on le tue s'il vient à faire défaut : l'alliance nouvelle se veut d'abord affirmer comme volonté d'action sur soi, condamnation de qui voudrait revenir à son état premier de dispersion. Ainsi que l'analyse si finement Jean-Paul Sartre dans la *Critique de la raison dialectique,* chacun, parce qu'il veut garantir la permanence du groupe des possibles lassitudes, et de l'usure du temps, choisit, par un serment, de « substituer la peur de tous à la peur de soi-même », et du même coup la « liberté commune se constitue comme Terreur » — le serment « n'a pas d'autre origine que la peur et d'autre fin que la Terreur ».

On a voulu voir, parfois, dans le dépouillement de cet art « inspiré de l'antique », une exaltation du classicisme de Poussin, une raideur compassée, une froideur distante : la méprise est totale, ces muscles sont d'acier, les corps à l'unisson vibrent d'une énergie rassemblée, contenue, formidable, la violence est partout, et la mort donnée, ou reçue, sans frémir, parce qu'elle seule, pense-t-on, a pouvoir de régénération. La clameur frénétique des grands effrois barbares, une « action saisie dans le pressentiment d'une catastrophe », une libre expansion de toutes les fureurs du démonisme, qui trouverait en elle-même le principe de sa structuration, voilà ce que Diderot déjà, comme Füssli, cherchait dans l'exemple grec : « Eschyle est épique et gigantesque lorsqu'il fait retentir le rocher sur lequel les Cyclopes attachent Prométhée et que les coups de leurs marteaux en font sortir les nymphes effrayées; il est sublime lorsqu'il exorcise Oreste, qu'il réveille les Euménides qu'il avait endormies, qu'il les fait errer sur la scène et crier : *je sens la vapeur du sang, je sens la trace du parricide, je la sens, je la sens.* » « Un athlète en fureur, voilà l'homme de génie », dira cette Mme de Genlis chez qui David organisait des « tableaux vivants », dans une formule qui résume admirablement tout un pan de l'art de Füssli, et l'on ne dira jamais assez, sous le mythe solaire de la Raison, ce qu'un siècle inquiet refoula de désirs inapaisés, de violences meurtrières, de fureurs : « Quand est-ce que la nature prépare des modèles à l'art ? C'est au temps où les enfants s'arrachent les cheveux auprès d'un père moribond; où une mère découvre son sein et conjure son fils par les mamelles qui l'ont allaité; où un ami se coupe la chevelure, et la répand sur le cadavre de son ami; où s'est lui qui le soutient par la tête et qui le porte sur un bûcher, qui recueille sa cendre et qui l'enferme dans une urne qu'il va, en certains jours, arroser de ses pleurs; où les veuves échevelées se déchirent le visage de leurs ongles, si la mort leur a ravi un époux; où les chefs du peuple, dans les calamités publiques, posent leur front humilié dans la poussière, ouvrent leur vêtement dans la douleur, et se frappent la poitrine; où un père prend entre ses bras son fils nouveau-né, l'élève vers le ciel, et fait sur lui sa prière aux dieux; où le premier mouvement d'un enfant, s'il a quitté ses parents, et qu'il les revoie après une longue absence, est d'embrasser leurs genoux, et d'en attendre, prosterné, la bénédiction; [...]; où des pythies, écumantes par la présence d'un démon qui les tourmente, sont assises sur des trépieds, ont les yeux égarés, et font mugir de leurs cris prophétiques le fond obscur des antres; où les dieux, altérés de sang humain, ne sont apaisés que par son effusion;

où des bacchantes, armées de thyrses, s'égarent dans les forêts et inspirent l'effroi au profane qui se rencontre sur leur passage; où d'autres femmes se dépouillent sans pudeur, ouvrent leurs bras au premier qui se présente et se prostituent » — cette puissance d'épouvante, cette fascination pour les « horreurs sublimes » qu'exprime si fortement Diderot dans ce passage fameux du *Discours sur la poésie dramatique,* et qui, littéralement, explosent dans l'œuvre de Füssli, ne sont pas les obsessions de quelques originaux mais colorent les rêves de toute cette époque en quête d'identité, soulèvent d'effroi les confuses mêlées des peintures de bataille d'un Jacques Gamelin, qui poursuivent la grande tradition du génial Parrocel, et annoncent Delacroix; elles hantent les grandes œuvres religieuses de l'époque, lorsque la ferveur ne sait plus se dire dans le recueillement de la présence mais, subrepticement, se lie à la fascination des corps martyrisés, bientôt se renverse en pure nécrophilie, délire de carnage, tels ces *Martyres de saint André, Flagellation de saint André* ou *Mise au tombeau de saint André,* par Deshays de Colleville, d'un pathétisme exacerbé jusqu'à la frénésie, ou cet effrayant *Miracle des Ardents* de Doyen, conçu pour l'église Saint-Roch, dont s'inspirera David pour son *Saint Roch implorant la Vierge pour la guérison des pestiférés,* et Géricault, pour son *Radeau de la Méduse,* qui, de l'idée de l'escalier tout encombré de morts et de malades, reprendra notamment un personnage, bras et tête tendus au-dessus du vide; elles animent le *Philoctète dans l'île de Lemnos* et le *Canidia and the Youth* de Romney, le *Philoctète* du Danois Abildgaard, l'*Hercule et Lichas* de Canova, le *Supplice des vestales* de Gamelin, la *Roue d'Ixion* de Benigne Gagnereaux, l'*Alchemist* de Wright of Derby, le *Saül and the witch of Endor* et le *Cave of despair* de Benjamin West, le *Sextus the son of Pompeus applying to Erichto to know the fate of the battle of Pharsalia* de John Mortimer, qui nous montre la hideuse Erichto fouettant de ses serpents un cadavre pour le ressusciter et lui faire prédire l'issue de la bataille, tout ce courant si mal étudié — parce qu'obligeant à des révisions déchirantes? — que Robert Rosemblum très justement appelle *Neo Classical Horrific,* et l'on ne comprendrait rien à l'effort de David, ni à la thématique plus générale de la « vertu héroïque », si l'on ne devinait pas, sous les muscles tendus, le grondement furieux des grandes épouvantes que l'on croit conjurer dans l'intensité lyrique d'un serment, quand la Terreur, retournée en commune raison, réinvestit les âmes, pour les libérer de leurs ténèbres intérieures — les cavales épouvantées de Füssli, ses femmes meurtrières et pâmées, ses athlètes vertigineux, hantent l'art de David, comme son tourment, et son abîme.

Mais, enfants embrassant les genoux de leurs pères, mère conjurant son fils par les mamelles qui l'ont allaité, pantomime des passions, que l'on relise attentivement cette page de Diderot où l'on dirait que se rassemblent les signes de l'époque, tout aussi bien : Greuze. Ainsi, dans le va-et-vient constant des références et des images, entre David, Füssli et le très édifiant peintre de la moralité bourgeoise, se jouent l'esthétique et l'éthique des Lumières, se déploie leur espace — ce très étrange « triangle des Lumières », matrice de notre modernité et lieu de perdition, où chacun, pour mieux masquer son propre mensonge, feint de révéler la vérité de tous les autres. Sans doute l'idylle familiale et bourgeoise de Greuze, cette fiction d'une réconciliation générale, dans l'apaisement du démonisme et la transparence retrouvée, où l'exaltation de la vertu coïncide « naturellement » avec la célébration d'un ordre social, est-elle une illusion, qui vainement s'efforce de refouler le surgissement en chacun de puissances ténébreuses — et pour cela Füssli peut être dit l'ombre portée, l'envers, la *vérité* de Greuze. Mais le pari de Füssli, de fonder la liberté de l'individu sur le déferlement de toutes les frénésies du démonisme, qu'exprime si exactement son obsession d'exalter et de contenir, dans le même mouvement, par la rigueur d'un contour dessiné presque « au fil de fer », l'expansion de la fureur, ce rêve de toutes les rébellions est pareillement illusoire : c'est précisément au moment où l'individu croit ainsi triompher, splendide en son orgueil sans limites, « drapé dans la robe antique des Titans », que toujours il trébuche, pour se découvrir alors joué par des puissances qui le dépassent, et le broient — à moins, révèle David, que le démonisme ne soit, par le serment, *socialisé,* expulsé hors de soi pour venir occuper le lieu laissé vacant par Dieu, d'où il pourra revenir sur chacun, comme sa Raison révélée, et le libérer enfin de ses tourments : Greuze, alors, serait la vérité de Füssli, sa délivrance, dès lors que ses fureurs, par le serment liées, ouvrent à la possibilité d'un monde réconcilié.

Ainsi David, seul, tient les clés de l'époque, qui dépasse et rassemble les univers de Greuze et de Füssli : par le serment prêté, sous l'empire de la Terreur, nous nous libérons de l'inquiétante rumeur, en nous, du démonisme, un nouveau monde s'ébranle, nous rentrons dans l'Histoire, et nous retrouvons notre Nature. Ainsi, pour se délivrer de la contradiction où elle s'épuisait, l'époque invente cette suprême ruse d'une possible socialisation du démonisme, que l'on dira bientôt d'un mot que propose Destutt de

Tracy, *idéologie.* Déjà, dans les textes et les œuvres, philosophes et artistes, dévorés d'impatience, célèbrent à grands cris la religion des temps modernes — mais c'est chacun de nous qui se doit sacrifier, et ses rêves et son âme, à la nouvelle idole...

Révolte (Füssli), naissance d'un nouveau monde (Greuze) par la socialisation des révoltes (David) : nous n'en finissons pas, depuis, de parcourir en tous les sens ce territoire obligé de nos idéologies, sans cesse précipités, sans nulle issue, jamais, des vertiges du démonisme à la pure Terreur de l'Histoire [1].

La religion de la guerre

« *Les grands hommes de l'Histoire sont ceux dont les fins particulières renferment la volonté substantielle de l'Esprit du Monde.* On doit les nommer des *héros* parce qu'ils n'ont pas puisé leurs fins et leur vocation dans le seul cours des événements, tranquille, ordonné, consacré par le système en vigueur, mais à une source dont le contenu restait caché, et n'était pas encore entré dans l'actualité : dans l'esprit intérieur, encore souterrain, qui frappe contre l'écorce du monde extérieur et la brise parce qu'elle n'est pas à sa taille; ils sont ceux dont les actions ont produit une situation et des conditions mondiales qui paraissent être uniquement *leur* affaire et *leur* œuvre.

« En poursuivant leurs buts ces individus n'avaient pas conscience de l'Idée; néanmoins, ils étaient des hommes pratiques et politiques. C'étaient aussi des êtres pensants qui savaient ce qui *est* nécessaire, ce *dont le moment est venu.* [...] Leur rôle fut de prendre conscience de l'Universel, de comprendre que leur monde s'acheminait nécessairement vers une nouvelle étape, de faire de cela leur but et d'y consacrer leur énergie. [...] Ce qu'ils auraient appris des autres, comme plans et conseils bien intentionnés, aurait été borné

1. A l'instant des ultimes corrections : dans son *Idéologie française,* Bernard-Henri Lévy marque fortement ce qui, à ses yeux, nécessairement lie le pétainisme et le « communisme à la française »; et sa thèse reçoit, s'il en était besoin, de l'actualité récente, une éclatante confirmation. Mais je sursaute, lorsqu'il distingue, en premier point commun, la haine de « l'idéal démocratique des Lumières ». Car « l'idéologie française », si elle s'enrichit au fil des années, perfectionne ses ruses, brouille plus subtilement les pistes, se forme bel et bien au XVIIIe siècle, dans le triangle Füssli-Greuze-David : ce sont, hélas, les intellectuels des Lumières, d'abord, qui très mal digérent « l'idéal démocratique » des dissenters anglais, le veulent à toutes forces laïciser, pour le confondre enfin, et le perdre, dans l'exaltation sans mesure du paganisme antique.

et faux, car ils savaient le mieux ce dont il s'agissait. Cela, les autres l'ont ensuite appris d'eux et l'ont trouvé bon ou s'y sont pour le moins accommodés. Car l'esprit qui explore l'avenir est l'âme intérieure de tous les individus, leur intériorité inconsciente que seuls les grands hommes leur rendent consciente. *C'est pourquoi les autres suivent ces conducteurs d'âmes, car ils éprouvent la puissance irrésistible de leur propre esprit intérieur qui vient à leur rencontre.* » (Hegel, *la Raison dans l'Histoire.*)

David voulait inscrire son rêve de « table rase » dans les chairs et les cœurs : voilà que surgit, sur la scène de l'Histoire, force aveugle du *fatum,* l'archange foudroyé de la volonté de puissance, qui porte sur son front la marque du destin, le fils superbe de la Révolution, que soulèvent et bouleversent toutes les puissances du démonisme : Bonaparte. Celui-là ne devient pas un mythe : il s'impose à la face d'une Europe fascinée, stupéfaite, comme l'incarnation des mythes, des fantasmes, des cauchemars de son temps. Regard d'une bête de proie, lèvres exaspérées, tension fulgurante des traits, regardez les croquis d'après Bonaparte, au musée Masséna de Nice, attribués à David : cet homme-là est comme une torche vive. En lui se rassemblent tous les élans, tous les tourments du siècle, ses nostalgies et ses fureurs, les tempêtes sublimes du *Sturm und Drang,* les séductions des ténèbres, des souterrains gothiques et des crimes effroyables, l'appel fiévreux des grands orages et des Eldorados, les brumes et les lointains échos des rêveries ossianiques, les cavalcades folles des grands voleurs de feu, le frisson extasié des clameurs barbares, la splendeur et la pompe des héros antiques, passant, nostalgiques, sur les cités en ruine, son âme est un cratère, où se fondent et s'embrasent tous les signes de l'époque. Le seul Don Juan, sans doute, courant sans trêve ni repos sur les plaines de l'Europe, dans le vertige d'un lieu, ou d'un champ de bataille, où s'apaiserait enfin le tourment d'exister, comme si dans la guerre, seule, pouvait se dire l'inquiétude du concept absolu, et qui fait de l'Histoire le théâtre de sa mort, l'espace de son suicide — le suprême dandy, aussi, et le premier de tous, qui double ses passions immenses d'une volonté formidable, le plus fasciné assurément par ce que Delacroix dira « ce fonds tout noir, en chacun, à contenter », mais qui, dans le déferlement le plus frénétique de ses fureurs, toujours, entend établir la plus infranchissable des distances, la cuirasse de l'indifférence — « calme, sur un cheval fougueux »... Une torche, faite des mille désirs éveillés tout au long de l'aventure des Lumières, qui s'en reviendrait sur le monde comme un incendie, pour le purifier, et le recommencer. Et si l'Europe reste longtemps désarmée face à lui, c'est qu'il lui apparaît alors comme son propre visage, la figure de son destin : la raison même de ses désirs. Diderot pressentait « des temps de désastres et de grands malheurs » : la légende du siècle, l'épopée sanglante de l'Âge de Raison, un homme va l'écrire en grandes lettres de feu sur la chair de l'Europe par le moyen de son Armée. Rien ne l'arrêtera, il est une guerre civile, ses troupes livrent moins bataille qu'elles ne font table rase, traversent et déchirent le corps social lui-même, portent le fer de la Révolution jusqu'au secret des âmes. « J'ai vu l'Empereur, cette âme du monde, écrit Hegel au lendemain de la bataille d'Iéna, c'est effectivement une impression merveilleuse de voir un pareil individu qui, concentré ici sur un point, assis sur un cheval, s'étend sur le monde et le domine. » A ses étudiants il confiera en 1806 : « Tout fermente, l'esprit a fait un bond, il s'est dégagé de sa forme précédente et prend une figure nouvelle. Tout l'ensemble des représentations antérieures, des concepts, tous les liens qui assemblent le monde sont dissous et s'effondrent pareils à un songe. Un nouveau surgissement de l'esprit se prépare » — il vient d'achever la rédaction de la *Phénoménologie de l'esprit,* à tous il annonce que la guerre, désormais, va gouverner le monde — et que cette domination sera celle de l'Esprit.

Le siècle des Lumières avait voulu en finir avec Dieu, barrer toute transcendance, pour libérer les hommes des vaines superstitions, mais il n'échappe aux tempêtes qu'il déchaîne qu'en se précipitant, genoux tremblants et nuque raide, dans la pire, sans doute, des superstitions : l'idéologie. Voici donc que s'annonce la religion des temps modernes, quand les armées se font l'instrument d'une gigantesque rationalisation des âmes : la religion de la Guerre — la Guerre, désormais, comme seule religion de la modernité.

Le Christ de Goya

« La Raison et la Liberté trônant sur des chars antiques, des femmes superbes, monsieur, se souviendra, nostalgique, le vieux David, exilé à Bruxelles sous la Restauration, la ligne grecque dans toute sa pureté, de belles jeunes filles en chlamyde qui jetaient des fleurs et puis, à travers tout ça, les hymnes de Lebrun, de Méhul, de

Rouget de Lisle. » Ainsi l'on veut penser jusqu'au bout l'Histoire à la façon d'une mise en scène, et plus rien désormais ne sera laissé au hasard, dans la célébration de cette geste héroïque : la Grande Armée se double d'une armée d'architectes, de peintres, de dessinateurs qui accumulent les notations précises sur la disposition des troupes, les sites remarquables, les monuments, les armes et les costumes, afin de nourrir le plus exactement possible l'inspiration future des artistes; surveillant l'avancement des toiles, l'exactitude des détails, le respect des instructions impériales, Vivant Denon se fait le grand maître de la plus étonnante des entreprises de propagande picturale; l'armée elle-même se veut donner pour l'instrument d'une grande entreprise encyclopédique qui, depuis les sables d'Égypte jusqu'aux neiges de Russie, entend rassembler tous les trésors et toutes les connaissances de la planète; le premier admirateur d'Ossian, qui, jusqu'au cœur des batailles, dira Fontanes, le portait avec lui, rêvant de conquêtes impossibles à la poursuite de l'or du temps, se couronne empereur, et l'on veut croire alors que l'Empire renaît, dans le triomphe du paganisme héroïque, dont il sera le César, et Paris la Nouvelle Rome — Canova le veut aussitôt sculpter nu, tel un héros antique, en une statue de dimensions formidables.

Théâtre d'illusions, jeux d'ombres, décors de carton-pâte — et l'on n'en finit plus de refouler le réel, qui sans cesse interrompt la fiction de cette pièce que l'on voudrait jouer sur la scène du monde... Dans la nuit sanglante de la guerre d'Espagne, où se perd son armée, horde sauvage, bientôt, semant l'épouvante et la mort, sous le poids des horreurs accumulées, pour la première fois le mythe de l'empereur vacille — plus rien désormais ne le pourra sauver, le grand cri de Goya traverse les faux-semblants de ses rêves de gloire, met à nu le mensonge de ses allégories, lui retourne ses images de guerre libératrice en pure Terreur d'Histoire. Mais que la certitude portée par le serment se trouve ainsi ébranlée, et les forces que contenait, refoulait, sublimait le geste de David, aussitôt font retour sur la scène du temps : voilà que l'on découvre, ou que l'on redécouvre, les châteaux mystérieux des hauts vertiges gothiques, les flamboiements nocturnes du *Sturm und Drang* allemand, toutes les séductions meurtrières du démonisme; les cavalcades guerrières du baron Gros disent moins, peut-être, la gloire des armées de libération que les vertiges du meurtre, et la fascination d'orchestrer une vaste orgie sanglante, tandis qu'à la cour impériale, où l'on veut frileusement ignorer la course du destin, l'on se rejoue encore les gammes éprouvées de l'homme sensible, mythologies galantes parées de grâces alexandrines, fables moralisatrices, idylles retrouvées — David lui-même, plus tard, en suprême déchéance, signera une *Vênus et les Grâces*...

Mais c'est, du même coup, toute une époque de l'art, une partie de nous-mêmes, cette modernité dont nous commençons à lire, hagards, comme au sortir d'un long cauchemar, les signes achevés, qui nous deviennent insupportables, tandis que l'homme du peuple, fusillé le 3 mai 1808 sur la colline du Principe Pio, à genoux, les bras tendus, crucifié, presque, contre le mur de la nuit, sous le pinceau de Goya s'agrandit aux dimensions d'un Christ des Temps modernes, pour figurer à jamais l'éternelle protestation des humiliés de la puissance...

7

VERS LES RIVAGES DU NOUVEAU MONDE

Ô homme,
Regarde-toi,
Tu as en toi
Le Ciel et la Terre.

HILDEGARDE DE BINGEN.

Ainsi s'achève le premier acte, tandis que s'effondre l'Empire, par un repliement de l'idéologie sur le démonisme qu'elle avait cru maîtriser en une Raison commune. Rêvant, dans son immense atelier du Faubourg du Roule, d'une « peinture jetée sur les murailles avec des seaux de couleur et des balais en guise de brosses », où viendrait s'inscrire « tout l'épique du monde moderne », Géricault erre, halluciné, parmi les amoncellements de cadavres généreusement fournis par l'hôpital Beaujon, les chairs bleuies, les têtes tranchées, les membres putréfiés, rongés de tumeurs et d'abcès, à la vaine recherche d'un « Sujet de l'Histoire ». Son *Radeau de la Méduse* fait scandale, que l'on tient aussitôt pour un manifeste libéral, en pleine réaction, et la rigueur en effet de son « dessin au fil de fer » se réfère au classicisme davidien, mais les forces que contenait, maîtrisait, socialisait, l'acte fondateur du Serment viennent ici faire retour dans l'espace épuré du vieux maître, et nous oscillons dès lors, pour notre plus grand désarroi, de la leçon édifiante aux troubles fascinations du phantasme. Manifeste libéral, vraiment, ou séduction inquiétante des corps torturés ? Mais le problème ne se pose déjà plus ainsi, en termes d'oppositions : toute la force du *Radeau,* le trouble scandaleux qu'il suscite, tiennent en ceci qu'il manifeste spectaculairement l'intime liaison de l'idéologie et du phantasme, du discours de la Révolution et de la Terreur, comme si l'idéologie ne pouvait que multiplier nos terreurs singulières en Terreur de l'Histoire — et c'est ce va-et-vient fatal, interdisant toute espérance, qui dès lors va hanter l'imaginaire du temps...

Brummell et Sardanapale

Entrailles dévorées d'un enfant vivant encore, ruisseaux de plomb coulés dans des veines entrouvertes, têtes guillotinées continuant de vivre après leur supplice, nouveau-nés poignardés par leur mère, filles violées par leur père, vampires ensanglantés rôdant parmi les ruines, messes noires, femmes infidèles que l'on emmure vivantes, châteaux hantés, souterrains formidables, corps nus enchaînés de vierges éplorées : brisée la digue qui prétendait lui faire barrage, voilà que déferle à nouveau, sur la scène de l'Histoire, toute la puissance d'effroi du XVIIIe noir. Révolté ou Tentateur, puissance libératrice ou sombre fatalité condamnant l'humanité à la bestialité, à la douleur, à la mort, partout Satan triomphe : Nodier se veut présenter à la fois comme l'inventeur et le premier critique du « genre frénétique »; toute l'époque redécouvre ou découvre les gothiques anglais, la sombre fureur des Stürmer allemands, les clameurs insolentes du *Brigand* de Schiller, l'effroyable chant de mort de la *Lênore* de Bürger; Hugo, Balzac, Mérimée, Vigny, convaincus que « le mal est au cœur même de l'amour », se veulent placer sous le signe du Malin; Delacroix, « lac de sang hanté de mauvais rêves », peintre que l'on dira bientôt « cannibale », « molochiste », « doloriste », campe un univers de désolation, de massacres, d'incendies, se rêve Sardanapale moderne, couché sur un lit, au sommet d'un bûcher, dans l'anéantissement autour de lui de la création entière, bientôt s'abîme dans ce « désir insondable que l'âme éprouve de s'affliger elle-même »; « c'est un étrange pays que mon âme », soupire Gautier, « un pays florissant et splendide en apparence, mais plus saturé de miasmes putrides et délétères que le pays de Batavia : le moindre rayon de Soleil sur la vase y fait éclore les reptiles et pulluler les moustiques »; Flaubert, écœuré par « l'odeur de cuisine nauséabonde » dégagée par la vie, songe à de sublimes apocalypses, à d'esthétiques naufrages, à de sanglantes orgies, dans les lueurs des villes incendiées; aristocrate rebelle et sarcastique, dont Baudelaire dira qu'il projetait « quelques rayons splendides, éblouissants, sur le Lucifer latent qui est installé dans tout cœur humain », héros fatal s'en allant mourir à Missolonghi pour la défense de la Grèce, Byron sera pour tous l'indépassable modèle, qui le premier dans l'époque incarne scandaleusement l'affrontement de la Liberté et de la Terreur, du Destin et de la Volonté, dans la tragédie de ce qui nécessairement les lie, sous le signe de Satan : aussi sauvage et impassible qu'un grand fauve, à la fois un cheval en furie et le cavalier qui le maîtrise, « un satrape et un fashionable, Brummell et Sardanapale » (Gautier) — le suprême dandy...

Ligne de raison, ligne de cœur

Mais toutes ces images, ces types, ces attitudes, dont j'ai tenté de saisir, à la fois, la variété et la cohérence dans le mouvement même de leur genèse, Titans brûlant encore du feu volé, déferlant sur le monde tel un barbare rieur, ou bien escaladant le ciel pour insulter les Dieux, Ganymèdes éperdus, ivres de couleurs et de sons, que traverse et déchire le chant profond de la Nature, sombres archanges du sublime, génies insolents dans l'éveil de leur puissance, âmes affligées sanglotant sur elles-mêmes et l'innocence perdue, rêveuses de Paradis ici-bas recréés, bardes solitaires campés face aux tempêtes ou bien passant, nostalgiques, sur les temples en ruine, peuple enfin libéré lorsqu'il surgit dans l'éclair de la pure présence, homme sensible livré aux tourments de la mélancolie, du spleen, du mal de vivre, femmes en proie aux « vapeurs », jardins rêvés comme des paysages de l'âme, ces tourments de l'insatisfaction, ces tumultes du désir, ces risques pris de tous les égarements, comment les dire encore, sérieusement, « romantiques » ? L'Université, une solide tradition, l'usage même des mots, depuis un siècle, nous y invitent, avec d'autant plus d'acharnement, peut-être, que moins de raison : je crois avoir montré que tous ces signes ne se pouvaient lire, en rigueur, que comme l'aventure même des Lumières — le drame d'une Raison qui se voulut déliée de toute transcendance pour se fonder sur la seule sensation, en Nature puis en Histoire.

« Ligne de cœur » contre « ligne de raison », « âmes sensibles » contre « esprits éclairés », longtemps de courageux pionniers, Paul Van Tieghem, Trahard, Viatte, Monglond, s'obstinèrent à sauver des ténèbres où l'avait précipité le fanatisme borné de prétendus « rationalistes », un « autre » XVIIIe siècle, hanté par le rêve, ouvert à la passion, en proie au mal de vivre, et l'on ne dira jamais assez leurs mérites, d'avoir ainsi osé affronter la sourcilleuse susceptibilité des « libres penseurs » de leur temps : nous y avons gagné, malgré les réserves qu'appellent leurs analyses, quelque chose d'essentiel, une brusque mise à distance de nos certitudes, une quasi-dissolution des catégories supposées ordonner « scientifiquement » notre perception des Lumières. Pourtant, si la masse des faits jusque-là oubliés, enfouis, refoulés, qu'ils ont littéralement exhumés est considérable, leurs analyses n'en restent pas moins tout aussi intenables que celles de leurs adversaires, dont elles prennent d'ailleurs l'exact contre-pied. Ainsi le « préromantisme » imaginé par Paul Van Tieghem vers 1920 est sans doute une fiction très commode, qui rapidement fit fortune par sa capacité à tout expliquer, mais il est surtout parfaitement mystificateur : d'abord parce qu'il abolit tout principe de distinction entre l'époque et le romantisme proprement dit — très vite quelques érudits, tel Jacques Bousquet, diront qu'à tout prendre le XVIIIe fut d'un « romantisme » plus franchement affirmé que le XIXe siècle! —, ensuite parce qu'il réduit le siècle des Lumières à la portion la plus congrue — à peine quarante années après la mort de Louis XIV! — et à la seule figure de Voltaire. Le procédé pouvait paraître tactiquement de bonne guerre puisque les « libres penseurs » auxquels s'affrontait Van Tieghem, dans le fond, partageaient cette vision rabougrie du « rationalisme » des « philosophes » mais ce n'était certes pas rendre justice à l'époque, et pas plus à Voltaire qu'à Diderot, que d'ainsi les confondre avec Ernest Seillières!

Ce sont les maîtres du « néo-classicisme », Abildgaard, Runciman, Angelica Kauffmann, qui s'imposent comme les grands illustrateurs d'Ossian; ce sont les mêmes écrivains, Diderot, Rousseau, Goethe, qui s'affirment « âmes sensibles » et retournent à l'antique; les jardins à l'anglaise procèdent d'une volonté d'affirmation des valeurs du paganisme romain; Voltaire fut l'introducteur, en France, de Milton et de Shakespeare; l'homme sensible n'est pas un rebelle, cabré contre les prétentions des philosophes, mais la figure essentielle, peut-être, du siècle de la Raison; il n'y a pas un Diderot rationaliste et un Diderot romantique, un Piranèse néo-classique et un Piranèse inspirateur direct du gothique anglais : l'*autre* XVIIIe, de toute évidence, est aussi le *même,* ce sont les a priori que nous projetons sur eux qui ainsi, stupidement, les divisent. Mais voilà du même coup nos dix-huitiémistes, préromantiques aussi bien que rationalistes, menés jusqu'au point d'éclatement de leurs systèmes critiques, comme si chacun n'était plus guère capable que de détruire les défenses de l'autre, pour ne plus laisser, du « romantisme » comme des « Lumières » qu'un champ de ruines, qu'aucune perspective ne vient plus éclairer. Faut-il s'en plaindre ? Ou bien sommes-nous, hésitants, à la charnière de deux époques, un peu comme quelqu'un qui, changeant brutalement d'éclairage, cligne des yeux et voit tout se brouiller le temps d'accommoder ? Cette unité du « préromantisme » et du « néo-classicisme » où se donne à lire, aussi, la naissance de l'idéologie comme Raison commune, par socialisation du phantasme, si elle s'impose peu à peu aux spécialistes, n'en restait pas moins, pour l'essentiel, impensée, malgré les intéressantes tentatives de Roland Mortier ou de Robert Rosemblum, parce qu'en fait *impensable* dans les catégories qui jusqu'ici organisaient notre réflexion. J'ai tenté de montrer que seule une pensée capable de ressaisir dans le mouvement de sa genèse l'énigmatique liaison de la Liberté et de la Terreur pouvait en proposer enfin une vision cohérente.

A tous ceux-là, ardents défenseurs de la Raison menacée, chantres des Lumières, pourfendeurs de la « croyance », qui, avec la morgue hautaine des donneurs de leçons, dénonçaient dans le romantisme, chanson tristement connue, les prémices odieuses du nazisme, je ne puis donc, à mon tour narquois, rétorquer que ceci : s'ils ont raison, c'est contre eux-mêmes — *leur haïssable « romantisme » si conforme toujours à ses stéréotypes, devenu le lieu commun de notre modernité, n'est rien d'autre, en effet, que l'esthétique du siècle des Lumières...*

Transcendance ou Terreur

Gardons-nous cependant de la tentation de tout rapporter à l'unité factice d'un « esprit du temps » : si les « philosophes » ne se battaient pas contre eux-mêmes, ou leurs ombres, ils ne s'en battaient pas moins, et ce sont leurs combats, les ruses de guerre trouvées, qui donnent rythmes, tournures, à leurs pensées, et définissent l'époque. Sans doute les vainqueurs écrivent-ils toujours l'Histoire à leur guise : des débats qui occupèrent l'époque, il ne nous est généralement donné à connaître que l'un des termes, au point qu'il nous semble parfois que le « club des philosophes », en ses glorieux combats, n'affronta que des fantômes — on songe à ces disparitions subites, dans les manuels d'histoire communiste, des méchants exclus, hier encore héros du prolétariat, ou à l'art subtil de la retouche photographique, typique des Chinois. « Infâme », « superstition », « fanatisme », quelques mots anathèmes, longtemps, suffirent au confort des esprits, l'économie ainsi faite du moindre commencement de preuve, c'est en toute sérénité que l'on a pu refouler dans les ténèbres de l'inconsistance tout un pan de l'époque — c'est en quelque sorte l'équivalent d'un procès de

Moscou qui a fondé jusqu'ici notre compréhension du XVIIIe siècle...

Ce rapport haineux à autrui, cette façon de toujours éluder la contestation, de faire littéralement disparaître l'adversaire plutôt que de l'affronter en pleine clarté, ces pratiques très exactement totalitaires font problème, d'autant qu'elles se sont trouvées, depuis, systématiquement répétées, particulièrement aujourd'hui — il n'est que de considérer l'accueil fait à Soljénitsyne par une classe d'intellectuels devenue hystérique, ou cette tentative de lynchage intellectuel, l'incroyable procès intenté aux « nouveaux philosophes », sans que jamais soit discutée la moindre de leur thèse! Les Lumières, ainsi, ne s'affrontent à personne : elles produisent des jeux d'ombres, un simulacre, qu'ensuite elles écrasent de leurs coups, assassinent de leur ironie, prévenant leurs ruses, exhibant leurs sophismes, dénonçant leurs erreurs cachées de raisonnement avec une aisance d'autant plus souveraine qu'elles les ont préalablement introduites, pour proposer enfin aux louanges de la foule extasiée par tant d'intelligence, un autre simulacre, leur propre fiction : les « philosophes » seraient donc voués sans réserve à l'esprit de vérité, chevaliers servants de la raison, champions de la tolérance — et certes ils manifesteront en chaque occasion une extraordinaire tolérance à l'égard d'eux-mêmes, mais voyez avec quelle fureur, toujours, l'opposant sera dit un « infâme », Shakespeare un « sauvage ivre » ou Milton un chien à abattre sans plus de procès! C'est ainsi que nous avons pu voir organiser, ces dernières années, plusieurs colloques pour la célébration de l'abbé Meslier, obscur prêtre de campagne qui écrivait, la nuit, et pour son seul usage, des libelles violemment athées et presque communistes, tout en administrant les sacrements, le jour, pour la plus grande satisfaction de ses paroissiens, tandis que l'on s'obstine à ignorer Swedenborg, Hamann, Hemsterhuis, Mme Guyon, Poiret, tenus, à peu près sans étude, pour hallucinés ou réactionnaires; c'est ainsi que nous ne savons toujours rien sur Milton, et guère plus sur la dissidence anglaise, prise dans son ensemble; c'est ainsi que nos « rationalistes » sont toujours incapables de produire la moindre théorie du néo-classicisme; c'est ainsi que, jusqu'à l'ouvrage récent de Georges Gusdorf, il n'existait qu'une seule étude française, datée de 1891, consacrée aux Idéologues, comme si les Lumières s'étaient mystérieusement éteintes en 1778 : le « siècle des philosophes » ne fonctionne plus guère aujourd'hui qu'à la façon d'un leurre, qui ne se soutient plus que par l'aveuglement du fanatisme, le terrorisme de l'ignorance, le recours aux mensonges — il serait temps que les donneurs de leçons retournent à leurs études...

Les Lumières ne s'affrontent jamais à ce qu'elles veulent réduire, nous l'avons vu ici sur de multiples exemples, elles en dissolvent les contours jusqu'à les rendre indiscernables, subrepticement épousent même leur démarche, et reprennent leurs propos en les détournant subtilement — ainsi se met en place le tourniquet fatal où se prendra désormais toute rébellion. *J'ai voulu montrer ici, sur les seuls enjeux de l'art, que les Lumières, dans leur unité comme dans leur paradoxale variété, procédaient d'une sécularisation systématique de la dissidence religieuse — d'où l'on peut déduire ceci, qui vaut singulièrement pour l'intelligence de notre époque, que toute dissidence, dès lors qu'on la veut séculariser, court le risque de se renverser en Terreur — Terreur de Nature, ou Terreur d'Histoire...*

Foi, et mauvaise foi

Ainsi se repose spectaculairement, au sortir d'une longue période d'obscurantisme « moderniste », à travers les multiples mouvements de dissidence aujourd'hui, le problème de la *gnose*. Certains lecteurs s'étonneront peut-être de ne pas avoir trouvé ici de plus longs exposés sur les divers mouvements de dissidences qui secouent l'Europe aux XVIIe et XVIIIe siècles, ou quelque tentative de préciser le système réglé de leurs rapports, leurs déterminations relevant du « social-historique », cette mystérieuse algèbre par laquelle on veut croire toujours que ce sont les contextes qui donnent leur sens aux textes, quand de toute évidence il n'en va jamais ainsi. Mon problème en ce livre ne fut point, au sens strict, de faire œuvre d'Histoire, mais de délivrer, *dans* l'Histoire, la figure de l'éternité, qui, seule, lui donne sens. Non pas cette « pérennité » qui se déploierait selon l'axe du temps, qu'évoquent les philosophies de l'Histoire, et par laquelle, au nom du monde futur, l'on prétend imposer sa loi sur celui-ci, mais cette éternité qui se dit au présent de chacun par des épiphanies, déchire la gangue du monde pour laisser advenir ce visage d'Autrui qui me libère — ce point d'ancrage, en toi, qui me sauve du jeu mortel de l'historicisme et de l'Éternel Retour, de l'Être et du Devenir, pour faire basculer la déjà vieille « modernité » et nous ouvrir enfin au Nouveau Monde —, la gnose donc, comme un principe transcendant, le point d'éternité minimal, nécessaire pour interdire la fermeture du monde, ce simple rapport à Autrui, hors du monologue suicidaire du Même et de l'Autre, une idée, qui traverse les êtres et les bouleverse, un rêve que je fais, quelque chose que j'invente, de part en part, imagine, appelle pour les temps présents, mais qui pourtant joue sa cohérence à donner sens, rétrospectivement, à l'Histoire; la gnose, comme accès à une « hiéro-histoire », non les gnosticismes qui n'en sont que des figures historiques. Car s'il y a de la gnose dans chaque gnosticisme, et chaque rébellion, comme leur espérance, ou leur appel, il y a aussi bien d'autres choses, le lent travail du monde et de l'Histoire, la tentation toujours des sécularisations — voyez avec quelle vigueur sans cesse Milton rappelle ses amis dissenters au principe transcendant de leur ferveur, quand tout les incline, après tant de sacrifices, à s'abandonner au monde, sous le prétexte de leur victoire! Il est évidemment des gnosticismes qui se seraient volontiers transformés, à en croire leurs textes, en Églises vengeresses, il est dans les théologies orthodoxes des textes illuminés de la grâce d'autrui, une chose est de spécifier chacun de ces gnosticismes, qu'il soit juif ou islamique, chrétien ou bouddhique, de distinguer Valentin de Marcion, et Marcion de Mani, en répertoriant les problèmes qu'ils suscitent — cela est proprement un travail d'historien —, un autre est, comme je l'ai tenté ici, de dégager le sens transcendant de la gnose puis d'en retrouver le trait de feu à travers l'Histoire, les mouvements et les êtres; je ne fais que reprendre ainsi la distinction sur laquelle se sont accordés tous les spécialistes depuis le congrès de Messine, en 1966...

De même que, si l'on se refuse à toute hiéro-histoire — mais je crois avoir montré quel était alors le prix à payer pour la pensée, comme pour la liberté des hommes —, la gauche peut être réduite à l'ensemble de ses manifestations dans l'Histoire, sans plus de référence à quelque principe transcendant, et aussitôt condamnée, de même, confondant systématiquement l'espérance et le travail de sa sécularisation, l'on peut faire dire n'importe quoi aux gnosticismes, jusqu'à rendre indiscernable la gnose elle-même : il s'agit bien, aujourd'hui, d'un enjeu décisif... Nous avons vu comment la Raison des Lumières, devenue folle, sans plus d'orientation dès lors que délivrée de la transcendance, contrainte bientôt de se fondre et confondre avec une « voix de Nature » laissant le sujet désarmé devant les puissances aveugles du phantasme, ne trouvait alors à se « sauver », au terme d'un véritable « saut périlleux », qu'en *idéologie,* par « socialisation-historicisation » de cette voix de Nature, à travers le serment, et nous avons montré qu'ainsi s'achevait le processus de sécularisation de la dissidence religieuse, en Nature et en Histoire, qui nous ouvrait à la très moderne religion de la Terreur : voilà qu'Alain Besançon, dans un ouvrage récent [1], tente d'exonérer la pensée occidentale, notamment des Lumières, de ce péché d'idéologie en rapportant directement le marxisme-léninisme, sans même plus de passage par les « Idéologues » du XVIIIe, directement à la gnose — mais là où nous avions montré un rapport de *sécularisation*, lui n'hésite pas un seul instant à dénoncer un rapport de *cause à effet* — ainsi la gnose serait le modèle, certes encore imparfait, de l'idéologie, et Lénine un gnostique qui s'ignorait ! Comment un tel tour de passe-passe, par lequel se trouve d'ailleurs par avance condamnée toute rébellion et interdite toute résistance, puisque le sujet se trouve privé de transcendance, est-il concevable ? Très simplement, en réduisant la gnose aux gnosticismes, et les gnosticismes, si divers, dans l'Histoire, à un seul d'entre eux, bien évidemment le manichéisme, que l'on n'hésite pas à assimiler, dans les faits — en s'autorisant d'Henri-Charles Puech ! — au dualisme, quand la gnose de Mani n'a rien à y voir, pour en fin de compte présenter la gnose en son principe comme le mouvement même de la sécularisation de la foi...

L'idéologie est en effet une « croyance », argumente Alain Besançon, mais qui ne s'en donne pas moins pour une « théorie rationnellement argumentée et prétendument prouvée ». Croyance, nous cherchons ses origines du côté des religions, théorie, nous nous tournons vers la science, au risque de toujours nous égarer, car il s'agit en fait d'un mixte contradictoire, où chaque terme, toujours, vient corrompre l'autre. Si Abraham sait qu'il ne sait pas mais qu'il croit, Lénine, lui, croit qu'il sait, et c'est toute la différence. Cette tournure d'esprit très particulière, poursuit Besançon, par-delà les siècles, renvoie assez exactement à la gnose, laquelle prétendait, de la foi, délivrer une connaissance théorique, historique et pratique, pour se constituer bientôt en « savoir absolu », perception simultanée « de la Nature et des destinées de Dieu, de l'Univers, de soi », déployée en « science universelle des choses divines et terrestres où tout, aussi bien phénomènes physiques que les événements historiques, trouve son explication ». On pourrait se satisfaire de répondre sur ce point par les faits, que si tel ou tel mouvement empiriquement classé, à tort ou à raison, par la communauté des savants, sinon par l'opinion, comme « gnostique » put ainsi délirer, aucune étude de philosophie comparée ne peut sérieusement retenir ces traits comme essentiels à la gnose : celle-ci ne prétend aucunement à une connaissance positive des mystères, elle relève

1. *Les Origines intellectuelles du léninisme,* Calmann-Lévy.

d'une symbolique, non d'une dogmatique — comment d'ailleurs tenir longtemps en parallèle le léninisme, qui vise à l'unicité la plus compacte du monde et la gnose, qui tente continûment de l'ouvrir à la Présence, ou bien encore le militant, qui se veut affirmer infaillible, étranger à toute contradiction subjective, et le gnostique, qui se vit tout entier dans l'espace de cette contradiction, et par là même se rend infiniment vulnérable ? Mais peut-être convient-il de préciser encore qu'Alain Besançon ne dit pourtant pas n'importe quoi, que sa croyance en ce qu'il imagine être un savoir, sur quelque chose qui serait la gnose, trouve précisément sa source dans ce qu'il tente de refouler de la naissance véritable de l'idéologie : c'est la ruse même de l'Age des Lumières qui joue à travers lui, et lui dicte ses propos...

« C'est un adage classique, qu'une chose ne peut être à la fois, et sous le même rapport, sue (ou : vue) et crue » précise-t-il en ouverture, semblant ainsi ignorer les analyses de Husserl sur l'intentionnalité, selon lesquelles tout acte de perception postule une « donation de sens » — mais nous voilà reportés du même coup aux interrogations qui ouvraient ce livre : comment, par ces deux seules catégories du « savoir » et du « croire », penser l'imaginaire ? Comment, dans cette opposition, recueillir la révélation, par un simple regard échangé, de la transcendance d'Autrui ? De quel ordre, la fiction, si elle n'est pas seulement puissance d'illusion, ou bien dire d'un savoir ? De quel ordre, cette connaissance d'Autrui que l'on dit amour ? Il nous faut bien penser un troisième terme médiateur, relevant d'un acte créateur de l'imagination, dont le mode d'exposition serait précisément le récit, la fiction, la narration, le récital, lesquels ne se peuvent point négocier en connaissances objectives mais visent à opérer une transmutation du Sujet : ni « savoir » ni « croire », mais ce que recueille le mot de « Sophia ». Le problème posé par l'ouvrage d'Alain Besançon ne se peut donc simplement ramener aux approximations d'une information trop hâtive, l'enjeu y est bel et bien, dès l'abord, Autrui, et l'espérance — la foi, et la *mauvaise* foi : si le souci de l'auteur était celui de tous les intégrismes, d'une « interdiction » de la rébellion, alors la ruse est de bonne guerre, mais que, sur ce terrain, des intellectuels qui se prétendent « de gauche » puissent prendre cette position de pouvoir pour un « fait de science », voilà par contre qui en dit long sur leur cléricalisme, et leur ignorance!

Ainsi Blandine Barret-Kriegel [1], après une longue réflexion sur

1. *L'État et les esclaves,* Calmann-Lévy.

la loi, à travers, notamment, les textes de Jean Bodin, enjambe superbement le siècle des Lumières, les Idéologues, la Révolution, la Terreur et l'Empire, autrement dit toutes les difficultés — car excusez du peu, et sur un tel problème! — pour opposer à son modèle idéal, et avec d'autant plus de hargne et de « dérision agacée » que moins de science, le monstre hideux d'un romantisme coupable à ses yeux de dissoudre les principes les plus sacrés de l'État de droit pour ordonner la société politique non plus par la loi, mais par la foi, ou, plus exactement, une « sécularisation de la foi qui se donne pour une science » — lisez, bien sûr, la gnose. Alain Besançon prenait au moins la précaution de nuancer fortement ses comparaisons, Blandine Barret-Kriegel, elle, ne s'attarde pas à d'aussi vains scrupules, et enfile les lieux communs avec une hautaine assurance. La *gnose ?* « L'envers le plus obscurantiste et le plus théoriciste du christianisme » — mais pourquoi *seulement* le christianisme ? Se peut-il qu'elle ignore, par exemple, la mystique juive de la Merkabah ? Le *Sturm und Drang ?* « Le traumatisme originaire de l'affection romantique » — il n'est plus guère de spécialiste pour oser reprendre encore cette antienne, à peu près tous s'accordant au contraire à voir dans cette explosion l'acte de naissance du classicisme allemand. Le *romantisme ?* Une gnose, c'est-à-dire, évidemment, pour elle, « la sécularisation de la foi », « l'effort de déconsidérer la transcendance », par la production d'un « naturalisme » et d'un « historicisme » — soit... très exactement ce que j'ai ici défini comme l'aventure des Lumières! Qu'il s'agisse *aussi* des lieux communs qui traînent encore, de-ci de-là, sur le romantisme est un autre problème — celui de savoir si un intellectuel ne peut avoir de plus haute exigence que de penser par « ouï-dire ».

Multiples sont les religions, et les guerres qu'elles suscitent, mais toutes au moins se retrouvent dans une commune exécration de leurs dissidents : ils leur sont au sens strict, voyez Brejnev et Pinochet, une monnaie d'échange. Aussi, on peut avoir été hier gauchiste, ou stalinien, et maximaliser aujourd'hui la figure de l'État de droit — au risque d'ailleurs, ignorant la « déchirure » d'Autrui, de se faire l'idéologue « new-look » de la « sécurité » — on peut quitter une Église pour une autre, choisir un bréviaire différent, que rien ne change, au fond : simple détour stratégique pour abattre plus sûrement l'éternel ennemi : Autrui.

Au moment même où les nazis détruisaient les œuvres expressionnistes — non pas celles, cliniques, froides, « objectives », « futuristes » de Gottfried Benn, mais celles que hantait ce qu'Ernst

Bloch dira « le principe espérance » —, mêlaient les tableaux des « judéo-bolcheviques dégénérés » à des dessins de débiles mentaux, pour les exposer aux quolibets de la foule, et condamnaient leurs auteurs au camp de concentration, le bolchevik Radek traitait Proust de « chien galeux » et vouait Joyce à « la maison de fous », tandis que Lukacs complétait l'offensive par un énorme pavé, *la Destruction de la Raison,* hymne vibrant au stalinisme, qui dénonçait « l'idéalisme subjectif » de ce « courant décadent » bientôt devenu « la philosophie officielle de l'impérialisme ». La conclusion allait, évidemment, de soi : « L'expressionnisme débouche nécessairement sur le fascisme. » Je constate avec tristesse que Blandine Barret-Kriegel, pour mieux assurer son propos et achever une bonne fois l'encombrant « romantisme », reprend à son compte cette peu glorieuse référence. Ainsi toujours se retrouvent les totalitarismes : par leurs haines communes.

Nous mourrons d'asphyxie dans un monde étriqué, réduit à deux dimensions : j'ai voulu tenter de retrouver, comme foyer de résistance et lieu de symbolisation, une troisième dimension qui redonnerait enfin au monde sa profondeur et à l'Homme sa grandeur — le « tiers monde » médiateur, notre seul Nouveau Monde. Mais qu'elle est donc fragile, infiniment, cette « petite flamme dans la tourmente » qui nous reste espérance, et qu'elles sont innombrables les ruses pour l'éteindre! Car il ne s'agit jamais que de cela : couvrir autant que faire se peut les voix multiples de la dissidence, feindre au besoin de s'y mêler, pour mieux les rendre indistinctes...

Vieille gauche et nouvelle droite

Fantastique télescopage, brouillage soudain de toutes les perspectives, qui marque sans doute la fin d'un monde, lorsque surgit une « nouvelle droite » qui reprend à son compte l'essentiel des mythologies à travers lesquelles, et depuis l'origine, s'était pensée la gauche française! Guy Hocquenghem résume le désarroi de l'époque lorsqu'il constate que « le mythe prométhéen est en train de passer à droite, parce qu'ailleurs il n'y a plus que des curés » — on ne saurait mieux dire... Et qu'elle est apparue dépassée par les événements, alors, notre pauvre vieille gauche, usée, presque sénile — sinistrement policière, aussi, dans ses réactions, prête à tous les mensonges, à toutes les confusions, pour fuir le vrai débat. Mais comment pourrait-il en aller autrement ? Notre culture, quoi qu'on prétende, est bien plus gréco-romaine que judéo-chrétienne! Déjà les artistes du Grand Siècle ne se concédaient chrétiens de religion que pour mieux s'affirmer païens d'imagination, multipliant les Circé et les Apollon, les Psyché et les Proserpine — jusqu'au Roi-Soleil lui-même, qui se pensait dans sa Cour tel Jupiter en son Olympe. La pensée des Lumières s'élabore dans un effort systématique de refoulement des valeurs de la dissidence religieuse, par sécularisation, puis confusion avec les valeurs du paganisme. La Révolution française fut littéralement portée, pré-pensée, esthétiquement déterminée par le mouvement de « retour à l'antique », et l'Empire poussera jusqu'à la caricature cette gigantesque « parade gréco-romaine ». Tout le XIXᵉ est traversé par une guerre sans merci, notamment sur la brûlante question de la liberté de l'enseignement, entre les conservateurs « monothéistes » et les libéraux « polythéistes » : les abbés Goschler, Maret, Gaume, les archevêques de Chartres et de Langres, Mgr Dupanloup, Montalembert, tous fers de lance des « milices catholiques », soucieux d'extirper ce « ver rongeur des sociétés modernes, le paganisme dans l'éducation », dénoncent sans relâche le « panthéisme social et démocratique » des philosophes de l'Université, criblent de leurs flèches empoisonnées « trempées dans l'eau bénite » Quinet, Michelet, Étienne Vacherot, tous les « prophètes sociaux » et autres « poètes fouriéristes »; pour tous il va de soi, à la suite des analyses de Tocqueville, que l'épithète « panthéiste » s'accorde exclusivement à la démocratie et au socialisme; le gouvernement provisoire de 1848 aussitôt veut renouer, sur le Champ-de-Mars, avec les grandes fêtes païennes, Ledru-Rollin confie à Paul Chenavard, qu'aidera Nerval, la réalisation d'une *Apothéose de Pan*, génie du Panthéon Pan, que célèbrent alors tous les libéraux, avec ce Dionysos-Bacchus qui à Rome se disait *Liber*... Porteuse de cette Histoire, héritière de tous ces combats, définie peu à peu par tous ces partages, comment la gauche pourrait-elle admettre aujourd'hui que ces valeurs puissent soudain lui être retirées, et revendiquées par une nouvelle droite ? Il faut bien supposer sous ce discours païen un autre discours, dissimulé, cette droite « nouvelle » ne peut s'avancer que masquée! Ainsi la gauche, par désarroi, se fit-elle policière...

De Don Juan à l'humanité

Pour s'affronter à ce scandale, pour relever le défi et conduire le débat, il lui aurait fallu en effet une « révision déchirante » à laquelle, depuis des années, elle se refuse, dans les convulsions et l'hystérie, au risque même de sa mort : la reconnaissance du piège où depuis deux siècles elle se prend, et fatalement se perd, par fureur de nier la transcendance que tant brandirent les dissidents anglais, et qui, dès lors, nécessairement, lie ses valeurs de rébellion, son espérance, aux figures séduisantes de l'héroïsme aristocratique païen. Don Juan est le sublime transgresseur, le suprême libertaire, la figure indépassable de la révolte, nous dit avec beaucoup de fougue Jean Massin. « Le dernier homme libre, le dernier païen, le dernier aristocrate, incompris et haï de tous les autres, qui lui opposent leur sinistre et dérisoire honneur bourgeois [...] héros et martyr, Don Juan mourra libre, invaincu, souverain, devant la vengeance du Dieu des chrétiens », renchérit Michel Marmin, dans la revue « nouvelle droite » *Éléments,* qui le compare à Gilles de Rais, en se recommandant de l'analyse, par Georges Bataille, de la vie « souveraine »...

N'en déplaise aux belles âmes de gauche, c'est évidemment Marmin qui a raison, d'ainsi revendiquer pour son espace idéologique la figure exemplaire du hautain « burlador ». Mais il n'a raison que sur ce point : Mozart, lui, est bien au-delà, comme sa musique, définitivement irrécupérable — et il aura fallu d'abord l'incroyable volonté d'aveuglement de la pensée « progressiste » à la contradiction qui la déchire pour oser réduire cet opéra sublime à n'être qu'un simple chant de gloire du démonisme. Sans doute l'orgueilleux vouloir-vivre du « burlador » est-il d'abord l'expression de la puissance obscure, rebelle, qu'à cette époque de crise Mozart découvre avec angoisse, grondante, dans son tréfonds — mais comme l'aspiration d'Anna à la sérénité exprime l'autre pôle de son âme, sa puissance lumineuse d'enchantement. Mozart ne se veut pas ici moraliste, non plus qu'idéologue, son problème n'est pas de prendre parti : tous les personnages du drame qu'il met en scène sont des parts de lui-même, de sorte que l'espace même de l'opéra se définit par les rapports complexes qui se tissent entre ces forces contradictoires, en lui, et son sens se déduit du mouvement même du drame — au dynamisme de Don Juan s'opposent les suspensions soudaines de l'action, les instants de recueillement, le lyrisme de ces arias par lesquelles les personnages se confient; le démonisme s'oppose à l'intériorité comme l'action scénique s'oppose constamment à la musique, pour faire de Don Juan, *aussi,* une fascinante réflexion sur l'opéra. Mais le plus étonnant, peut-être, dès l'abord de cette œuvre à bien des égards étrange, tient à ceci, que déjà remarquait Georges de Saint-Foix : « Le personnage principal domine toute la pièce et, cependant, il ne chante que deux airs », dont l'un, souligne Jean-Victor Hocquard, dans une superbe étude, est « directement inséré dans l'action et n'est une aria qu'à cause du mutisme des partenaires avec lequel joue Don Juan », de sorte que « le seul air où explose véritablement le tempérament du héros est le premier, qui est un hymne haletant au plaisir ».

C'est que le temps glorieux du héros est en passe de s'achever, lorsque s'ouvre l'opéra, le *trio du Balcon* révélera qu'Elvire fut en somme la première faille : si Don Juan est encore le meneur de jeu, cruel et désinvolte, au long du premier acte, il l'est de moins en moins, tandis que s'enfle, sauvage, irrésistible, jusqu'à l'explosion de la scène du bal, le démonisme de ses victimes. Mais voilà, soudain, que tout bascule, et que se révèle pleinement « l'étrangeté mozartienne », si finement analysée par Jean-Victor Hocquard : Don Juan s'enfuit, déguisé en valet et restera passif jusqu'à la scène du cimetière, mais à l'instant où ses poursuivants le croient enfin tenir, curieusement, « leur élan les pousse dans le vide », non par intervention « divine », mais parce « qu'ils n'ont plus rien à voir avec lui, parce qu'(ils) sont maintenant sur un autre plan » — « ce ne sont pas eux qui abattront Don Juan : il restera seul à se heurter, violence pour violence, à la mort. Mais, si lui se perd, eux sont sur la voie de la libération. ».

Elvire, au début de la pièce, assume la position pour le moins difficile de la maîtresse dont l'amant s'est lassé et qui « s'accroche » — mais elle incarne aussi le dévouement sans calcul, l'amour qui triomphe de l'oubli et de l'outrage : dans sa poursuite acharnée, voilà qu'elle se délivre peu à peu de son orgueil blessé, de son appétit de vengeance, de son désir de possession, de sa jalousie et de sa rage — de l'égoïsme de sa passion. Non pas de son amour : lorsque, toute fierté abandonnée, elle implore une dernière fois Don Juan, ce n'est plus pour elle, mais pour lui, et qu'il se sauve de l'abîme où il va s'engloutir — son aria *Mi tradi,* que composa Mozart pour la version de l'opéra qu'il fit jouer à Vienne en 1788, l'un de ses plus beaux chants, sans doute, et qui embarrasse si fort les critiques, est en effet essentiel, qui marque cette victoire remportée sur elle-même. Elvire certes, n'y est plus qu'une plaie, « mais une plaie à vif, et débridée : sa douleur est saine et peut, avec le temps, guérir ».

Donna Anna, à laquelle Mozart sera le premier à donner une importance aussi décisive, devra, elle aussi, comme Elvire, apprendre à se guérir de sa passion. Elle apparaît d'abord comme l'anti-Don Juan, celle qu'il n'a pu « impunément toucher », parce qu'elle n'est pas, au fond, « fixée sur l'amour ». Fière, altière, sauvage, tout entière à son désir de vengeance, elle mène la chasse à l'homme avec une rage froide — vainement, semble-t-il, puisque la conclusion la frustre de sa victoire. Et pourtant elle triomphe, mais sur un autre plan, car elle s'est découverte dans la chasse semblable à Don Juan, sa religion de l'honneur, par tout ce qu'elle recèle d'orgueil, de haine, d'égoïsme, ne vaut sans doute pas mieux que celle du « burlador », sa seule victoire sera donc sur elle-même, lorsqu'elle se délivre de son obsession. Sa première aria, *Or sai chi l'onore,* éclatait comme un cri de rage et d'humiliation, la dernière, *Non mi dir,* n'évoque même plus Don Juan, mais vibre d'une douceur douloureuse : « La rigidité tragique de son obsession de vengeance ayant cédé, voici que s'ouvre une paix où devient possible l'attendrissement amoureux, conclut Jean-Victor Hocquard, alors dans l'Allegreto *(Forse, forse un giorno)* se lève la joie mozartienne. »

Rien ne révèle mieux l'ambiguïté de nos interprétations du donjuanisme — semblables en leur principe à celles qui voudront voir dans Satan le véritable héros du *Paradis perdu* de Milton — que notre appréciation du rôle d'Ottavio, le fiancé de Donna Anna. Si Don Juan est le personnage positif que l'on prétend volontiers, le héros glorieux, le révolté sublime, alors Ottavio est en effet le « pauvre Ottavio », le « godiche Ottavio », dont on doit se moquer, qui « aime comme un nigaud » mais ne sait pas se battre, « vulgaire » dira Hoffmann, « toujours fidèle, toujours vertueux, et noble de façon continue », dira Pierre Jean Jouve — bref, le « portrait de l'impuissant ». Ou du cocu, si l'on veut croire, comme il est devenu de règle en nos âges obsédés par la psychanalyse, Donna Anna secrètement amoureuse du « burlador » qu'elle poursuit de sa haine. Mais *rien* dans le texte ni dans la musique ne suggère pareil amour — et resterait encore à expliquer pourquoi Mozart eut le souci, dans sa version viennoise, de supprimer l'aria d'Ottavio, *Il mio tesoro,* qui pouvait prêter à ridicule, par sa timide et bien tardive humeur guerrière, pour lui faire don, en contrepartie, de ce que Jean-Victor Hocquard dit très justement « un des plus beaux chants d'amour que le maître ait conçu pour une voix d'homme sans rien de sentimental ni de mièvre » : l'aria *Dalla sua pace...* Ottavio n'est certes pas un « héros », et il n'affrontera pas le fauve splendide du Désir en un duel perdu d'avance — il est, tout simplement, un homme de cœur, et à ce titre il possède quelque chose qui toujours échappera au « burlador » : l'amour véritable et, en fin de compte, partagé. Aussi est-il le véritable vainqueur, si tant est que ce mot ait pour lui un sens : Don Juan ne le peut atteindre là où il est, ni le corrompre, comme Donna Anna ou Elvire, par éveil en lui des puissances du démonisme, parce que son amour n'est pas une passion mais un *don*. Ce que découvrira Donna Anna, à la fin de la pièce : tout à sa rage, d'abord, sans doute l'avait-elle voulu vengeur implacable, double inversé de Don Juan, qui le viendrait punir et humilier ; libérée de son démonisme, voilà qu'elle le voit enfin tel qu'en lui-même et se peut ouvrir à l'amour...

Ainsi Don Juan perd la partie — non pas, comme on aime à le dire, en « perdant magnifique », chevalier héroïque de nos rêves de gloire, mourant dans un dernier défi ou un éclat de rire, et regagnant du même coup sa souveraineté, mais en triste perdant, seul, abandonné de tous, objet de compassion. Quelle gloire, en effet, s'il avait pu mourir, hautain, la lèvre dédaigneuse, comme le loup de Vigny, déchiré par la meute hargneuse de ses victimes, pour le coup devenues esclaves de leur ressentiment ! Mais non, au bout de son chemin, il n'est plus rien que le vide et le froid, et cette morsure qui le travaille, de se découvrir sans plus d'autre visage que celui de sa mort, abandonné par ses victimes. Il meurt, parce qu'il se retrouve sans emprise sur les autres, pas même le pouvoir de susciter leur haine, objet désormais de leur sollicitude, sinon de leur pitié, il meurt parce qu'à travers l'épreuve de la chasse, chacune de ses proies a su dominer, transcender, les puissances du démonisme qu'il avait d'abord éveillées, il meurt parce qu'il est en fin de compte le seul qu'il n'a pas su, ou voulu, surmonter son démonisme — son infirmité, en somme, c'est Autrui : *il est sans âme*.

Michel Marmin a donc raison de revendiquer pour son espace idéologique le personnage du « burlador », mais il a tort de ne voir en l'opéra de Mozart qu'une musique destinée, comme il le dit si gracieusement, à faire « bander les hommes et mouiller les femmes » : le propos du musicien, et, croyons-nous, le secret de son art, cette limpidité qui nous paraît miraculeuse, cette joie rayonnante gagnée sur la douleur, épurée de tout pathos, ce charme extrême qui requiert toujours la plus extrême lucidité, ne consiste pas à suivre la mode du « chénie » pour exalter banalement les vertus supposées du démonisme, mais bien, sans ruse ni vaine hypocrisie, dans la pleine reconnaissance de ses puissances de séduction, et avec une exigence d'autant plus ressentie en ces années qui furent pour lui de douloureuses épreuves, de le dépasser, de le transcender, pour accéder à l'humanité. Dans le déchaînement splendide de sa fureur, Don Juan ne s'affirme pas surhomme :

parce qu'il veut ainsi, jusqu'au bout, ignorer Autrui, il se condamne, au contraire, à rester *en deçà* de l'humain. Mais pourquoi Michel Marmin interpréterait-il autrement le personnage, puisque la classe intellectuelle tout entière — mais il faudrait songer ici à ce que je suggérais en ouverture du « donjuanisme » du concept —, aveugle à ce qui fut pourtant le drame du *Sturm und Drang,* s'obstine à voir en Don Juan la figure exemplaire du Grand Libérateur ?

Hommes de gauche, pour le devenir, écoutez donc Mozart...

Pour en finir avec les guerres de religion

Non pas refouler, nier ou interdire le démonisme, fût-ce en le socialisant — car cela reviendrait à laisser s'instaurer la loi de la foule, le règne de la haine, une religion d'esclaves, pétrie de ressentiment et d'hypocrisie — mais le *transcender* : ce n'est pas seulement Mozart qui joue ainsi sa vie, et son art, mais l'époque elle-même qui paraît vaciller — Goethe s'engage dans les voies d'un intériorisme qui trouve dans une réflexion sur les « couleurs physiologiques » ses premiers principes, l'*Hypérion* de Hölderlin, sur les traces de Hemsterhuis, conçoit l'amour comme élan du désir vers le Dieu qui le délivre de son tourment, du cœur même de ce « retour à l'antique », où intellectuels et artistes paraissaient fatalement s'égarer, s'annoncent les rumeurs d'une musique inouïe, une sourde effervescence, le pressentiment d'une autre possible, la nostalgie, déjà, d'un Nouveau Monde...

Car « retourner à l'antique » c'est aussi retrouver Platon, qu'on ne lisait plus depuis un siècle au moins, dont on ne parle plus guère que par « ouï-dire », quand bien même en son nom se mènent encore quelques escarmouches idéologiques — ainsi Voltaire, tirant gloire de son ignorance, soutenait qu'il n'était plus guère que quatre ou cinq barbons pour le lire encore, ainsi Kant, si critique à son endroit, ne lut-il probablement jamais un seul « dialogue » dans le texte, mais seulement leurs interprétations par Brucker. Mais comment lire Platon ? Qu'on le veuille louer ou condamner, qu'on le tienne pour un philosophe presque chrétien par sa nostalgie d'un Dieu-Un ou, à l'inverse, pour un corrupteur du christianisme révélé, il va de soi pour tous qu'il est un païen — mais d'un paganisme très étrange, qui pose aux tenants des religions du Livre de singuliers problèmes... Que penser, en effet, de ce philosophe qui, mieux que tous les théologiens, sut démontrer, dans son

Phédon, l'immortalité de l'âme ? Qui conçut l'amour comme une élévation de l'esprit vers le divin ? Qui sut penser la transcendance absolue de Dieu ? Et même la Trinité soutenait le « platonicien de Cambridge » Cudworth, dans cet *Intellectual System of the Universe*, dont Jean-Laurent Mosheim venait précisément de publier la traduction latine ? Peut-on sérieusement tenir que Socrate, le sage et humble Socrate, ait pu être damné pour la seule raison qu'il était païen ? Ou bien faut-il penser, du point de vue même du christianisme, un bon et un mauvais paganisme — mais quel peut être alors le principe de leur distinction ? Voilà que la pensée du philosophe grec, dont on réédite enfin les œuvres originales, et la traduction latine par Marsile Ficin, se trouve prise tout à coup dans les enjeux du temps. Pour les uns, il s'agit avant tout de le « moderniser », de trouver dans sa métaphysique, sa morale ou sa pédagogie, matière à cautionner le spiritualisme rationaliste des Aufklärers : dans sa *Nouvelle Apologie de Socrate* Eberhard entend prouver, par la stature même du philosophe, le salut possible des païens ; bannissant toute référence à un supra-sensible, Engel ne veut considérer ses *Dialogues* qu'à leur niveau pédagogique, comme des initiations à l'art de raisonner correctement, et non plus comme des reconductions de la pensée vers un Absolu indicible et premier ; Mendelssohn y trouve, à la suite de Cudworth, plutôt qu'un paganisme, une sorte de religion rationnelle, où la raison prouve sa pleine concordance avec la Révélation. Certains tenteront d'y trouver des armes, non seulement contre l'historicisation de la Révélation, mais encore, paradoxe préfigurant le mot d'ordre « moderne » du « retournement du platonisme », contre toute référence au supra-sensible — ainsi Fichte définit le paganisme moderne par « le fait de se reposer le monde simplement sensible, sans avoir conscience du supra-sensible, et donc sans avoir ni tact ni organe pour la métaphysique » et le veut lier au mouvement du retour à l'antique, dans « la haute résignation à un Destin totalement inconnu ». D'autres enfin, faisant retour aux textes, y découvrent, contre le rationalisme athée des Lumières, toutes ces vaines philosophies qui prétendent s'épuiser dans leur discours, et particulièrement la scolastique aristotélisante, dont les catégories avaient jusque-là organisé la réflexion, de Melanchton à Wolff, une définition de l'intuition intellectuelle comme acte par lequel l'Absolu se connaît lui-même en l'homme — et la liaison de cette intuition avec la connaissance intellectuelle — les oppositions du fini et de l'infini, du particulier et de l'universel ; de l'unité et de la multiplicité, la ferme distinction du sensible et de l'intelligible, et la nécessité de penser leur liaison, leur « symbolisation » — bref, la promesse d'une restauration de la dimension spirituelle dans la philosophie, la ferveur et l'élan d'une philosophie du salut, une *sotériologie.* Hemsterhuis s'attache à penser ensemble la mystique et la science, la philosophie spéculative de Platon et la physique newtonienne — avec d'autant plus d'intensité qu'à travers le physicien, il découvre alors le Newton mystique, dans ses rapports aux « Platoniciens de Cambridge »; Hamann s'attache surtout aux dialogues socratiques, qu'il fera redécouvrir par ses *Mémorables* et ses *Nuées,* au « *daimon* » de Socrate, aux rapports de la nostalgie et de l'enthousiasme, à sa définition de la nescience comme ouverture de l'âme, écoute de Dieu en soi, connaissance supérieure de soi par élan et acte de foi; Kleuker, en historien des religions particulièrement averti, passionné par le *Zend-Avesta* qu'Anquetil-Duperron venait de traduire du persan comme par l'ésotérisme de Jakob Boehme, et bon connaisseur de la Kabbale, interroge les rapports de Platon et de Zoroastre, redécouvre et ravive la grande tradition de l'interprétation hermétiste. Mais c'est l'Eros platonicien, surtout, dans sa tension avec la « caritas » paulinienne, qui, après Hamann, marque profondément toute une génération d'intellectuels, Hegel, Hölderlin, Schelling, Novalis, Schleiermacher. Marsile Ficin en avait donné une interprétation désincarnée, que devait retenir l'adjectif « platonique », et qui plaisait si fort aux très prudes — ou très hypocrites — Aufklärers allemands qu'un jour Hamann lança plaisamment que « l'amour comme la mort rend les philosophes identiques aux idiots » : c'est au contraire tout ce qu'il exalte, rassemble et rachète du désir sensuel dans son ascension vers le divin, cette allégresse, cette inépuisable et mystérieuse surabondance, cette extraordinaire puissance d'irradiation, qui fascinent tous ces jeunes gens, lesquels sans doute étouffaient dans une société rabougrie, marquée par le luthéranisme, mais avaient pu aussi éprouver la puissance destructrice du désir lorsque, toute perspective transcendante barrée, celui-ci se replie sur lui-même. Eros est toujours pour Platon désir de nier sa finitude, nostalgie de Dieu et ascension vers lui, aspiration à refaire en sens inverse le chemin de la Chute, non plus de l'Un vers le multiple mais du multiple vers l'Un : « Toute âme est une Aphrodite, disait Plotin, dans un admirable commentaire du *Banquet de Platon,* par nature l'âme aime Dieu, à qui elle veut s'unir » — et quelle ferveur alors soulève *Hypérion,* assurément, le grand livre de la redécouverte de cette puissance magique d'enchantement et de rachat, tout à la fois charnelle et spirituelle, qui enfin nous arrache aux ténèbres, nous reconduit vers l'unité perdue de l'âme et réconcilie le destin — cet Eros que révèle ici Diotima, en laquelle se réincarne la Diotime du *Banquet*. Mais il ne s'agit pas pour autant d'une adhésion sans principe, d'une reprise pure et simple, d'une banale apologie — ainsi Schleiermacher sera-t-il le premier très grand traducteur moderne de Platon sans que l'on puisse pour autant cerner précisément ce qui, dans sa pensée, relève proprement du platonisme : c'est que leur ambition à tous est bien plus vaste. Car si Eros porte en lui l'aspiration au dépassement de sa passion — ce que Hegel dira sa pathologie —, vers la réconciliation dans l'Un originaire, cette passion ne le travaille pas moins, qui porte en elle tous les germes de la désunion, au risque de le perdre, ou le fatalement égarer sur des voies illusoires — redoutables, en effet, sont les pièges de l'amour-propre, et les sophismes de « l'amitié de soi », qui font si facilement passer pour céleste harmonie, réconciliation dans la plus belle des totalités, ce qui n'est en vérité qu'un ordre imposé par les maîtres — l'unité platonicienne n'est pas la communauté des hommes telle que la penseront les chrétiens, il manque à Platon cette idée, propre à bouleverser le monde, d'une liberté infinie de la personne, qu'apportèrent les religions du Livre, et le don total de soi, cette *charité* dont saint Paul nous dit qu'elle est une grâce, pur don de Dieu, dont témoigne exemplairement le sacrifice, par amour des hommes et pour leur rédemption, du Christ. Il faut donc penser une brisure dans l'Eros platonicien, une déchirure, l'épreuve du mal, de la douleur, de l'exil, l'épreuve aussi de ce tourbillon sans fond qui s'ouvre alors en nous, ce vertige qui nous prend quand, au sens le plus strict d'un antipanthéisme conséquent, la terre se dérobe sous nos pas, ce vacillement alors de notre identité dans la vacance d'Autrui — tout ce que ces jeunes intellectuels en même temps découvrent dans la mystique rhénane, Eckhart, Tauler, le « chevalier d'amour » Suso, puis surtout dans les textes terribles, étranges, fascinants, de Jakob Boehme — pour qu'il puisse renaître, délivré de sa passion, dans la rencontre d'Autrui.

Mais, à l'inverse, sans reconnaissance préalable de l'Eros, sans cette effervescence du désir et son élan vers l'Absolu, comment pourrions-nous jamais pressentir, appeler, recueillir le don de Dieu ? Comment pourrions-nous véritablement nous ouvrir à la grâce d'Autrui ? Sans Eros, la « caritas » paulinienne est aussitôt en péril de se dissoudre en ses simulacres, sans plus de chair ni d'âme, pour ne plus fournir que le prétexte de cette hypocrite « assistance », masque, toujours, derrière lequel tentent de se perpétrer les ordres les plus odieux. Certes, Eros doit traverser sa passion et renaître — mais il est la condition première de la charité : ainsi chacun se délivre par l'autre, pour qu'au lieu même de leur rencontre advienne enfin l'Humanité...

Monothéisme et paganisme ne sont certes pas comparables — la seule affirmation d'une liberté infinie de la personne suffit à creuser entre eux une dissymétrie fondamentale — mais le monothéisme, qui triomphe de l'idolâtrie en fondant sa conception de la personne sur l'idée d'un Dieu absolument transcendant, inconnaissable, court cependant le risque de se perdre dans un agnosticisme radical, ou de retomber dans un anthropomorphisme, s'il ne pose pas entre Dieu et sa créature un intermédiaire, par lequel ils se peuvent rencontrer — ou bien la pensée s'enferme dans le dualisme de l'esprit et de la matière, sans plus de possibilité de le surmonter, l'âme, la foi comme élan de l'âme vers Dieu, perdent tout leur sens, nous sommes à jamais condamnés à l'exil, sans nul amour possible, nulle prière concevable, sans nostalgie d'éternité ni appel d'un Dieu caché, à jamais sans salut et plus rien ne peut alors distinguer ce monothéisme arrogant d'un athéisme radicalement pessimiste, et pourquoi dans ce cas ne pas se lancer à la conquête du monde ? Ainsi le siècle qui voit triompher Thomas d'Aquin et Aristote, et par là même interdit à l'homme d'être figure de Dieu, souligne justement Gilbert Durand, est aussi le siècle qui va « s'ouvrir par le sac de Byzance par les Croisés (1204) — ratifiant par là, dans le sang de l'intolérance, le schisme dogmatique de 1054 — puis se poursuivre : par le génocide des Albigeois, et qui voit se constituer à cette occasion la " sainte " Inquisition ». Il y a certes une fatalité du paganisme, dès lors qu'il se refuse à toute référence suprasensible, qu'éprouve durement l'époque à travers cette « parade gréco-romaine » qui divinise la Nature et fonde l'ordre social sur le sacrifice, mais il est aussi un risque constant, pour le monothéisme, de se perdre en un pur discours d'Ordre — l'Histoire nous en donne assez de témoignages. Si nous ne voulons pas être, sans recours ni espérance, ballottés d'un totalitarisme à l'autre, oseront alors penser Schelling, Novalis, Schleiermacher, ceux-là que plus tard l'on dira « romantiques », devant l'évidente faillite des églises instituées, toutes devenues supports des pouvoirs temporels, devant l'échec aussi des Lumières, à travers les épreuves de la Terreur et de l'Empire, il nous reste peut-être, remontant au principe de ce qui, divisant les religions, les condamne à la guerre, à penser d'un même mouvement la présence de Dieu et son absolue transcendance, dans une figure nouvelle où monothéisme et polythéisme pourraient se délivrer l'un par l'autre de leur tourment, cette Arche d'Alliance que Schelling dira l'Église de l'évangile de saint Jean, « cette deuxième et nouvelle Jérusalem, cette cité de Dieu plus rien n'est exclu, parce que chacun y vient librement, chacun lui appartient de sa propre conviction, en tant que son esprit a trouvé en lui sa patrie » — Autrui, comme théophanie. Rien que cette intuition donc, le romantisme, ce rêve dessiné sur la chair du monde, à travers les pensées de Jakob Boehme et de Platon, et la tradition retrouvée des dissenters religieux, d'un au-delà possible des guerres de religion, où l'homme enfin pourrait se ressourcer, un Nouveau Monde — le point de recommencement de la pensée : que « Tu » est le visage de Dieu.

A la naissance du romantisme

Le point de pivotement, à l'intérieur même du « retour à l'antique », par lequel l'art retrouve ses puissances, contre les esthétiques et les idéologies qui le voulaient contraindre, cette simple phrase de Winckelmann : « Le but du vrai art n'est pas l'imitation de la Nature, mais la création de la beauté. » Sans cesse repris, retourné, contesté, sommé de trouver des contreparties « naturelles » aux conventions du théâtre, aux formes poétiques, ou à l'harmonie musicale, le dogme de l'imitation de la Nature n'en continuait pas moins de guider les réflexions sur l'art : les plus audacieux, tel Diderot, espéraient, au mieux, qu'un jour la révolution dans l'idée de Nature, les notions de « génie » et de « sublime » permettraient, avec les progrès des sciences physiques, de résoudre les plus criantes contradictions — et voilà qu'un jeune maître d'école, fils de savetier, par un petit essai de quarante pages, tout en formules brèves, haletantes, habitées d'un enthousiasme quasi mystique, « baroque dans le fond comme dans la forme », dira Goethe, les *Réflexions sur l'imitation des œuvres grecques en peinture et en sculpture*, d'abord publié à cinquante exemplaires en 1755, rompt brutalement avec l'empirisme sensualiste de son époque ! Déjà l'abbé Batteux, prolongeant l'idéal de l'âge classique dans *les Beaux Arts réduits à un même principe*, avait proposé de n'imiter que la « belle nature », mais il s'enferrait aussitôt dans des conditions en cascades : « l'imitation, pour être aussi parfaite qu'elle peut l'être, doit avoir deux qualités : l'exactitude et la liberté », écrivait-il, pour ajouter un peu plus loin, évidemment, que cette liberté « est d'autant plus difficile à atteindre qu'elle paraît opposée à l'exactitude. Souvent l'une n'excelle qu'aux dépens de l'autre » — car où trouver, en effet, dans la nature, le principe de choix de « ses plus belles parties » ? Diderot, on le sait, se moqua fort du pauvre Batteux... La révolution des *Réflexions* tient en ceci que Winckelmann ne prolonge pas Batteux, mais le retourne, en osant, pour la première fois, *renverser la hiérarchie de l'art et de la nature* : « Dans les chefs-d'œuvre grecs on trouve non seulement la plus belle nature mais *quelque chose de plus que la Nature.* »[1] Si l'art n'imite pas *toute* la Nature, si la Nature mêle le beau et le laid, d'où le supposé imitateur tire-t-il en effet le critère de la beauté — sinon de son art ?[2] « Plus que la Nature, c'est-à-dire certaines beautés idéales de cette Nature qui, comme nous l'apprend un ancien commentateur de Platon, *consiste en des images conçues par le seul entendement.* » Ainsi la beauté s'incarne-t-elle d'abord dans l'art, et non dans la Nature : le « miracle grec » tient donc en ceci que les sculpteurs, alors, n'imitaient pas la nature sensible, mais la transfiguraient, pour lui donner forme, et sens : « Ils élevèrent la nature concrète dans les régions du supra-sensible, donnèrent naissance à des créatures dépouillées des imperfections humaines, à des figures qui représentent l'humanité dans une dignité plus haute, et qui semblent n'être que les enveloppes d'esprits purs et de forces sensibles. Ils s'élevèrent dans la sphère des idées, des purs esprits et des âmes célestes. »

Ironie de l'Histoire : ce chantre inspiré de la flamme divine, disciple avoué du Platon le plus spiritualiste, sera tenu, par une extraordinaire « erreur de lecture » pour le suprême théoricien de l'imitation servile des Anciens, initiateur de l'académisme néo-classique — ainsi Diderot ne tirera de son *Histoire de l'Art*, traduite en 1766 et cela résume l'aveuglement de l'époque, son ignorance complète du platonisme, que cette piètre leçon « qu'un tableau, pour être excellent, doit être aussi savamment raisonné

1. Ce que A. W. Schlegel, plus tard, énoncera, dans sa *Doctrine de l'Art* : « De deux choses l'une : ou l'on imite la nature telle qu'elle s'offre à nous, et alors souvent elle peut ne pas nous paraître belle ; ou on la représente toujours belle, et ce n'est plus imiter. Pourquoi ne pas dire plutôt que l'art doit représenter le beau, et ne pas laisser tout à fait de côté la nature ? » Comment après cela peut-on encore effrontément débiter tant de sottises sur le « panthéisme romantique » ?

2. Schelling : « Loin que la nature, qui n'est belle qu'accidentellement, puisse servir de règle à l'art, c'est dans les produits les plus parfaits de l'art qu'il faut chercher le principe et la norme des jugements portant sur la beauté naturelle. » *(Système de l'idéalisme transcendantal.)*

qu'une leçon de métaphysique »! Sans doute son installation à Rome en 1755, et l'accueil que lui fit, sans aucune lecture préalable, une communauté d'artistes en attente d'une théorie qui les conforterait, contre les grâces contournées du rococo, dans leur goût de l'antique, sont-elles à l'origine de ce monumental contre-sens; sans doute fut-il lu à travers son contradicteur Lessing, sinon confondu avec lui — ce Lessing qui, par son *Laocoon,* barrant toute référence à un supra-sensible, entendait ramener la beauté à une simple affaire de proportions; sans doute après sa mort précoce à Trieste, en 1768, les interprétations les plus fantaisistes purent-elles se multiplier sans risque de contradiction — mais il n'en est pas moins vrai, aussi, qu'une contradiction déchira tout au long sa pensée, qu'il ne sut pas résoudre, trop grec, peut-être, pour cela, entre sa conception de la Beauté comme totalité suffisante et son désir, pourtant, de *représentation* par un retour à la peinture allégorique : car s'il s'agit encore de représenter des idées par le moyen de signes conventionnels, le Beau cesse aussitôt de trouver sa justification en lui-même et l'œuvre d'art, inéluctablement, se défait pour laisser transparaître le discours qu'elle supporte. Ainsi Winckelmann ouvre-t-il la voie à une révolution, mais reste encore par mille fils lié au monde qu'il veut quitter : par ses liens il pourra être dit le grand théoricien du « néo-classicisme », par son élan, ses ruptures, il rend possible le romantisme...

Déliée enfin de la Nature et de l'imitation, comment penser la Beauté dans son autonomie ? se demandera alors Karl Philipp von Moritz, le très étrange ami de Goethe, qui prolonge ainsi Winckelmann : en considérant l'œuvre d'art comme un « tout existant en lui-même », qui « a sa fin en lui-même » et « est là pour lui-même » répondra-t-il aussitôt — ainsi le poème s'oppose au discours comme la marche s'oppose à la danse : « La marche habituelle a son but en dehors d'elle-même, elle est un pur moyen pour parvenir à un but, et elle tend incessamment vers ce but, sans tenir compte de la régularité ou de l'irrégularité des pas séparés. Mais la passion, par exemple la joie sautillante, renvoie la marche en elle-même, et les pas séparés ne se distinguent plus entre eux par ceci que chacun rapproche davantage du but; ils sont tous égaux, car la marche n'est plus dirigée vers un but, mais a lieu plutôt pour elle-même. Comme de la sorte les pas séparés ont acquis une importance égale, l'envie devient irrésistible de mesurer et de subdiviser ce qui est devenu identique de nature; de la sorte est née la danse. » Distinct de l'inutile, qui renvoie à une finalité extérieure, le Beau ne se peut pas définir par le simple critère du plaisir : « Une chose ne peut donc pas être belle parce qu'elle nous donne du plaisir, car alors tout l'utile serait aussi beau; mais ce qui nous donne du plaisir sans être proprement utile, c'est ce que nous appelons le beau » — ou plutôt faudrait-il distinguer deux plaisirs de qualité différente, car si l'objet utile s'accomplit en moi, le bel objet me donne du plaisir *pour lui-même* : « J'aime le beau plutôt pour lui-même, alors que je n'aime l'utile que pour moi-même. »

Ainsi l'œuvre d'art, parce qu'accomplie en elle-même, réalise pratiquement l'unité de ce qui, matière et esprit, forme et contenu, la constituent en s'opposant : en elle se synthétisent le sensible et l'intelligible. Mais cette synthèse, pourtant évidente, restera à jamais intraduisible, inexplicable, indicible par quelque autre langage : « Aussitôt qu'une belle œuvre d'art exigerait [...] une explication particulière, elle deviendrait par là même imparfaite : puisque la première exigence du beau est cette clarté par laquelle il se déploie devant les yeux [...] les œuvres de l'art figuratif sont elles-mêmes leurs propres descriptions les plus parfaites, et qui ne peuvent être décrites une nouvelle fois. » En d'autres termes, l'œuvre exprime quelque chose d'essentiel qui ne se peut dire autrement, *elle se signifie elle-même* : « Celui-là doit être peu ému par les hautes beautés poétiques d'Homère, qui après les avoir lues peut encore demander : que signifie *l'Iliade,* que signifie *l'Odyssée ?* Tout ce que signifie une poésie se trouve en elle-même. » En cela, ajoute Moritz, elle s'oppose à l'*allégorie,* qui a sa fin hors d'elle-même : « Si une œuvre d'art ne devait être là que pour indiquer quelque chose à l'extérieur d'elle, elle deviendrait par là même une chose accessoire — alors qu'il s'agit toujours, dans le cas du beau, qu'il soit lui-même la chose principale. » Mais tout signe ne désigne-t-il pas quelque chose d'autre que lui-même, tout signe n'est-il pas, par définition *transitif* ? Or, l'œuvre d'art signifie, elle nous serait, sinon, indifférente : il nous faut donc supposer l'existence de signes « impossibles », qui seraient peut-être à tous les autres comme la condition de leur sens, et qui seraient, eux, intransitifs — *le symbole, précisément...*

Tout accompli en lui-même, autonome, sans justification externe : telle était la définition traditionnelle de Dieu — autant dire que la beauté suprême est en Dieu, et non dans la Nature. Voilà pourtant qu'elle s'y inscrit, à travers l'œuvre d'art : alors, devant son évidence, devant ce mystère d'un tout limité, circonscrit, qui pourtant se révèle en même temps comme *le* Tout, image de ce Tout, *épiphanie,* devant cette représentation finie d'un infini, l'homme s'arrête, tremblant d'une émotion incomparable — comme un frisson d'éternité. Les rois s'étant fait passer, avec l'aide de l'Église, pour les représentants de Dieu sur la terre, les esclaves en étaient venus à penser Dieu au ciel sur le modèle des rois — *mais s'il en allait tout autrement, si l'art révélait Dieu en nous, si Autrui était à l'image de Dieu* ? Le tendre Moritz, l'enfant piétiste de Hanovre, l'ignore probablement, mais il vient, tout simplement, d'inventer le romantisme : par sa pensée se trouvent nécessairement liées les puissances de l'art, la dissidence religieuse et la démocratie — si le symbole est de lui-même image, en effet, l'artiste, par ses épiphanies, ne révèle rien d'autre que cette part divine, en l'homme, qui le fait Homme —, la créature, créant de la beauté, révèle le Créateur en elle. Ainsi Dieu est-il notre part de liberté, de noblesse, de grandeur, ce par quoi l'homme ne peut être réduit à son *utilité* : on ne doit jamais, écrit Moritz et cela résonne à jamais comme une déclaration d'indépendance, « considérer l'homme particulier comme un être purement *utile,* mais aussi comme un être *noble,* qui a sa propre valeur en lui-même ».

Autrement dit, encore : *Dieu existe, mais c'est une fiction.* Ou, plus exactement, il désigne ce qui, dans toute fiction, irréductible à quelque « sens propre » ou énoncé dogmatique, obstinément, fait signe, pour révéler à ceux qui oseront l'aventure, qu'une œuvre d'art, une musique, un texte, ne se peuvent point réduire à leurs contextes — qu'il est en l'homme une dimension d'éternité. Ici, donc, commence le romantisme, et s'achève ce livre, qui ainsi se replie sur les catégories, retrouvées dans l'Histoire, qu'il avait mise en œuvre...

TABLE DES MATIÈRES

5. LE RIANT SYSTÈME DU PAGANISME

6. DANS LA TERREUR DE L'HISTOIRE

7. VERS LES RIVAGES DU NOUVEAU MONDE

COLLECTION « FIGURES »
dirigée par Bernard-Henri Lévy

Jean-Paul Aron et Roger Kempf, *le Pénis et la démoralisation de l'Occident.*
Jean-Marie Benoist, *la Révolution structurale.*
Claudie et Jacques Broyelle, *Apocalypse Mao.*
François Châtelet, Jacques Derrida, Michel Foucault, Jean-François Lyotard, Michel Serres, *Politiques de la Philosophie* (textes réunis par Dominique Grisoni).
Catherine Clément, *Les fils de Freud sont fatigués.*
Catherine Clément, *l'Opéra ou la défaite des femmes.*
Catherine Clément, *Vies et légendes de Jacques Lacan.*
Annie Cohen-Solal, *Paul Nizan, communiste impossible.*
Christian Delacampagne, *Antipsychiatrie. Les voies du sacré.*
Galvano Della Volpe, *Rousseau et Marx.*
Laurent Dispot, *la Machine à terreur.*
Jean-Paul Dollé, *Voie d'accès au plaisir.*
Jean-Paul Dollé, *l'Odeur de la France.*
Jean-Paul Dollé, *Danser maintenant.*
Michel Guérin, *Nietzsche. Socrate héroïque.*
Michel Guérin, *Lettres à Wolf ou la répétition.*
Heidegger et la question de Dieu (sous la direction de R. Kearney et J. S. O'Leary).
L'Identité, séminaire dirigé par Claude Lévi-Strauss, 74-75.
Christian Jambet, *Apologie de Platon.*
Christian Jambet et Guy Lardreau, *l'Ange.*
Christian Jambet et Guy Lardreau, *le Monde.*
Guy Lardreau, *la Mort de Joseph Staline.*
Michel Le Bris, *l'Homme aux semelles de vent.*
Dominique Lecourt, *Bachelard. Le jour et la nuit.*

Bernard-Henri Lévy, *la Barbarie à visage humain.*
Bernard-Henri Lévy, *le Testament de Dieu.*
Bernard-Henri Lévy, *l'Idéologie française.*
Jean-Luc Marion, *l'Idole et la Distance.*
Anne Martin-Fugier, *la Place des bonnes.*
Philippe Nemo, *l'Homme structural.*
Philippe Nemo, *Job et l'excès du mal.*
Pasolini, séminaire dirigé par Maria Antonietta Macciocchi.
Françoise Paul-Lévy, *Karl Marx, histoire d'un bourgeois allemand.*
Philippe Roger, *Sade. La philosophie dans le pressoir.*
Guy Scarpetta, *Brecht ou le soldat mort.*
Guy Scarpetta, *Éloge du cosmopolitisme.*
Michel Serres, *Zola. Feux et signaux de brume.*
Alexandre Soljénitsyne, *l'Erreur de l'Occident.*
Philippe Sollers, *Vision à New York.*
Gilles Susong, *la Politique d'Orphée.*
Armando Verdiglione, *la Dissidence freudienne.*

A PARAÎTRE

Jérôme Bindé, *les Hommes de fiction.*
Claudie et Jacques Broyelle, *le Procès Camus.*
Françoise Buisson, *les Migrations d'Antonin Artaud.*
Dominique Grisoni, *Propos barbares.*

Cet ouvrage a été réalisé sur
SYSTÈME CAMERON
par Firmin-Didot S.A.
le 1er avril 1981

Imprimé en France
Dépôt légal : 2e trimestre 1981
N° d'édition : 5538 — N° d'impression : 7765

ISBN 2.246.23031.4